NORTH AMERICAN NATURE

MANUAL PRÁCTICO para DUEÑOS DE PERROS

...ÁCTICO
para
DUEÑOS DE PERROS

CONSULTOR EDITORIAL

PAUL MCGREEVY

B.V.Sc., Ph.D., M.R.C.V.S.

EDITORIAL
PAIDOTRIBO

España

Editorial Paidotribo
Les Guixeres
C/. de la Energía, 19-21
08915 Badalona
Tel.: 00 34 93 323 33 11
Fax: 00 34 93 453 50 33
www.paidotribo.com
paidotribo@paidotribo.com

Argentina

Editorial Paidotribo Argentina
Adolfo Alsina, 1537
C1088 AAM Buenos Aires
Tel.: 00 54 11 4383 64 54
Fax: 00 54 11 4383 64 54
www.paidotribo.com.ar
paidotribo.argentina@paidotribo.com

México

Editorial Paidotribo México
Lago Viedma, 81
Col. Argentina
11270 Delegación Miguel Hidalgo
México D.F.
Tel.: 00 52 55 55 23 96 70
Fax: 00 52 55 55 23 96 70
www.paidotribo.com.mx
paidotribo.mexico@paidotribo.com

Esta traducción se publica según acuerdo con Weldon Owen Pty Ltd
59-61 Victoria Street, McMahons Point
Sydney, NSW 2060, Australia

Copyright de la edición original © 2002 Weldon Owen Pty Ltd
This edition printed 2011

TÍTULO ORIGINAL: *The practical dog owner's handbook*

TRADUCCIÓN: Pedro del Campo Román

© 2012, Editorial Paidotribo
Les Guixeres
C/ de la Energía, 19-21
08915 Badalona (España)
Tel.: 93 323 33 11 - Fax: 93 453 50 33
http://www.paidotribo.com
http://www.paidotribo-ebooks.com
E-mail: paidotribo@paidotribo.com

Primera edición
ISBN: 978-84-9910-179-8
BIC: MZC

FOTOCOMPOSICIÓN: Bartolomé Sánchez de Haro
bgrafic@bgrafic.es
Impreso en China por 1010 Printing International Limited Manufactured

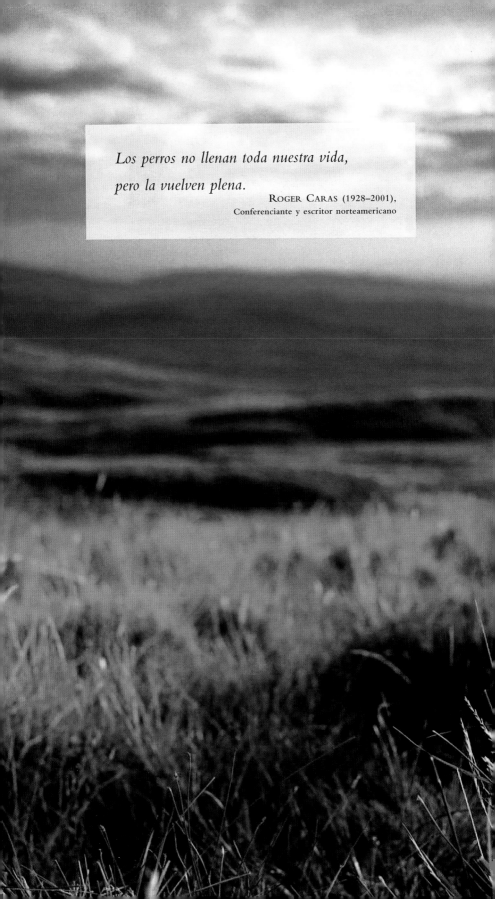

Los perros no llenan toda nuestra vida,
pero la vuelven plena.

ROGER CARAS (1928–2001),
Conferenciante y escritor norteamericano

ÍNDICE

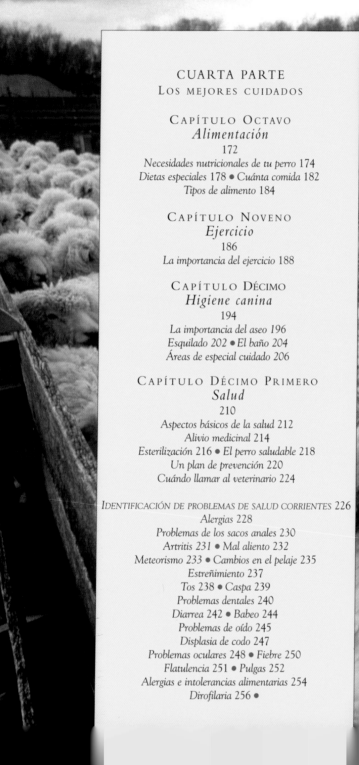

CAPÍTULO DÉCIMO SEGUNDO
La crianza
304

QUINTA PARTE
GUÍA DE RAZAS

ÍNDICE ALFABÉTICO Y GLOSARIO
438

INTRODUCCIÓN

Durante miles de años el perro ha sido el más fiel aliado del ser humano. Es casi seguro que fue el primer animal domesticado y tal vez ninguna otra especie nos haya sido tan útil, tan leal ni tan apreciada. Los perros han guardado casas y ganado, nos han ayudado a cazar y a destruir alimañas, han rescatado a personas atrapadas en aludes o extraviadas, han ayudado a policías y aduaneros, han servido de lazarillo a los ciegos, han ayudado a los exploradores árticos y hasta han intervenido en conflictos armados. Pero lo más probable es que su papel más duradero y estimado haya sido el de compañeros devotos.

El *Compañero del Amante de los perros* aporta a dueños de perros y a futuros amos toda la información necesaria para el cuidado de sus mascotas. Desde la elección del perro hasta entender su lenguaje corporal y su conducta, los cuidados médicos, la alimentación, el ejercicio, el adiestramiento y la crianza, este libro abunda en consejos prácticos y seguros. También incluye una guía de las razas caninas más populares del mundo, donde se aporta información útil sobre la historia y el temperamento de cada raza, así como sobre su alimentación, cuidados, salud y necesidad de ejercicio.

Para quienes ya sean dueños de un perro, éste será un libro de consulta inestimable en todas las fases de la vida de su mascota. Para quienes estén decidiendo qué perro se ajusta mejor a sus necesidades, este libro servirá de inspiración. El amor de un perro es un gran privilegio y con él se adquiere la responsabilidad de brindarle todos los cuidados para que su vida sea lo más feliz y plena posible.

LOS REDACTORES

UN MUNDO DE PERROS

Los perros no son «casi humanos»
y no conozco un insulto peor para la raza
canina que este tipo de descripciones.

JOHN HOLMES (1904–62),
Poeta y conferenciante norteamericano

La razón por la que los seres humanos y los perros mantienen una relación tan intensa radica en que existe una mutua capacidad para entender las respuestas emocionales del otro. La alegría de vivir de un perro tal vez sea mayor que la nuestra, pero es reconocible de inmediato como un sentimiento que los humanos también compartimos.

JEFFREY MASSON (n. 1940),
Psicoanalista, escritor y académico norteamericano

COMUNICACIÓN CANINA

Cómo se comunican los perros

Los perros se manifiestan con posturas corporales, expresiones faciales, movimientos de orejas y cola, y variedad de sonidos.

Aunque perros y personas se suelen llevar bien, siguen siendo especies diferentes con distintos modos de comunicación. Los seres humanos dependen más del lenguaje hablado y menos de la comunicación no verbal, y pocas veces se limitan a sentarse y observar. Y eso es lo que de verdad necesitarás hacer para conocer a tu perro y saber cómo se relaciona contigo y con el mundo. Si lo observas y te fijas en su lenguaje corporal, pronto sabrás su modo de expresarse. Incluso llegarás a un punto en que adivines lo que va a hacer a continuación.

OBSERVACIÓN DEL PERRO

Algunas señales caninas son casi universales y significan casi lo mismo cuando el perro se comunica con una persona o con otro perro. Cuando un perro se agacha en actitud juguetona con el trasero en alto, las patas delanteras pegadas al suelo y la cola moviéndose alegremente, puedes estar seguro de que está invitando –«Vamos a jugar»– a quienquiera con el que esté comunicándose.

Luego hay sutiles diferencias entre perros. Observa el modo en que cambian las posturas de tu perro, en el modo en que mueve las orejas, los ojos, las cejas, los labios, el hocico, la boca, la cola y el pelaje. Examina el modo en que cambia su lenguaje corporal dependiendo de las circunstancias. Pronto sabrás interpretar cómo se expresa cuando está feliz, ansioso, orgulloso de sí mismo, soñoliento, etc.

Pero no des por seguro que podrás entender a un perro desconocido. Captar

INSEGURIDAD Este perro boyero de rabo corto manifiesta su incertidumbre con una mirada ansiosa e implorante, y moviendo las orejas en distintos ángulos.

diferencias sutiles en perros ajenos es un tanto complicado incluso para los expertos. Un perro en calma y otro algo aprensivo se pueden confundir fácilmente, como también un perro dominante y otro agresivo. Para captar de verdad las sutilezas del lenguaje corporal canino, sus expresiones y sonidos, necesitas familiarizarte con las características de la raza y del perro en cuestión. Si, por ejemplo, la cola de un perro está baja, suele transmitir un mensaje de inseguridad, si bien algunos perros de caza a la carrera mantienen la cola siempre baja como gesto habitual. Lo normal es que un galgo inglés o un galgo Whippet con la cola entre las patas se encuentren perfectamente.

LO QUE EXPRESAN EL CUERPO Y LA CARA

Los perros sumisos se agazapan, mientras que los perros seguros de sí mismos se crecen. Un perro asustado se empequeñece cuanto puede encogiendo el cuerpo, metiendo el rabo entre las patas, echando las orejas atrás y evitando el contacto ocular. Puede «rendirse» rodando sobre la espalda y exponiendo el vientre. Si está tan asustado que quiere huir a escape, retraerá los labios y echará el peso sobre los cuartos traseros.

Un perro seguro de sí mismo se crece erizando el pelo del lomo, lleva la cola recta o levantada y se mantiene completamente erguido. Establece y mantiene contacto ocular y suele tener la boca cerrada. Si el cuerpo del perro se inclina hacia delante (en contraste con una postura erguida) y sus orejas apuntan hacia delante, puede

¡JUEGA CONMIGO! Al extender las patas delanteras contra el suelo y levantar los cuartos traseros, con las orejas hacia arriba, este kelpie australiano intenta provocar a su amo para que juegue con él.

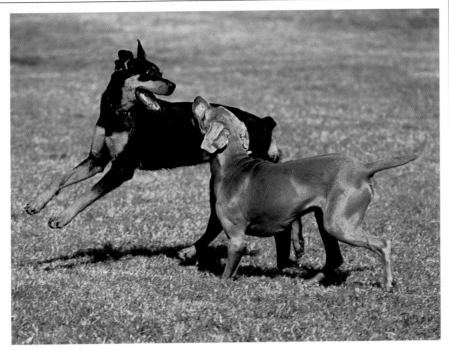

AMIGOS E IGUALES Con su lenguaje corporal extrovertido –contacto ocular directo, bocas abiertas relajadamente y posturas corporales confiadas–, este rottweiler y este braco de Weimar manifiestan que están a sus anchas y relajados en compañía.

desplegar una conducta agresiva y estar a punto de atacar. Un perro agresivo también puede mantener la mirada fija, la boca cerrada, el labio superior levantado y el inferior deprimido para mostrar los dientes y gruñir.

Un perro relajado tiene un aspecto completamente distinto. Mueve la cola en una postura neutra, ni rígida, ni levantada, ni entre las patas. La boca suele estar abierta, las orejas relajadas o un poco hacia atrás, el peso distribuido por igual sobre las cuatro patas, y no se aprecian signos de tensión ni amenaza en los ojos.

APRENDER SU VOCABULARIO

La mayoría de los dueños de perros saben que sus canes son capaces de emitir variedad de sonidos: ladridos, gemidos, chillidos, gañidos y aullidos. Pero, aunque a veces parezca que los perros quieren hablar, estos sonidos no son intentos de reproducir nuestro lenguaje. Los perros saben que la vocalización es un estupendo medio para llamar la atención, por lo que no dudarán en hacer ruido para que los mires y escuches.

Los perros también hacen ruidos para manipular a otros perros. En una casa en la que haya dos perros, cuando uno esté dormitando en el sofá, el otro puede recurrir avispadamente a sonidos y lenguaje corporal para invitarle a bajar y jugar. En cuanto el primer perro se levanta, el segundo salta al sofá y le roba el sitio. Los perros a menudo ladran para distraer a un contrincante, o gimen para que el otro perro baje la guardia.

Un gruñido, un ladrido o un gemido significan distintas cosas según el momento. Un ladrido es muy eficaz para llamar la atención y también como señal de alarma, felicidad, frustración o sorpresa. En general, cuanto más rápido y fuerte sea el ladrido, más excitado o agitado estará el perro. Los gruñidos pueden ser profundos y amenazantes, o más parecidos a gemidos de placer cuando les acaricias con fuerza la espalda.

Si escuchas a tu perro, pronto conocerás su repertorio vocal. Pero si estás con un perro que no conoces, guíate por el instinto y no sigas el dicterio del dueño cuando afirme que un sonido alarmante es inofensivo.

NO NECESITA TRADUCCIÓN
Es imposible equivocarse con lo que este dálmata quiere decir; nada más que una petición educada de salir a pasear.

DARSE A CONOCER Mientras los dos Cavalier Spaniel Rey Carlos le pasan revista, el terrier situado en el centro se mantiene rígido, inseguro de sus intenciones.

Conexiones visuales

Muchos creen que los perros de bajo rango desvían la mirada cuando los miras, mientras que los perros de alto rango te miran a los ojos con intensidad. Sin embargo, en situaciones diferentes un perro puede mirarte directamente, mirarte de soslayo o negarse a mirarte, según se sienta muy seguro o asustado como un ratón.

Cuando tu perro te mire fijamente, que le devuelvas la mirada hasta que la baje no significa que se haya convencido de que mandas tú. Es un error asumir que una mirada fija revela que tu perro está intentando dominarte. Los perros sumisos y dulces a menudo miran fijamente y con adoración a sus amos. Para adivinar las verdaderas intenciones de tu perro, tendrás que fijarte también en sus expresiones faciales y en su postura corporal. También ayuda conocer algo sobre el origen del perro.

Lo que un contacto ocular intenso revela es el interés del perro por algo que le puede gustar, disgustar o dar miedo. Si tu perro está muy excitado o se distrae con facilidad, presta mucha atención cuando mire alguna cosa. Puede estar preparándose para tirar de la correa, lanzarse hacia delante, ladrar, atacar o correr.

La prueba del olfato

El olor es un poderoso canal de comunicación para los perros. Cada perro tiene un olor único contenido en un líquido presente en las glándulas anales, dos sacos situados en los músculos anales. El olor se libera cuando el perro defeca, orina o mueve la cola. Así cualquier otro perro sabe la edad, el sexo y el estatus del can. Los perros de alto rango llevan la cola alta y liberan todo el olor posible. Los perros nerviosos o sumisos suelen llevar el rabo entre las patas, con lo cual se repara menos en ellos y atraen menos la atención.

Este olor es la razón por la que los perros pasan tanto tiempo orinando –y olisqueando– cuando están al aire libre. La marcación con orina es una característica de los lobos y los perros, y a menudo se emplea para reivindicar la posesión de un territorio. Cuando se saca el perro a pasear, sobre todo si es macho y no ha sido castrado, éste olisquea todos los árboles, postes y vallas buscando la marcación olorosa de otros perros. Y, cuando la encuentran, la cubren o se suman con su propia orina para reclamar su derecho territorial. Por eso los perros machos emiten pequeñas cantidades aquí y allá en vez de soltar un gran chorro; siempre guardan orina de reserva en caso de querer dejar su firma en otro objeto. La marcación se suele considerar un rasgo propio de los machos, pero algunas hembras también lo hacen.

No todos los perros que dejan marcas olfativas en el exterior lo hacen para establecer su territorio o declarar su dominio. Muchos lo hacen para dejar y recibir información.

TE CONOZCO Los perros que se conocen, como estos cachorros de Cavalier Spaniel Rey Carlos de una misma camada, pasan menos tiempo olisqueándose que los perros extraños entre sí.

YO ESTUVE AQUÍ La marcación con orina deja mucha
información esencial a otros perros. También sirve para
reclamar un territorio.

A partir de lo que olisquean aprenden quién
estuvo allí antes que ellos y, al dejar su huella, se
vuelven protagonistas para el siguiente perro que
pase.

MENSAJES MIXTOS

A veces uno se equivoca al interpretar a su
propio perro u otro que no conoce bien. No todos
los mensajes caninos tienen un solo significado.
Y los perros, como los humanos, emiten señales
conflictivas. Siempre habrá contradicciones
entre el lenguaje corporal, el contacto ocular, las
vocalizaciones y las acciones e intenciones de los
seres humanos y los perros. La misma acción en
los perros, el arrufo –desnudar los dientes y
retraer los labios– puede significar agresión. Sin
embargo, algunos perros, sobre todo los dálmatas,
«sonríen» al saludar y mostrar sumisión. Esto no
quiere decir que nunca debas sonreír a tu perro;
los perros aprenden a leer las señales humanas,
incluso si difieren de las suyas propias. Sin
embargo, un perro que no conoces puede
interpretarlo de un modo diferente. En tal caso,
lo más seguro es no sonreír hasta que el perro te
conozca mejor.

Gestos y posturas son otras áreas de posible
confusión entre perros y seres humanos. Las
personas tienden a gesticular cuando hablan; a
los perros, estos rápidos movimientos de manos
pueden resultarles desconcertantes, porque no

saben lo que significan. Los seres humanos
tienden mantenerse erguidos cuando se saludan y
cuando saludan a los perros, a quienes no siempre
les gusta esto, pues prefieren una aproximación
más circunspecta, acercándose con cautela y
actuando con cuidado hasta que están seguros de
que la recepción es buena.

Observa a tu perro y fíjate en los gestos que
preceden a una conducta de excitación, miedo o
agresividad. Eso te ayudará a anticipar
movimientos repentinos y a mantener al perro
bajo control si se excita.

ESTUDIA EL CONTEXTO Es importante interpretar el
lenguaje corporal canino en su contexto. Dejar el vientre
expuesto suele ser un signo de sumisión, pero en el caso
de este Labrador, es una forma estupenda de refrescarse
en un día de calor.

El lenguaje de los ladridos

*Desde gañidos muy agudos hasta aullidos vigorosos
el ladrido del perro es rico en significados.*

Aunque los ladridos sean el método más evidente de comunicación canina, tenían más sentido en el pasado que hoy en día. Los perros salvajes, aunque vivieran en jaurías, a menudo se separaban durante el día para cazar o buscar pareja. Los ladridos les permitían mantenerse en contacto a pesar de las largas distancias. Y, a diferencia del olor –que es la forma de comunicación preferida de los perros–, ladrar no deja un rastro físico que puedan seguir los enemigos.

Aunque la capacidad de ladrar como rasgo biológico sea menos útil para los perros mascota que para los canes salvajes, los perros domésticos tienden a ladrar mucho más que sus antepasados salvajes. Eso se debe en gran medida a que los perros mascota viven en un estado de eterna adolescencia. En general, los perros más jóvenes –salvajes o domésticos– ladran más que los adultos. Una vez adquieren experiencia en la vida y mejora su interpretación de las claves más sutiles

ENGAÑOSAMENTE CALLADO Aunque es famoso por no ladrar, el basenji está lejos de ser silencioso, pues emplea variedad de sonidos vocales muy expresivos, incluido una especie de canto tirolés.

del lenguaje corporal de las personas y otros perros, tienden a ladrar menos. Los perros salvajes pasan rápidamente de la adolescencia a la madurez, momento en que ya cuidan de sí mismos. Sin embargo, los perros mascota tienen a los humanos que cuidan de ellos, por lo que se cree que en términos de conducta nunca maduran por completo y por eso siguen ladrando.

Otra razón por la que los perros domésticos ladran más que los salvajes es que han sido seleccionados deliberadamente para actuar de ese modo. El ladrido de advertencia de los perros tal vez fuera uno de los rasgos caninos que primero resultó útil al hombre y lo seleccionaron al criar perros para la guarda y el pastoreo.

¿POR QUÉ LADRAN LOS PERROS?

Hay muchas razones por las que ladra un perro. Ladrar puede significar que el perro se está divirtiendo, que siente miedo o se siente solo, que quiere atención o ha oído un ruido. También es una forma de avisar de algún peligro o de que se acerca un extraño.

El tono del ladrido cambia según la motivación del perro. Para saber lo que significa el ladrido de un perro necesitas contextualizar el sonido.

Una serie de ladridos muy agudos suele significar que el perro está ansioso. Reconocemos este tono porque manifiesta angustia y esto nos incita a ayudarlo.

¿POR QUÉ LOS PERROS LADRAN AL CARTERO?

No es ilógico esperar que tu perro reconozca al cartero si acude a tu casa a diario y a la misma hora. Y, sin embargo, tu perro lo recibe como a un extraño con una sarta de ladridos furiosos y no sabes por qué.

Para entender esta conducta, ponte en lugar de tu perro. La primera vez que ve al cartero aproximándose a la puerta, intenta proteger su casa de este extraño. Después de unos cuantos ladridos agudos, el cartero se va y tu perro se siente orgulloso y seguro de que fue responsable de disuadirlo. Después de esto, cada vez que el cartero se aproxima, el perro protesta y emite sus ladridos de alarma. Funcionó la primera vez, y por eso cree que volverá a funcionar. Y así sucede.

¡El cartero se va!

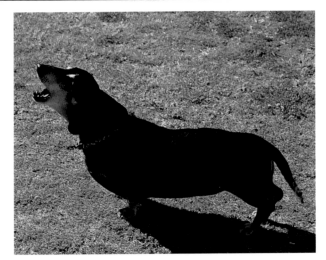

Cuando tu perro te mira y emite un único gañido ensordecedor sin ningún estímulo, probablemente esté llamando tu atención. Puede que tenga hambre o quiera jugar. A menudo, ladrará una vez y esperará a ver si ocurre algo. Si no es así, tal vez siga ladrando hasta que obtenga lo que busca.

Los ladridos agudos, rápidos y repetitivos significan que el perro se muestra juguetón o que ha visto algo que quiere cazar. Tu perro ladrará por nerviosismo, por placer o por la anticipación de un premio como un paseo o un juego.

Un ladrido bajo y repetitivo significa que tu perro se siente protector o defensor. Ladrará de esta forma cuando se aproxime un extraño a su territorio. Este tipo de ladrido es la forma en que el perro avisa a sus dueños de una amenaza potencial y pide refuerzos en caso de que haya que rechazar al intruso.

Mientras que la mayoría de los perros ladran para decir algo, otros lo hacen por diversión, por costumbre, por frustración o cuando se quedan solos. Este tipo de ladrido puede prolongarse todo el día y tu perro pronto será un problema para el vecindario. Véase en las páginas 116-117 formas de detener ese ladrido excesivo.

Razas silenciosas, razas ruidosas

Algunas razas se crearon para utilizar su ladrido con fines específicos. Estas razas a menudo son más ruidosas que otras. Los terriers, por ejemplo, se seleccionaron para alertar ladrando de la presencia de alimañas. Algunos perros de pastoreo, como el pastor de las Shetland y el collie barbudo, se criaron para controlar el ganado con sus ladridos. Los perros que cazan por el rastro, como los raposeros, los pachones y los sabuesos, se criaron para que con su voz llamaran a los dueños durante las cacerías. Otras razas de perros rastreros presentan vocalizaciones más especializadas si cabe. El mapachero negro y tostado, por ejemplo, emite un tono de voz cuando sigue el rastro de una zarigüeya o un mapache, y otro para alertar a su dueño de que ha conseguido que la presa se refugie en un árbol.

Otras razas son menos propensas a ladrar. El perro cazador de alces noruego, por ejemplo, guarda silencio absoluto cuando rastrea para no alertar a su presa. (Cuando no está rastreando, esta raza es muy charlatana y emplea muchos sonidos, cada uno con un significado claro.) El lebrel irlandés también tiende a no ladrar en exceso.

Algunos perros rastreros, en particular los sabuesos enanos (Basset) tienden a aullar en vez de ladrar, y pueden emitir distintos aullidos en situaciones diferentes. Otras razas apenas ladran siquiera. El basenji tiene una laringe de estructura inusual y no es capaz de ladrar. Sin embargo, emite variedad de sonidos, el más corriente una mezcla de risa y canto tirolés. El perro cantor de Nueva Guinea, uno de los perros salvajes más esquivo del mundo, es otro cantante inusual, pues emite un ladrido extraño que suena como el cacareo de un gallo.

Lenguaje corporal

Los perros son muy elocuentes con su lenguaje corporal para comunicarse con el hombre y otros canes.

Esta guía sobre algunos de los métodos más corrientes de expresarse los perros explica físicamente lo que quieren decir con una conducta concreta.

POSTURA DE PETICION DE JUEGO

Cuando tu perro se agacha en petición de juego, levanta el trasero y aplasta las patas delanteras contra el suelo, menea la cola y le brillan los ojos. Está diciendo: «Quiero jugar», sea con otro perro o con una persona. Puede usar este truco amistoso y llamador de tu atención cuando estás serio y quiere que cambies de humor. Acepta su invitación y juega si te apetece.

RODAR SOBRE LA ESPALDA

Cuando un perro rueda sobre la espalda con el vientre expuesto y las patas al aire, su actitud es de sumisión. Si lo hace delante de otro perro, está diciendo: «Tú eres el jefe y no quiero pelear». Cuando lo hace delante de ti, podría tener más de un sentido. Si lo hace anticipándose a una regañina, significa «no sé cómo agradarte y me temo que estés enfadado. Por favor, acepta mis disculpas». O tal vez esté intentando evitar hacer algo que no le gusta. Con frecuencia, rodar sobre la espalda es una señal de que está feliz, confía en ti y su naturaleza es complaciente y tranquila.

UNA CALUROSA BIENVENIDA Cuando su dueña se dobla y abre los brazos, el samoyedo interpreta correctamente el lenguaje corporal como una bienvenida, lo cual le anima a acudir corriendo a su llamada.

cola su actitud es amistosa, aunque no siempre es el caso. Los perros también menean el rabo cuando están asustados, agitados o inseguros. Un perro asustado puede menear la cola teniéndola baja o entre las patas mientras decide su próximo movimiento y se pregunta si debe pelear, huir o rodar sobre la espalda. Mira qué más está pasando: ¿está el mejor amigo de tu perro bajando del autobús escolar o hay otro perro comiendo de su escudilla? Fíjate también en la distribución del peso del perro antes de decidir si su meneo de la cola es de bienvenida. Si su actitud es agresiva, tendrá el cuerpo en tensión y su peso descansará sobre las patas delanteras. En la página 30-31 aparece más información sobre lo que un perro expresa con la cola.

MENEAR LA COLA

Normalmente estarás en lo cierto si das por hecho que si un perro menea la

¿ES HORA DE JUGAR?
Con la parte anterior agachada, el trasero en alto y meneando la cola, esta mezcla de galgo Whippet está diciendo que quiere jugar.

GUÍA RÁPIDA DEL LENGUAJE CORPORAL

Un perro como este braco húngaro (abajo) puede saber mucho sobre otro perro sólo con mirarlo y fijarse en lo que hace con las distintas partes de su cuerpo.

Ojos

- El contacto ocular directo significa que un perro se siente seguro o es atrevido.
- El contacto ocular casual significa que está contento.
- Si desvía la mirada significa deferencia.
- Las pupilas dilatadas revelan miedo.

Orejas

- Las orejas relajadas demuestran que el perro está en calma.
- Las orejas erectas revelan que el perro está alerta y atento.
- Las orejas en alto y hacia delante significan que el perro está retando o se muestra firme, enérgico y atento.
- Las orejas echadas hacia atrás indican que el perro está preocupado o asustado.

Movimientos corporales

- Tocar cosas con la pata delantera es un gesto de apaciguamiento.
- Lamer la cara de otro perro es una invitación a jugar o un signo de deferencia.
- La postura de petición de juego (patas delanteras extendidas, cuartos traseros en alto y meneo de la cola) es una invitación a jugar y una señal de felicidad.
- Apoyar la cabeza sobre la cruz de otro perro es un desafío social.
- Quedarse totalmente quieto significa que el perro está atemorizado.

- Frotarse o inclinarse contra otro perro o persona es un gesto de sociabilidad.

Boca y labios

- El jadeo significa que el perro se siente juguetón, excitado o estresado, o simplemente que tiene calor.
- Un perro con la boca y los labios cerrados está indeciso o aplacado.
- Relamerse los labios es una señal de que el perro está preocupado o está intentado apaciguar a una persona o a otro perro.
- La boca relajada significa que el perro está en calma.
- Los labios retraídos sirven para desafiar o avisar, sobre todo cuando se combina con un gruñido.

Pelo del lomo

- El pelo erizado es señal de excitación, sea porque el perro está asustado o está desafiando a otro perro.
- El pelo del lomo liso revela que el perro está en calma.

Cola

- Una cola relajada significa que el perro está en calma y aliviado.
- Una cola extendida, que se menea rítmica y lentamente, significa que el perro es cauto o está en guardia.
- Una cola baja indica preocupación o incertidumbre.
- Una cola erecta es señal de alerta.
- Una cola entre las patas es señal de miedo.

SUBIRSE ENCIMA DE OTROS PERROS

Cuando tu perro se planta sobre otro perro o se mantiene erguido por encima de él poniendo las patas delanteras sobre su lomo, está demostrando su dominio sobre el otro. Esta actitud no sólo es propia de los machos. Las hembras de alto rango también lo hacen. Los dueños se preguntan por qué los machos se suben sobre otros machos o por qué lo hacen las hembras, pero esa actitud suele estar más relacionada con el estatus social que con el sexo.

MONTAR OBJETOS

A menudo hay una intención sexual en esta conducta, incluso si el perro está castrado. Puedes dejar que los perros actúen de este modo siempre

y cuando el perro sobre el que se monta no esté tratando de escapar (y, por supuesto, si el perro es un macho no castrado y el otro perro es una hembra en celo). Si un perro hace esto con una persona, desconciértalo haciendo un ruido fuerte que lo disuada de sus intenciones.

BOSTEZO

El que un perro bostece no siempre significa que esté cansado. Puede manifestar anticipación o estrés. El bostezo causa cambios instantáneos en el cuerpo, eleva la frecuencia cardíaca y el riego sanguíneo del cerebro, abastece los pulmones de oxígeno y elimina el dióxido de carbono. En resumen, un bostezo ayuda al perro a activar su cuerpo, a avisparse y a relajarse. Tu perro puede

¿QUÉ OCURRE? Los perros a menudo meten y sacan la lengua cuando se sienten intranquilos o inquietos, como le ocurre a este perro.

bostezar repetidamente cuando está esperando en la clínica del veterinario para apaciguar su nerviosismo. En las clases de adiestramiento tal vez bostece para superar la frustración y darse un descanso mental. Un perro que bosteza como anticipación de algo agradable, como dar un paseo, lo hace para prepararse y controlar su impaciencia.

Lamerse la nariz

Si tu perro se lame repetidamente la nariz, es que está inquieto. Tal vez esté evaluando una situación nueva o se pregunte si debería acercarse a un extraño. O quizá se esté concentrando con fuerza, intentando dominar una nueva orden de obediencia. Si bien un perro que se lame la nariz puede ser amistoso, no te aproximes si no lo conoces porque es evidente que está tenso. Lamerse la nariz a veces es la señal previa a un mordisco.

Apoyarse

Los perros son muy táctiles y no siempre respetan tu espacio personal. Es habitual que se apoyen en las piernas de una persona. Los perros que se limitan a inclinarse hacia ti, en oposición a los que se frotan contra ti como un gato, pueden intentar expandir su espacio personal a costa del tuyo. Por el contrario, algunos perros se inclinan y apoyan para expresar una forma afectuosa de posesión, o para impedir que vayas a algún sitio. Si tu perro se frota contra tus piernas, probablemente esté intentado rascarse en un punto inalcanzable.

Sonreír

El perro cobrador de la Bahía de Chesapeake es famoso por curvar el labio superior siempre que está contento. Los malamutes de Alaska y los samoyedos también son conocidos por su sonrisa. Los perros a veces muestran lo que se conoce como «sonrisa de sumisión», que es un gesto de apaciguamiento. Esta conducta es especialmente habitual en los dálmatas. No obstante, la mayoría de los perros no sonríen del mismo modo que las personas. En todo caso, tienden a adoptar algo similar a una sonrisa cuando se sienten amenazados o se muestran agresivos y quieren que la gente vea sus dientes.

Rabo entre las patas y orejas hacia atrás

Si tu perro esconde la cola, echa las orejas hacia atrás, retrocede unos cuantos pasos o se esconde detrás de ti, da por seguro que se siente inseguro. Puede que sea una persona o un objeto de los que no está seguro, y tendrás que acallar sus miedos presentándole lentamente y de forma que no resulte una amenaza aquello que causa su aprensión. En las páginas 90-91 y 133 se explica cómo hacerlo.

Empujar con el hocico

A los perros les encanta empujar a la gente con el hocico. La mayor parte del tiempo significa que quieren afecto o atención. Si estás leyendo el periódico, por ejemplo, el perro te puede empujar la mano para que desvíes la atención del periódico a él. O tal vez la silla en la que estás sentado sea su favorita y quiera que te levantes para tomar posesión de ella.

Levantar la pata

Si levanta la pata y se acompaña de una expresión feliz y relajada, y de una postura neutra, lo que tu perro reclama es atención. Tal vez haya aprendido a dar la pata y sepa que recibirá atención positiva de ese modo. Si bien levantar la pata sea probablemente una invitación a jugar, tu perro podría estar diciéndote algo más.

Quizá tenga espinas de erizo clavadas entre los

ALGO LE RONDA LA CABEZA
Al jadear y echar las orejas atrás, este cazador de alces noruego muestra que está intranquilo o inquieto por algo.

dedos o hielo entre las almohadillas y esté pidiendo ayuda. Algunos perros levantan la pata cuando se concentran con intensidad en algo, tal vez en una pelota o un gato. Los perros de muestra se han criado selectivamente para levantar una pata y alertar a sus dueños de la presencia de caza. Los perros de estas razas a menudo levantan una pata cuando ven algo de interés aunque nunca hayan sido usados para cazar.

SEÑALES DE APACIGUAMIENTO

Los perros despliegan varias señales de apaciguamiento con lenguaje corporal para calmarse ellos mismos, a otros perros o a personas con las que están interactuando, a saber, bostezos, interrupción del contacto ocular, lamerse la nariz, olisquear, darse la vuelta, rascarse o sacudirse como si estuvieran mojados. Para saber cuándo un perro está usando señales de apaciguamiento (también llamadas conductas desplazadas), busca alguna acción que esté fuera de contexto. Durante una sesión de adiestramiento el perro puede comenzar a rascarse. Si no tiene pulgas ni se ha rascado en toda la sesión, tal vez esté intentando aliviar el estrés o esté diciendo que necesita un respiro. Estas acciones son el equivalente canino al modo en que la gente cambia de tema de conversación si está a punto de desatarse una discusión.

SOY EL JEFE Este cruce de razas apoya la cabeza en el lomo del otro perro para desafiar su rango.

UNA SEÑAL DE CONCENTRACIÓN Los perros levantarán a menudo una pata y revelarán con el cuerpo que están muy concentrados en algo, como este bull terrier de Staffordshire.

Ojos y emociones

Para quienes estamos convencidos de que los perros piensan, es posible saber lo que pasa por su cabeza si observamos sus ojos.

Cuando interpretes lo que transmiten los ojos de un perro, acuérdate de contextualizarlo con su lenguaje corporal en general.

Contacto ocular directo

Una mirada aguda y alerta revela que el perro está feliz y seguro de sí mismo. La piel alrededor de los ojos será sobre todo suave, tal vez con un pequeño pliegue en las comisuras externas. Así mira un perro cuando saluda a alguien o lo invita a jugar, o cuando se le ha dado algo deseable.

Mirada fija y dura

Los perros miran fijamente cuando ven algo que exige mucha atención como un gato intruso. Si deciden que hay que emprender alguna acción, bajarán algo la cabeza y mirarán un poco de soslayo. Es la misma expresión que asumen los lobos cuando observan a su presa. Los pastores lo llaman «mostrar el ojo» y lo valoran en los perros de pastoreo.

Los perros adoptan una expresión similar cuando su actitud es defensiva o agresiva. Levantarán las cejas y arrugarán un poco la frente. Si afrontan un conflicto de conducta –sienten agresividad pero también un poco de miedo–, arrugarán mucho la frente. Algunos perros muestran esta mirada cuando, por ejemplo, sale el aspirador del armario y no saben si considerarlo amigo o enemigo.

Mirada desviada

Evitar el contacto ocular o desviar la mirada es el modo en que los perros intentan mantener

MIRADA FIJA La mirada aguda de este collie de la frontera muestra que ha visto algo interesante.

MIRADA DE SOSLAYO
Los perros miran por el rabillo del ojo cuando son tímidos o piden jugar a otro perro o una persona. Es una forma educada de mostrar interés sin ser agresivo.

la paz. Es el modo en que los perros tímidos o sumisos dicen que no quieren causar problemas. Los perros miran así cuando se conocen, cuando se encuentran con perros de alto rango o cuando perciben que sus dueños están disgustados con ellos.

Los perros también pueden desviar la mirada cuando juegan con un objeto, como un juguete o una pelota, porque esta imagen de indiferencia parece llamar a otros a jugar.

Ojos bien abiertos

Los ojos bien abiertos revelan sorpresa y estar atónito, a veces también miedo. Un ruido repentino puede hacer que el perro dé un salto, se dé la vuelta y mire con los ojos como platos al origen del sonido. Los perros asustados pueden abrir tanto los ojos que se ve el blanco del ojo más de lo normal.

Mirada perdida

Las miradas perdidas no requieren mucha interpretación; son señal de exceso de estimulación o cansancio. Si los ojos del perro están abiertos pero con la mirada ausente, es señal de que nada a su alrededor llama su atención.

Ojos entrecerrados

Los perros que están contentos y relajados entrecerrarán los ojos. Así miran los perros que están disfrutando cuando les rascan la tripa o en una larga sesión de masaje. Estos ojos entrecerrados revelan sin posibilidad de error un estado de dicha total.

Posiciones de las orejas

Los perros tienen unas orejas extraordinariamente móviles que pueden girar,
sacudir, levantar y bajar para mostrar su estado de ánimo e intenciones.

Algunas razas expresan mejor ciertas emociones por la forma que adoptan sus orejas. Los huskies siberianos, por ejemplo, tienen unas orejas erectas y triangulares que les hacen parecer siempre alerta y atentos incluso cuando están relajados. Un sabueso enano, por el contrario, puede estar tan atento como un husky, pero sus orejas pesadas y oscilantes no pueden reflejar el mismo grado de intensidad.

Los ademanes de los perros con orejas recortadas son más difíciles de interpretar. El recorte de las orejas deja erectas y en punta las orejas colgantes o dobladas. De este modo la apariencia del perro cambia de plácida a atenta y agresiva, lo cual puede cambiar la percepción que de él tiene la gente y otros perros.

Todas las posiciones de las orejas de un perro se tienen que contrastar con el modo en que el perro lleva normalmente las orejas cuando está relajado.

JUZGAR A LOS PERROS POR SUS OREJAS

Cuando observes a los perros para saber lo que dicen sus orejas, tendrás que prestar mucha atención. Algunos mensajes son sutiles y posturas en apariencia muy similares pueden significar cosas distintas.

Orejas neutras

Todos los perros, sea cual fuere el tipo o tamaño de las orejas, las mantienen en una posición neutra que indica que están relajados y contentos. La piel alrededor de la base de las orejas será suave, porque no estará haciendo ningún esfuerzo por mover los músculos.

Orejas en punta

Cuando algo los estimula, los perros elevan las orejas, que apuntan en la dirección que ha despertado su interés. Los perros en momentos de agresividad también alzarán las orejas. Esto es más fácil de apreciar en perros con las orejas en punta como los pastores alemanes. En el caso de perros con las orejas colgantes o dobladas, como los galgos y los labradores, busca pliegues en la base de la oreja, señal de que los músculos están activos. El grado de tensión de las orejas de un perro te revelará la intensidad de sus sentimientos.

OREJAS ALZADAS Los perros con las orejas erectas, como el corgi (izquierda) o semirrectas, como el fox terrier (arriba) parecen en estado de alerta incluso relajados.

Orejas gachas y retraídas

Cuando los músculos del entrecejo y cráneo estén tirantes y tensos, y las orejas gachas y retraídas, probablemente el perro se sienta asustado, ansioso o sumiso. Cuanto más intensos sean los sentimientos, más extremada será la posición de las orejas.

Orejas fláccidas

Las orejas inclinadas son un modo de decir los perros que están cansados o abrumados por los estímulos. Los perros con las orejas en punta no pueden inclinarlas del todo, pero sí retraerlas un poco lateralmente. Los perros cuyas orejas cuelguen de forma natural, adoptarán una postura más baja.

Posiciones múltiples

Los perros tienen a veces la mente en dos cosas y eso se refleja en el modo en que mueven las orejas. Tal vez pongan una oreja en punta y retraigan parcialmente la otra. O tal vez una esté doblada mientras la otra se aplasta contra el cráneo. En algunos casos las orejas van modificando su posición a medida que cambian las emociones del perro. Podrás apreciarlo cuando un extraño llegue a casa. El perro no sabrá si estar emocionado o nervioso, y sus orejas reflejarán ese conflicto.

DIFÍCIL DE INTERPRETAR
Los perros con las orejas largas o muy peludas, como las de este crestado chino, pueden ser más difíciles de entender que los perros con orejas en punta.

Posiciones de la cola

Los perros revelan con la cola lo que siente el corazón, el movimiento de la cola te aportará mucha información sobre lo que piensan.

Cuando los perros están solos, no suelen mover la cola por muy bien que lo estén pasando. Esto es porque sirve para la comunicación social. Una vez que un perro está con personas u otros perros, la cola entra en acción; la rapidez y el vigor con que lo haga dependerán de la personalidad y raza del perro. Muchos spaniels, por ejemplo, menean la cola como locos a la menor provocación. Otras razas se muestran mucho menos inclinadas a mover la cola.

En todas las razas un ligero meneo en que sólo se mueve el extremo de la cola es un saludo indiferente. Cuanto más emocionado o feliz esté un perro, más vigoroso será el meneo. Las colas rígidas que no se mueven revelan que el perro está a la defensiva o que intenta proteger algo o que va a desplegar una conducta agresiva.

COMUNICACIÓN CON LA COLA

No todos los perros se comunican igual de bien con la cola. Algunas razas tienen colas con menor movilidad que otras. Otras razas tienen colas que se mantienen cerca de la grupa y no siempre pueden decir lo que quieren con la cola.

Este puede ser un verdadero problema para razas como el bulldog francés, el basenji y el carlino, cuyas colas son pequeñas y retorcidas. Por eso suelen depender de otros tipos de lenguaje corporal. Cuando están contentos,

SEÑALES DE MIEDO Los perros que agachan la cabeza y la cola, como este chihuahua, tienen miedo o están en actitud sumisa.

culebrean el cuerpo adelante y atrás y sacuden la cola de lado a lado. También usan mucho la cabeza. Arrugan la frente cuando sienten curiosidad y tienen gran movilidad en las orejas.

Los pastores australianos nacen con la cola muy corta o sin ella. Tradicionalmente, a razas como el bóxer, schnauzer, rottweiler y doberman se les ha amputado la cola o se la han dejado corta. Estos perros emplean su cola rechoncha en la medida de lo posible, pero su capacidad para expresarse está muy restringida.

Por otra parte, algunas colas están pensadas para la comunicación porque son fáciles de ver. Los perros con colas largas y pobladas como el pastor alemán, el samoyedo y el husky siberiano no tienen problemas para expresar sus emociones. Su cola se mueve con libertad y la masa de abundante pelo les confiere un aire de autoridad.

El terrier escocés y el terrier blanco de West Highland se encuentran entre ambos extremos. Si bien sus colas son muy cortas y son razas de pelo corto, son muy expresivos porque lo que han perdido en longitud lo suplen con movilidad y una posición erguida.

Mientras que una cola de abundante pelo facilita la comunicación al exagerar el

SIN MIEDO Una cola entre las patas suele significar miedo o sumisión; sin embargo, es la posición normal en los galgos.

EL PROBLEMA DE LA COLA ENROLLADA Los perros con la cola pequeña y enrollada, como los bajensi, dependen más de otras formas de lenguaje corporal.

EN GUARDIA La cola en alto y rígida puede parecer una señal de desafío a otros perros.

TODO EN ORDEN El meneo suave de la cola de este labrador muestra que está relajado y feliz.

movimiento normal de la cola, también puede ser un problema para los perros con el rabo muy corto como el viejo ovejero inglés. Su pelo largo y espeso cubre la cola por completo. No importa cuánto mueva el rabo, porque sus movimientos suelen ser invisibles. Para compensarlo, estos perros a menudo mueven toda la grupa adelante y atrás.

Las distintas razas también llevan la cola en distintas posiciones. Los fox terrier y los terrier de Airedale, por ejemplo, llevan la cola en alto y bastante rígida. Así parecen firmes y enérgicos, incluso agresivos, a los demás perros y personas. El perro golden retriever lleva la cola baja y relajada, lo cual le confiere ese aspecto dulce y amistoso. El galgo inglés, el galgo Whippet, el galgo ruso y el galgo afgano suelen llevar la cola entre las patas, sin sentirse por ello asustados o infelices ni ser tímidos. Su cola es así.

COLAS EN ACCIÓN

La cola no sólo sirve para la comunicación. La cola es una parte vital del sistema de equilibrio de los cánidos. Algunas razas como el galgo afgano, el lebrel irlandés y el galgo inglés se criaron selectivamente para cazar presas muy

rápidas. La cola es delgada y muy larga en proporción con el resto del cuerpo. Corren alcanzando grandes velocidades y usan la cola para mantener el equilibrio en los giros, brindándoles agilidad y capacidad de maniobra con rapidez como respuesta a los movimientos de la presa. La cola de estos perros es larga, ahusada y situada muy abajo en la espalda, y, cuando se combina con su grupa descendente, su efecto es parecido al de un timón.

Los perros también usan la cola al nadar. El perro cobrador de la Bahía de Chesapeake y el labrador presentan una cola gruesa y poderosa que les ayuda a desplazarse con facilidad por el agua. La flexibilidad de la cola también ayuda a practicar rápidos giros en el agua.

Otros perros emplean la cola como aislante. Las razas nórdicas, como los malamutes de Alaska, los huskies siberianos y los samoyedos, tienen la cola empenachada con pelo largo y denso. Cuando están tumbados, pueden cubrirse la cara con ella para resguardarse del frío. Cuando tiran de un trineo por el hielo, estos perros también usan la cola para mantener el equilibrio y moverse con mayor rapidez.

INCOMUNICADO Los perros con la cola amputada muy corta, como la de este doberman, tienen capacidad limitada de expresarse con la cola.

MENSAJE ERRÓNEO Los malamutes llevan la cola erguida sobre el lomo, lo cual hace que parezcan firmes y enérgicos.

Comunicarse eficazmente

*Los perros reconocen algunas palabras y gestos, aunque la mayoría
de nuestras conductas y formas de comunicarnos les resultan extrañas.*

Las personas mueven mucho las manos cuando se emocionan. Los perros saben por nuestras expresiones que estamos contentos, aunque tal vez les parezcamos enfadados porque en el reino animal los movimientos rápidos y exuberantes suelen ser propios de una conducta agresiva o de momentos de peligro.

Cuando los perros no hacen lo que les pedimos, no es porque sean estúpidos o tozudos; lo más probable es que hayan recibido órdenes confusas. Una vez sepas el modo en que los perros te perciben, esta confusión debería disminuir.

BARRERA IDIOMÁTICA

Los perros están familiarizados con la escala y el volumen de la voz de su amo; sin embargo, otras voces les pueden confundir. Los perros no prestan tanta atención a las palabras como al tono y a la risa, y son muy buenos contrastando la voz con el lenguaje corporal, por lo que la gente puede decir una cosa y sus perros interpretar algo distinto.

Tono de la voz

Los perros jóvenes y sumisos suelen ser los que ladran o gimen con un tono más agudo, mientras que los perros de alto rango es más probable que emitan gruñidos graves. Algunos perros se ponen un poco nerviosos cuando están con hombres de voz profunda, porque asocian ese tono con la imposición de autoridad o con las reprimendas de sus madres cuando eran cachorros.

Las personas no deben engolar la voz para comunicarse con perros, aunque, si elevan un poco el tono, eso puede ayudar. Para el oído de un perro, las voces agudas suenan más contentas y menos amenazadoras. Los adiestradores a menudo recomiendan usar una voz enérgica, de tono ligeramente agudo, porque ayuda a los perros a responder con más entusiasmo.

No obstante, las voces agudas a veces causan problemas, sobre todo cuando se usan para imponer disciplina. Si usas siempre una voz aguda para animar a tu perro y para engatusarlo, tal vez descubras que ese tono tiene poco efecto cuando intentes impedir que haga algo. Vale la pena bajar el tono de voz cuando le des una reprimenda. Incluso si no suenas enfadado, el tono bronco y profundo despertará en el perro sus recuerdos de figuras autoritarias de su infancia y será más probable que haga lo que le dices.

Palabras y acciones

Los perros son expertos leyendo todos los ademanes del lenguaje corporal, por lo que saben con rapidez cuándo tus palabras y tono de la voz no están diciendo toda la verdad. Esto suele ocurrir en la consulta del veterinario, donde los amos intentan clamar a los perros nerviosos diciéndoles que no pasa nada malo. Los perros saben perfectamente bien que eso no es cierto, y los intentos de sus dueños por calmarlos tienen poco efecto o incluso confirman su alarma.

Igualmente, el intento de apaciguar a un perro asustado que gruñe lo que probablemente consiga es aumentar su tensión, porque interpretará las palabras tranquilizadoras como un respaldo a lo que está haciendo. No entenderá que su conducta no es apropiada. Un enfoque mejor es pedirle con severidad que pare. Responderá a la firmeza de tu voz y sabrá que estás al mando y que has tomado cartas en el asunto.

EL PUNTO DE VISTA DEL PERRO Cuando sepas cómo te ve tu perro y cómo juzga tus acciones, será más fácil comunicarte con eficacia.

DISTINTAS LONGITUDES DE ONDA Los perros intentan comprender las palabras y acciones de las personas traduciendo la conducta humana en términos caninos, lo cual puede causar confusión.

Risa

Es importante evitar reírse cuando tu perro haya hecho algo malo, no importa lo gracioso que resulte, porque los perros interpretan la risa como un sonido alegre y de aprobación. Para conseguir tu aprobación en el futuro, es seguro que vuelvan a hacer lo mismo en otra ocasión.

BARRERAS DEL LENGUAJE CORPORAL

Cuando un perro quiere aprender más sobre otros perros, se fija en la postura. Los mensajes entre canes son inequívocos porque ambos hablan el mismo lenguaje. Sin embargo, los perros están en territorio extraño cuando intentan descifrar la mayoría de los ademanes del lenguaje corporal humano. Cuando trates con perros, sé consciente de tu lenguaje corporal y asegúrate de que comunica lo mismo que tu voz. Es probable que los dos sean distintos cuando intentes evitar mostrar que estás enfadado con el perro. Incluso si tu voz es tranquila, el perro verá que tu cara, brazos y hombros han adquirido rigidez, todas ellas muestras de que estás a punto de explotar. Se sentirá confuso porque tu mensaje no es claro y no sabrá cómo reaccionar.

Los perros observan a los humanos con más detenimiento que nosotros a ellos. Si nuestras expresiones faciales no se corresponden con las otras señales que estamos emitiendo, los perros se confunden. Cuando intentas actuar con dureza, por ejemplo, pero tus ojos son risueños o tu boca se curva en una sonrisa, los perros no sabrán qué creer: tu voz dura o tu expresión facial contenta.

Igualmente, si tu voz es seria para decirle al perro que pare, pero unos segundos después le guiñas un ojo, puede pensar que le estás dando permiso para levantarse y moverse.

Una cara alegre resulta útil cuando quieres felicitar a un perro por obedecer tus órdenes. Pero no intentes engañar a un perro con expresiones «falsas» ni intentes mezclar las señales que estás dando. Los perros sólo se sienten seguros cuando saben lo que sientes; las señales mixtas les ponen nerviosos y se muestran indecisos.

BARRERAS MENTALES

Es normal que interpretemos la conducta canina en términos humanos y por eso nuestros juicios no suelen ser muy precisos. La gente a menudo jura que sus perros parecen culpables cuando han hecho algo malo. Pero, por lo que sabemos, los perros no sienten culpabilidad. Eso significa que cuando llegas a casa y encuentras la basura en el suelo y al perro encogido de miedo en un rincón, es posible que asumas que sabe que ha hecho algo malo. Con toda probabilidad esté respondiendo al enfado plasmado en tu cara. O tal vez recuerde una experiencia anterior en que la basura en el suelo es mal asunto cuando estás próximo.

Lo importante es que tu reacción siempre se ajuste a la situación. Para que el perro entienda lo que quieres decirle, necesitará establecer una conexión lógica entre su acción y tu respuesta. Tal vez no le gusta que lo corrijan, pero al menos lo considerará una respuesta predecible. Sin embargo, comenzar a regañar al perro para luego dar marcha atrás y rascarle la oreja, parecerá una conducta inconsistente que lo dejará confuso.

Olfato

El sentido más importante de un perro es el olfato,

cientos de veces más sensible que el del ser humano.

Los perros identifican olores increíblemente tenues que los humanos no detectan. Una razón de este superlativo sentido del olfato es el tamaño de su membrana olfativa. Las personas tenemos unos 420 cm cuadrados de membrana olfativa. Los perros, unos 5.600 cm cuadrados. Esta membrana está plagada de receptores olfativos, células especialmente adaptadas para detectar olores. Parece que, cuanto más grande sea un perro, más preciso será su sentido del olfato. Un pastor alemán tiene unos 220 millones de receptores olfativos; un fox terrier unos 150 millones y un tejonero unos 125 millones. Las personas tenemos comparativamente unos míseros 5 millones.

Los perros tienen que proceder a un olisqueo activo para inspirar moléculas de olor que interpretan distintas partes del cerebro. Gran parte del cerebro de un perro está dedicado a procesar y almacenar información sobre olores. Los perros recuerdan olores toda su vida y estos influyen en su conducta. Los olores les dicen dónde están, quién es una persona o un animal e incluso el humor y la salud de otros.

LO QUE DICE EL OLOR

El olisqueo constante del perro durante los paseos puede resultar tedioso para la persona situada en el otro extremo de la correa, pero es el modo en que el perro recibe todo tipo de información interesante, sobre todo de otros perros. La mayor parte de esta información está contenida en la orina de los

EL OLFATO SABE Los expertos creen que los perros más grandes, como el gran danés, tienen un sentido del olfato más agudo que los pequeños, como el fox terrier.

cánidos; también recaba información de las heces, las glándulas anales, la saliva y las huellas dejadas por las patas. El olor de cada perro es único, como lo son las huellas digitales de una persona, y un perro sólo necesita olisquear rápidamente el olor de otro para determinar su estatus, edad, sexo y si está castrado, si es amigo, enemigo, extraño o de la familia. Con esas claves, el perro determina con rapidez cómo es su posible relación.

El perro también reconoce tu olor y el de otras personas que conoce. A partir del olor recordará quién le gusta y quién no, y reaccionará en consecuencia. También se cree que los perros detectan el estado de salud de las personas mediante cambios en su olor corporal.

Aunque la mayoría de los perros se sienten atraídos por olores que disgustan a las personas, como la basura en estado de putrefacción o el pescado podrido, hay algunos olores que los disgustan, como el olor de los cítricos (limón, lima y naranja), la pimienta y, sobre todo, la citronela. La citronela, el extracto natural de una planta, se vende en vaporizador y se usa para mantener los perros alejados de ciertas áreas.

UN RASTREADOR TENAZ
El fenomenal sentido del olfato del sabueso se ha usado para seguir el rastro a criminales, niños perdidos y otros animales.

Oído

Los perros oyen sonidos a gran distancia y en frecuencias mucho más altas que los seres humanos.

U na de las razones por la que los perros oyen mejor que las personas es que sus orejas son mayores. También tienen forma cóncava que permite recibir todas las ondas sonoras disponibles y canalizarlas hacia el tímpano. Los perros también pueden mover las orejas, lo que permite detectar y localizar sonidos procedentes de cualquier dirección.

A pesar de su excelente oído, los perros no quedan abrumados por la variedad o el volumen de los sonidos que oyen, lo mismo que les ocurre a las personas con la variedad de cosas que ven. El cerebro del perro filtra y elimina todo lo que no interese al perro o no le concierna. Por eso pueden dormir a pesar de la ruidosa conversación mantenida en la habitación de al lado, pero se despertarán al instante si oyen a alguien pronunciar su nombre o si se abre el cajón donde guardan su comida. De forma parecida, cuando alguien llena el tambor de la lavadora para lavar un jersey, algunos perros se esconden porque piensan que es la hora del baño, pero no harán caso del sonido del agua en el fregadero de la cocina cuando se llena para fregar los platos. Sólo sintonizan las cosas que pueden afectarles.

El oído de los perros es una bendición para los seres humanos, como cuando oyen a alguien saltar por encima de la verja del jardín. Sin embargo, a veces es demasiado sensible, como cuando un perro empieza a ladrar porque oye algo que su amo no puede ver ni oír, y que no le importaría en otras circunstancias.

Oír frecuencias altas conlleva beneficios sorprendentes para algunos perros. El chillido de un murciélago, por ejemplo, es demasiado alto como para que lo oiga la mayoría de las criaturas, por ejemplo, el ganado. Eso tal vez explique por qué el ganado en Sudamérica es a menudo atacado por murciélagos vampiro, y los perros no. Parece ser que los perros oyen los chillidos de los murciélagos y evitan ser plato de su mesa.

UN OÍDO AGUDO El agudo oído del perro le alerta de peligros, le permite comunicarse con otros perros y detectar a las presas más pequeñas y cautas.

Parece que la distancia entre las orejas influye en la capacidad de los perros para detectar ultrasonidos. No obstante, el tipo de oreja no parece influir mucho en la capacidad auditiva. Los perros con las orejas caídas y los perros con las orejas en punta suelen obtener la misma puntuación en las pruebas de audición. Lo sorprendente es que los perros con las orejas caídas oigan igual de bien con las orejas en su posición normal que cuando se levantan y se expone el conducto auditivo.

Un aspecto que depende de cada raza es la posibilidad de que un perro nazca sordo. Se debe a un trastorno genético asociado con el pelaje de color blanco y mirlo azul. Puede darse en cualquier especie, pero es más habitual en razas como el dálmata, el pastor ovejero australiano, el perro boyero australiano, el terrier de Boston, el setter inglés, el bóxer y el viejo ovejero inglés.

Sin embargo, los perros sordos compensan su minusvalía de otras formas. Los perros pasan el 80-90 por ciento de su tiempo comunicándose con sonidos. Prestan mucha atención al lenguaje corporal, la cara y los ojos para entenderse entre sí y con la gente. Los perros sordos aprenden a «leer» a otros perros y a las personas. También aprenden a responder a señales manuales en vez de a órdenes verbales.

TE OIGO Las orejas de los perros tienen 15 músculos que permiten elevarlas, bajarlas y moverlas a los lados.

Vista

Aunque la vista no sea su sentido más importante, los ojos caninos presentan varias especializaciones que difieren incluso entre especies.

Los perros a menudo usan la vista para confirmar algo sobre lo que otros sentidos ya les han informado. Así, un perro puede oír el coche de su amo y salir lanzado a la verja de la casa. Conoce el sonido, por lo que ver el coche sólo confirma lo que ya sabía. Lo mismo sucede cuando huele una ardilla y sigue su rastro. Cuando avista la ardilla, es su visión lo que estimula que se lance a cazarla, pero no le aporta información nueva. Simplemente confirma lo que su olfato ya le había dicho.

VISTA CANINA

Desde hace un tiempo se sabe que los perros, como la mayoría de especies domésticas, son dicromáticos a diferencia de la mayoría de las aves y los primates, que son tricromáticos. Esto significa que los perros ven el mundo de forma parecida a las personas daltónicas.

Estudios han demostrado que la distribución de células en la retina varía en grado sumo según la forma del cráneo. Estos datos sugieren que los perros de distinta forma craneal ven el mundo de formas distintas y eso explica por qué todas las razas de perros de caza a la carrera –como los galgos inglés, persa, afgano y ruso– tienen el hocico largo.

Parece que los perros de hocico largo tienen buena visión periférica, perfecta para avistar presas en movimiento. La visión periférica de las razas de hocico corto es menos aguda, lo cual significa que suelen actuar menos como predadores a la carrera o cazar en jaurías, y es más probable que se fijen en las caras de las personas.

Los ojos de los perros son más sensibles a la luz y al movimiento que los de las personas, pero no pueden fijarse tan bien en las cosas. Por eso los perros perciben movimientos mínimos con una luz tenue, mientras que a veces no ven una pelota muy cerca a plena luz del día. Incluso pelotas de colores brillantes que contrastan vívidamente con el entorno no les resulta fácil verlas debido a su escasa visión cromática.

Personas y perros tienen distintas cantidades de células receptoras –llamadas conos y bastoncillos– en los ojos. Los bastoncillos captan niveles muy bajos de luz, pero sólo en blanco y negro. Los perros tienen más bastoncillos que nosotros, lo cual significa que su vista con luz tenue es más aguda que la nuestra. Es una habilidad heredada de su vida salvaje en la naturaleza. La mayoría de los depredadores son más activos al amanecer y al anochecer, por lo que los perros salvajes necesitaban ver en la penumbra para tener posibilidades de cazar. Los conos son necesarios para ver de día y captar colores. Los perros tienen menos de estas células que las personas, porque el reconocimiento de colores no es muy importante en la vida diaria de los canes. Lo que importa a los perros es detectar movimiento. Cuando los perros eran depredadores, el movimiento era el desencadenante que les hacía prestar atención, porque significaba que había una presa cerca. Hoy en día los perros aún conservan las destrezas e instintos de sus ancestros.

Los ojos de los perros están más separados que los de los seres humanos. Su campo de visión abarca desde 190 grados en los perros de rostro chato, como los doguillos y pequineses, hasta 270 grados en los galgos. Por el contrario, los seres humanos tienen un campo de visión de sólo 180 grados.

Una de las cosas que no varía mucho entre razas es el tamaño de los ojos. El volumen del globo ocular de un chihuahua es comparativamente mayor que el de un mastín, razón por la que los ojos de las razas enanas parecen saltones.

EN MOVIMIENTO Los perros tienen una capacidad limitada para ver el color rojo; es el movimiento del disco volador, más que su color, lo que hace que reaccione este collie de la frontera.

Tacto

Más que la visión, el olfato y el oído, es el tacto lo que permite a los perros establecer lazos emocionales y comunicar sus necesidades básicas.

A lo largo de sus vidas, la interacción con otros perros y personas recuerda a un deporte de contacto. Para nosotros todo parece un juego, pero para ellos un empujoncito en la cadera, un golpe con el hocico o un toque con la pata hablan tan claro como un grito.

EL SIGNIFICADO DEL TACTO

Los perros recurren al tacto para establecer control o rango. Cuando dos perros se encuentran por primera vez, uno puede empujar al otro con el hombro o el hocico. Parece un empujoncito juguetón y tal vez lo sea, pero también es una forma de expresar su estatus. Los perros sumisos y tímidos pocas veces recurren a este tipo de contacto, mientras que los perros seguros de sí mismos lo usan todo el tiempo.

Tampoco todas las interacciones sociales caninas se centran en el estatus. Les encanta jugar y recurren a distintos contactos para comunicar su apetencia o rechazo a hacerlo.

Para saber con seguridad lo que un perro está intentando expresar, hay que contemplar la situación en su totalidad. Algunas señales que usa un perro para establecer su estatus, como poner la pata encima de los hombros de otro o desplazarlo con las caderas, también son formas amistosas de iniciar un contacto. Por ejemplo, un perro que empuja con el hocico y menea la cola o se agacha en actitud juguetona está diciendo que le gustaría jugar. Incluso contactos en apariencia agresivos, como agarrar a otro perro por la piel del cuello, puede ser un acto amistoso siempre y cuando los perros se conozcan y estén exhibiendo al mismo tiempo otras señales de invitación al juego.

PERDIDOS EN LA TRADUCCIÓN

Perros y seres humanos interpretan de forma diferente las mismas formas de contacto.

BUEN PERRO El tacto sirve para elogiar y reforzar conductas apropiadas, como en el caso de este labrador, o para calmar a un perro estresado.

Las personas, por ejemplo, se dan la mano cuando se conocen, mientras que a la mayoría de los perros les disgusta que les toquen las patas. Ponemos una mano sobre el hombro de otro para expresar afecto, mientras que los perros consideran este tipo de contacto como una amenaza. A los perros tampoco les gustan los abrazos, que restringen su capacidad para moverse o escapar.

Cuando seas consciente del modo en que los perros perciben el contacto físico, podrás evitar estos errores de interpretación táctil. Por ejemplo, las personas son mucho más altas que los perros, por lo que tendemos a agacharnos y acariciar su parte más alta, la cabeza. Entre los perros, esta es una señal clara de desafío. Una forma mejor de saludar a un perro es inclinarnos, para ser menos intimidantes, y acariciarlos debajo de la barbilla o en el pecho en vez de en la cabeza.

COMUNICACIÓN DE LOS CACHORROS Desde el nacimiento, los cachorros, como estos San Bernardo, comienzan a comunicarse con su madre y sus hermanos con el tacto.

Estamos solos, completamente solos en este planeta que nos tocó al azar; y, entre todas las formas de vida que nos rodean, ninguna excepto el perro ha establecido una alianza con nosotros.

MAURICE MAETERLINCK (1862–1949),
Dramaturgo y poeta belga

SEGUNDA PARTE

EL PERRO EN TU VIDA

*Todos los conocimientos, la totalidad de las
preguntas y respuestas, están contenidos en el perro.*

FRANZ KAFKA (1883–1924),
Escritor y novelista checo

CAPÍTULO SEGUNDO

ELECCIÓN DEL PERRO

El mejor perro para ti

Elige cuidadosamente tu mascota, teniendo en consideración tu estilo de vida, tu hogar y tu situación familiar.

Con demasiada frecuencia se elige al perro con poca previsión y, cuando no cumple las expectativas del dueño, las consecuencias son desgarradoras. La clave del éxito en la relación entre tu mascota y tú es, antes que nada, hacer una elección correcta.

ASUNTOS DE FAMILIA

Antes de asumir la responsabilidad de tener perro, asegúrate de que toda la familia desea cuidar de la nueva mascota. Darle de comer, jugar con él, que haga ejercicio, adiestrarlo y atender a su limpieza son necesidades caninas esenciales que exigen tiempo. Si no dispones de ese tiempo, tal vez un gato u otro animal más pequeño sea una elección preferible. Además, comprueba que nadie en la familia sea alérgico a los perros. La gente se desprende de demasiados perros cada año por culpa de una alergia que no se previó.

Plantéate el coste global de tener un perro. Calcula el precio de comida, correas, juguetes, asistencia veterinaria, seguro y la sustitución de diversos objetos de la casa destrozados. Tal vez también tengas que fabricar una valla, alquilar a un paseador de perros y en ocasiones dejar al perro en una residencia canina.

Una vez conseguidos suficientes aliados para cuidar de la mascota, habrás de considerar exactamente el tipo de perro que quieres.

PUNTOS QUE HAS DE CONSIDERAR

Aprende cuanto puedas sobre las características de distintas razas para acotar la búsqueda y saber las razas que mejor se ajustan a tus necesidades.

Aunque no haya dos perros iguales, cada raza canina tiene un aspecto característico y se comporta de distinta forma. Por ejemplo, los perros de caza se criaron selectivamente para pasar largas horas en el campo y por eso suelen necesitar mucho ejercicio. Por tanto, estos canes tal vez no sean la mejor opción si vives en un piso. Sin embargo, si vives en las afueras y

NO SOLO UNA CARA BONITA Los caniches son inteligentes, muy adiestrables, no sueltan pelo y son buenos con los niños.

CUIDADOS SENCILLOS Los cruces de razas, como esta mezcla de collie, son menos propensos a sufrir enfermedades genéticas que los perros pura raza. Muchos tienen también mucho carácter y son mascotas encantadoras.

tienes un jardín grande y cercado y niños activos, este perro puede ser perfecto.

Para inquilinos de pisos, lo mejor puede ser una raza menos activa, pero no pienses que el tamaño del perro es acorde a su necesidad de hacer ejercicio. El perro pachón (Beagle) es pequeño pero muy activo y necesita mucho ejercicio con regularidad. Las razas gigantes, como el gran danés y el perro de Terranova, por su parte, solo precisan un ejercicio moderado y menos espacio de lo que podría deducirse de su enorme tamaño. Las razas enanas pueden hacer gran parte del ejercicio que necesitan dentro del piso, pero ten cuidado porque suelen ser muy ruidosos.

También hay que tener en cuenta la longitud del pelaje al plantearse la elección de una raza. Los perros de pelaje largo, como el chow chow y el perro de barcaza holandés (Keeshond), tienen un manto espeso y hermoso, pero requieren mucho aseo para conservarlo así. Los perros de pelaje corto, como los labradores y dálmatas, requieren menos cuidados, pero suelen perder pelo todo el año. Las razas que no pierden pelo, como el bichón frise y el caniche, necesitan que se les corte el pelo con regularidad, un gasto adicional si se deja en manos profesionales.

Piensa en el clima en que va a vivir tu perro. Las razas árticas, como el husky y el samoyedo, tienen un pelaje espeso y están incómodos en climas cálidos y húmedos. Por otra parte, el galgo Whippet y el galgo inglés lo pasan mal en climas fríos. Si las condiciones son extremas donde vives, opta por un perro cuyo pelaje permita una adaptación fácil.

También debes plantearte el sexo del perro. En general, los machos pueden tener más problemas de conducta y tienden a ser más

ANTES DE ADOPTAR UN PERRO, INVESTIGA:

- ¿Por qué se han desprendido del perro?
- ¿Dé donde viene?
- ¿En cuántos hogares ha estado antes?
- ¿Le han enseñado a no hacer las necesidades en casa?
- ¿Está acostumbrado a tratar con niños?
- ¿Está acostumbrado a convivir con otras mascotas?
- ¿Se muestra amistoso con la gente?
- ¿Le gusta que lo acaricien?
- ¿Tiene al día su vacunación?
- ¿Obedece órdenes?
- ¿Está sano?

DE NATACION Ofrece a tu perro un régimen de ejercicio variado, ajustado a su raza si es posible. A muchas de las razas de perros cobradores como el labrador les encanta nadar.

agresivos que las hembras. Aunque los perros de ambos sexos sean estupendos compañeros, las familias o dueños primerizos y con niños tal vez prefieran una hembra para empezar. Las hembras suelen ser más fáciles de adiestrar y aprenden antes el control de esfínteres, pero también suelen exigir más tiempo y atención que un macho. Los machos suelen ser más grandes que las hembras de la misma raza. Esa diferencia puede ser considerable en razas grandes –por

ejemplo, un macho de Terranova puede pesar 68 kg mientras que una hembra pesa hasta 18 kg menos. Machos y hembras son buenos perros de guarda.

No olvides los cruces de razas, porque a menudo son estupendas mascotas. El cruce de perros genéticamente similares puede derivar en enfermedades, como displasia de cadera y problemas de conducta, como agresividad. Adoptar un perro cruzado es una de las mejores formas de evitar enfermedades hereditarias. Aunque no sea fácil predecir el aspecto final adulto, ni el tamaño o conducta de un cruce, la mayoría son muy agradables y necesitan un buen hogar.

PERROS ADECUADOS PARA NIÑOS

Si tienes hijos pequeños, tal vez quieras plantearte estas razas amigables y juguetonas: collie barbado, pastor de las Shetland, terrier blanco de West Highland, schnauzer enano, golden retriever, perdiguero de Labrador (Labrador retriever), Cavalier Spaniel Rey Carlos, perro pachón. Sin embargo, ten presente que los niños menores de tres años pueden ser bruscos con sus mascotas. Los perros también pueden ser violentos con niños muy pequeños. Incluso estas razas citadas requieren adiestramiento y experiencias positivas a muy temprana edad con niños para ser de fiar.

¿Cachorro o adulto?

Aunque los cachorros tienen un atractivo evidente, los zapatos mordisqueados, el enseñarles a no hacer sus necesidades en casa y los otros rigores de su infancia no son para cualquier familia.

Los cachorros y los perros adultos tienen necesidades distintas e imponen exigencias diferentes a sus dueños. Hay a quien le encanta criar cachorros; otros optan sabiamente por adoptar un perro más crecido.

ELECCIÓN DE UN CACHORRO

Un cachorro es una tabula rasa y puedes conseguir que sea lo que quieras. El inconveniente es que su adiestramiento debe comenzar desde que nace. Como es un cachorro, necesitará que le dediques más tiempo y paciencia que a un perro mayor. ¿Tienes suficiente de ambas cosas para adiestrarlo, así como sentido de la diversión y la aventura como para jugar con él? Los cachorros tienden a ser destructivos cuando están aburridos, por lo que necesitan mucho ejercicio y juegos supervisados.

El complemento ideal para cachorros es una familia en la que un adulto esté en casa la mayor parte del día. Pero si todos los adultos de la casa salen a trabajar, sigue siendo posible criar un cachorro. Planifica adquirirlo cuando tengas vacaciones y pasa ese tiempo estrechando lazos y estableciendo una rutina regular de ejercicio y comidas –no una rutina de vacaciones–, un horario con el que ambos tendréis que vivir una vez tengas que volver al trabajo. Y cuando terminen las vacaciones, si puedes hacerle una visita a la hora de la comida o ir a casa directamente después del trabajo para pasar tiempo de calidad con él, crecerá hasta convertirse en un perro feliz y bien adaptado a su medio.

Influencias tempranas

Intenta adquirir un cachorro que tenga entre seis y ocho semanas. Es importante para el desarrollo de la conducta social que todo cachorro permanezca con su madre y hermanos hasta esta edad. Sin embargo, como un cachorro entre seis

---

UN CACHORRO SANO

Cuando elijas un cachorro, como este boyero australiano, examina todo su cuerpo para asegurarte de que está lustroso y sano.

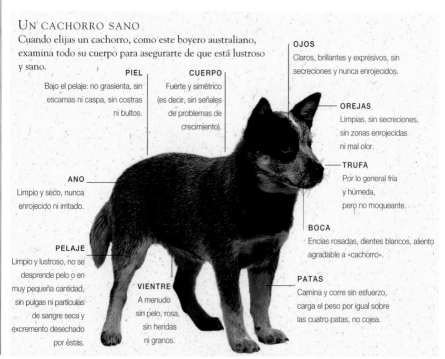

PIEL
Bajo el pelaje: no grasienta, sin escamas ni caspa, sin costras ni bultos.

CUERPO
Fuerte y simétrico (es decir, sin señales de problemas de crecimiento).

OJOS
Claros, brillantes y expresivos, sin secreciones y nunca enrojecidos.

OREJAS
Limpias, sin secreciones, sin zonas enrojecidas ni mal olor.

TRUFA
Por lo general fría y húmeda, pero no moqueante.

BOCA
Encías rosadas, dientes blancos, aliento agradable a «cachorro».

PATAS
Camina y corre sin esfuerzo, carga el peso por igual sobre las cuatro patas, no cojea.

VIENTRE
A menudo sin pelo, rosa, sin heridas ni granos.

ANO
Limpio y seco, nunca enrojecido ni irritado.

PELAJE
Limpio y lustroso, no se desprende pelo o en muy pequeña cantidad, sin pulgas ni partículas de sangre seca y excremento desechado por éstas.

LA INFLUENCIA DE LA MADRE La madre enseñará a sus cachorros lecciones vitales sobre conducta, lo cual significa menos trabajo para ti, su nuevo dueño.

y ocho semanas está a mitad del llamado «período de socialización» (entre tres y 14 semanas de edad), es igual de importante que comiences ahora a establecer lazos con el cachorro. Si puedes, elige un cachorro cuando sea muy pequeño, déjale permanecer con su madre hasta que tenga ocho semanas y, mientras tanto, visítalo con frecuencia para que se acostumbre a ti. Esto le facilitará la adaptación cuando lo lleves a casa.

Elige un cachorro de una camada sana. Asegúrate de que todos los cachorros parezcan alertas, sanos, activos y bien alimentados. Si es posible, conoce a los padres del cachorro y a otros familiares adultos. Eso te dará una imagen aproximada de su aspecto y comportamiento cuando crezca. ¿Son sus padres amigables? ¿Son muy activos? ¿Son tranquilos? ¿Obedecen? Esto te dará una idea de lo que estás adquiriendo.

Observa el comportamiento de los cachorros entre sí. Juega con ellos y cógelos uno a uno. Aunque el más pequeño de la camada pueda ser el más agudo, tal vez tenga problemas médicos y de conducta.

Si la camada de cachorros que buscas es de pura raza, plantéate que sea el criador quien elija el correcto. El criador lleva con los cachorros desde que nacieron y conoce sus distintas personalidades.

Muchos adiestradores de obediencia prefieren machos, pero si eres un dueño sin experiencia o no estás seguro sobre qué sexo elegir, opta por una hembra de posición intermedia en la camada, porque será más acomodaticia, no muy tímida pero tampoco demasiado impositiva. Si estás eligiendo un cachorro de una camada de cruce de razas, opta por la prudencia y elige una hembra, sobre todo si piensas que los cachorros crecerán bastante y no quieres un perro de dimensiones excesivas.

En muchas razas la diferencia de tamaño entre cachorros y adultos es grande. No des por supuesto que un cachorro pequeño será un adulto pequeño.

ADOPCIÓN DE UN PERRO ADULTO

Si la casa está vacía la mayor parte del día y el perro estará solo con sus posesiones, plantéate conseguir un perro adulto. Podría ser la opción más sencilla, porque los perros maduros a menudo saben entretenerse mejor y no te echará demasiado de menos. Un perro maduro no necesitará tu atención completa y absoluta cuando estés en casa. Y lo que es más, es posible que ya sepa controlar sus esfínteres y conozca varias órdenes básicas de obediencia.

Una posible desventaja es que ya tendrá su personalidad moldeada por experiencias vitales fuera de tu control y de las que es posible que no sepas nada. Pero, si resulta que tiene algunos malos hábitos, podrás reeducarlo con la ayuda de clases de obediencia, un adiestrador profesional o un buen libro sobre adiestramiento canino.

Si «heredas» un perro adulto de algún miembro de la familia de o un amigo, hay posibilidades de que ya sepas mucho sobre él. Adoptar un perro de este modo es la solución perfecta para todos los implicados, pero nunca adoptes un perro, sea de un albergue o de otra familia, sólo porque sientas lástima. Aunque muchos perros adultos dados en adopción se convierten en fantásticos compañeros, algunos pueden tener problemas de conducta que no sean evidentes en principio. Intenta recabar una historia detallada del animal. Obsérvalo en el albergue y pregunta al personal su opinión sobre su personalidad. Si eliges con cuidado, un perro adulto puede ser perfecto para ti. Además, estarás dando un hogar a un perro que lo necesita realmente.

¿Por qué elegir un pura raza?

Un perro con pedigrí distinguido no es necesariamente más adorable,

inteligente, divertido o leal que un perro callejero. Sólo es más predecible.

Los perros de pura raza presentan ciertos rasgos por los que sabrás lo que estás adquiriendo. Si te decides por un perro tranquilo, grande, que no suelte pelo y sea bueno con los niños, entonces un caniche mediano será perfecto.

EL PERRO PREDECIBLE

Las distintas razas de perros se han criado selectivamente durante generaciones y se ha llevado un registro y estudio de sus antepasados. Todo esto viene a cuento de que, cuando te decidas por un pura raza, tendrás una buena idea del tipo de can que vas a adquirir respecto a tamaño y conducta. Una vez sepas tus necesidades y conozcas las razas, podrás buscar la ideal para ti.

Si quieres un perro para salir a correr, tendrás que descartar el bulldog, que es fuerte pero no tiene aguante. Prueba con un perro atlético, tal vez un perro de caza o de trabajo como un braco húngaro, un pastor alemán o un husky siberiano.

Aunque el entorno y el adiestramiento desempeñen un papel vital en la formación y el desarrollo del perro adulto, sigue siendo cierto que algunas razas o grupos de razas están genéticamente predispuestos para ciertas conductas. La clave es saber cuáles son. Los perros de pura raza se dividen en varios grupos según el propósito original para el que se criaran. Y aunque los pura raza de hoy en día ya no lleven la misma vida que sus antepasados, siguen conservando ciertas cualidades y conductas (véase el cuadro de la página siguiente).

UN TAMAÑO PARA CADA UNO Algunas razas presentan diversos tamaños. Los caniches pueden ser medianos o enanos; y hay schnauzers gigantes, medianos y enanos. El caniche y el schnauzer de la foto son ambos de raza enana.

BUSCAR CONSEJO DE ALGÚN AMIGO

Antes de escoger un perro, busca el consejo de un experto. Habla con veterinarios sobre las razas que te interesan. Tendrás así una impresión general de distintas razas y quizás entres en contacto con criadores de ese perro que buscas. Los adiestradores te informarán sobre la facilidad para adiestrar ciertas razas, sobre las razas con las que han tenido más problemas y las mejores para dueños primerizos o gente con más experiencia, o para personas con o sin hijos u otros animales.

Para ver distintas razas en acción, visita exhibiciones o concursos, como pruebas de obediencia o pruebas de pastoreo. Habla con los dueños, que a menudo también serán criadores. Estarán dispuestos a hablarte de sus perros. Pero ten presente que, cuando hables con un devoto de una raza, su opinión no será del todo objetiva, así que pregúntale por los aspectos de la raza que no le gusten, e

DIFERENCIAS ENTRE RAZAS El golden retriever necesita ejercicio vigoroso a diario y aseo frecuente. El corgi galés de Pembroke necesita ejercicio moderado y aseo semanal. Ambas razas se adiestran fácilmente, su temperamento es alegre y son buenas mascotas para niños.

investiga por tu cuenta si te dicen que esa raza no tiene defectos.

PROBLEMAS DE SALUD DE LOS PURA RAZA

Criar nuevas razas implica concentrarse en el material genético para obtener ciertas características físicas, cierta planta, conducta y personalidad. El inconveniente es que al contar con un acervo genético menor puede aumentar el número de enfermedades de un pura raza. Por desgracia, pueden surgir enfermedades o defectos cuando el perro tenga varios años y tal vez ya haya tenido descendencia.

Toda raza es susceptible de sufrir algunas enfermedades y trastornos. La mayoría de las razas grandes son propensas a un trastorno articular llamado displasia de cadera. El cocker spaniel, el akita japonés y el husky siberiano, entre otros, presentan una elevada incidencia de atrofia progresiva de la retina y cataratas hereditarias. Una anomalía en la coagulación de la sangre –la enfermedad de von Willebrand– afecta a muchas razas como el doberman y el terrier escocés. El perro de Terranova es propenso a los defectos cardíacos y los dálmatas lo son a la sordera. Los perros con el hocico chato como el pequinés son propensos a problemas respiratorios, dificultades en el parto y dolorosos problemas oculares.

Hay medios para reducir las posibilidades de que un cachorro pura raza sufra una enfermedad a la que su raza es genéticamente propensa. Compra a un criador con buena reputación, que pueda demostrar la cuidadosa selección de los padres basada en su acervo genético para desechar problemas hereditarios. Comprueba que los padres tengan una cartilla sanitaria limpia. El cachorro deberá pasar una revisión exhaustiva en el veterinario.

También es aconsejable averiguar los años que vivieron los abuelos del cachorro y preguntar si algún familiar sufrió enfermedades o afecciones propias de esa raza. Unos parientes longevos suelen ser un buen indicador de la salud de una línea de perros.

LOS SIETE GRUPOS DE PURA RAZA

Perros de caza Los grandes spaniels, los perros de muestra (como el setter irlandés, abajo a la derecha) y los perros cobradores (perdigueros); también el braco húngaro y el braco de Weimar. Perros despiertos e inteligentes que han sido y siguen usándose por cazadores para buscar y cobrar piezas. Necesitan mucho ejercicio intenso al aire libre y con regularidad.

Podencos En tiempos servían por su olfato para rastrear caza menor (perros rastreros, como el sabueso enano, arriba, y el raposero) o por su aguda vista y velocidad para cazar a la carrera (galgo ruso y lebrel escocés). Suelen tener mucha resistencia, pero difieren en su necesidad de ejercicio. La mayoría disfruta con terreno amplio para correr y oler.

Perros de trabajo Grupo diverso que comprende perros para la guarda de ganado y propiedades (mastín y pastor húngaro), perros de trineo y de tiro (samoyedo y boyero de Berna), perros de rescate (San Bernardo y perro de Terranova) y perros útiles para el ejército (doberman). Capaces y rápidos en aprender, son compañeros serios. Por su tamaño y fuerza, es importante que sean adiestrados bien.

Terriers Son perros que «se meten bajo tierra». El nombre «terrier» viene del latín 'terra'. Algunos terriers, como el fox terrier y el terrier de Norfolk, se criaron para sacar cavando presas de su madriguera. Otros, como el terrier blanco de West Highland y el schnauzer enano, se criaron para matar alimañas. Alegres y muy activos, necesitan dueños acordes a su poderosa personalidad.

Perros enanos Los perros falderos tradicionales, favoritos de la nobleza (pequinés [izquierda], chin japonés y bichón maltés). Monos e irresistibles por su tamaño diminuto, su personalidad es firme. Son ideales para personas con casas pequeñas.

Perros útiles Cajón de sastre para razas reconocidas por el American Kennel Club, pero que no casan bien con los otros grupos. Hay razas como el bulldog, el dálmata, el lhasa apso, el terrier tibetano, el spaniel tibetano y el perro de barcaza holandés.

Perros de pastoreo Animales inteligentes criados para el pastoreo de ovejas o ganado. El viejo ovejero inglés, el collie y el pastor de Brie pertenecen a este grupo, igual que el pastor alemán. Son excelentes compañeros, pero su instinto de pastor es fuerte; a veces no resisten arrinconar a los niños u otras mascotas. Necesitan mucho ejercicio.

Cincuenta razas populares

El cuadro de las páginas siguientes es una guía de consulta rápida sobre el tamaño, temperamento y cuidados de algunas razas populares.

Con tantas razas entre las que elegir, querrás escoger la mejor para ti. El cuadro siguiente enumera 50 de las razas más populares. Primero aparecen los límites de alzada y peso normales de caza raza, además de una descripción de su personalidad. La alzada de un perro se mide desde el suelo hasta la cruz u hombros. La descripción de la personalidad subraya el temperamento básico y da información sobre si es fácil de adiestrar o si es adecuado para una familia con niños pequeños.

Las descripciones cromáticas detallan el color del manto. Los términos usados a menudo son

AUSTRALIANOS ALERTA Los perros de pastoreo, como estos pastores australianos, suelen ser inteligentes, fáciles de adiestrar, obedientes y leales. Como se criaron para trabajar duro, les encanta el ejercicio habitual y vigoroso.

LISTA DE COLORES CANINOS

Si alguien dice «Mira ese gran danés arlequinado» y esperas ver un perro disfrazado de payaso, entonces necesitas ayuda. Aquí enumeramos los colores caninos más extraños.

Bicolor Pelaje de dos colores diferenciados.

Atigrado Mezcla uniforme de colores oscuros y claros, por lo general, con rayas como un tigre.

Entrecano Patrón ruano que suele ser una mezcla de negro, gris azulado, gris hierro o rojo con blanco.

Arlequinado Blanco con manchas negras o azules.

Mirlo (Merle) Moteado efecto mármol (por lo general, azul, a veces rojo).

Particolor Una mezcla homogénea de dos o más colores.

Pinto Blanco y negro u otros dos colores en manchas. De color blanco con manchas bien definidas.

Ruano Una mezcla homogénea de blanco y otro color.

Sable Puntas negras sobre un fondo plata, gris, albaricoque, cervato o pardo.

Punteado Pequeñas áreas de negro u otros colores oscuros sobre fondo blanco.

Tricolor Manto de tres colores diferenciados, por lo general negro, blanco y fuego.

Trigueño Amarillo pálido o cervato.

habituales, mientras que otros no lo son tanto (ver cuadro).

Los cuidados indican el tipo de manto de cada raza y cuánto aseo necesitan. La sección sobre ejercicio especifica cuánto y qué tipo de ejercicio es mejor para esa raza. Si estás buscando un perro que requiera poco mantenimiento, éstas son secciones importantes para que elijas correctamente.

La sección sobre el entorno señala si una raza es apropiada para un piso o necesita mucho espacio.

La sección sobre salud resume los problemas a los que es propensa cada raza. También se enumera el grupo al que cada raza pertenece: de caza, útil, rastreador, de trabajo, terrier, raza enana y de pastoreo. (Ésta es la clasificación del American Kennel Club; otros países clasifican las razas de modo distinto. Véase pp. 320-21.)

A cada raza se la clasifica con estrellas según su facilidad para ser adiestrada, su adaptabilidad a la vida en la ciudad y su aptitud para vivir con niños. Una estrella significa mal, dos regular, tres buena, cuatro muy buena, y cinco excelente.

Las 50 razas aparecen fotografiadas y también hay un dibujo a escala que muestra el tamaño del perro comparado con un humano adulto y un niño, para que veas por comparación el tamaño que alcanzará esa raza.

CHIHUAHUA	BICHON MALTÉS	SPITZ DE POMERANIA (Pomerano)

ALZADA: 15-23 cm
PESO: 1-3 kg

ALZADA: 20-25 cm
PESO: 2-3 kg

ALZADA: 18-30 cm
PESO: 1-3 kg

COLOR: Rubio, blanco, cervato, con manchas o negro y fuego.

COLOR: Blanco.

COLOR: Rojo, negro, blanco, azul, anaranjado, crema o pardo.

PERSONALIDAD: Estos perros vivos e inteligentes prefieren la compañía de su dueño a la de otros perros. Pueden ladrar mucho y costar que aprendan el control de esfínteres en casa. Su diminuto tamaño hace de ellos mascotas poco idóneas para niños pequeños y enérgicos.

PERSONALIDAD: Para ser una raza enana, estos perros son duros. Son inteligentes, enérgicos y de buen natural, pero pueden volverse irritables cuando se los maneja con rudeza. Son mejores mascotas para hogares con niños más mayores.

PERSONALIDAD: Aunque diminutos, estos perros son audaces, curiosos y buenos perros de guarda. También son muy inteligentes y requieren dueños seguros para su correcto adiestramiento. Son mejores para hogares con niños más mayores.

CUIDADOS: Pelo liso, cepillado de vez en cuando. De pelo largo: cepillado a diario. Baño mensual ambas variedades.

CUIDADOS: Su manto largo y sedoso necesita cepillado a diario con cepillos especiales para evitar daños.

CUIDADOS: El manto largo, denso suelta mucho pelo y, además de su cola poblada, necesita cepillado a diario.

EJERCICIO: Un paseo corto diario con buen tiempo hará felices a estos perritos.

EJERCICIO: Les gustan los paseos, pero no les importará saltarse alguno de vez en cuando.

EJERCICIO: Un paseo o sesión de juego con regularidad es todo lo que estos perros necesitan.

ESPACIO EN LA CASA: Son perfectos para casas o pisos, y disfrutan acompañando a sus dueños en sus salidas.

ESPACIO EN LA CASA: Debido a su tamaño y su escasa necesidad de ejercicio, son perros perfectos para pisos.

ESPACIO EN LA CASA: Estos perros son perfectos para pisos.

SALUD: Estos perros son propensos a tener los ojos secos y saltones, así como a las cardiopatías y problemas con dientes y encías.

SALUD: Estos perros son propensos a los trastornos oculares, dentales y de encías, así como a la hipoglucemia y los problemas articulares.

SALUD: Estos perros son propensos a los trastornos oculares, dentales y de encías, así como a la hipoglucemia y los problemas articulares.

RAZA: Enana

RAZA: Enana

RAZA: Enana

ENTRENABILIDAD ★★★

MASCOTA PARA NIÑOS ★

VIDA EN LA CIUDAD ★★★★★

ENTRENABILIDAD ★★★

MASCOTA PARA NIÑOS ★★★

VIDA EN LA CIUDAD ★★★★★

ENTRENABILIDAD ★★★

MASCOTA PARA NIÑOS ★★

VIDA EN LA CIUDAD ★★★★★

TEJONERO (Perro salchicha)

ALZADA: 15-20 cm
PESO: 5-15 kg

COLOR: Uno o dos colores entre rojo, negro, fuego o pardo. El manto largo en ocasiones es mirlo.

PERSONALIDAD: Listos, tenaces y a veces testarudos, a estos perros les encanta cavar. Pueden mostrarse un poco bruscos con los niños. A los tejoneros a veces les cuesta aprender a controlar los esfínteres y, si se aburren, a menudo despliegan conductas destructivas.

CUIDADOS: Cepillar los mantos largos y duros varias veces por semana, y los mantos lisos una vez por semana.

EJERCICIO: El ejercicio frecuente impedirá que estos perros ganen sobrepeso.

ESPACIO EN LA CASA: Su pequeño tamaño los hace adecuados para vivir en pisos.

SALUD: Son susceptibles a los problemas oculares hereditarios y a parálisis de los cuartos traseros, diabetes y enfermedades cutáneas. También son propensos a los problemas dentales.

RAZA: Cazadora

ENTRENABILIDAD ★ ★ ★

MASCOTA PARA NIÑOS ★ ★

VIDA EN LA CIUDAD ★ ★ ★ ★ ★

TERRIER DE YORKSHIRE

ALZADA: 18-23 cm
PESO: 1-3 kg

COLOR: Azul acero con manchas color fuego.

PERSONALIDAD: Si se los malcría, se vuelven excitables y bruscos. Si se los respeta por su inteligencia y resistencia, su temperamento terrier brilla con luz propia. Son mejores mascotas en casas con niños mayores.

CUIDADOS: Su largo manto sedoso no pierde mucho pelo, pero necesita ser cepillado a diario.

EJERCICIO: No necesitan mucho ejercicio, pero les encanta correr y jugar ocasionalmente.

ESPACIO EN LA CASA: Son perfectos para apartamentos. No deben estar en lugares fríos y húmedos.

SALUD: Esta raza es propensa a los problemas oculares, dentales y de las encías, y a los trastornos articulares.

RAZA: Enana

ENTRENABILIDAD ★ ★ ★

MASCOTA PARA NIÑOS ★ ★

VIDA EN LA CIUDAD ★ ★ ★ ★ ★

PEQUINÉS

ALZADA: 15-23 cm
PESO: 5-6 kg

COLOR: Rojo, cervato, Fondo café o gris con puntas negras, atigrado, negro y fuego, blanco o particolor.

PERSONALIDAD: Son la quintaesencia de los perros falderos. Tienen un aire digno, son reservados con los extraños y cariñosos con sus dueños. Les cuesta aprender a controlar los esfínteres en casa, y son mejores para casas sin niños.

CUIDADOS: Su manto largo y áspero necesita cepillarse a diario para evitar enredos.

EJERCICIO: Estos perros prefieren no hacer ejercicio, pero se benefician de sesiones de juego ocasionales.

ESPACIO EN LA CASA: Son muy buenos para vivir en pisos. No les gusta el frío ni la humedad.

SALUD: Su rostro chato hace propensa esta raza a los problemas respiratorios, al golpe de calor y a los problemas oculares, como desgarros, infecciones y prolapsos.

RAZA: Enana

ENTRENABILIDAD ★ ★

MASCOTA PARA NIÑOS ★ ★

VIDA EN LA CIUDAD ★ ★ ★ ★ ★

SHIH TZU

ALZADA: Hasta 28 cm
PESO: 4-7 kg

COLOR: Todos los colores y mezclas.

PERSONALIDAD: A diferencia de algunas razas enanas, el shin tzu no tiende a dar tarascadas ni a ladrar en exceso. Son animados pero no difíciles de adiestrar, y buenos para dueños novatos.

CUIDADOS: El manto largo y denso no pierde mucho pelo, pero necesita atención diaria para que no se enrede.

EJERCICIO: Todo cuanto necesita es un paseo diario.

ESPACIO EN LA CASA: Su tamaño y bajo nivel de actividad los vuelve perfectos para vivir en pisos. Mantener lejos del frío y la humedad.

SALUD: El hocico chato vuelve esta raza propensa a las lesiones oculares, los problemas respiratorios y el golpe de calor. Vigilar los problemas articulares, dentales y de encías.

RAZA: Enana

ENTRENABILIDAD ★★★

MASCOTA PARA NIÑOS ★★★

VIDA EN LA CIUDAD ★★★★★

CANICHE ENANO

ALZADA: Hasta 28 cm
PESO: 3-4 kg

COLOR: Azul, gris, plata, pardo, café con leche, albaricoque y crema.

PERSONALIDAD: El diminuto caniche enano es inteligente y fácil de adiestrar, pero exige mucho afecto y puede ladrar mucho. Estos perros son buenos para dueños primerizos, pero pueden ser enérgicos con niños pequeños y activos.

CUIDADOS: Los caniches no pierden pelo, pero requieren cepillado habitual y corte de uñas cada pocos meses.

EJERCICIO: Los caniches enanos sólo requieren ejercicio moderado. Les encantan los paseos y correr de vez en cuando en libertad.

ESPACIO EN LA CASA: Son buenas mascotas del hogar.

SALUD: Propensos a los trastornos oculares y cutáneos como cataratas, glaucoma, infecciones y quistes. Pueden verse afectados por enfermedades cardíacas y epilepsia.

RAZA: Enana

ENTRENABILIDAD ★★★★★

MASCOTA PARA NIÑOS ★★

VIDA EN LA CIUDAD ★★★★★

LHASA APSO

ALZADA: 23-28 cm
PESO: 5-8 kg

COLOR: Dorado, rojo, negro, gris, pardo, miel, blanco o crema.

PERSONALIDAD: El aspecto mimoso de estos antiguos perros tibetanos contradice un temperamento independiente y audaz. Son inteligentes, juguetones y no cuesta adiestrarlos. Son mejores para familias con niños mayores.

CUIDADOS: El denso manto necesita casi cepillado diario. Los ojos lagrimean mucho.

EJERCICIO: Estos perros sólo necesitan ejercicio moderado.

ESPACIO EN LA CASA: Son buenos perros de interior. Si tienes más de uno, proporciona a cada uno sus propios juguetes, pues suelen ser posesivos.

SALUD: Son susceptibles a los problemas oculares y cutáneos, así como a las enfermedades renales.

RAZA: Útil

ENTRENABILIDAD ★★★

MASCOTA PARA NIÑOS ★★

VIDA EN LA CIUDAD ★★★★

BICHON FRISÉ

ALZADA: 23-30 cm
PESO: 3-5 kg

COLOR: Blanco, a veces con sombras amarillo pálido, crema o albaricoque.

PERSONALIDAD: Bueno para dueños primerizos, suelen tener un temperamento apacible y sociable con la familia y los extraños. Si se ha socializado de pequeño, debería llevarse bien con niños.

CUIDADOS: El manto suave y sedoso pierde algo de pelo y requiere cepillado diario para evitar que se enrede.

EJERCICIO: Les gusta jugar en el piso, pero también disfrutan del ejercicio habitual al aire libre.

ESPACIO EN LA CASA: Son sobre todo perros de interior y por tanto adaptables a cualquier clima.

SALUD: Son propensos al taponamiento de los lagrimales y hay que limpiarles los ojos con regularidad. El estado del manto tiene que vigilarse con atención.

RAZA: Útil

ENTRENABILIDAD ★★★★

MASCOTA PARA NIÑOS ★★★

VIDA EN LA CIUDAD ★★★★★

TERRIER ESCOCÉS

ALZADA: 23-28 cm
PESO: 8-10 kg

COLOR: Acero, gris hierro, negro, rojizo dorado, trigueño o entrecano.

PERSONALIDAD: A estos perros audaces, posesivos e incluso testarudos les gusta cavar y ladrar. Son mejores para hogares con niños mayores, porque pueden ser vigorosos y dominantes. Necesitan adiestramiento firme y constante.

CUIDADOS: El manto denso y duro necesita cepillado periódico y cuidados habituales de un peluquero.

EJERCICIO: Los paseos regulares y los juegos de buscar objetos son buenos para estos perros.

ESPACIO EN LA CASA: Les encanta viajar y se adaptan con facilidad a situaciones nuevas.

SALUD: Son propensos a las enfermedades cutáneas y al «calambre del terrier escocés», que dificulta el caminar.

RAZA: Terrier

ENTRENABILIDAD ★★

MASCOTA PARA NIÑOS ★★★

VIDA EN LA CIUDAD ★★★★

DOGUILLO O CARLINO

ALZADA: 25-36 cm
PESO: 6-9 kg

COLOR: Plata, albaricoque, cervato o negro.

PERSONALIDAD: A diferencia de otras razas enanas, los doguillos no tienen el problema de ladrar en exceso, ser bruscos con los niños o excitarse demasiado. De buen natural, son fáciles de adiestrar y adecuados para dueños primerizos.

CUIDADOS: Su manto fino y suave no pierde mucho pelo. Necesita cepillado semanal.

EJERCICIO: No necesitan mucho ejercicio, pero les gusta pasear y jugar.

ESPACIO EN LA CASA: Son buenas mascotas caseras, pero no se deben exponer a calor ni frío excesivos.

SALUD: Esta raza es propensa a las lesiones oculares, las dificultades respiratorias y el golpe de calor.

RAZA: Enana

ENTRENABILIDAD ★★★

MASCOTA PARA NIÑOS ★★★★

VIDA EN LA CIUDAD ★★★★★

TERRIER BLANCO DE WEST HIGHLAND

ALZADA: 23-30 cm
PESO: 6-8 kg

COLOR: Blanco.

PERSONALIDAD: Estos perros vivaces y juguetones son un poco más fáciles de adiestrar que la mayoría de los terrier. Tal vez ladren mucho y sin duda cavarán, pero son afectuosos. Esta raza es más apropiada para hogares con niños mayores.

CUIDADOS: El manto de pelo duro y sin rizos necesita cepillarse varias veces por semana.

EJERCICIO: Un paseo diario está bien, pero también les gusta retozar en el jardín.

ESPACIO EN LA CASA: Estos perros apropiados para pisos son muy adaptables y les encanta viajar.

SALUD: Son propensos a hernias, enfermedades cutáneas, toxicosis por cobre, calcificación del maxilar y un trastorno de la articulación de la cadera llamado enfermedad de Legg-Calvé-Perthes.

RAZA: Terrier

ENTRENABILIDAD ★ ★ ★
MASCOTA PARA NIÑOS ★ ★ ★
VIDA EN LA CIUDAD ★ ★ ★ ★

TERRIER DE CAIRN

ALZADA: 23-33 cm
PESO: 6-8 kg

COLOR: Crema, trigueño, rojo, rojo dorado, gris, atigrado o negro.

PERSONALIDAD: Estos perritos curiosos y resueltos son devotos de sus dueños, a veces hasta el punto de ser celosos. Por eso es mejor que vivan en casas con niños mayores. Algunos ladran mucho.

CUIDADOS: Cepilla al perro varias veces por semana. Las uñas y oídos requieren atención regular.

EJERCICIO: Se recomiendan paseos habituales. Debido a su curiosidad, es mejor sacarlos con correa.

ESPACIO EN LA CASA: Se adaptan bien a los pisos, granjas y cualquier solución intermedia.

SALUD: Aunque por lo general resistentes, esta raza es propensa a alergias cutáneas, trastornos de coagulación de la sangre, luxación de rótula y enfermedades oculares hereditarias.

RAZA: Terrier

ENTRENABILIDAD ★ ★ ★
MASCOTA PARA NIÑOS ★ ★ ★
VIDA EN LA CIUDAD ★ ★ ★ ★

PINSCHER ENANO

ALZADA: 25-30 cm
PESO: 4-5 kg

COLOR: Negro, azul o chocolate con marcas rojo óxido, o rojo intenso.

PERSONALIDAD: Estos perros atrevidos, testarudos y dueños de de sí mismos actúan como perros grandes y tal vez se muestren agresivos con otros perros. No siempre son fáciles de adiestrar y requieren dueños experimentados. Son inadecuados para familias con niños pequeños.

CUIDADOS: El manto duro y liso desprende muy poco pelo y sólo precisa un cepillado semanal.

EJERCICIO: Estos perritos activos necesitan paseos habituales.

ESPACIO EN LA CASA: Son adecuados para vivir en pisos y prefieren no estar mucho fuera cuando hace frío.

SALUD: Es una raza bastante sana, pero algunos ejemplares sufren problemas oculares y articulares.

RAZA: Enana

ENTRENABILIDAD ★ ★ ★
MASCOTA PARA NIÑOS ★ ★
VIDA EN LA CIUDAD ★ ★ ★ ★ ★

Corgi Galés de Pembroke

ALZADA: 25-30 cm
PESO: 11-14 kg

COLOR: Rojo, fondo café o gris con puntas negras, cervato, negro o fuego, con manchas blancas.

PERSONALIDAD: Estos perros felices e inteligentes son apropiados para los que quieren un perro con mucha personalidad en envase pequeño. Son fáciles de adiestrar y enseñar el control de esfínteres, y son buenos guardianes.

CUIDADOS: Su manto espeso, de longitud media y resistente a las inclemencias necesita cepillado semanal.

EJERCICIO: A estos perros activos les gusta jugar, pasear y correr a diario con la familia.

ESPACIO EN LA CASA: Necesitan espacio para correr, pero se adaptan a los pisos si hacen suficiente ejercicio.

SALUD: Esta raza es propensa a enfermedades oculares hereditarias, trastornos hemorrágicos, displasia de cadera y problemas de espalda debido a su larga columna vertebral y patas cortas.

RAZA: Pastoreo

ENTRENABILIDAD ★★★★★
MASCOTA PARA NIÑOS ★★★★
VIDA EN LA CIUDAD ★★★

Caniche Miniatura

ALZADA: 28-38 cm
PESO: 7-8 kg

COLOR: Azul, gris, plateado, castaño, café con leche, albaricoque y crema.

PERSONALIDAD: Estos perros son inteligentes y fáciles de adiestrar y aprender a controlar los esfínteres. Pueden exigir mucho afecto y ladrar mucho. Son bastante sensibles y pueden tener celos de los niños.

CUIDADOS: Los caniches no pierden pelo, pero requieren cepillado con regularidad y cortar el pelo cada pocos meses.

EJERCICIO: Los paseos y las sesiones de juego unas cuantas veces por semana mantienen a estos perros en forma y felices.

ESPACIO EN LA CASA: El caniche miniatura es un buen perro para pisos cuando se le ofrece suficiente ejercicio.

SALUD: Estos perros son propensos a los trastornos oculares y cutáneos, como cataratas, glaucoma, infecciones y quistes. También hay casos de enfermedades cardíacas.

RAZA: Útil

ENTRENABILIDAD ★★★★★
MASCOTA PARA NIÑOS ★★★
VIDA EN LA CIUDAD ★★★★★

Pachón (Beagle)

ALZADA: 33-41 cm
PESO: 9-11 kg

COLOR: Combinaciones de negro, blanco y fuego.

PERSONALIDAD: Son famosos por su resistencia física y su energía inagotable. Bonachones por naturaleza, son felices con niños y otras mascotas, pero pueden ser muy voluntariosos y a veces difíciles de adiestrar. Si están mucho tiempo solos, sus ladrido se vuelve excesivo.

CUIDADOS: El manto necesita cepillado semanal. Las orejas necesitan limpieza con regularidad.

EJERCICIO: Necesitan paseos diarios y algunas carreras con la correa puesta en un área despejada de vez en cuando.

ESPACIO EN LA CASA: Aunque su pequeño tamaño parezca apropiado para la vida hogareña, los pachones sedentarios y aburridos pueden adquirir conductas destructivas.

SALUD: Los pachones son propensos a cardiopatías, obesidad y epilepsia; a trastornos cutáneos, oculares y hemorrágicos, y a ciertos problemas de columna.

RAZA: Podenco

ENTRENABILIDAD ★★★
MASCOTA PARA NIÑOS ★★★★
VIDA EN LA CIUDAD ★★

TERRIER DE BOSTON

ALZADA: 28-38 cm
PESO: 7-11 kg

COLOR: Atigrado o negro con manchas blancas.

PERSONALIDAD: Son perros sensibles, afectuosos y a veces testarudos que, no obstante, son una buena opción para dueños primerizos. Se adaptan bien tanto a una familia activa como a un dueño más tranquilo.

CUIDADOS: Cepillado y frotación diarios con una gamuza para mantener lustroso su manto corto.

EJERCICIO: Estos perros aprecian paseos diarios y les encanta perseguir pelotas.

ESPACIO EN LA CASA: Se adaptan bien a una vida hogareña, también son buenos perros guardianes.

SALUD: Son susceptibles de sufrir enfermedades respiratorias y lesiones y enfermedades oculares.

RAZA: Útil

ENTRENABILIDAD ★ ★ ★

MASCOTA PARA NIÑOS ★ ★ ★

VIDA EN LA CIUDAD ★ ★ ★ ★

SCHNAUZER ENANO

ALZADA: 28-36 cm
PESO: 5-8 kg

COLOR: Entrecano, negro y plateado, o fuego intenso.

PERSONALIDAD: Estos perros son juguetones, inteligentes y testarudos. Combinan la conducta habitual de los terrier (ladradores, excitables, amantes de cavar) con el instinto de guarda (conducta territorial y dominante), y son mejores para familias con niños mayores.

CUIDADOS: Su pelo rizado y duro necesita peinado periódico y corte unas cuatro veces al año.

EJERCICIO: A estos perros les encantan los paseos habituales. Dales juguetes para que jueguen en casa.

ESPACIO EN LA CASA: Se adaptan muy bien a la vida hogareña.

SALUD: Son propensos a los trastornos oculares y hemorrágicos, a los cálculos renales, las enfermedades del corazón y los riñones, diabetes y epilepsia.

RAZA: Terrier

ENTRENABILIDAD ★ ★ ★

MASCOTA PARA NIÑOS ★ ★ ★

VIDA EN LA CIUDAD ★ ★ ★ ★ ★

SABUESO ENANO (Basset)

ALZADA: 28-38 cm
PESO: 20-29 kg

COLOR: Negro, blanco y fuego, o limón y fuego.

PERSONALIDAD: Estos perros divertidos y de temperamento moderado son cariñosos y sociables. Sin embargo, son una de las razas más difíciles de enseñar el control de esfínteres en casa. También son testarudos, por lo que los dueños tienen que ser pacientes.

CUIDADOS: Su manto liso es fácil de mantener, pero las orejas necesitan limpieza frecuente por dentro.

EJERCICIO: Uno o más paseos diarios mantendrán estos perros felices y en su peso. Hay que desanimarlos a saltar.

ESPACIO EN LA CASA: Se adaptan bien a la vida en la ciudad, pero sus aullidos pueden ser un problema en un piso.

SALUD: Son propensos a glaucoma, problemas discales, meteorismo e infecciones de oído.

RAZA: Podenco

ENTRENABILIDAD ★ ★ ★

MASCOTA PARA NIÑOS ★ ★ ★ ★

VIDA EN LA CIUDAD ★ ★ ★ ★

PASTOR DE LAS SHETLAND

ALZADA: 30-38 cm
PESO: 5-8 kg

COLOR: Negro, mirlo azul o fondo café o gris con puntas negras, con manchas blancas o fuego.

PERSONALIDAD: Estos perros son inteligentes, afectuosos y fáciles de adiestrar. Muchos son muy ladradores y algunos un tanto nerviosos. Son mejores para niños mayores.

CUIDADOS: El doble manto largo y áspero pierde mucho pelo. Necesita cepillado habitual.

EJERCICIO: Necesitan mucho ejercicio y les encanta correr libres y juguetear al aire libre.

ESPACIO EN LA CASA: Si hacen suficiente ejercicio, se adaptan a la vida en un piso.

SALUD: Propensos a sufrir atrofia progresiva de la retina y otros problemas oculares. También se dan casos de cardiopatías, epilepsia y sordera (en los ejemplares mirlo azul).

RAZA: Pastoreo

ENTRENABILIDAD ★★★★★
MASCOTA PARA NIÑOS ★★★★
VIDA EN LA CIUDAD ★★★

COCKER SPANIEL

ALZADA: 36-43 cm
PESO: 12-15 kg

COLOR: Negro, cualquier otro color intenso o particolor.

PERSONALIDAD: Enérgicos y juguetones, estos perros también pueden ser agresivos. Los cocker ingleses son ligeramente más grandes y conservan más instinto cazador que sus pares americanos. Ambas razas son fáciles de adiestrar.

CUIDADOS: El largo manto sedoso pierde pelo con moderación y necesita mucho cepillado y corte.

EJERCICIO: Ambas variedades necesitan paseos habituales, pero la variedad inglesa necesita un poco más.

ESPACIO EN LA CASA: Siempre y cuando salgan con frecuencia y corran y agoten energías, son apropiados como mascotas caseras.

SALUD: Los problemas oculares son la mayor preocupación. También hay casos de cardiopatías, infecciones de oído, hemofilia y epilepsia en la variedad americana.

RAZA: Cazadora

ENTRENABILIDAD ★★★★★
MASCOTA PARA NIÑOS ★★
VIDA EN LA CIUDAD ★★★★

BULLDOG

ALZADA: 30-41cm
PESO: 16-25 kg

COLOR: Rojo y otros colores atigrados, blanco, rojo, cervato o pinto.

PERSONALIDAD: Son perros leales, fiables y cariñosos, sin nada de la ferocidad de sus antepasados. No ladran mucho y destacan por su temperamento dulce. Son buenas mascotas pero no son tan fáciles de adiestrar.

CUIDADOS: Esta raza babea mucho. Su corto manto no pierde mucho pelo y necesita poco cepillado.

EJERCICIO: Paseos regulares a ritmo normal mantendrán al bulldog en forma y feliz.

ESPACIO EN LA CASA: Estos perros prefieren un clima algo más fresco. Están a gusto bajo techo y se adaptan bien a casas y pisos pequeños.

SALUD: Raza de corta vida, unos diez años, son propensos a las dificultades respiratorias y al golpe de calor, además de problemas oculares, cutáneos y cardíacos.

RAZA: Útil

ENTRENABILIDAD ★★★
MASCOTA PARA NIÑOS ★★
VIDA EN LA CIUDAD ★★★★

SPANIEL BRETON

ALZADA: 43-53 cm
PESO: 14-18 kg

COLOR: Anaranjado y blanco o hígado y blanco.

PERSONALIDAD: Estos perros de caza tenaces y trabajadores son favoritos entre los cazadores. De buen natural, son buenas mascotas familiares. Son muy fáciles de adiestrar y una buena opción para dueños primerizos.

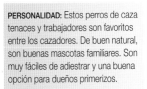

CUIDADOS: Su manto de longitud media necesita cepillado dos veces por semana y lavado varias veces al año.

EJERCICIO: Cuando son más felices es trabajando en el campo; necesitan mucho ejercicio vigoroso y regular.

ESPACIO EN LA CASA: Como la mayoría de los perros de caza, se aburren si están confinados mucho tiempo en espacios pequeños, y tal vez adquieran costumbres ruidosas y destructivas.

SALUD: Esta raza es propensa a las infecciones de oído y las enfermedades oculares.

RAZA: Cazadora

ENTRENABILIDAD ★★★★
MASCOTA PARA NIÑOS ★★★★
VIDA EN LA CIUDAD ★★

CHOW CHOW

ALZADA: 46-56 cm
PESO: 20-29 kg

COLOR: Negro, azul, rojo, crema o canela.

PERSONALIDAD: Estos perros robustos son reservados, sobre todo con desconocidos. Algunos son muy territoriales y propensos a la conducta agresiva. Necesitan una mano firme durante el adiestramiento y no son adecuados para dueños primerizos.

CUIDADOS: Pierden mucho pelo y necesitan cepillado con frecuencia.

EJERCICIO: Un paseo diario, no necesariamente agotador, es esencial para estos perros.

ESPACIO EN LA CASA: Su grueso manto causa que lo pasen mal cuando hace calor. Son limpios y silenciosos bajo techo.

SALUD: Son propensos a eccemas y problemas articulares y oculares.

RAZA: Útil

ENTRENABILIDAD ★★
MASCOTA PARA NIÑOS ★★
VIDA EN LA CIUDAD ★★★

SHAR PEI CHINO

ALZADA: 46-51 cm
PESO: 18-25 kg

COLOR: Cervato, negro, crema, albaricoque, chocolate o rojo.

PERSONALIDAD: Devotos de su familia, estos perros pueden ser agresivos con otros perros. Necesitan adiestramiento firme y son apropiados para dueños con experiencia. Son buenos perros guardianes.

CUIDADOS: Su áspero manto necesita cepillado semanal, pero la pérdida de pelo no es problema.

EJERCICIO: Los paseos diarios son adecuados, pero apreciarán una buena carrera de vez en cuando.

ESPACIO EN LA CASA: Como son perros tan limpios, son aptos para vivir en la ciudad, aunque se adaptan con rapidez a ámbitos más rurales.

SALUD: Son propensos a los problemas cutáneos y oculares, así como a la displasia de cadera.

RAZA: Útil

ENTRENABILIDAD ★★★
MASCOTA PARA NIÑOS ★★★★★
VIDA EN LA CIUDAD ★★★★★

SPANIEL OJEADOR INGLÉS

ALZADA: 46-53 cm
PESO: 18-25 kg

COLOR: Blanco y negro, hígado y blanco, tricolor, azul o hígado ruano.

PERSONALIDAD: La mayoría de estos perros son alegres y juguetones. Sin embargo, esta raza es propensa al síndrome de rabia, un trastorno hereditario de la conducta que deriva en agresiones impredecibles. Si se compra un ejemplar a un criador, comprueba que las líneas de su pedigrí sean seguras.

CUIDADOS: Hay que cepillar su manto suave e impermeable cada semana y prestar mucha atención a las orejas.

EJERCICIO: Son activos y necesitan mucho ejercicio.

ESPACIO EN LA CASA: Si dan paseos enérgicos a diario, no hay problemas con que vivan en la ciudad.

SALUD: Son propensos a atrofia progresiva de retina, displasia de codo y cadera, epilepsia y afecciones de oídos y cutáneas.

RAZA: Cazadora

ENTRENABILIDAD ★★★★★

MASCOTA PARA NIÑOS ★★★★

VIDA EN LA CIUDAD ★★★

SAMOYEDO

ALZADA: 48-61 cm
PESO: 20-27 kg

COLOR: Blanco, galleta, crema o blanco y galleta.

PERSONALIDAD: Estos perros son enérgicos, juguetones y amistosos. Independientes y fuertes, son aptos para dueños con experiencia.

CUIDADOS: Su doble manto grueso pierde mucho pelo y exige ser cepillado a diario.

EJERCICIO: Requieren ejercicio intenso al aire libre cada día. Cuando hace calor, deben ser sacados a ejercitarse a las horas más frescas del día.

ESPACIO EN LA CASA: Prefiere climas frescos y son adecuados para el campo o las afueras de la ciudad.

SALUD: Son habituales en esta raza casos de displasia de cadera, problemas cutáneos y trastornos oculares.

RAZA: De trabajo

ENTRENABILIDAD ★★★

MASCOTA PARA NIÑOS ★★★★

VIDA EN LA CIUDAD ★★

PASTOR AUSTRALIANO

ALZADA: 46-58 cm
PESO: 16-32 kg

COLOR: Mirlo azul, mirlo rojo, rojo, negro o tricolor.

PERSONALIDAD: Estos perros muy inteligentes pueden ser amistosos o reservados con desconocidos. Son fáciles de adiestrar, pero tienen un fuerte instinto de pastoreo.

CUIDADOS: Su largo manto necesita un exhaustivo cepillado varias veces por semana.

EJERCICIO: Estos perros son felices con una tarea de verdad que realizar. De lo contrario, requieren ejercicio vigoroso una o dos veces al día.

ESPACIO EN LA CASA: No son adecuados para la vida en la ciudad. Se deben tener en el campo, o al menos en las afueras con un gran jardín por el cual vagar.

SALUD: Los trastornos oculares y la displasia de cadera pueden afectar a esta raza. Los de color mirlo son propensos a la sordera.

RAZA: De pastoreo

ENTRENABILIDAD ★★★★★

MASCOTA PARA NIÑOS ★★★★

VIDA EN LA CIUDAD ★★

HUSKY SIBERIANO

ALZADA: 51-58 cm
PESO: 16-27 kg

COLOR: Todos los colores, desde negro a blanco, por lo general con manchas en la cara.

PERSONALIDAD: A estos perros enérgicos y juguetones les encanta trabajar. Son amistosos pero no siempre fáciles de adiestrar y pueden tener instinto dominante. Los husky requieren dueños seguros y con experiencia.

CUIDADOS: Su doble manto de longitud media suelta mucho pelo y necesita cepillado dos veces por semana.

EJERCICIO: Necesitan ejercicio vigoroso al aire libre. Con ejercicio insuficiente pueden mostrar conductas destructivas.

ESPACIO EN LA CASA: Su grueso pelo los hace aptos para climas fríos. Debido a su tamaño, no deben tenerse en casas pequeñas ni pisos.

SALUD: Pueden sufrir atrofia progresiva de retina y otros trastornos oculares, junto con displasia de cadera y problemas de piel y tiroides.

RAZA: De trabajo

ENTRENABILIDAD ★★

MASCOTA PARA NIÑOS ★★★

VIDA EN LA CIUDAD ★

DÁLMATA

ALZADA: 48-58 cm
PESO: 20-29 kg

COLOR: Blanco con manchas negras o color hígado.

PERSONALIDAD: Estos perros protectores tienen energías ilimitadas y una naturaleza bulliciosa. Cuando se aburren, despliegan conductas destructivas, así que mantenlo ocupado. Son de confianza con los niños, pero muy sensibles. No se recomiendan a dueños primerizos.

CUIDADOS: Cepillado diario para mantener el manto suave del perro. Pierden mucho pelo.

EJERCICIO: Atléticos por naturaleza, necesitan correr tanto como sea posible para mantenerse en forma.

ESPACIO EN LA CASA: Si hacen ejercicio habitualmente al aire libre, los dálmatas son perros hogareños felices. No les gusta estar al aire libre con frío.

SALUD: Son propensos a la sordera, los cálculos vesicales y las afecciones cutáneas alérgicas.

RAZA: Útil

ENTRENABILIDAD ★★★

MASCOTA PARA NIÑOS ★★★

VIDA EN LA CIUDAD ★★★

BOXER

ALZADA: 53-61 cm
PESO: 25-32 kg

COLOR: Cervato o atigrado, con manchas blancas.

PERSONALIDAD: Juguetón y paciente con los niños. Los bóxer son valientes y guardianes devotos. Aunque buenos para dueños primerizos, necesitan un adiestramiento firme y una socialización temprana con otros animales y personas.

CUIDADOS: Su manto corto y suave necesita un sencillo cepillado. Los dientes necesitan atención habitual.

EJERCICIO: Debido a sus muchas energías, estos perros necesitan hacer mucho ejercicio.

ESPACIO EN LA CASA: Son limpios y relativamente silenciosos y buenas mascotas hogareñas si se les adiestra correctamente y se les permite hacer suficiente ejercicio.

SALUD: Raza de corta vida, unos diez años, los bóxer son propensos a los problemas cutáneos, ictus, enfermedades cardíacas, cáncer y meteorismo.

RAZA: De trabajo

ENTRENABILIDAD ★★★

MASCOTA PARA NIÑOS ★★★★★

VIDA EN LA CIUDAD ★★★

COBRADOR DE LA BAHÍA DE CHESAPEAKE

ALZADA: 53-66 cm
PESO: 25-36 kg

COLOR: Castaño oscuro a fuego claro.

PERSONALIDAD: Estos perros atrevidos y enérgicos son devotos de su familia. No ladran en exceso, pero son buenos guardianes. Un pronto testarudo los vuelve difíciles de adiestrar; son mejores para dueños experimentados.

CUIDADOS: Cepillado habitual. Baño con poca frecuencia para mantener el aceite impermeabilizador del manto.

EJERCICIO: Esta raza necesita mucho ejercicio vigoroso, como correr y nadar, para mantenerse en forma.

ESPACIO EN LA CASA: Son más aptos para entornos donde puedan pasar mucho tiempo al aire libre.

SALUD: Estos perros son susceptibles de sufrir displasia de cadera y enfermedades oculares hereditarias.

RAZA: Cazadora

ENTRENABILIDAD ★★★
MASCOTA PARA NIÑOS ★★★★
VIDA EN LA CIUDAD ★★

GOLDEN RETRIEVER (Perdiguero Dorado)

ALZADA: 51-61 cm
PESO: 25-36 kg

COLOR: Distintos tonos de dorado o crema.

PERSONALIDAD: Son una de las razas más populares, sobre todo para familias. Juguetones, enérgicos y poco ladradores, son buenos con los niños, muy fáciles de adiestrar y adecuados para dueños primerizos.

CUIDADOS: Su manto denso e impermeable necesita cepillado varias veces por semana.

EJERCICIO: Estos perros necesitan ejercicio diario. Como su nombre sugiere, buscar y cobrar es su juego favorito.

ESPACIO EN LA CASA: Se adaptan fácilmente a casi todos los hogares, aunque los que vivan en la ciudad necesitarán paseos diarios.

SALUD: Son propensos a distintas enfermedades oculares, así como a displasia de cadera y codo, obesidad y enfermedades cutáneas.

RAZA: Cazadora

ENTRENABILIDAD ★★★★★
MASCOTA PARA NIÑOS ★★★★★
VIDA EN LA CIUDAD ★★★

PERDIGUERO DEL LABRADOR (Labrador Retriever)

ALZADA: 53-61 cm
PESO: 25-34 kg

COLOR: Negro, amarillo o chocolate.

PERSONALIDAD: Estos perros populares son amistosos y tienen un temperamento serio. Para focalizar sus grandes energías, necesitan un adiestramiento temprano. Son adecuados para dueños primerizos.

CUIDADOS: Su manto corto y resistente a las inclemencias necesita cepillado al menos una vez por semana.

EJERCICIO: Estos perros necesitan mucho ejercicio y afecto; les encanta jugar a buscar objetos y nadar.

ESPACIO EN LA CASA: Se adapta con facilidad a casi todos los hogares. Los dueños que vivan en pisos tendrán que sacarlo a hacer ejercicio con frecuencia, o desarrollará conductas destructivas por frustración.

SALUD: Los labradores pueden sufrir meteorismo, epilepsia, obesidad, displasia de cadera, atrofia progresiva de retina y otros problemas oculares.

RAZA: Cazadora

ENTRENABILIDAD ★★★★★
MASCOTA PARA NIÑOS ★★★★★
VIDA EN LA CIUDAD ★★★

Braco Alemán de pelo corto

ALZADA: 53-66 cm
PESO: 20-32 kg

COLOR: Pardo rojizo intenso o negro, o esos colores con motas blancas.

PERSONALIDAD: A estos perros tremendamente enérgicos les encanta la gente. Pueden llegar a abrumar a los niños pequeños, por lo que son mejores para niños más grandes. Pueden ser traviesos y siempre fáciles de adiestrar, y necesitan un dueño experimentado.

CUIDADOS: Es necesario un cepillado habitual. Inspección frecuente de orejas y pies para eliminar sustancias extrañas.

EJERCICIO: Necesitan mucho ejercicio vigoroso, como carreras.

ESPACIO EN LA CASA: Debido a su gran nivel de actividad, estos perros no se adaptan bien a la vida en pisos.

SALUD: Son por lo general una raza resistente, pero son susceptibles de sufrir displasia de cadera y afecciones oculares.

RAZA: Cazadora

ENTRENABILIDAD ★★
MASCOTA PARA NIÑOS ★★★
VIDA EN LA CIUDAD ★

Terrier de Airedale

ALZADA: 56-61 cm
PESO: 18-23 kg

COLOR: Cuerpo negro o entrecano oscuro, con la cabeza, las orejas y las patas color fuego.

PERSONALIDAD: Estos perros fieles, juguetones y a veces testarudos son protectores con la familia y cautos con los extraños. Con una personalidad fuerte, necesitan un adiestramiento firme y constante.

CUIDADOS: Su manto duro y rizado no pierde mucho pelo, pero necesita cepillado y peinado frecuentes.

EJERCICIO: Un paseo a buen ritmo a diario u otro ejercicio vigoroso es esencial, más cuando estos perros viven en la ciudad.

ESPACIO EN LA CASA: Estos perros se adaptan a cualquier clima y les encanta estar al aire libre.

SALUD: Por lo general una raza resistente, muestran tendencia a sufrir gastroenteritis y displasia de cadera. También se dan casos de eccema.

RAZA: Terrier

ENTRENABILIDAD ★★★
MASCOTA PARA NIÑOS ★★★
VIDA EN LA CIUDAD ★★★★

Collie de pelo largo

ALZADA: 56-66 cm
PESO: 23-34 kg

COLOR: Blanco y fondo café o gris con puntas negras, mirlo azul, blanco o tricolor.

PERSONALIDAD: Familiarizados millones de personas con «Lassie», estos perros son fáciles de adiestrar y afectuosos con la familia. Sin embargo, pueden ser muy nerviosos y reservados con los extraños. Algunos collies ladran mucho.

CUIDADOS: Pierden mucho pelo y requieren frecuentes cepillados.

EJERCICIO: Son necesarios paseos diarios para que estos perros se mantengan en forma y felices.

ESPACIO EN LA CASA: Los collie no se adaptan bien a los climas cálidos y húmedos. Son aptos para vivir al aire libre debido al pelo que pierden.

SALUD: Un trastorno específico de estos perros es la dermatitis solar nasal (una enfermedad despigmentante autoinmunitaria). También son propensos a displasia de cadera, infecciones cutáneas y problemas oculares. Los mirlo azul a veces nacen sordos.

RAZA: De pastoreo

ENTRENABILIDAD ★★★★
MASCOTA PARA NIÑOS ★★★
VIDA EN LA CIUDAD ★★★

CANICHE MEDIANO

ALZADA: 38-61 cm
PESO: 20-32 kg

COLOR: Azul, gris, plateado, castaño, café con leche, albaricoque y crema.

PERSONALIDAD: Son muy inteligentes y fáciles de adiestrar y de enseñar a controlar los esfínteres en casa. Juguetones y afectuosos, son buenos para dueños primerizos y familias con niños pequeños.

CUIDADOS: No pierden pelo, pero requieren cepillado habitual y corte de pelo cada pocos meses.

EJERCICIO: Estos perros activos deben dar un paseo a diario. También les encanta nadar y correr sueltos.

ESPACIO EN LA CASA: Se adaptan bien a la vida en casa si hacen suficiente ejercicio.

SALUD: Son propensos a los trastornos oculares y cutáneos, como cataratas, glaucoma, infecciones y quistes. También pueden sufrir cardiopatías, diabetes, epilepsia y cáncer.

RAZA: Útil

ENTRENABILIDAD ★★★★★
MASCOTA PARA NIÑOS ★★★★★
VIDA EN LA CIUDAD ★★★

PASTOR ALEMÁN

ALZADA: 56-66 cm
PESO: 32-43 kg

COLOR: Habitualmente negro con fuego o manchas de cervato. Un manto todo blanco es inaceptable en perros de exhibición.

PERSONALIDAD: Estos perros inteligentes y confiados son buenos para familias pero necesitan una mano experta y dura para su adiestramiento. Pueden ser agresivos con otros perros.

CUIDADOS: Su manto doble denso pierde mucho pelo y se tiene que cepillar varias veces por semana.

EJERCICIO: Sin sus paseos diarios, estos perros pueden estar inquietos y desplegar conductas destructivas.

ESPACIO EN LA CASA: Son perfectos para las afueras de la ciudad o el campo. Con ejercicio adecuado pueden vivir en la ciudad.

SALUD: Son problemas corrientes meteorismo, displasia de cadera y codo, trastornos cutáneos y oculares, epilepsia y defectos cardíacos.

RAZA: De pastoreo

ENTRENABILIDAD ★★★★★
MASCOTA PARA NIÑOS ★★★
VIDA EN LA CIUDAD ★★★

ROTTWEILER

ALZADA: 56-69 cm
PESO: 38-59 kg

COLOR: Negro con caoba o manchas de color óxido.

PERSONALIDAD: Estos perros guardianes son fuertes, seguros y de naturaleza protectora. Algunos se vuelven agresivos. Son aptos para dueños experimentados y seguros.

CUIDADOS: Su manto corto y áspero necesita un cepillado diario.

EJERCICIO: Requieren ejercicio diario y vigoroso o, preferiblemente, algún trabajo. Se evitarán los juegos de posesión.

ESPACIO EN LA CASA: Estos perros están mejor en las afueras de la ciudad o en el campo.

SALUD: Son susceptibles de sufrir meteorismo, atrofia progresiva de retina, displasia de cadera y codo, y problemas oculares.

RAZA: De trabajo

ENTRENABILIDAD ★★★
MASCOTA PARA NIÑOS ★★★
VIDA EN LA CIUDAD ★★

MALAMUTE DE ALASKA

ALZADA: 56-66 cm
PESO: 32-43 kg)

COLOR: Gris claro a negro, o dorado a rojo y castaño rojizo, con la parte inferior del cuerpo blanca y máscara facial.

PERSONALIDAD: Su fuerte personalidad hace esta raza buena para dueños experimentados. Son muy amistosos con la gente pero necesitan un adiestramiento temprano y continuado y deben estar vigilados cuando haya otras mascotas. Buscan llevar una vida activa.

CUIDADOS: Su doble y espeso manto necesita cepillado al menos una vez por semana.

EJERCICIO: Famosos por su resistencia física, estos perros necesitan ejercicio diario y vigoroso.

ESPACIO EN LA CASA: No son apropiados para vivir en pisos: un malamute sedentario y aburrido puede volverse muy destructivo. Prefieren un clima frío.

SALUD: Se dan casos de displasia de cadera, meteorismo, trastornos de la coagulación sanguínea y problemas oculares.

RAZA: De trabajo

ENTRENABILIDAD ★★★
MASCOTA PARA NIÑOS ★★
VIDA EN LA CIUDAD ★

BRACO DE WEIMAR

ALZADA: 56-69 cm
PESO: 23-32 kg

COLOR: Todos los tonos de gris, desde plateado hasta ratonado.

PERSONALIDAD: Son perros activos y voluntariosos. Necesitan una mano firme y experimentada para sacar sus mejores cualidades (lealtad e inteligencia) y controlar su tendencia a dominar y ser agresivos.

CUIDADOS: El manto corto y lustroso no pierde mucho pelo y sólo necesitan cepillado una vez por semana.

EJERCICIO: Necesitan mucho ejercicio, con paseos y carreras.

ESPACIO EN LA CASA: Estos perros son demasiado activos para vivir en un piso y se adaptan mejor al campo o las afueras.

SALUD: Estos perros son propensos al meteorismo, la displasia de cadera y distintas afecciones cutáneas.

RAZA: Cazadora

ENTRENABILIDAD ★★★
MASCOTA PARA NIÑOS ★★
VIDA EN LA CIUDAD ★★★

AKITA JAPONÉS

ALZADA: 61-71 cm
PESO: 34-54 kg

COLOR: Crema, rojo, azul, dorado, blanco, atigrado o pinto.

PERSONALIDAD: Esta raza antigua de perro japonés es famosa por su fuerza, carácter despierto y coraje. La conducta agresiva puede ser un problema, sobre todo con otros perros. Requieren un adiestramiento diligente y no son aptos para dueños primerizos.

CUIDADOS: Su denso manto pierde mucho pelo, y necesita cepillado semanal para conservarlo bien.

EJERCICIO: Estos perros atléticos necesitan mucho ejercicio. Se evitarán juegos agresivos como los juegos de posesión.

ESPACIO EN LA CASA: Estos perros pueden ser silenciosos, reservados en un piso o igualmente felices con un jardín grande donde vagar.

SALUD: Esta raza tiene problemas de displasia de cadera y trastornos oculares.

RAZA: De trabajo

ENTRENABILIDAD ★★★
MASCOTA PARA NIÑOS ★★
VIDA EN LA CIUDAD ★★★

DOBERMAN

ALZADA: 61-71 cm
PESO: 30-40 kg

COLOR: Negro, rojo, cervato, castaño o azul con manchas rojas.

PERSONALIDAD: Son la quintaesencia del perro guardián. Necesitan estar con gente y pueden ser buenos con los niños si se crían con ellos. Son más aptos para dueños experimentados.

CUIDADOS: El manto suave no pierde mucho pelo. Necesita cepillado varias veces por semana.

EJERCICIO: Necesitan mucho ejercicio vigoroso, pero hay que evitar los juegos agresivos.

ESPACIO EN LA CASA: A estos perros no les gusta el frío. Pueden ser buenos perros caseros si se ejercitan a diario.

SALUD: Propensos a meteorismo, displasia de cadera y problemas cardíacos. También son susceptibles de sufrir trastornos hemorrágicos (enfermedad de von Willebrand).

RAZA: De trabajo

ENTRENABILIDAD ★★★★★
MASCOTA PARA NIÑOS ★★★
VIDA EN LA CIUDAD ★★★

SAN BERNARDO

ALZADA: Desde 63 cm
PESO: 50 kg

COLOR: Blanco con manchas rojas o atigradas.

PERSONALIDAD: Son perros cariñosos, tranquilos y, por lo general, buenos con los niños y otros animales. No ladran mucho, pero, como cualquier otra raza gigante, necesitan adiestramiento temprano y consistente para calmar su tendencia dominante.

CUIDADOS: Las dos variedades de pelo largo y pelo corto necesitan cepillado diario cuando mudan el pelo.

EJERCICIO: Estos perros necesitan paseos diarios u otras formas de ejercicio habitual.

ESPACIO EN LA CASA: Debido a su espeso manto, prefieren los climas fríos. Son más aptos para las afueras y el campo.

SALUD: Son propensos a displasia de cadera, meteorismo, cardiopatías, afecciones cardíacas y epilepsia.

RAZA: De trabajo

ENTRENABILIDAD ★★★
MASCOTA PARA NIÑOS ★★★
VIDA EN LA CIUDAD ★★

GRAN PIRINEO

ALZADA: 63-81 cm
PESO: 38 kg

COLOR: Blanco intenso o blanco con manchas grises o fuego.

PERSONALIDAD: Empleados tradicionalmente como guardianes, estos perros tranquilos y regios han conservado su naturaleza protectora. Siendo buenas mascotas para la familia, necesitan entrenar siempre la obediencia desde edad temprana a cargo de un dueño experimentado.

CUIDADOS: Su doble manto necesita cepillado frecuente. Estos perros pierden mucho pelo en tiempos de muda.

EJERCICIO: Necesitan mucho ejercicio habitual para mantenerse en forma.

ESPACIO EN LA CASA: No son aptos para vivir en casas y prefieren climas fríos.

SALUD: Estos perros son propensos al meteorismo, la displasia de cadera, problemas oculares y sordera. Tienen una vida corta de unos diez años.

RAZA: De trabajo

ENTRENABILIDAD ★★★
MASCOTA PARA NIÑOS ★★★
VIDA EN LA CIUDAD ★

PERRO DE TERRANOVA

ALZADA: 63-74 cm
PESO: 45-68 kg

COLOR: Negro, blanco y negro, castaño o gris.

PERSONALIDAD: Son perros apacibles, afectuosos y protectores. Fáciles de adiestrar y enseñar el control de esfínteres, son estupendos para dueños primerizos y niños.

CUIDADOS: El grueso doble manto impermeable pierde mucho pelo y necesita atención diaria.

EJERCICIO: Estos perros necesitan ejercicio moderado con regularidad. Les encanta nadar.

ESPACIO EN LA CASA: Prefieren los climas fríos a los cálidos y se adaptan bien a las casas o pisos con aire acondicionado.

SALUD: Son susceptibles de sufrir problemas cardíacos, meteorismo, displasia de cadera y otros problemas ortopédicos.

RAZA: De trabajo

ENTRENABILIDAD ★★★★
MASCOTA PARA NIÑOS ★★★★★★
VIDA EN LA CIUDAD ★★★

MASTÍN

ALZADA: Desde 69 cm
PESO: Desde 68 kg

COLOR: Cervato, albaricoque, plateado o atigrado.

PERSONALIDAD: Estos enormes perros guardianes de gran antigüedad combinan docilidad y coraje. Les gusta la compañía humana, pero necesitan una mano firme y experta para su adiestramiento.

CUIDADOS: Su manto corto y áspero necesita cepillado sólo una vez por semana. Estos perros babean mucho.

EJERCICIO: Para mantener una buena salud necesitan ejercicio con regularidad.

ESPACIO EN LA CASA: Se adaptan mejor a casas en las afueras o en el campo, donde su tamaño no representa un problema.

SALUD: Los mastines son propensos a la displasia de codo y cadera, meteorismo y anomalías en los párpados. Tienen una vida corta de unos diez años.

RAZA: De trabajo

ENTRENABILIDAD ★★★
MASCOTA PARA NIÑOS ★★★
VIDA EN LA CIUDAD ★

GRAN DANÉS (Mástín Danés)

ALZADA: 71-86 cm
PESO: 45-72 kg

COLOR: Atigrado, cervato, azul, negro o arlequinado.

PERSONALIDAD: A estos gigantes apacibles les encanta la gente y, cuando se adiestran y socializan correctamente, son estupendas mascotas familiares. Pueden ser territoriales y agresivos con otros perros, pero son buenos con los niños y otros animales.

CUIDADOS: Su manto corto y espeso necesita cepillado semanal y baños infrecuentes.

EJERCICIO: Estos perros necesitan paseos diarios. No se fomentarán los juegos de posesión ni de lucha con ellos.

ESPACIO EN LA CASA: Aunque estos perros se puedan adaptar a la vida en la ciudad, los dueños con un jardín tendrán más fácil que hagan ejercicio.

SALUD: Son propensos a meteorismo, cáncer óseo, displasia de cadera y cardiopatías, y tienen una vida corta de unos diez años.

RAZA: De trabajo

ENTRENABILIDAD ★★★
MASCOTA PARA NIÑOS ★★★
VIDA EN LA CIUDAD ★★★

El encanto de las razas mixtas

Las razas mixtas son los perros habituales, a veces de aspecto extraño que vemos a diario.

Los cruces de razas son híbridos estupendos cuyos ancestros pueden ser la base de un juego de adivinación de largo recorrido. Como los cachorros de razas cruzadas son casi por definición cruces imprevistos, un número desproporcionado de ellos tienden a acabar en albergues o a la venta dentro de cajas de cartón a la salida de un supermercado. Esto podría ser una ventaja porque a menudo son baratos o gratis. Pero, a pesar de esta corta inversión, no tienes por qué estar sacrificando la calidad. Y todo el coste restante –accesorios, comida y asistencia veterinaria– será exactamente el mismo que para un pura raza. Con independencia de su pedigrí, todos los perros necesitan amor, cuidados y ser valorados.

El elemento sorpresa

Las razas mixtas son maravillosas, cariñosas y leales, igual que los perros de raza pura. Y una de las grandes cosas sobre los cruces es que son únicos; ningún otro perro se le parecerá. Adquirirás un sentido de la individualidad si tu perro es un cruce.

«Los cruces de diseño» son cada vez más populares, aunque, en muchos casos, no sabrás quiénes son los padres del perro. Esto significa que factores determinados por sus genes, como su tamaño, personalidad, conducta y cuidados serán difíciles de predecir, así como cualquier enfermedad que pueda sufrir.

Sea lo que surja de la pócima del crisol de cuatro patas, hay posibilidades de que el resultado final sea un estupendo compañero. Todo perro se puede adiestrar si descubres lo que lo motiva. El aspecto de tu perro dependerá de diversos ingredientes de su acervo genético. Sin embargo, su personalidad y educación dependerán sobre todo de la forma en que lo adiestres.

Una galleta dura

Es probable que el nacimiento de una camada de perros cruzados no se haya planeado, por lo que tu cachorro puede no haber recibido todos los cuidados y conocimientos que se prodigan a un pura raza, ni se le hayan dado todas las oportunidades. Algunos cruces tienen que sobrevivir a unos comienzos duros en la vida. Tal vez por eso la gente tiende a pensar que los cruces son más resistentes y sanos que los pura raza. Ciertamente, la combinación de material genético de un cruce de razas lo vuelve menos propenso a ciertos problemas hereditarios, por lo que es menos probable que sufra algunas enfermedades genéticas. Sin embargo, las razas mixtas también pueden enfermar por afecciones no hereditarias como cualquier otro perro. Elige un cruce por su aspecto y su personalidad, no porque creas que estará libre de enfermedades hereditarias asociadas con los pura raza. Recuerda que el acervo genético de todo perro contendrá una serie de genes buenos y otros no tan buenos.

UN PERRO FELIZ Este cruce de labrador y caniche es probable que haya heredado sus aptitudes para el adiestramiento y la naturaleza cariñosa de sus padres labrador y caniche. Su buena apariencia es una virtud adicional.

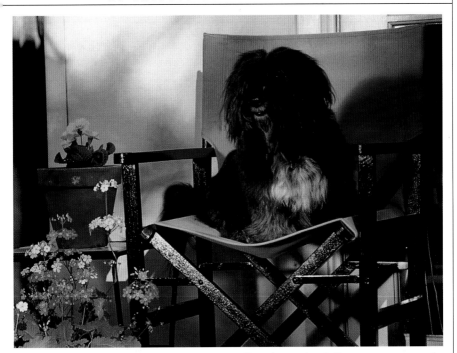

LO QUE UN PERRO QUIERE Este cruce de terrier y caniche necesitará el mismo afecto y cuidados que un pura raza.

ELECCIÓN DE UN PERRO CRUZADO ADULTO

Los perros adultos, de unos nueve meses de edad, son una sabia elección para los futuros dueños. Lo que ves es lo que obtienes. Ya sabrás el tamaño que va a tener y su grado de limpieza, y podrás hacerte una idea de sus destrezas sociales y su temperamento.

Conocer la raza de un perro o de un cruce de razas es sólo una parte de la ecuación. El entorno temprano del perro y sus experiencias vitales le habrán influido. Así que, una vez estés en el albergue canino y hayas encontrado un ejemplar que te guste, presta atención antes de entusiasmarte demasiado. En vez de intentar adivinar su linaje, piensa en el perro como individuo, en su conducta y su reacción ante tu presencia. Busca lo siguiente:

- ¿Se acerca el perro a la carrera hasta la verja para saludarte de manera amistosa, con las orejas en alto y meneando la cola?
- ¿Se le ve con confianza suficiente para acercarse a extraños, sean hombres o mujeres?

Si la respuesta es afirmativa en ambos casos y tienes buenas vibraciones con él, podría ser el perro para ti. Rechaza cualquier perro que actúe con timidez, que se refugie en el fondo de la jaula mientras gruñe o arrufa. Si es posible, lleva a un adiestrador contigo al albergue para que te ayude a elegir un perro. Los albergues caninos buenos suelen permitir que observes el comportamiento de tu perro con otros.

Ten presente que la conducta de un perro será distinta dependiendo del entorno. Tal vez se muestre amistoso en el albergue e inquieto en tu casa. Eso no significa necesariamente que hayas elegido mal. Un perro de albergue puede necesitar más semanas para adaptarse y sentirse lo bastante seguro como para relajarse. Dale un poco de tiempo y ten con él una actitud cariñosa y tranquilizadora, pero estate preparado para devolver el perro si no se adapta. Es importante conceder al perro y a ti la oportunidad de encontrar el ajuste correcto.

UN BUEN COMPAÑERO Este cruce de labrador y bullterrier de pelo corto es una mascota afable y de pocos cuidados.

Dónde conseguir tu perro

Ahora que conoces el tipo de perro que quieres,

¿dónde lo vas a encontrar?

ENCONTRAR UN PURA RAZA

Un perro de pura raza puede ser muy caro, pero, si acudes a un criador con buena reputación y amplios conocimientos, tu dinero estará bien invertido. Los criadores responsables conocen los problemas genéticos de sus perros, llevan un registro riguroso e intentan criar camadas sanas y con buen temperamento. Tal vez tengas tu perro diez o más años, por lo que será una buena inversión. Estarás pagando los años de experiencia del criador, así como su ayuda y consejo. Cualquier criador que se preocupe por sus perros responderá de buen grado a tus preguntas, tanto antes como después de que adquieras el perro.

No todos los cachorros de una camada cumplirán el ideal determinado por un club nacional de perros de raza. Los perros que sí lo cumplen «muestran calidad» y pueden competir en las exhibiciones caninas. Los que no lo cumplen a menudo se llaman «mascotas de calidad». No asumas que haya nada malo en un cachorro de este tipo simplemente porque el criador no lo haya elegido para una exhibición. El cachorro puede tener una pequeña enroscadura en la cola, o el pelaje de un color que no está permitido en la pista; son faltas graves en los perros de exhibición, pero no afectan a la salud ni al temperamento de los perros mascota. Sin embargo, si compras un ejemplar de camadas de exhibición, sabrás que la salud y calidad de los cachorros son las principales consideraciones del criador. Visita al menos a tres buenos criadores antes de comprar tu cachorro para tener muchos puntos de comparación.

Criadores que hay que evitar

Los criadores de poca confianza crían perros y venden cachorros para ganar dinero. Es poco probable que les interese estudiar y mejorar la raza, por lo que sus perros no siempre cumplirán los criterios de la raza. Sin conocimientos sobre la raza y el modelo aceptado, es probable que no sepan el modo de prevenir la presencia de rasgos genéticos desafortunados en sus cachorros. Sin embargo, tal vez pongan unos precios tan altos como los criadores más reputados.

Muchos anuncios clasificados pertenecen a criadores de poca confianza. Ponte en guardia si alguien se ofrece a venderte un cachorro sin hacer preguntas o si se muestra reacio a contestar

SE BUSCA UN BUEN HOGAR En los albergues caninos y en los grupos de rescate a menudo se encuentra buenos perros.

las tuyas sobre el cachorro o sobre la salud y el temperamento de los padres del cachorro.

Organizaciones de rescate de perros de raza

En los últimos años un número creciente de perros pura raza han ido acabando en los albergues. Alarmados por esta tendencia, los amantes de los pura raza han creado clubes de rescate para brindar a estos perros una segunda oportunidad. Voluntarios que crían una raza particular abren su casa y jaulas a perros que han acabado en un albergue o han sido abandonados. También acogen perros de gente que se ha dado cuenta de que la cosa no funciona, pero quieren estar seguros de que su perro termina en un buen hogar.

Una vez en su hogar de acogida, estos perros se someten a un examen de obediencia básica, temperamento, control de esfínteres y salud. Si el perro tiene algunos defectos, los voluntarios a menudo trabajan para erradicarlos hasta que cumplan los requisitos para ser buenas mascotas. Lo último que estos grupos quieren es que el perro inicie un ciclo de abandonos seguidos.

Las asociaciones de rescate son lugares

HAY DE TODOS LOS TIPOS Tu veterinario o personas del barrio que acudan a clases de adiestramiento canino tal vez te puedan recomendar dónde conseguir un buen perro. O, si conoces a alguien con un perro cuyo aspecto y carácter te gusten, como el alegre cruce de collie de la derecha, pregúntale dónde lo consiguió.

estupendos para encontrar un perro adulto joven y de raza. Si un cachorro de pura raza es demasiado caro para tu bolsillo, pero estás decidido, por ejemplo, a adquirir un perro cazador de alces noruego o un papillón, el rescate de un ejemplar de esta raza puede ser la respuesta. Los criadores locales o la sociedad protectora de animales local tal vez puedan mandarte a un club de rescate o busca en Internet.

ENCONTRAR UNA RAZA MIXTA

El mejor lugar para encontrar un cruce es el albergue canino local. Para obtener información sobre los albergues de tu zona, habla con tu veterinario o llama a la autoridad local de control y sanidad animales.

Muchos albergues están bien organizados y supervisados por personal preparado, aunque otros están mal dirigidos, por lo que siempre hay que visitar las instalaciones. Los animales deben parecer sanos, limpios y bien cuidados. El personal debe saber responder tus preguntas sobre perros concretos y ayudarte a elegir el mejor para ti. Asegúrate de saber qué tipo de perro estás buscando antes de acudir al albergue. Los albergues suelen cobrar algo de dinero por la adopción.

Infórmate de si tu perro ha sido castrado. Los albergues están comprometidos en favorecer la esterilización de perros. Por tanto, podrían concertar con un veterinario una castración gratis o de bajo coste, así que infórmate sobre su política. Si es posible, obtén la cartilla de vacunación del perro, porque así sabrás el tipo de vacunas –si las necesita– que tendrá que administrarle el veterinario cuando te lleves el perro a casa.

Un albergue de mascotas no es tu única opción. Si no tienen el perro que buscas, tal vez lo tengan en el albergue de otra ciudad cercana. Busca en Internet otros albergues que ofrezcan un perfil de los perros disponibles.

Muchos perros acaban en albergues porque sus dueños previos no eligieron el animal apropiado para su estilo de vida. Tómate tiempo para hacer una elección informada; estate preparado para dedicar tiempo a readiestrar el perro si ha aprendido malos hábitos en su vida anterior y serás recompensado con un cariñoso compañero.

La vida sin un perro no es nada.

ELIZABETH BOWEN (1899–1973),
Novelista y ensayista irlandesa

CAPÍTULO TERCERO

ADAPTACIÓN

Preparativos para un nuevo perro

Necesitarás acondicionar tu casa antes de que llegue tu nuevo perro.

Piensa en sus necesidades básicas: cama, ejercicio y cuidados.

YACIJA O CAMA

Lo primero que tu nuevo perro necesitará es una yacija cómoda en un lugar dispuesto para él. Para un cachorro, una caja puesta de lado y tapizada con un lecho blando y lavable, y una almohadilla a prueba de mordiscos dentro de la jaula son perfectas. Una yacija con relleno de judías o un colchón blando será apropiada para la mayoría de los perros adultos, pero las razas gigantes pueden necesitar una yacija tipo cama elástica para tener un mayor soporte. Comprueba que la yacija sea lo bastante grande como para que el perro se pueda estirar por completo. Sitúala en un lugar cálido y silencioso lejos de corrientes de aire, pero cerca de la familia. Los perros necesitan un área en la cual dormir sin que los molesten siempre que estén cansados. Los cachorros jóvenes duermen hasta 20 horas al día.

Una jaula de viaje o un trasportín también son una buena inversión. Si compras una lo bastante grande para cuando tu cachorro haya crecido por completo, podrás seguir usándola toda su vida cuando vayas de viaje. Un trasportín o una jaula también vuelven más fácil enseñarle a no hacer sus necesidades en casa (véase las pp. 86-89) y evitará que el cachorro se siga metiendo en problemas cuando no estés allí para supervisarlo.

ARTÍCULOS PARA COMER

Tu perro también necesitará sus propias escudillas para comer y beber. Busca las que estén diseñadas para la raza que has elegido para que pueda comer y beber sin sumergir las orejas. Algunos perros son alérgicos a las escudillas de plástico; la mejor elección son las escudillas de base plana y pesada hechas de acero inoxidable o cerámica. Son más

CACHARRERÍA Las escudillas de acero inoxidable o cerámica son más duraderas e higiénicas que las de plástico.

higiénicas y es menos probable que terminen volcadas. Pon la escudilla dentro de la jaula del perro o cerca de su yacija.

COLLARES, CHAPAS IDENTIFICATIVAS Y CORREAS

Otros artículos esenciales son un collar, una correa y una chapa identificativa. En esta chapa ha de figurar tu nombre, dirección y número de teléfono, y el perro debe llevarla siempre. Incluso si tu perro lleva un microchip o un tatuaje identificadores (ver p. 94), no por eso se le quitará la chapa. Comprueba que lleve inscrito el número de la base de datos en la que figura. En algunos lugares los perros también han de llevar una chapa numerada de vacunación antirrábica.

La variedad de collares y correas pueden volverte loco. El primer tipo de collar que necesitarás es uno de nailon o cuero que tenga una hebilla sencilla y que tu perro pueda llevar siempre. Los collares y correas de nailon o cuero son ideales para perros maduros. Como a los cachorros los collares se les quedan pequeños continuamente y tienden a mordisquear las correas, lo preferible es que sean de nailon y baratas. Cuando le pruebes el collar, debe ir lo bastante holgado como para ser cómodo, pero no tan suelto que pueda deslizar la cabeza fuera. Deben caber dos dedos entre el cuello y un collar del tamaño adecuado.

Otros tipos de collares sirven para adiestramiento y para perros que tiran de la correa. Las cadenas de ahorque y los collares de castigo sólo deben usarlas

BAJO CONTROL Existen distintos tipos de collares y correas. A la izquierda, en sentido horario desde la izquierda: correa de nailon, correa de cuero y nailon; correa retráctil. Derecha, por arriba: collar de ahorque; collar de nailon con clavija de enganche; collar de cuero y nailon; collar ligero de nailon.

ASUNTOS DE SALUD

La mayoría de los cachorros nacen con lombrices o las tienen poco después al tomar la leche materna. En algunos casos causan pocos problemas a su huésped, mientras que en otros provocan enfermedades a perros y seres humanos. A veces descubrirás lombrices adultas en las heces del perro, pero por lo general tu veterinario necesitará un examen al microscopio de las heces para saber si tu perro tiene lombrices. El veterinario puede prescribir un medicamento para librarse de ellas. En las pp. 276-277 aparece más información.

Los perros adultos, sobre todo los que vienen de albergues, pueden tener pulgas. Estos diminutos insectos pueden causar grandes molestias, tanto a perros como a personas, pero hay remedios eficaces de fácil aplicación. En las pp. 252-253 se muestra cómo buscarlas y tratar a tu perro cuando tenga pulgas.

PEQUEÑOS EXTRAS

Mientras estés en la tienda de mascotas, asegúrate de comprar juguetes masticatorios seguros y los accesorios correctos para su aseo según el tipo de pelaje (ver pp. 196-201). Tal vez también quieras comprar un producto de limpieza para los accidentes que hasta los perros maduros tienen a veces mientras se adaptan a un nuevo hogar.

dueños con experiencia o bajo la supervisión de un adiestrador canino. Si se usan inadecuadamente o con fuerza excesiva, pueden causar lesiones.

Un arnés que rodee el cuerpo es útil para pasear a algunos perros, como los que tosen o tienen problemas en el cuello, a los que los collares pueden irritar.

Hay gran variedad de correas a la venta. Las correas se suelen hacer de cuero, algodón o nailon. Las correas de cuero son las más caras, pero duran más tiempo y son suaves al tacto. El nailon grueso es resistente y barato, pero es menos flexible que el cuero. Las correas cortas de nailon ligero son la mejor opción para cachorros. También son baratas, por lo que si el cachorro la muerde, cuesta menos remplazarla. Una correa extensible es otra inversión interesante. Por lo general, cuentan con una cómoda asa de plástico, y brindan a los perros libertad para explorar sin soltarse de sus dueños, quienes pueden rebobinar fácilmente la correa si fuera necesario.

Por último, adecua el peso de los accesorios al tamaño del perro. No abrumes a un perro pequeño con artículos de cuero pesado, ni esperes retener a un perro grande y fuerte con una correa y un collar delgados y finos de nailon.

TODOS JUNTOS
Estos cachorros de labrador retriever tal vez disfruten compartiendo la yacija cuando son pequeños, pero cuando se hagan mayores cada uno necesitará su propia yacija.

Casa a prueba de perros

Proteger la casa del perro significa retirar todo cuanto pueda ser
un peligro para él o que pueda romper o dañar.

Tal vez pienses que tu casa es muy segura, pero, para un perro, está llena de atracciones fascinantes, aunque potencialmente peligrosas. Esto es sobre todo cierto cuando adquieres un perro nuevo, ya que estará presto a explorar su nuevo hogar, es decir, olisquear y probablemente probar cualquier cosa con la que se tope.

Es una buena idea darse una vuelta por la casa, garaje y jardín adoptando el punto de vista de un perro. Ponte a cuatro patas, muévete y verás el asombroso número de objetos masticables con los que te encuentras: cables eléctricos, juguetes de los niños, pastillas de jabón, libros, alfileres de costura, incluso joyas. Aplica las mismas precauciones con un perro que con los niños, y recuerda que los perros pueden ser diestros en romper botellas abiertas y cajas.

La lista siguiente enumera algunas cosas que hay que vigilar, tanto dentro como fuera de casa.

LA COCINA

La mayoría de las familias pasan mucho tiempo en la cocina y también lo hará tu perro. Los perros tienen unas patas de agilidad asombrosa y hocico atrevido con el que pueden abrir puertas de armarios, por lo que es importante que guardes los productos de limpieza lejos de su alcance. Tal vez incluso quieras instalar cierres a prueba de niños en los armarios donde guardes disolventes, detergentes, veneno para roedores e insecticidas.

Mantén la basura a buen recaudo o compra un cubo con tapa ajustable. La basura puede contener cosas tales como mazorcas de maíz,

¿QUÉ ES ESTO? Cuando adquieras un nuevo perro o cachorro, como este perro cazador de alces noruego, estará dispuesto a explorar todo cuanto pueda.

espetones para pinchos morunos, corchos y huesos de mango, que pueden obstruir el intestino si se ingieren. Deja los restos especialmente apetitosos –y peligrosos– como huesos de pollo en el congelador hasta tirar la basura. Así se elimina el peligro de los huesos afilados y astillables, y también se previenen enfermedades por la ingesta de comida en mal estado.

Otro peligro habitual es el chocolate, que se debe considerar veneno para el perro. Contiene un estimulante llamado teofilina, que puede enfermar gravemente al can. Cuanto más pequeño sea el perro, menos chocolate debe comer para ingerir una sobredosis.

Incluso objetos tan inocuos como toallas, alfombras extendidas y paños pueden ser peligrosos, ya que a los perros les encanta morderlos. Si tu perro se traga un pedazo lo bastante grande, podría obstruirle el intestino y provocar graves problemas, incluso potencialmente mortales. Para evitar peligros, busca un lugar inaccesible para todos los paños de cocina.

EL CUARTO DE BAÑO

Los perros a menudo exploran el cuarto de baño para ver qué hay allí. Con demasiada frecuencia descubren productos de sabor y olor atractivos, pero capaces de enfermarlos gravemente.

Botellas y jabones dejados en la bañera son una invitación para un perro. Un carrito elevado para la ducha mantendrá jabones, champúes y acondicionadores fuera de su alcance. Guarda todos los detergentes y desinfectantes lejos del perro en un armario, preferiblemente uno que tenga un cierre bien ajustado. Recuerda también que los juguetes de los niños para la bañera se parecen mucho a los juguetes del perro para

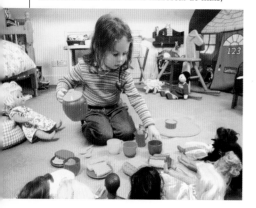

DIVERSIONES PELIGROSAS Los juguetes infantiles pueden ser tentadores para los perros, pero también peligrosos si los mastican o tragan.

DE CACERÍA Ciertos artículos habituales en los cuartos de baño como jabón, champú, productos de limpieza y el cable del secador resultan peligrosos para tu perro.

(Una vez hayan perdido uno o dos de sus juguetes favoritos entre los afilados dientes del perro, esta tarea será más sencilla.) Los perros a menudo tienen apetitos perversos. Pueden comer cosas como cigarrillos sólo por curiosidad, y entonces caen gravemente enfermos. Si alguien de tu familia fuma, vacía los ceniceros con regularidad y guarda el tabaco en un cajón o una caja de latón; los paquetes de papel o plástico son una presa fácil para los perros.

Si es posible, recoge los cables y déjalos fuera de su alcance. O cubre los cables que penden de la pared con cubiertas de metal, disponibles en las tiendas de iluminación. Por lo menos quita lámparas y otros electrodomésticos hasta que tu perro supere el interés por esos objetos.

Si bien los cables mordidos son sobre todo un problema de los cachorros, algunas razas mordedoras como los labradores y los golden retriever pueden verse tentados toda la vida por su presencia. En este caso tal vez tengas que arreglar de forma permanente todos los muebles para quitar los cables de la vista. Pegar los cables al suelo no soluciona el problema. El perro destrozará la cinta y luego el cable y sólo tardará un segundo en electrocutarse.

morder, pero no están pensados para sus poderosas mandíbulas y dientes.

Las compresas y tampones son muy absorbentes, es decir, son un problema si tu perro los mastica y se atascan en el tubo digestivo. No dejes que tu perro tenga acceso a ningún armario, cajón o cubo de la basura que pueda contener este tipo de objetos.

EL SALÓN Y EL ESTUDIO

El número de objetos peligrosos para un perro en el salón y el estudio es tan variado como variadas son las familias. ¿Te gusta pintar? ¿Coses? ¿Te gusta la música? ¿Juegas al ajedrez? Los materiales empleados para estas aficiones pueden ser tremendamente peligrosos para tu perro.

La solución más sencilla y práctica es guardar estos objetos en su propio receptáculo y almacenarlos aparte cuando hayas acabado. Ten una bolsa de costura en vez de una cesta abierta para las agujas y los hilos. Mete las pinturas en una caja metálica. Encuentra un lugar en alto donde guardar el tablero de ajedrez si tienes una partida en curso. Enseña también a tus hijos a guardar sus juguetes cuando acaben de jugar.

LOS DORMITORIOS

No todos los perros duermen la noche entera. Los perros nuevos son especialmente propensos a despertarse en mitad de la noche y los dormitorios son un lugar estupendo para pasar el tiempo. Cada noche antes de ir a la cama, invierte unos minutos en quitar peligros potenciales del suelo del dormitorio y dejarlos fuera de su alcance.

Los dormitorios de los niños son especialmente tentadores para los perros por la presencia de juguetes tirados. Pelotas o juguetes de goma pueden quedarse atascados en la garganta y obstruir las vías respiratorias. Los dormitorios de los adultos contienen dos grandes peligros para los perros: la calcetería de nailon y los medicamentos. Medias y calcetines se tragan con facilidad y pueden obstruir el intestino. Asegúrate de mantener todos los medicamentos fuera de su alcance: una pequeña dosis para un ser humano puede ser una sobredosis para un perro, y recuerda que las botellas con tapones a prueba de niños no los detendrán; pueden destrozarlos a mordiscos.

Intenta no dejar calderilla ni joyas en la cómoda; son una tentación para un perro que merodea. Deja la calderilla en una botella de cuello estrecho o en un bote con tapa, y pon los anillos, gemelos y pendientes en un joyero a resguardo.

EL GARAJE

Lo mejor cuando estás acondicionando el garaje para tu perro es dejar todo ese espacio fuera de sus límites. Incluso el garaje más ordenado puede ser un lugar peligroso para un perro, con tornillos y clavos por el suelo, así como diluyente de pintura, insecticida, fertilizante y otros venenos.

El anticongelante tal vez sea el mayor peligro para los perros. Su olor dulzón les resulta atractivo, pero resulta mortal. Cualquier perro que lo ingiera es probable que muera a menos que reciba un antídoto en un plazo de 24 horas, así que guarda todo el anticongelante lejos de su alcance. Mira periódicamente debajo del coche; el anticongelante que pierda un cable es tan

ELECCION DE JUGUETES PARA MORDER Suministra a tu perro muchos juguetes masticatorios y disuádele de morder objetos de la casa o tus posesiones.

peligroso como el de una botella. Tal vez puedas usar un nuevo tipo de anticongelante menos tóxico. Seguirá siendo venenoso, pero menos que el tradicional.

Presta especial atención a cualquier sustancia venenosa, sobre todo el cebo para babosas. No se necesita mucha cantidad para envenenar incluso a un perro grande.

EL JARDIN Y EL PATIO

Para los perros, los jardines y el césped ofrecen un verdadero ambigú de olores y sabores, no todos inocuos. Distintas plantas de exterior pueden dañar a tu perro (ver cuadro), al igual que ciertos frutos y verduras. Las cebollas, sea crudas o cocidas, incluso en pequeñas cantidades, pueden hacer vomitar a un perro.

Los perros a veces desentierran y comen partes subterráneas venenosas de los bulbos, o se comen las plantas de interior. Dependiendo de la altura del perro cuando se pone a dos patas, las plantas colgantes y las plantas en los alféizares pueden ser seguras, pero es mejor retirar todas las plantas del suelo o las mesas para ponerlas en estanterías en alto.

Algunas plantas que se han usado tradicionalmente en vacaciones como la flor de Pascua y el muérdago son muy venenosas. Por seguridad, tal vez prefieras usar plantas artificiales.

Si quieres una lista completa de las plantas venenosas de tu zona, ponte en contacto con un especialista o un centro de jardinería local.

Si tienes un montón o un barril de abono vegetal, asegúrate de que tu perro no tenga acceso a los alimentos descompuestos. Luego está el tema de los palos. A los perros les encanta morderlos, pero pueden perforar el paladar del perro, la garganta o el intestino. Una alternativa preferible es suministrar a tu perro juguetes para morder que sean duros e inastillables, como los juguetes de la casa Kong y los huesos de nailon. Y aunque tal vez resulte difícil retirar todos los palos del jardín, una buena idea es barrer a fondo después de una tormenta, y desembarazarse de todas las ramas que hayan podido caer al suelo.

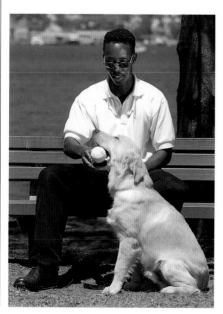

JUGAR CON SEGURIDAD Los palos a menudo se astillan al morderlos y pueden causar graves heridas a un perro. Si a tu perro le gusta buscar objetos o morder, los parachoques de goma son una opción más segura.

UN HOGAR COMÓDO Las razas muy grandes, como el gran danés o estos jóvenes perros de Terranova, pueden estar más cómodas fuera en una caseta que dentro de la casa.

SEGURIDAD EN EL HOGAR

El mundo exterior con todos sus olores y sonidos es tentador para los perros, por lo que si tienes un jardín o patio, revisa la valla antes de dejar al perro suelto. ¿Hay alguna tabla suelta en la valla? ¿Hay huecos por los que pudiera deslizarse? ¿Hay un lugar blando donde pueda cavar? Tu perro encontrará todos los puntos de escape potenciales antes que tú, así que ponle la correa y pasea por el perímetro del patio con él. Hay posibilidades de que encuentre algo que hayas pasado por alto, como una tabla suelta o un pequeño agujero que necesite repararse.

¿Es la valla lo bastante alta? Para un perro pequeño, una valla de 1 metro debería ser suficiente, mientras que otra de 2 metros retendrá a la mayoría de perros grandes. Ten presente que algunos perros son grandes cavadores por naturaleza y cavarán un hoyo por debajo de la vaya a la menor oportunidad. Comprueba que la puerta cierra bien y que un perro pequeño no puede deslizarse por debajo. Las piscinas o estanques siempre deben estar cubiertos o vallados.

Tal vez prefieras tener un parque al aire libre. Si es así, debe ser lo bastante grande como para que pueda jugar o ir a buscar algo a la carrera. Si planeas tener el perro en un parque varias horas seguidas, ponle también una caseta para que se resguarde de los elementos, así como agua y

PLANTAS VENENOSAS

L as siguientes plantas son tóxicas para los perros si las muerden o ingieren en cantidad suficiente:

Abro o regaliz americano (semillas)	americano
	Lirio del valle
Adelfa	Melocotones
Albaricoques	Nabo de la India
Almendras	Patatas (tubérculo, hojas,
Azalea	retoños)
Bulbos de primavera	Ranúnculo
Boj	Ricino (semillas)
Calanchoe	Rododendro
Caña de tonto	Ruibarbo
Dedalera o digital	Setas (Amanita)
Filodendro u oreja de	Tejón japonés (agujas,
elefante	corteza, semillas)
Flor de Pascua (hojas)	Tetratheca
Hiedra	ericifolia
Laurel	Tomates
	Zebrina pendula

algunos juguetes. Hay muchos diseños diferentes, pero toda caseta debe ser lo bastante grande como para que el perro se pueda mover con libertad en su interior, así como que sea fácil de limpiar. Haz compañía al perro mientras se familiariza con su nuevo patio o caseta, y alábalo cuando permanezca o juegue donde lo quieres tener. Si no se le elogia, es probable que busque animación en otro sitio. Cuando estés allí con él, disminuirá la tentación de buscar diversión fuera del patio.

Los primeros días

Cuando lleves a casa al nuevo perro, tal vez se sienta confuso

o aprensivo, así que déjale que se acomode con tranquilidad.

En cuanto tu nuevo perro llegue a casa, y antes de que entre, llévalo al lugar que será el área permanente para hacer sus necesidades, Si las hace, elógialo, pero no te alteres si no capta el mensaje de inmediato. El control de esfínteres en casa lleva tiempo y paciencia (ver pp. 86-89), así que no te des por vencido.

Una vez dentro, deja al cachorro moverse sólo por una habitación. Deja que olisquee para familiarizarse con el entorno. Enséñale la yacija y sus escudillas para la comida y el agua. Sé cariñoso con él. Elogia cualquier cosa que haga y puedas destacar; no le hables con dureza ni lo regañes. Necesita confiar en ti, no temerte, sobre todo los primeros días. Ya tendrás tiempo de sobra para adiestrarlo después del período de ajuste.

Intenta no tener visitas hasta que tu nueva mascota se haya acostumbrado. Deja que se acostumbre primero a ti y a tu familia, antes de presentarle extraños. Enseña a tus hijos a ser cuidadosos y estar en silencio con el nuevo perro, sobre todo si es un cachorro. Los niños deben aprender que los cachorros no son juguetes y necesitan estar solos para descansar o comer. También deben aprender la forma correcta de cogerlos (ver p. 85).

CONOCER A OTRAS MASCOTAS

La presentación del resto de mascotas de la casa se hará de forma gradual y bajo supervisión constante. A muchos perros mayores y gatos no les hace ninguna gracia la llegada de un cachorro, así que nunca los dejes solos al principio, a menos que el cachorro esté protegido dentro de un parque. Deja que las mascotas olisqueen al recién llegado a través del parque. Presta siempre más atención a los animales veteranos, nunca dejes que sientan que están siendo remplazados.

HORA DE DORMIR

El recién llegado tal vez se sienta solo y nostálgico. Tal vez gima y llore, pero no vayas a su encuentro siempre que haga ruido. Un cachorro se puede adaptar mejor si imitas la compañía de su madre poniendo una bolsa de agua caliente en su yacija junto con un reloj que haga tictac. Tal vez ayude dar al cachorro algo que tenía con su madre, un juguete con el que jugaba, o una manta con el olor de su antigua familia para consolarlo. O prueba con feromona apaciguante canina, un producto sintético similar a las ceras presentes en la piel de las glándulas mamarias de la madre; tiene un

efecto calmante sobre la mayoría de los perros.
Si estás adoptando un perro mayor, lleva a casa
uno de sus juguetes o su manta. Si procede de
un albergue, regálale un juguete nuevo cuando
vayas a recogerlo. Deja que lo huela y cuando
llegues a casa, pon el juguete dentro o al lado de
su yacija.

Meter la yacija o el trasportín de un cachorro
en tu dormitorio por la noche le puede ayudar a
acostumbrarse. Pero si tienes alergias o si el
cachorro ronca, tal vez necesites dejarlo a cierta
distancia. Es una buena idea comenzar con el
cachorro en la habitación en la que quieres que
termine durmiendo. Un perro adulto puede tener
ideas propias sobre dónde debe dormir; siempre y
cuando su lugar elegido sea adecuado para ti, deja
la yacija en su punto elegido.

HORA DE JUGAR

La mayoría de los cachorros intentan jugar con
sus dueños como lo harían con otros perros.
Saltan encima, persiguen, gruñen y muerden. El
juego es necesario para el correcto desarrollo
social de los cachorros, pero necesitan aprender a
jugar con personas. Si tu cachorro comienza a
morder, di «¡No!» y date la vuelta. Si se
descontrola, no lo castigues ni te enfades con él;
déjalo solo en una habitación o confínalo en su
jaula hasta que se calme.

HORA DE COMER

Cuando vayas a recoger tu nuevo cachorro,
pregunta a sus dueños previos qué marca de
comida ha estado comiendo. Dale de comer lo
mismo unos días, incluso si no es la marca que
piensas darle. Todo cachorro tiene un
estómago sensible, así que haz la transición de
su antigua comida a la nueva de forma gradual.
Primero, concédele unos días para que se
acostumbre, luego comienza a mezclar las
marcas antigua y nueva en una relación

CON OCHO BASTA Una vez estos cachorros
de labrador vayan a sus nuevos hogares,
dependerán de su familia humana para recibir
los cuidados que les procuraba su madre.

de tres cuartos de la antigua y un cuarto de
la nueva. Tres días después de iniciar esta
mezcla, pasa a usar mitad y mitad otros tres
días. Finalmente, dale un cuarto de la
antigua comida y tres cuartos de la nueva otros
tres días. Entonces ya estará listo para tomar
solo el nuevo alimento.

Dar de comer al mismo tiempo a otras
mascotas y al recién llegado probablemente
derive en «guerras por la comida». Da de comer a
todos los animales por separado hasta que se
sientan cómodos unos con otros.

ACOSTUMBRARSE A UN COLLAR

El cachorro debe comenzar a llevar un collar en
seguida. Elige uno ligero y blando para empezar.
Como muchos cachorros tienen miedo a los
collares, la primera vez que le pongas el collar,
dale su premio favorito. A los cachorros les
cuesta un poco acostumbrarse a los collares, así
que empieza con períodos cortos y aumenta
gradualmente el tiempo que el cachorro lleva su
nueva prenda. Pasados unos días, dejará de
prestar atención al collar. Sin embargo, es una
buena idea quitarle el collar si está enjaulado. A
veces, los collares se enganchan en los alambres
de la jaula.

DARSE A CONOCER Los
perros, como este collie de la
frontera, deberían
relacionarse con los
niños poco a poco y
bajo supervisión de
un adulto.

CAPÍTULO CUARTO

CRIAR AL PERRO

Disfrutar plenamente de un perro no consiste sólo en adiestrarlo para que sea semihumano. Lo importante es abrirse a la posibilidad de ser parcialmente perro.

EDWARD HOAGLAND (b. 1932),
Escritor norteamericano

La infancia del cachorro

Los primeros meses de vida son cruciales para el desarrollo de la personalidad, confianza y habilidades del cachorro.

La infancia es el período en que tu perro es inmaduro física, mental y emocionalmente. Dura hasta llegar a la edad adulta hacia los 24 meses, aunque pueda ser un poco más tarde en algunas razas grandes. Aquí verás qué esperar de esos 24 meses y cómo desarrollar completamente su potencial.

CON UNA SEMANA DE EDAD, los ojos del cachorro todavía están cerrados y duerme casi todo el tiempo. A las tres semanas (abajo a la izquierda), ya pueden enfocar los ojos y moverse. A las seis semanas (abajo a la derecha), ya es activo, curioso y comienza a ingerir alimentos sólidos.

DEL NACIMIENTO A LAS 6 SEMANAS

Los cachorros necesitan el cariño y cuidados de su madre y la compañía de su camada. A las cuatro semanas necesita unos 10 minutos diarios fuera de la jaula, tratado con cuidado por una persona. Así se desarrolla su individualidad y se acostumbra a las personas. Hacia las seis semanas comienza a aprender su jerarquía en la familia. Su madre le enseña a respetar la autoridad. El contacto con sus hermanos y hermanas le hace menos sensible al contacto corporal y al ruido, y le enseña a comportarse socialmente en el mundo canino.

DE 7 A 8 SEMANAS

Esta es la edad ideal para que un cachorro vaya a su nuevo hogar. Después de que le hayan puesto las primeras vacunas, lleva el cachorro a todo tipo de lugares. Ponlo en el suelo, aléjate un poco y deja que te siga. Esto le enseñará que eres el jefe de la jauría y que él es un fiel seguidor. Trama situaciones en las que pueda seguir a todos y cada uno de los miembros de la familia, incluidos los niños. Este es el período crítico para la socialización humana. No se volverá a dar, así que no la dejes pasar.

Los cachorros a esta edad pueden aprender órdenes sencillas como «sentado» o «ven». También puedes iniciar con cuidado el adiestramiento con la correa.

MORDISQUEANDO UNA BOTA Los cachorros, como este joven perdiguero del Labrador, mordisquean por curiosidad, para investigar cosas nuevas a través de los sentidos del olfato y el gusto, y también para aliviar los dolores de la dentición.

DE 8 A 10 SEMANAS

Más que cualquier cosa, tu cachorro necesita sentirse seguro desde el principio. Este es el período de impresión del miedo», en que los cachorros pueden traumatizarse fácilmente y no olvidar jamás lo que les asustó. Algunos cachorros quedan más afectados que otros, pero no este un buen momento de llevar tu cachorro a un concierto de rock en el parque.

A esta edad, a los cachorros les encanta aprender, siempre y cuando el aprendizaje sea benévolo y continuo. Saber que te gusta que acuda cuando lo llamas aumentará su confianza, y ceñirse a un horario también le hará sentirse seguro. También es importante seguir con la socialización del cachorro; ocho semanas es el momento ideal para apuntarlos a clases de adiestramiento de cachorros.

UN PERÍODO DE FORMACIÓN La interacción con su madre y hermanos es crucial para la socialización de un cachorro, para aumentar su confianza y madurez, y aprender las destrezas caninas esenciales.

DE 10 A 12 SEMANAS

Ahora es el momento de sumar más actividades sociales para tu cachorro y seguir con su adiestramiento. Si no se le ha enseñado a ir con correa ni ha aprendido las órdenes «sentado» y «ven», es el momento de empezar. Debería acompañarte a lugares nuevos, tanto al aire libre como bajo techo, y conocer a personas amistosas de todas las edades, otros cachorros y perros adultos tranquilos.

DE 12 A 16 SEMANAS

En estas semanas tu cachorro seguirá necesitando atención y muchas actividades sociales. Sigue con su adiestramiento, pero sé suave. Algunos cachorros pasan por un período de «evitación» a esta edad, observando por detrás de tus piernas cuando salen, o metiéndose debajo del sillón cuando llegan invitados. Si hasta ese momento no ha habido problemas con la gente y otros perros, su timidez probablemente dure poco. Mantén su vida social menos activa pero continúa durante un tiempo si sigue escondiéndose.

DE 16 SEMANAS A 6 MESES

El período juvenil comienza a las 16 semanas. Aunque tu cachorro se haya desarrollado mentalmente por completo, todavía tiene que crecer física y emocionalmente, y no habrá alcanzado el margen de atención de un adulto. El nombre del juego es consistencia: mantén las mismas expectativas día tras día para que no sembrar la confusión. Sácalo para que conozca a personas y otros perros, y ten sesiones de adiestramiento cortas y alegres. Integra el entrenamiento en la vida diaria, por ejemplo, haciendo que se siente mientras le preparas la cena. Tal vez sea un poco desgarbado en esta época, pero se trata sólo de la adolescencia. Ya será grácil cuando crezca.

DE 6 A 12 MESES

Los cachorros alcanzan la pubertad o madurez sexual en estos meses, y los machos jóvenes puede que exhiban una conducta impositiva y dominante. Notarás que el margen de atención de tu perro ha mejorado. El adiestramiento de algún tipo deberá continuar ahora, sea de obediencia o de trucos divertidos. Algunos perros pasan un segundo período de evitación hacia los diez meses de edad, pero suelen volver a ser despreocupados cuando llegan al año de edad.

DE 12 A 24 MESES

Es ahora cuando el cachorro se convierte en adulto. Las razas más pequeñas alcanzan la madurez emocional antes que las razas más grandes, algunas de las cuales no son totalmente maduras hasta los 30 meses.

Criar un cachorro

Una vez hayas llevado el cachorro a casa, dependerá de ti
por completo para sus necesidades físicas y emocionales.

Siempre debes ser delicado con un cachorro, pero no has de tratarlo como si fuera frágil. Los cachorros sanos y vacunados son vigorosos, y cuanto más crecen más robustos son. Antes de vacunarlos son vulnerables a ciertas enfermedades, por lo que es importante mantener al cachorro lejos de perros sin vacunar hasta que le hayan puesto las primeras inyecciones. Por lo demás, brinda a tu cachorro todas las oportunidades de dar afecto, aprender y jugar; él responderá gustosamente.

UNAS BOLITAS DIVERTIDAS A cambio de tu amor y cuidados, cachorros como estos pastores australianos te entregarán toda una vida de lealtad y satisfacciones.

CÓMO ACTUAR CON TU NUEVO CACHORRO

Diviértete con las payasadas de tu perro. Si se lanza a correr como loco por la habitación, se arroja sobre su juguete y juega a «matar» con violentos zarandeos con la cabeza, ríete y disfruta. E incorpora su horario a tus actividades habituales en la casa. Si está durmiendo y quieres ver la televisión o tocar el piano, hazlo. Pronto aprenderá a dormirse con los ruidos normales del hogar. Si ha estado mordisqueando con placer su juguete para morder y tienes ganas irresistibles de abrazarlo, hazlo. Los cachorros entienden la espontaneidad y nos pueden dar lecciones en lo concerniente a esta conducta divertida.

SENTIDO COMÚN

Al relacionarte con tu cachorro, deja que te guíe el sentido común. Cuando el hijo del vecino quiera compartir sus nachos con él, invítale a darle una galleta para perros. Si se zafa para saltar de tu regazo, déjalo en el suelo. El cachorro se puede hacer daño al saltar o al caerse de tu regazo o de un mueble, porque la altura es grande. Sé cauto con él como lo serías con un niño que empieza a caminar.

ECHAR UN OJO A LOS NIÑOS

Cuando un amigo quiera traer a sus hijos de dos y tres años a ver el cachorro, supervisa la visita de cerca. Sostén el cachorro en tus brazos, siéntate en el suelo con los niños y enséñales a acariciarlo antes de permitírselo por turnos. Nunca dejes que niños pequeños, sin importar lo cuidadosos que sean, se paseen con un cachorro en brazos. Los cachorros, cuando se revuelven, pueden escapar de sus manitas todavía con poca coordinación. Y si tienes hijos, necesitarás supervisarlos siempre que sus amigos vayan a casa. No toda la gente enseña a sus hijos a manipular animales ni les explican que éstos tienen sentimientos. La presión de los amigos es una fuerza poderosa; tu hijo tal vez no pueda impedir que los amigos traten sin cuidado al cachorro, por lo que tendrás que intervenir. No quieres que el cachorro sufra daños, físicos ni emocionales, por un trato poco amable.

PROBLEMAS DE DENTICIÓN

Los cachorros suelen ser muy estoicos con los dolores de dentición; sin embargo, los dientes sueltos, las encías inflamadas y en ocasiones hasta la falta de apetito, superan su resistencia. Los cachorros en período de dentición son especialmente propensos a mordisquear, sé consciente de ello. Recoge todos los objetos masticables y cómprale unos cuantos juguetes masticatorios para ayudarle. También puedes fabricar unos tú mismo. Trapos viejos, mojados y retorcidos se meten en el congelador hasta que se congelen. Dale uno a tu cachorro para que lo mordisquee siempre que parezca sentir dolor de dientes; el frío aliviará el dolor. En cuanto el trapo se descongele o el cachorro haya dejado de mordisquearlo, lávalo bien, retuércelo y vuélvelo a meter en el congelador hasta la próxima ocasión.

CUIDADOS MANUALES

El cachorro debe acostumbrarse a que toquen todas las partes del cuerpo. Necesitará aprenderlo para sus cuidados habituales y la inspección de las patas, las orejas y todas las otras actividades higiénicas. Para que se acostumbre, acarícialo por todo el cuerpo. Tócalo desde la nariz hasta la punta de la cola pasando por todos los puntos intermedios.

Muchos cachorros son sensibles a que les toquen las patas, pero lo superará si actúas correctamente. Siéntate con el cachorro en tu regazo o a tu lado. Luego acaricia partes de su cuerpo que le gusten hasta que se relaje al punto de quedarse casi dormido. Sigue acariciando su cuerpo, pero ahora incluye también las patas. Si se pone en tensión, vuelve a acariciar sólo el cuerpo hasta que esté lo bastante dormido como para que puedas volver a acariciarle las patas. Una vez se haya dormido, masajea suavemente los dedos de los cuatro pies. Pronto se relajará y dejará que le toques los pies también cuando esté despierto.

Durante los cuidados diarios o semanales, como al cepillarlo o cortarle las uñas, sé cuidadoso, pero nunca te muestres culpable ni lo halagues. Emplea la firmeza necesaria para conservar el control y realizar el trabajo. Si dejas de cepillarlo porque se debate en contra, estarás dejando que asuma el control de la situación. La próxima vez se opondrá antes y con más fuerza.

¿QUIÉN MANDA? No compres un perro a tu hijo con la condición de que sea sólo él quien lo cuide. Debes estar dispuesto a aceptar responsabilidades cuando sea necesario.

COGER AL CACHORRO

Para coger a un cachorro se necesitan las dos manos con el fin de sostenerlo por ambos lados (izquierda). Pasa por debajo la mano derecha mirando hacia delante, para aguantarlo por el pecho, y usa la mano o brazo izquierdos para sostenerlo por el trasero. Invierte la posición de los brazos si eres zurdo.

Mantén el cachorro cerca del cuerpo con ambos brazos. No lo separes del cuerpo de modo que tenga el trasero en el aire. Nunca se debe coger a un cachorro por el cerviguillo (la nuca), por las patas delanteras o por debajo de las axilas, pues podrías causarle daños permanentes en las articulaciones.

POR LA CASA

Muchos cachorros tienen miedo de las aspiradoras al principio, así que acostúmbralo de forma gradual. Primero, pon en marcha la máquina en otra habitación y por poco tiempo y deja que el cachorro se acostumbre al ruido. Repite esta acción durante períodos un poco más largos hasta que parezca no inmutarse, entonces ve acercando la aspiradora gradualmente para terminar entrándola en la misma habitación en la que está el perro.

Los cachorros también deben aprender con qué cosas pueden jugar o no. Cuando tu cachorro agarre algo que no sea un juguete suyo, como uno de tus zapatos, no lo persigas; esto lo excitará y pensará que estás jugando. En lugar de eso, ofrécele un juego o un premio, y elógialo cuando suelte el zapato para aceptarlo.

Control de esfínteres en casa

A menos que tu perro vaya a estar siempre fuera de casa,

es esencial que le enseñes pronto a controlar los esfínteres.

Tanto si tu perro es un cachorro como un adulto, hay que enseñarle a no hacer sus necesidades en casa el primer día que llegue al nuevo hogar. Los perros son animales limpios por naturaleza, por lo que, una vez capten el mensaje, estarán contentos de complacerte.

ENSEÑAR A UN CACHORRO

Comienza por una buena rutina de comidas y cambio del agua. Establece desde el principio horas fijas para comer. Un perro pequeño necesita comer varias veces al día, lo cual significa que también tendrá que aliviarse varias veces al día. Siempre que sea posible, la hora de la comida coincidirá con un momento en que haya gente en casa para que tu cachorro pueda acudir a donde hace sus necesidades.

Es probable que el cachorro haga sus necesidades 10 a 20 minutos después de comer o nada más levantarse o después de jugar. Enseñarle el control de esfínteres tendrá más éxito si puedes sacarlo fuera de casa en esos momentos. El aspecto central del control de esfínteres debe ser enseñarle, con perseverancia y elogios, adónde ir (fuera de casa) y en que superficie hacerlo (hierba, gravilla o cemento).

Dentro de casa

La supervisión y el confinamiento son las herramientas más importantes para el éxito del control de esfínteres. Cuando estés en casa, observa al cachorro en todo momento. Mantenlo en la misma habituación que tú; si es necesario, ponle la correa y

tenlo contigo o atado a un mueble para evitar que se vaya. Cuando notes que está inquieto o comienza a gemir, o si está olisqueando el suelo, sobre todo en círculos, llévalo fuera; puede estar indicándote que tiene la vejiga llena o ganas de defecar.

Si no puedes supervisar al cachorro, tendrá que estar confinado. Prueba con una reja de seguridad infantil o con una jaula para perros si está acostumbrado y no va a estar solo mucho tiempo. Bastará una habitación pequeña a prueba de cachorros, llena de juguetes para morder y jugar, pero libre de objetos peligrosos que se pueda comer, y con un suelo fácil de fregar. No confines al cachorro con tanta frecuencia que se sienta aislado. Los cachorros son animales sociables y necesitan la compañía de gente u otras mascotas.

Fuera de casa

Márcate mucho tiempo para enseñarle a controlar los esfínteres. Saca el cachorro al exterior siempre que sea posible cuando veas señales de advertencia o simplemente cuando le toque hacer sus necesidades. Cuando comience a evacuar, elógiale profusamente. Usa una palabra

UNA BUENA RUTINA Estos golden retriever salen al exterior nada más comer para favorecer que hagan sus necesidades.

clave para que comience a asociarla con la eliminación. Una vez haya hecho sus necesidades, será el momento de jugar.

Problemas con el adiestramiento

¿Qué hacer con un cachorro que sale fuera de casa y no se alivia? O peor aun, ¿qué entra en casa y se alivia allí? Puede haber varios factores concurrentes. Primero, el cachorro no estaba fuera cuando tuvo ganas de aliviarse. Segundo, no se le dejó suficiente tiempo para evacuar. Tercero, no había nadie para supervisarlo dentro de casa. Cuarto, se le dejó jugar y vagar por el jardín y no se alivió. Quieres inculcarle el mensaje de «alíviate primero y juega después».

Si el cachorro no se alivia al sacarlo de casa, espera un poco más. Si sigue sin ocurrir nada, éntralo y confínalo u obsérvalo de cerca por si muestra signos de querer aliviarse. Cuando empiece a mostrar alguno de esos signos, apresúrate a llevarlo fuera al lugar correcto. No olvides elogiarlo cuando se alivie.

¿Qué hacer si tu cachorro tiene un accidente en casa? Si no lo viste, no lo castigues. Recuerda que, a menos que recompenses o castigues al perro en los 15 segundos siguientes

CONSEJOS PRÁCTICOS PARA ELIMINAR MANCHAS

Una cosa es el momento en que tu perro se alivia en casa y otra es cuándo podrás quitar la mancha de la alfombra nueva. Por suerte, hay varios productos de limpieza para este propósito específico. Algunos son incoloros y neutralizadores del olor, y todos eliminarán con seguridad estas manchas.

Los productos comercializados a base de concentrado de piel de naranja funcionan bien. O prueba a añadir un cuarto de taza de vinagre de vino blanco y unas pocas cucharaditas de detergente líquido para la ropa en un litro de agua tibia. Pulveriza el área manchada con esta solución, deja que actúe unos segundos y luego frótalo. Seca con una toalla.

Neutralizar el olor es importante, y no sólo por que sea desagradable. Los perros se sienten atraídos por el olor de la orina y orinarán donde ellos u otros perros hayan orinado antes. Eliminar el olor por completo suprimirá esta motivación.

o menos, el cachorro no sabrá por qué se le está premiando o sancionando. Limítate a limpiar el rastro y haz voto de supervisarlo mejor en el futuro. No obstante, si estás justo delante y el cachorro comienza a agacharse, será el momento de usar una voz alta y firme y gritar «¡Fuera!» A continuación saca volando al

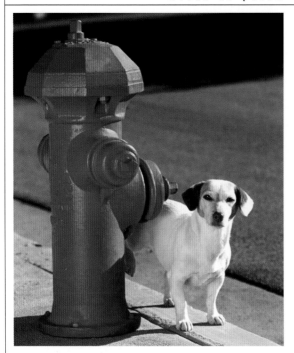

QUÉ ALIVIO Los perros que tienen
muchas oportunidades de orinar fuera
de casa en lugares de su aprobación
es menos probable que lo hagan
dentro.

Casa nueva, viejos olores

Si llevas un perro adulto nuevo a casa y antes tenías otro perro, tal vez no sepas que tu perro anterior a veces perdió alguna gota de orina aquí y allá en la alfombra, que caló hasta el interior. A pesar de tus muchos esfuerzos por enseñarle a aliviarse fuera de casa, el nuevo perro se sentirá atraído por un olor que sólo él puede detectar y creerá que es correcto aliviarse allí dentro. Aunque no son totalmente eficaces, las luces de rayos ultravioleta que venden en las ferreterías pueden revelar las manchas de orina que tú no ves pero tu perro sí huele; bajo estas luces las manchas emitirán un color verde brillante. Para enseñarle que la alfombra no es un lugar acertado, mantenlo fuera de esa habitación. También te puedes plantear llevar las alfombras al tinte.

Por otra parte, se puede aprovechar la atracción de tu perro por la orina para marcar áreas en el exterior que sean apropiadas, disponiendo hojas de periódico manchadas en un rincón del jardín.

cachorro hasta el lugar apropiado. Si entonces se alivia, cambia de chip y elógialo profusamente.

ENSEÑAR A UN PERRO ADULTO

Si adoptas un perro adulto que no ha asumido bien el control de esfínteres, adiéstralo como si fuera un cachorro: con hábito y prevención. La única diferencia entre un perro adulto sin adiestrar y un cachorro es que un adulto puede aguantar sus necesidades mucho más tiempo.

Lleva al perro adulto al mismo sitio al aire libre por la mañana, por la noche y después de comer, y espera mientras se alivia. Cuando esté dentro de casa, no le quites ojo en la medida de lo posible. Si lo ves olisqueando el suelo o a punto de aliviarse, haz un ruido alto para distraerlo y sácalo fuera de casa. Cuando no puedas vigilarlo, confínalo en un espacio pequeño, como su jaula o el cuarto de baño o la habitación de planchado.

HACERSE MAYOR

Los perros mayores, aunque resulte fastidioso, pueden sufrir incontinencia y no siempre esperan a estar fuera para aliviarse. Lo mejor que puedes hacer es limpiar en silencio el escape y llevar el perro al veterinario. Si pudiera evitarlo, lo haría, por lo que no es momento de echarle una reprimenda.

Hay varios problemas médicos que podrían causar incontinencia, como diabetes, una infección de las vías urinarias y, lo más habitual, una pérdida de memoria. Lo más sensato es que un veterinario examine al perro para así poder tomar una decisión sobre el tratamiento o cambios en la dieta y el ejercicio que ayuden a restablecer la rutina del perro.

UNA OPCIÓN INTERMEDIA Este cruce de bichón maltés vive en un piso y no sale con frecuencia, por lo que se le ha enseñado a orinar sobre periódicos.

Causa de confusión

La mudanza a otra casa a veces confunde a los perros adultos. Todavía no predomina su olor por la casa y puede que decida marcar su territorio orinando en lugares equivocados. Si esta conducta prosigue, pon su escudilla de la comida junto a sus nuevos puntos favoritos de micción. A los perros no les gusta orinar donde comen o duermen.

Sé consciente de que la persistencia en esta conducta puede tener otras causas; en las páginas 134-135 se explica el modo de afrontar este problema.

Errores ocasionales

Si alguna visita lleva un perro adulto a tu casa, esto podría desencadenar una respuesta de micción en que tu perro volverá a esos puntos mucho después de que el otro can se haya ido. Si es posible, no dejes que el perro visitante entre en casa a menos que puedas vigilarlos constantemente o estén en una jaula.

A veces un perro que lleva viviendo años contigo puede aliviarse un día dentro de casa. Tal vez estuviera demasiado distraído o emocionado cuando salió como para concentrarse en evacuar.

CONSEJOS PARA TRABAJADORES A JORNADA COMPLETA

Enseñar el control de esfínteres a un perro nuevo cuando trabajas a jornada completa resulta difícil. Costará un poco más que si estuvieras todo el día para supervisarlo, y tendrás que hacer malabares con tu horario laboral, pero puede hacerse.

Levántate un poco antes para sacar el perro al jardín una o dos veces.

Elige una zona segura en que puedas dejar al cachorro mientras estás fuera durante el día. La solución más sencilla, si tienes un jardín seguro, es dejar el cachorro fuera de casa (pero asegúrate de que tenga un refugio, comida, abundante agua y unos cuantos juguetes). Si tuviera que permanecer dentro de casa, la cocina, el cuarto de baño o la habitación de planchado son los cuartos más fáciles de preparar a prueba de cachorros y se suelen poder aislar del resto de la casa con una reja de seguridad infantil. Pon la jaula abierta, algunos juguetes y una escudilla con agua cerca de la reja de seguridad infantil, y extiende unas hojas de periódico en el suelo al fondo de la habitación.

Hasta que tenga seis meses, alguien tendrá que acudir y darle de comer al medio día y sacarlo un rato a continuación. Si no tienes amigos ni familiares que te puedan ayudar, contrata a un canguro canino para que acuda.

Tal vez quería volver a casa para comer o saludar a una visita especial. A menos que el acto se repita, considéralo un incidente aislado. Si continúa, vuelve a adiestrarlo como si fuera un cachorro.

CONTROLA LOS CAMBIOS Los perros, como este golden retriever, son criaturas de hábitos.
Los cambios de rutina, como una mudanza, el estrés en el hogar o dejarlos con amigos, pueden alterarlos y causar un lapso en su control de esfínteres.

Socialización del cachorro

*Para crecer feliz y confiado, un cachorro necesita tener contacto
con todas las personas, lugares y objetos que sea posible.*

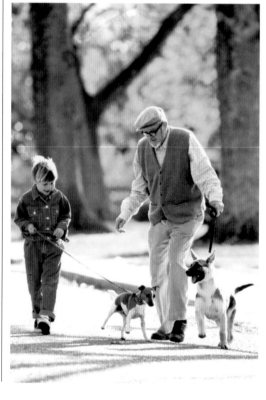

Socializar a tu cachorro significa que se acostumbre a la gente, a distintos lugares y cosas. Siempre que tu cachorro haga algo que no haya hecho antes, vaya a un sitio donde no haya estado, se encuentre con un objeto nuevo o conozca a una nueva persona o a un perro amistoso, se estará socializando.

Entre tres y 14 semanas de edad es un momento crítico en la vida del perro. Un perro no olvidará nunca lo que aprendió en esas pocas semanas. Sus experiencias, buenas o malas, dejarán una huella permanente en su personalidad, determinando que sea extrovertido o tímido, despreocupado o cauto, curioso o temeroso, ávido de aprender o resentido con la autoridad.

Tu cachorro necesita exponerse al mundo exterior para aprender a vivir feliz con todo cuanto sucede a su alrededor. Él decidirá por sí mismo lo que es seguro y lo que no, pero necesitará que lo dirijan con firmeza. Contigo para ayudarle, se adentrará en un mundo que no le amedrentará y crecerá confiado y extrovertido.

DE AQUÍ PARA ALLÀ

Llevar el cachorro contigo cuando visites a un amigo sirve para socializarlo. Lo mismo ocurrirá cuando acuda un amigo extraño a casa o salgas a pasear, al jugar con otro animal o al inspeccionar una pelota de fútbol. Tu cachorro necesita conocer a personas mayores, niños que empiezan a andar, hombres con barba, mujeres con pamela, adolescentes con monopatín y personas empujando una sillita. Tiene que caminar sobre alfombras, hierba, linóleo y aceras. Tiene que aprender a subir escaleras (empieza poniéndolo en el tercer o cuarto escalón y deja que baje) y a viajar contento en el coche.

ENFRENTARSE A SUS MIEDOS

Hay dos reglas cardinales para socializar a un cachorro. Nunca lo acaricies cuando tenga miedo y elógialo siempre que se porte con valentía.

Cuando tu cachorro parezca tener miedo, no lo reconfortes con caricias ni palabras tranquilizadoras, porque interpretará tus acciones como un elogio. Repetirá más veces aquello por lo que recibe elogios, por lo que una actitud de duda puede ser su reacción aprendida ante todo lo que sea nuevo. Por otra parte, nunca lo empujes a encontrarse con el origen de sus miedos. Un tratamiento de este tipo puede convertir una ligera trepidación en un terror completo.

Envalentona a tu cachorro con tu ejemplo. Si tiene miedo de acercarse a algo, déjale y ve tú solo. Maneja el objeto como si fuera un boleto ganador de la lotería, habla sobre él con emoción e invita al cachorro a unirse a

DOS POR UNO El cachorro de pastor alemán recibe dos lecciones de socialización durante este paseo, al conocer a un niño y a otro cachorro.

JÓVENES ADMIRADORES Los perros necesitan tempranas experiencias positivas con niños. Estos jóvenes golden retriever disfrutan de las atenciones de unas niñas.

ti. Sentarse junto al objeto temido también funciona. Es probable que tu cachorro comience a acercarse con precaución, pero sigue con tus elogios hasta que por lo menos toque el objeto con el hocico. Si el objeto no corre peligro de romperse ni es demasiado grande, hazlo rodar alejándolo del cachorro, nunca acercándolo. Esto tal vez despierte su instinto cazador y lo anime a jugar con el objeto.

Si tu cachorro tiene miedo de la gente, haz que un amigo le muestre un premio igual que has hecho. A continuación dejará de prestar atención al perro y charlará contigo. Cuando el cachorro se acerque, como seguramente hará, tu amigo se arrodillará y mostrará una actitud amistosa nada amenazadora. Cuando el cachorro se aproxime para explorar olisqueando, acaríciale la barbilla y el pecho. Extender la mano sobre su cabeza puede hacer que retroceda amedrentado. Si el cachorro no se aproxima, no lo fuerces y sigue con el proceso de socialización. Introduce otros

amigos en el experimento y organiza situaciones en las que tu cachorro se vea animado a aproximarse.

Si tu cachorro se esfuma cuando oye ruidos altos, prueba a anunciar en voz alta sus momentos favoritos. Si le encanta comer, mezcla su comida en una olla de metal y usa una cuchara metálica antes de dársela. No hay necesidad de armar un estrépito; mantén un volumen moderado. Al final aprenderá que los ruidos altos pueden significar cosas agradables y será menos probable que dé un bote en cualquier ocasión.

CREO QUE ME GUSTAS... Este cruce de labrador todavía parece un poco tímido, pero está en disposición de aceptar la aproximación amistosa de una extraña.

El primer reconocimiento veterinario

Tu cachorro debería ir al veterinario dos días después

de llevarlo a casa, tanto si le han puesto sus vacunas como si no.

Mete el cachorro en el trasportín para el viaje, y lleva unas cuantas toallas en caso de que se maree en el coche o haga sus necesidades por el camino. Si tienes la historia sanitaria del cachorro, llévala contigo. Lleva también una muestra de heces. (Un consejo: da la vuelta a una bolsa de plástico sellable, toma un poco de heces del cachorro con el interior de la bolsa, vuelve a darle vuelta y ciérrala.)

Cuando llegues a la consulta, entrega la historia de tu cachorro y la muestra de heces en recepción. La muestra se estudiará bajo el microscopio para ver si debe recibir tratamiento contra lombrices. Lleva el cachorro en brazos o en el trasportín mientras esperas a que llegue su turno. Es fácil que un cachorro coja gérmenes, así que no le dejes que olisquee el suelo ni juegue con otros perros.

MANTENERLO CONTENTO

Cuando llegue el turno de entrar en la sala de reconocimiento, actúa con naturalidad cuando lo pongas sobre la mesa. Mantenlo quieto pero con suavidad, con firmeza si fuera necesario, durante el reconocimiento. No lo consueles ni hagas mimos o pensará que algo terrible le va a suceder. Háblale con voz alegre y optimista.

Aunque estés nervioso, no dejes que ello aflore en tu voz, porque el cachorro se guía por tus impresiones. Si estás tenso, él tendrá miedo, pero si actúas con naturalidad y te gusta el veterinario, él se sentirá mejor y estará dispuesto a apreciar también al veterinario.

EL RECONOCIMIENTO VETERINARIO

En tu primera visita al veterinario este hará un reconocimiento exhaustivo para asegurarse de que todo está bien. El veterinario tomará la temperatura del cachorro y escuchará su corazón, además de examinarle los ojos, orejas, hocico, garganta, estómago y piel, y buscará glándulas inflamadas.

Si el cachorro es macho, comprobará si sus testículos han descendido hasta ocupar el

escroto, lo cual suele ocurrir al nacer o en los primeros diez días de vida. Si están a punto de descender, lo harán siempre antes de los seis meses de edad. En torno al 10 por ciento de los perros tienen problemas con el descenso de uno o ambos testículos. La afección es hereditaria y los perros afectados no deberían tener descendencia.

Tu cachorro recibirá también la vacunación que le corresponda. Todo el reconocimiento es indoloro y durará entre cinco y diez minutos.

¿ALGUNA PREGUNTA?

Si te has fijado en algo sobre el cachorro que quieres que revise especialmente, o si tienes alguna pregunta, asegúrate de sacar el tema con el veterinario. Ya llevas un día o dos con el cachorro y quizá hayas notado algo inusual que no verá el veterinario en una exploración rutinaria a menos que lo menciones.

También es un buen momento para hablar sobre la prevención de lombrices, el calendario de vacunaciones y el programa de castraciones, y para aprender cómo funciona la clínica en las urgencias de fin de semana y fuera de horarios de visita.

LA PRIMERA VEZ Intenta que la primera visita de tu cachorro al veterinario resulte positiva, para que la próxima vez resulte agradable para todos.

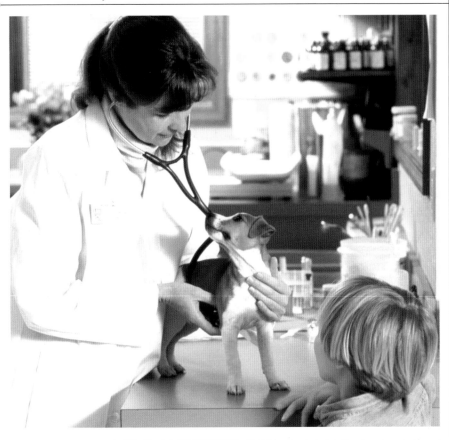

VISITAS AL VETERINARIO

Una vez hayas encontrado un veterinario en el que confíes, no cambies a menos que no te quede más remedio. Cuanto mejor conozca el veterinario a tu perro, más fácil le será reconocer cambios en su salud, diagnosticar un problema e iniciar el tratamiento apropiado. El perro se sentirá más cómodo si lo trata alguien que conozca.

Los veterinarios no suelen hacer visitas a domicilio a mascotas domésticas. Prefieren tratar los perros en su consulta, porque así tienen acceso al instrumental y fármacos apropiados, y también porque los perros suelen portarse mejor allí que en territorio propio. Si no puedes llevar en coche al perro ni conseguir que alguien lo haga por ti, en algunas ciudades grandes hay taxis para mascotas o servicios de transporte para animales a los que puedes telefonear. Las ambulancias veterinarias asisten en casos de urgencia y accidentes.

Tu perro debe acudir al veterinario al menos una vez al año para su revisión anual. Muchos perros verán al veterinario con más frecuencia, por lo que hay que adiestrarlos para que el veterinario pueda hacer las siguientes cosas sin encontrar resistencia:

● Levantarlo y depositarlo en una mesa.
● Levantarlo para examinarle las patas.
● Examinarle la boca y los oídos.

Un perro al que se haya enseñado a cooperar en estos casos se estresará menos cuando acuda al veterinario, y también dejará al veterinario hacer mejor su trabajo y con mayor eficiencia.

Hay otras normas de cortesía que se deben observar cuando acudas al veterinario:

● El perro debe estar limpio.
● Debe estar sujeto con una correa o dentro del trasportín mientras aguarde en la sala de espera.
● Di al veterinario exactamente lo que te preocupa sobre la salud de tu perro, pero evita una descripción prolija de los síntomas.

Dueños responsables

Junto con las alegrías que conlleva tener un perro, también se contraen diversas obligaciones legales y sociales que debes conocer.

LEGISLACIÓN LOCAL

La legislación sobre la tenencia de perros varía de un lugar a otro. En algunos países hay razas que están prohibidas o sólo permitidas con graves restricciones. Es habitual que los dueños tengan que llevar al perro con correa en lugares públicos y ciertas razas tienen que llevar bozal. Familiarízate con la legislación local y cúmplela. Aunque se les permita hacer ejercicio en algunos sitios sin correa, nunca dejes a tu perro suelto sin supervisión.

La mayoría de los pueblos y ciudades de Estados Unidos exigen la posesión de una licencia o que el perro esté registrado y muchos también exigen la vacuna contra la rabia. Además, el perro siempre debe llevar una chapa identificativa en el collar. En Inglaterra el registro y la vacuna contra la rabia no son obligatorios, pero los perros deben llevar collar y chapa en público en todo momento. Para una identificación permanente, el veterinario puede inyectar un microchip bajo la piel del perro o tatuarlo. Ambos procedimientos son relativamente indoloros.

BAJO CONTROL En algunos sitios la ley exige que ciertas razas lleven bozal en público.

Cuando pasees al perro en lugares públicos, asegúrate de limpiar siempre sus deposiciones. En muchas ciudades de Estados Unidos y en toda Inglaterra y Australia es una falta de educación no hacerlo. Si es posible, enseña a tu perro a defecar en el jardín antes de dar el paseo.

Si no tienes pensado criar perros a nivel profesional, entonces lo más sensato y responsable es castrarlo. La castración aborda el problema creciente de la superpoblación de mascotas y puede tener muchos efectos beneficiosos para la salud y conducta de tu perro (ver pp. 214-215).

UN BUEN CIUDADANO CANINO

Debes enseñar a tu perro desde muy pequeño a comportarse bien cuando haya gente u otros canes. Todos los perros deben aprender a obedecer las órdenes básicas como «ven», «sentado» y «quieto», y a pasear con correa sin tirar. Suelta al perro sólo donde esté permitido. Incluso en áreas designadas para quitarle la correa, comprueba que no corra peligro ni ponga a otros en peligro antes de soltarlo.

RECORTE DE LAS OREJAS Y AMPUTACIÓN DE LA COLA

El recorte de las orejas y la amputación parcial o total de la cola son prácticas cada vez más controvertidas y debes conocer la legislación al respecto de tu país. El recorte de las orejas para dejarlas erectas ha sido prohibido por algunos clubes caninos, como el Kennel Club of Britain y el Australian National Kennel Council.

La amputación de la cola todavía está permitida en la mayoría de los clubes caninos. Esta práctica es tradicional con muchas razas (como el schnauzer, a la izquierda, algunas razas de caza y muchos terrier) y conlleva la eliminación parcial de la cola poco después de nacer.

Si quieres exhibir tu perro siguiendo las normas para esa raza en tu país y se especifica que hay que recortar las orejas o amputar la cola, no te quedará otra opción. Sin embargo algunos dueños de perros mascota prefieren no seguir esta práctica. Es importante que, si pretendes comprar un cachorro a un criador, le pidas que te guarde un ejemplar indemne de la siguiente camada.

Si tienes dudas sobre si estas prácticas están permitidas en tu país, ponte en contacto con el club canino de esa raza en tu país.

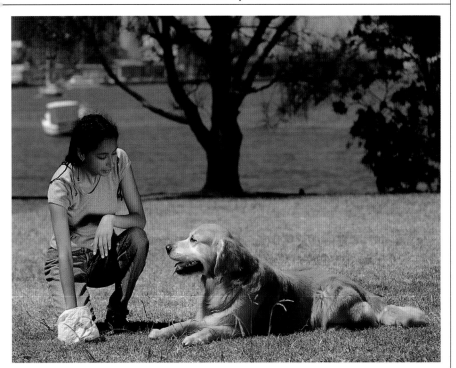

LIMPIA LAS DEPOSICIONES Con esta conducta se evita la transmisión de enfermedades y los lugares públicos resultan más acogedores para todos.

No dejes mucho tiempo atado al perro en el jardín lejos de la gente. Ese aislamiento puede derivar en una conducta ladradora y en problemas de agresividad. Si tu perro es ruidoso y hay posibilidad de que moleste a los vecinos, no lo dejes fuera entre las 10 de la noche y las 7 de la mañana. Si ladra mucho cuando está solo, en las pp. 116-17 hay formas de prevenir esa conducta. Si persiste, consulta a un veterinario o a un especialista en conducta animal.

SALUD Y CUIDADOS

De ti depende que tu perro esté bien alimentado, bien alojado, haga suficiente ejercicio y mantenga una buena salud.

Es responsabilidad tuya llevarlo cada cierto tiempo al veterinario. Las vacunaciones y revisiones anuales son esenciales para su buena salud y para prevenir la transmisión de enfermedades a personas y a otros perros. Además, mantén siempre al perro limpio y cepillado. Así tendrá buen aspecto y se podrán

BIEN CEPILLADO El aseo habitual permite controlar los parásitos cutáneos y ayuda a prevenir enfermedades cutáneas. Las razas de pelo largo, como este cachorro de gran Pirineo, suelen requerir bastantes cuidados.

detectar parásitos cutáneos. El cepillado y aseo también se relaciona con una reducción del estrés de los canes, y sirve para estrechar los vínculos entre perros y hombres.

Da a tu perro una dieta equilibrada y de calidad, y deja que siempre disponga de agua fresca. Intenta que haga ejercicio o juegue contigo al menos 20 minutos al día. El ejercicio regular y los juegos lo mantendrán sano y evitarán que se sienta solo o aburrido. Esto, a su vez, evitará muchos problemas de conducta.

Cuidados para mascotas que pasan tiempo solas

Unos pocos preparativos y cuidados garantizarán que tu perro esté seguro solo en casa, con estímulos y feliz.

Los perros son criaturas muy sociales que buscan compañía y estímulos. Mientras estés en el trabajo, tu perro estará confinado en casa buscando formas de pasar las horas hasta tu vuelta. Cada perro enfoca esta separación de un modo distinto. Algunos perros lo superan con facilidad, mientras que otros tienen problemas con la soledad. Lo bueno es que son muchas las cosas que puedes hacer para ayudarlo durante esta separación temporal.

MANTENLO ENTRETENIDO

Préstale atención cuando estés en casa. Unas horas por semana de interacción ocasional no son suficientes para que un perro viva en casa solo. Cuando los perros pasan solos mucho tiempo, también necesitan pasar mucho tiempo con sus dueños, hacer ejercicio y recibir atención.

Programa un ejercicio habitual si tu perro pasa solo el día. Intenta que el perro realice dos entrenamientos aeróbicos a diario, uno por la mañana y otro por la tarde. El ejercicio reduce el estrés y cansa al perro, de modo que pasará más tiempo durmiendo de día y se sentirá menos tiempo solo y no incurrirá en conductas destructivas.

Otra forma de ayudar a tu perro a pasar el día es darle algo que hacer, como juguetes que se pueden llenar con croquetas para mascotas, queso u otros alimentos. Estará ocupado durante horas abriéndose paso por esos juguetes para sacar la comida que contienen. Este alimento sustituirá parte de sus comidas habituales.

TEN EN CUENTA LA RAZA

Algunas razas aguantan mejor la soledad por el temperamento heredado como parte de sus características de raza. Los perros criados selectivamente para trabajar solos como los terriers aguantan mejor el aislamiento porque son más independientes y necesitan menos atención de sus dueños. Razas como el pastor alemán y los golden retriever se criaron para trabajar en estrecha colaboración con las personas, y no son buenos candidatos para hacerse compañía solos. Tendrás que considerar la personalidad de tu perro antes de decidir lo bien que soporta la soledad.

VIDA AL AIRE LIBRE

Tu primera intención tal vez sea dejar al perro fuera, donde podrá hacer sus necesidades a

LAS MEJORES GATERAS PARA MASCOTAS

Si no te apetece tener un perro exclusivamente en casa o en el jardín, entonces necesitas una gatera para mascotas. Es un panel que permite a la mascota salir cuando necesita aliviarse o tomar una bocanada de aire fresco y volver a entrar cuando amenaza lluvia o las cosas se ponen feas fuera.

Hay modelos muy distintos de gateras para mascotas. Si te preocupa el riesgo de robos en casa, compra una gatera con cerradura magnética o electrónica que responda a la señal emitida por el collar del perro. Sólo tu perro podrá entrar.

No esperes que sepa inmediatamente cómo funciona la gatera. Algunos perros tienen miedo al principio. Tal vez tengas que enseñarle a usar la gatera usando premios, una correa, palabras de ánimo y muchos elogios.

TIEMPO DE CALIDAD Este golden retriever disfruta de las visitas habituales de su canguro, quien le da de comer y pasa un tiempo jugando con él.

Preparativos y provisiones

Todo perro que se quede en el jardín debe tener una valla segura, un refugio para resguardarse de los elementos y abundante agua fresca que no pueda derramar. Puedes atar un cubo a la valla o poner una armella en la caseta para sujetarlo. O emplea una escudilla pesada de cerámica. El perro que se quede dentro también necesitará agua y juguetes para estar ocupado.

Ningún perro que no esté vigilado debe llevar un collar de ahorque; puede engancharse en algo y quedar atrapado. Usa un collar de hebilla lisa.

SERVICIOS DE GUARDERÍA

Los servicios de guardería y paseo de mascotas son un medio excelente de que los perros pasen el día si están solos. La presencia de gente y otros perros en ese entorno supone una gran diferencia para los perros que están tristes sin su dueño.

Los canguros de mascotas son profesionales que acudirán a tu casa cuando estés fuera. Sacarán a la mascota a pasear, le darán de comer, le pondrán agua fresca y dedicarán tiempo a acariciar y hablar a tu perro.

Las guarderías caninas son sitios donde puedes dejar al perro cada mañana y recogerlo por la noche. Los sacarán a pasear y jugarán con ellos, y gozarán de compañía canina y humana mientras estás fuera.

Cuando elijas cualquiera de estos servicios, infórmate siempre sobre la reputación del profesional o la empresa: pide referencias y guíate por ellas. Comprueba que haya paseos incluidos en las guarderías y ten presente que algunos perros pueden olvidar su control de esfínteres si tienen que hacer sus necesidades bajo techo en el centro canino.

Elige una guardería que exija pruebas de inmunización de tu perro, que discrimine los perros según su temperamento y que sólo deje juntos perros compatibles. Comprueba también que el centro, la zona de recreo y los recintos sean seguros, y que los canes no puedan escapar ni ser robados.

voluntad y donde tendrá aire fresco, peatones a los que mirar y ardillas y pájaros intrusos a los que cazar. Tal vez suene ideal, pero dejar a un perro fuera todo el día entraña ciertos riesgos. Para no aburrirse, tal vez encuentre una forma de escapar del jardín; o podrían robarlo, molestarlo o atormentarlo los viandantes.

También pueden aparecer problemas de conducta. En ocasiones los perros se vuelven agresivos cuando están fuera todo el día. Otro peligro emocional es el miedo, que pueden causarle perros más grandes o ruidos altos. Los truenos durante las tormentas y los fuegos artificiales dan especialmente miedo a los perros; si está atrapado fuera en ambos casos, tal vez sienta pánico y escape del jardín usando patas o dientes.

VIDA BAJO TECHO

Tu perro está más seguro dentro de casa, donde está a salvo de ruidos y otras causas de miedo. El inconveniente de estar en casa es que no puede hacer sus necesidades cuando tiene la vejiga llena. Los perros adultos pueden aguantar en estos casos, pero les resulta físicamente incómodo. Además, si tu perro está solo y carece de estímulos mentales, es posible que sea el mobiliario el que pague su aburrimiento y frustración.

BUSCÁNDOSE PROBLEMAS Si este bullmastín se aburre, podría incurrir en una conducta destructiva o escaparse.

Los perros están convencidos de que deben ir siempre contigo en el coche por si ven algo y tienen que ladrarte violentamente justo encima de tu oído.

DAVE BARRY (antes de 1947),
Humorista norteamericana

CAPÍTULO QUINTO

DE AQUÍ PARA ALLÁ

Con una correa a cuestas

Pasear correctamente con correa debe ser

una habilidad de todos los perros.

Una de las responsabilidades del dueño de un perro es asegurarse de que este no sea un incordio en público. La forma más sencilla de controlar su conducta es con una correa. En muchos sitios la ley exige que los perros lleven correa en público. Es para la seguridad de otras personas, así como la del perro; un perro que no esté sujeto puede huir y perderse o ser atropellado.

Llevarlo con correa no le aguará la fiesta al aire libre, pero tendrás que enseñarle a aceptarla; muchos perros rechazan la correa al principio. Sacar de paseo a un perro que no esté bien enseñado a llevar correa resulta frustrante; pasarás el tiempo batallando con él cuando quieras ir en una dirección y tu perro en otra.

NADA DE OLISQUEAR Cuando lo saques a pasear, no le dejes olisquear todo a su antojo. Su atención debe estar puesta en ti.

BUENA EDUCACIÓN CON LA CORREA Pasear con un perro que sepa andar al pie, como este shiba inu, resulta más agradable que con otro que siempre tire de su dueño.

ADIESTRAMIENTO CON CORREA

El primer paso para el adiestramiento con correa es estar seguro de que el perro lleva un collar cómodo y está acostumbrado a llevarlo (ver pp. 72-73 y 79). Tu perro necesitará una correa de 2-3 metros que sea cómoda. Para un perro pequeño basta una anchura de 8 mm; para un perro más grande escoge una correa con una anchura de 10-20 mm. Evita las cadenas o las correas de nailon endeble, porque se te clavarán en la mano.

Igual que hizo la primera vez que llevó collar siendo cachorro, tu perro necesitará familiarizarse con la correa. No te precipites fuera de casa al instante; deja que arrastre un rato la correa por casa para acostumbrarse al sonido y a su tacto. No le quites ojo en todo momento para que no se trabe en algún objeto.

Cada pocos momentos inclínate y recoge el extremo de la correa y llama al perro para que acuda a ti. Cuando lo haga, alábalo. Una vez acuda a tu lado con la correa puesta, estarás listo para empezar a caminar con él. Con la correa en la mano, aléjate un poco del perro, para y dile que venga. Cuando lo haga, recompénsale con un premio, sea una galleta o un elogio.

Tu perro puede oponerse a este ejercicio mordiendo la correa o clavando las patas en el suelo y negándose a moverse. Son reacciones

COLLARES DE AHORQUE

Un collar de ahorque es una cadena de metal que se estrecha alrededor del cuello del perro siempre que se ejerce presión, por lo general con la correa. Cuando está bien puesto, los collares de ahorque se distienden automáticamente al aliviar la presión, pero, si se usan o ponen incorrectamente, o si se deja al perro desatendido, pueden dañar el cuello del perro o incluso matarlo por asfixia.

Los collares de ahorque se venden en muchas formas y tamaños. Los más delgados es posible que se claven en el cuello y dañen estructuras delicadas (como la arteria carótida) bajo la piel.

En el pasado los collares de ahorque fueron populares entre los adiestradores profesionales, sobre todo para enseñarles a pasear al pie, aunque en los últimos tiempos han perdido esa predilección. Muchos adiestradores y jueces de pruebas de obediencia aprecian mejor el trabajo de los perros cuando nunca han sentido dolor en el cuello asociado con el aprendizaje de andar al paso. Es fácil tener mano dura cuando se usa un collar de ahorque; se requiere habilidad para usarlo con sutileza y no maltratar al perro. Para el adiestramiento todo perro sólo necesitará un collar normal y una correa, así como recompensas apropiadas y elogios.

CORRECTO
Cuando está bien puesto, el collar se afloja automáticamente al dejar de tirar.

INCORRECTO
Al ponerlo al revés, el collar no se afloja cuando dejas de tirar.

normales, pero, para evitar que muerda la correa, puedes rociarla con un repelente para mascotas. Si se niega a moverse, no lo regañes ni lo cojas en brazos; de ese modo sólo reforzarías su conducta. Con tranquilidad y persistencia prueba a animarlo a moverse con un juguete o comida.

Después de practicar este ejercicio con éxito unas cuantas veces, sal al aire libre. Gradualmente halágalo para que se mueva a una velocidad constante contigo. Cuando comience a aceptarlo y se mueva en la misma dirección y al mismo ritmo que tú, para y elógialo. Sigue repitiendo el ejercicio asegurándote de que tengas toda su atención. Corrígelo con un toque suave y corto de correa si pierde la concentración. Pronto entenderá que siempre que le pones la correa tiene que prestarte atención y caminar a tu ritmo y a tu lado.

Si se adelanta y tira de la correa, detente y lleva los brazos hacia el cuerpo para tener apoyo. No tienes que decir nada. A los perros no les gusta la sensación de tirar sin avanzar y pronto retrocederá. Cuando el perro se relaje y

la correa esté floja, elógialo y sigue caminando. Repite esta acción hasta que el perro se sienta cómodo con la correa y deje de tirar y casi arrancarte el brazo. La mayoría de los perros asimilan el mensaje en dos o tres días.

BAJO CONTROL Un buen adiestramiento con correa es sobre todo importante cuando se pasean varios perros a la vez, como estos galgos italianos.

De viaje

Aunque llevarte al perro de vacaciones sea una gran experiencia,
las dificultades pueden superar los beneficios para todos.

Antes de decidir llevar a tu perro de vacaciones contigo, piensa en su salud, el medio de transporte y la naturaleza del destino. Para los perros que se ponen nerviosos o se marean al viajar, para los que están enfermos o se muestran agresivos, y para las hembras en celo, lo mejor es que se queden en casa o en una residencia canina.

En muchos países trenes y autobuses no dejan que viajen perros como pasajeros ni en la bodega a menos que estén especialmente adiestrados para ayudar a personas discapacitadas. La mayoría de las compañías aéreas de Estados Unidos aceptan perros, pero los de más de 25 cm de alzada deben viajar en el compartimiento de equipajes.

Infórmate si el hotel o el cámping al que vas admiten perros. ¿Quieres que tu perro participe activamente en las vacaciones? Aunque a los perros les encanta ir de cámping, a la mayoría no les gusta quedarse todo el día en la habitación de un hotel mientras sus dueños están haciendo turismo. Piénsalo bien antes de llevarte el perro a otro país. Muchos países exigen que los perros pasen una cuarentena de hasta seis meses.

La mayoría de los perros no necesitan tranquilizantes

EN TIENDA DE CAMPAÑA Los perros activos como este malamute suelen disfrutar con las acampadas.

para viajar. De hecho, un perro sedado que viaje en la bodega de un avión puede tener problemas para respirar. Si crees de veras que hay que sedar a tu perro, consulta a su veterinario. Prueba siempre los tranquilizantes en casa antes del viaje.

ALBERGUES Y RESIDENCIAS

Si decides no llevarte al perro y consigues alguien que le dé de comer, lo saque a pasear y le haga compañía, entonces podrá quedarse en casa. Otra opción es encontrar a alguien que se quede a vivir en tu casa mientras estés fuera, o que un canguro canino lo visite con regularidad.

De lo contrario, encuentra una residencia con buena fama; infórmate por amigos o por el veterinario. Inspecciona con interés las zonas de alojamiento, comedor y recreo. Comprueba que siempre haya alguien en las instalaciones y que haya un veterinario si se le necesita. Cuando dejes al perro en una residencia o albergue, facilita la transición llevándole su yacija o manta favoritas, su comida habitual y un par de sus juguetes.

OBJETOS DE PRIMERA NECESIDAD EN LOS VIAJES

Para cumplir con la legislación local y estar seguro de que tu mascota esté lo más cómoda posible, organiza siempre lo siguiente antes de salir de vacaciones con tu perro:

- Un certificado sanitario al día, la cartilla de vacunaciones y la historia del perro.
- Lleva al perro al veterinario para un reconocimiento antes de irte y pregúntale por las enfermedades que pueda encontrarse y contra las que tu perro no está protegido.

- Los medicamentos del perro (apunta los nombres y dosis por si hay que comprar más o se pierden).
- El collar y la correa del perro con una chapa identificativa (con tu dirección temporal y permanente), y su licencia.
- Las escudillas para la comida y el agua.
- Provisiones de comida y premios para la duración de toda la excursión.
- Abundante agua, preferiblemente la que tome en casa.

- Un abrelatas para la comida del perro.
- Los utensilios para el cuidado del perro, incluida una liendrera.
- Un repelente para pulgas y garrapatas, junto con unas pinzas para quitarle las garrapatas.
- Juguetes y su yacija y manta favoritas.
- Fotos del perro por si se pierde.
- Bolsas de plástico o periódicos para recoger sus excrementos.
- Un trasportín si tu perro está acostumbrado a usar uno.

Coches y perros

*Una buena preparación asegurará que los viajes
con tu perro sean divertidos para todos.*

Cuando viajes en coche con tu perro, la mitad de la diversión consistirá en llegar. Él disfrutará de los paisajes casi tanto como tú, e incluso tal vez localice algún otro perro de viaje circulando por las mismas carreteras. Para asegurarte de que el perro y el resto de la familia tengan un viaje cómodo, prepara al perro de antemano para este viaje en coche y para los nuevos paisajes y sonidos con los que se encontrará.

PREPARACIÓN DEL PERRO

Varias semanas antes de partir comienza a acostumbrar al perro a las cosas que pueda encontrar en las vacaciones. Para limitar el estrés de este primer viaje, el perro debe enfrentarse a muchas y diversas situaciones.

Nuevos paisajes, superficies y sonidos

Céntrate primero en la gente. Haz que el perro conozca a personas muy distintas: jóvenes y mayores, delgadas y gordas, con barba y sin ella, con gafas, con bastón y en silla de ruedas. También es importante que tu perro se sienta cómodo con otros animales; si puedes, haz que conozca no sólo a otros perros, sino también a caballos, gatos y animales de granja.

Asegúrate de que tu perro esté cómodo pisando todo tipo de superficies. Pasarelas móviles, suelos de rejilla y ascensores pueden asustarle.

Los perros que viajan tienen que tolerar los ruidos del tráfico. Desensibiliza al perro dándole paseos en coche por una zona con mucho tráfico. Abre las ventanillas y deja que entre el ruido y termina gradualmente haciendo que el perro pasee por la acera de esas mismas calles.

Comidas y bebidas exóticas

Es posible que a tu perro le encante la idea de probar la gastronomía local, pero un cambio repentino de alimentación podría causarle diarrea. Por eso, cuando viajes, apuesta sobre seguro y dale su comida habitual.

PONME EL CINTURÓN Un arnés especial para perros que se engancha al cinturón de seguridad garantiza la seguridad de este perro en el coche.

Si es un viaje corto, lleva contigo su comida habitual. En viajes más largos, lleva comida suficiente para mezclarla gradualmente con lo que esté comiendo. Haz lo mismo con el agua. Lleva una reserva del agua habitual del perro. Pasadas 24 a 36 horas, comienza a mezclarla poco a poco con el agua nueva que esté bebiendo.

MAREOS

Las personas no son las únicas que se marean en el coche. Los perros también pueden sufrir cinetosis con consecuencias desastrosas. Puedes ayudar al perro a no marearse, o al menos a sentirse mejor si se marea.

«¡TRANQUILO!» Los perros que no paran dentro del coche son un incordio y un peligro. Enseña a tu perro la orden ¡tranquilo! Que significa «Busca un buen sitio, échate y no te muevas».

Coches a prueba de perros

Si sabes que tu perro es propenso a marearse en el coche, o si es su primer viaje largo y no sabes cómo va a reaccionar, prepara el coche antes de partir con un mantel de plástico en el asiento trasero para proteger el interior.

Mejor aún, lleva al perro en un trasportín cuando viaje. Si no cuenta ya con un trasportín propio, tendrás que acostumbrarlo un mes antes de viajar. Hazlo dándole de comer dentro de él. Un trasportín es la forma más segura de viajar en coche, tanto para el perro como para ti. Si tienes que frenar de repente o hay un accidente, el perro estará seguro en su trasportín. Una rejilla separadora para perros también es una buena medida de seguridad.

Superación de la ansiedad

Muchos perros vomitan dentro del coche porque sienten ansiedad; no les gustan las cosas que pasan zumbando a su lado de forma alarmante. Para que tu perro se acostumbre a viajar en coche, pasa cierto tiempo con él dentro y el coche parado. Deja que investigue el coche mientras lees un libro. Dale un premio y una caricia, luego sácalo. Una vez se acostumbre a esta rutina, dale un paseo corto por el vecindario. Aumenta gradualmente la duración de los viajes y al final tendrás un viajero tranquilo.

Superar los mareos

No dar de comer al perro antes de un viaje ayuda a controlar los mareos. No le des de comer al menos ocho horas antes de un viaje. Los estómagos vacíos también se marean, pero al menos no tienen mucho que expulsar en su interior.

No le des nada de beber dos horas antes de partir. Una vez en la carretera, le puedes dar tragos cortos y frecuentes de agua o cubitos de hielo. No le dejes pasar sed ni que se

deshidrate, pero recuerda que un vientre lleno de agua se puede transformar rápidamente en un asiento trasero encharcado.

Si estas tácticas no funcionan, el veterinario puede prescribir pastillas para el mareo, o recomendar productos sin receta médica de consumo humano que se le pueden dar en dosis para su tamaño.

Si tu perro se marea en carretera a pesar de tus esfuerzos, para el coche y dale un paseo andando. O prueba a bajar las ventanillas si el aire es fresco, asegurándote de que no pueda sacar la cabeza. Si hace calor dentro del coche, pon el aire acondicionado y dirige el chorro hacia el perro. A algunos perros les gusta masticar cubitos de hielo. O distráelo de su mareo dándole alguno de sus juguetes favoritos.

DESCANSOS

Si tu perro está tranquilo dentro del coche, podrás sacarlo todas las veces que quieras para descansar. Si está histérico, evita parar con frecuencia, porque se podría agravar el problema. Sin embargo, tendrás que seguir parando cada cuatro a seis horas para ir al baño. Algunas áreas de servicio en las carreteras cuentan con un área especial para que los perros hagan sus necesidades y con sitios por los que pueden correr. Lleva al perro con una correa larga mientras corretea y, si quieres, juega, un poco a lanzarle una pelota. A menos que haya aprendido a acudir a tu llamada sin falta, no lo saques sin correa por el riesgo de perderlo.

HORA DE IRSE Este pastor australiano micciona cuando se lo ordenan, un truco útil en las paradas en ruta.

Volar con perros

Los viajes en avión no son recomendables para los perros,
pero, si es inevitable, prepara bien el viaje.

Viajar en avión resulta estresante para los perros y el tema no se debe tomar a la ligera. El primer requisito es un trasportín aceptado por las compañías aéreas. Si tu perro no está acostumbrado a viajar en trasportín, adquiere uno y comienza a acostumbrarlo al menos un mes antes de viajar.

RECONOCIMIENTO VETERINARIO

Lleva a tu perro al veterinario para un reconocimiento y obtener un certificado sanitario. Se exige un certificado sanitario para todas las mascotas que viajen en avión, y suelen ser válidos 30 días para viajes domésticos y 10 días para vuelos internacionales. Si viajas a otro país, contacta con su consulado y pregunta por las vacunas que necesitará y si tendrá que pasar cuarentena antes o después de entrar en el país.

También puedes hablar con el veterinario sobre la posibilidad de dar tranquilizantes al perro, aunque no se recomiendan en la mayoría de los casos porque pueden interferir con la respiración del can y su capacidad para afrontar los cambios de temperatura.

EL BILLETE DE AVIÓN

Haz las reservas con antelación. Una posible ventaja de reservar con tiempo es que tu perro tal vez pueda volar en cabina contigo, siempre y cuando su trasportín sea lo bastante pequeño como para caber debajo del asiento delante de ti. Sólo se suele permitir una o dos mascotas por vuelo en cabina por lo que, cuanto antes reserves el billete, más posibilidades tendrás de hacerte con una de esas plazas.

En la mayoría de los casos el perro viajará en la bodega, donde no tendrás acceso a él. Por lo menos asegúrate de que cuenta con su manta para reconfortarse y conservar el calor.

Viaja en un vuelto sin escalas si es posible y vuela en una época del año y una hora en que haya menos posibilidades de que la temperatura en tierra sea muy alta. El calor puede matar a los perros en la bodega de un avión parado en una pista. En un vuelo directo hay menos posibilidades de que el perro viva este tipo de situaciones. Los vuelos nocturnos o antes del amanecer son los más seguros para mascotas que

EN LAS NUBES A este pastor belga de Tervuren nunca le gustará volar, pero con preparación adecuada se reducirá la posibilidad de que viva una experiencia traumática.

viajan en verano. Por último, comprueba que tu billete sea para el mismo vuelo que el de tu perro. No lo envíes en un vuelo anterior ni posterior.

EL VUELO

No des nada de comer al perro desde ocho horas antes del vuelo, y nada de beber desde dos horas antes. Llega pronto al aeropuerto. Los perros suelen ser embarcados como equipaje, lo cual significa que tienes que facturarlo dos horas antes del vuelo. Tu nombre, dirección y número de teléfono deben estar claramente escritos en el trasportín, incluyendo la dirección de destino en caso de que haya un error.

Una vez estés en el avión, avisa a la tripulación de que hay un perro en la bodega e insiste en que le sea comunicado al piloto. Luego, si algo ocurre que pueda poner en peligro a tu mascota –como que se retenga al avión varias horas en una pista ardiente– el piloto podrá disponer que se cuide del perro.

Si se da esta situación y estás preocupado por tu perro, no tengas miedo de hablar claro. Haz que la tripulación sepa que la seguridad de tu perro es de la mayor importancia para ti.

Estar lejos de casa

Cuando vayas a otros lugares con tu perro, infórmate y planea el viaje de modo que sea una experiencia positiva para todos.

Llevar perros a hoteles o casas de amigos puede ser todo un reto para el perro y para las personas que tengan que tratar con él. El perro necesita saber comportarse en diversas situaciones y también necesitará cuidados adicionales por tu parte, antes y durante la estancia.

ESTANCIAS EN HOTELES

Un número creciente de hoteles acogen y dan la bienvenida a perros, pero no salgas de viaje confiando en tu buena suerte. Busca hoteles en la zona que vayas a visitar antes de salir de casa, reserva con tiempo y obtén la confirmación por escrito.

Hay muchas guías de viajes que informan de los sitios donde puedes alojarte con tu mascota. En Internet hay bases de datos para vacaciones con perros. La asociación automovilística de tu localidad tal vez cuente con alguna lista de este tipo, y también puedes llamar a la sociedad protectora de animales de la zona donde te vas a alojar y preguntar por un buen hotel que permita llevar perros. Empieza eligiendo un sitio que te llame la atención, luego haz un poco de investigación. Llama y habla con los dueños para informarte del modo en que atienden a sus huéspedes caninos. Si tienen premios para perros y otros servicios, hay posibilidades de que tu perro esté muy bien tratado.

El huésped bien educado

Los perros pueden ser excelentes huéspedes si sus dueños saben cómo manejarlos. Eso significa adoptar algunas precauciones para que el perro no moleste a otros huéspedes, no estropee la habitación ni organice mucho jaleo.

Hagas lo que hagas, no dejes al perro solo en el hotel. Un perro ansioso puede destrozar una habitación de hotel en un momento. Si tienes que dejar al perro solo poco

DOS SON COMPAÑÍA Incluso en los hoteles que acogen perros prefieren que uno no se presente sin comunicarlo antes. Cuando reserves habitación, especifica que irás acompañado por tu perro.

tiempo, mételo en su jaula y avisa al gerente del hotel para que el personal de limpieza no se lleve una sorpresa al entrar en la habitación.

Si tu perro suele ladrar cuando oye ruidos raros, pide una habitación con poco tránsito humano. Y, si tu perro suele dormir en la cama contigo, lleva una sábana de casa para que el perro no deje pelos en la ropa de cama.

Y lo más importante, tu perro debe saber controlar los esfínteres en casa. Si no es así, tampoco sabrá hacerlo en un hotel.

DEJAR MENOS PELO Cepilla al perro a conciencia, fuera o en un balcón, para limitar el pelo que pierda por los muebles y alfombras de tus anfitriones.

ESTANCIAS CON AMIGOS

Incluso un perro que se comporte de forma impecable en casa tal vez no lo haga en un lugar extraño, simplemente porque las reglas son distintas. Tal vez esté acostumbrado a pasear por la mañana temprano en casa y no entienda que las demás personas no. Las personas que te quieren puede que no sientan tanto afecto por el perro, o quizás haya limitaciones sociales impuestas al perro. Descubre si tu perro es realmente bienvenido en la casa de tus amigos, luego haz todos los esfuerzos posibles porque su estancia vaya como la seda.

Tal vez el tema más espinoso para los anfitriones sea la limpieza. No les gustará toparse con pelos del can por todas partes, así que báñalo antes de salir de casa. Una vez en tu destino, cepíllalo a conciencia, fuera de casa o en un balcón, con toda la frecuencia que sea necesario.

Si tu perro duerme en la cama en casa, lleva una sábana contigo. O mejor aún, si usa habitualmente su trasportín o su yacija, llévala contigo. Puedes ponerlos en el suelo junto a la cama. Así se sentirá seguro y no tendrás que preocuparte de que haga ningún destrozo.

Si tu perro babea, controla el vertido con un babero para mascotas, a la venta en tiendas especializadas, o átale un pañuelo de cabeza en torno al cuello.

UN CANICHE CORPULENTO Toques familiares, como su yacija y manta, harán que este terrier de Tenterfield se sienta como en casa en la habitación de un hotel.

Presentaciones

Visitar un hogar donde no haya mascotas resulta fácil, pero tendrás que esforzarte más para que reine la armonía si visitas a alguien que tenga otros animales. Los gatos a menudo desaparecerán hasta que tu perro y tú hayáis desaparecido, pero si son perros tendrán que convivir con el recién llegado.

Los perros son animales sociables y a la mayoría les encanta conocer a otros perros, pero no los juntes sin más con la esperanza de que todo vaya bien. Por el contrario, intenta que se conozcan poco a poco. Asegúrate de que se conozcan en un terreno neutral. Un parque o una calle es lo mejor, o, si no queda más remedio, el jardín. Los perros son territoriales, por lo que el perro anfitrión tal vez considere que debe defender su propiedad de extraños.

A muchos perros no les gusta ir con correa cuando conocen a otros perros; parece ser que hace más probable que su reacción sea agresiva; así que quítales la correa. Luego retrocede y deja que se olisqueen mutuamente. Esta es una parte esencial para empezar a conocerse. Un poco de jactancia es normal entre ellos, y por lo general deja paso a una relación amistosa o, por lo menos, de tolerancia.

Una vez hayan acabado de olisquearse, es probable que los canes se relajen y acepten su compañía, momento en que podrán pasar dentro. Pero, si no se soportan, tendrás que hacer otros planes.

Los grandes espacios abiertos

*Hasta a los perros de ciudad les encanta el contacto con
la naturaleza e ir de excursión con sus dueños.*

A los perros les gustan los espacios abiertos, el aire fresco y olores nuevos e intrigantes. Sin embargo, algunos se ponen tan nerviosos que ladran como locos y corren arriba y abajo siguiendo las sendas que se adentran en la naturaleza, asustando a la fauna, molestando a la gente y agotándose antes de que haya empezado la excursión. Los guardas forestales reciben muchas quejas cada año de perros ruidosos, agresivos o hiperexcitados. Para que el perro disfrute de un día al aire libre y no moleste a nadie, necesitará un poco de preparación especial.

IDENTIFICACION TEMPORAL Las tiendas de mascotas venden unos pequeños receptáculos que se cuelgan del collar y contienen papeles en los que puedes escribir tu dirección en las vacaciones y detalles para ponerse en contacto. Las chapas habituales son inútiles si se pierde, porque no estás en casa para contestar llamadas.

ANTES DE SALIR DE CASA

Algunos perros están mucho mejor preparados para una excursión que otros. La mayoría de las razas atléticas, como los perros de caza, aguantarán una excursión larga. Los perros de hocico chato, como el doguillo, el bulldog y el pequinés, suelen tener problemas para respirar y pueden estresarse con un ejercicio excesivo. No

es probable que disfruten ni se beneficien de una excursión, sobre todo si hace calor.

Pregunta a tu veterinario para estar seguro de que tu perro está en forma para la excursión. Lleva también una copia de tu certificado sanitario y la cartilla de vacunaciones. Algunos cámpings y puestos fronterizos no dejarán pasar perros a menos que lleves esos documentos.

A menos que tu perro esté acostumbrado al ejercicio habitual y vigoroso, necesitarás aumentar sus tandas de ejercicio las semanas previas a la excursión.

También necesitarás llevar suficiente comida y agua fresca y tal vez unas pastillas contra el mareo para el viaje en coche.

CON MOCHILA Y LISTO Los perros aprenden a llevar su equipaje en una mochila especial para canes.

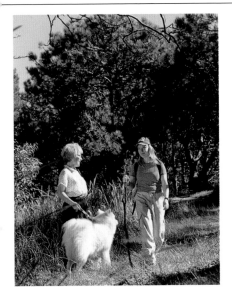

DETRÁS DE TI Cuando vayas por trochas o sendas estrechas, lo educado es apartar el perro a un lado para que pasen otros excursionistas.

y luego dile «junto», mientras te palmeas el muslo derecho. La mayoría de los perros aprenden pronto a asociar la palabra con el gesto y se apartarán rápidamente a un lado.

Si ciclistas o corredores usan también esa senda, tal vez despierten el instinto de persecución del perro. Si tu perro tiene instinto cazador, ordénale «sentado» cuando se acerquen corredores o ciclistas en cualquier dirección y recompénsale por mirar hacia otro lado.

El equipamiento correcto

Las tiendas de mascotas y de cámping venden muy distinto material para perros excursionistas. Tal vez quieras equipar al perro con algunos artículos especiales.

Intenta usar un collar de nailon plano (con un cierre fácil de soltar en caso de que se quede enganchado en algo) y una correa de nailon o tejido. Las correas de cuero son pesadas y te cansarán si estás de excursión todo el día.

El perro también necesitará protección contra garrapatas y pulgas. Aplica un espray antipulgas antes de salir de casa. Los pulverizadores con piretrinas son más seguros que los pulverizadores químicos. En vez de pulverizar directamente al perro, vierte un poco en un trapo y pásaselo por todo el cuerpo; así controlarás la aplicación para que no le entre nada en ojos, nariz o boca.

Plantéate dotar a tu perro de una mochila canina. Incluso un perro pequeño podrá cargar con su comida y unas escudillas plegables. Primero acostumbra al perro a llevar la mochila en casa; con ella será más ancho de lo normal, por lo que no podrá colarse por los mismos espacios por los que pasaba normalmente. La primera vez, ponle la mochila vacía y deja que la lleve cierto tiempo. Aumenta gradualmente el tiempo que la lleva puesta, al tiempo que vas metiendo algo cada vez de mayor peso, hasta que termine llevando el mismo peso que llevará en la excursión.

EN CAMINO

Bajo control

La forma más sencilla de prevenir la mayoría de los problemas de conducta durante el camino es llevar al animal con correa. En la mayoría de los terrenos públicos, se obliga llevar al perro con correa para comodidad de los demás excursionistas y por su propia seguridad. Algunas zonas públicas de excursionismo también son áreas de pastoreo y pueden abatir a tu perro por perseguir al ganado o la fauna. Llevar al perro con correa no impedirá que disfrute de la naturaleza, pero enséñale a caminar al paso antes de ir (ver pp. 100-101).

Normas de etiqueta al aire libre

La mayoría de la gente va al campo con la idea de disfrutar de la paz y el silencio. Los perros que ladran demasiado pueden estropear todo esto, así que evita que el perro ladre. Antes de salir de casa, enseña al perro la orden «silencio» (ver p. 117). O ponle la mano en el hocico cuando ladre; esto lo detendrá, aunque es una solución a corto plazo, porque pronto aprenderá a zafarse de tu mano.

Otro tema importante al caminar por sendas marcadas es no avasallar a los demás paseantes. Muchos de esos caminos son demasiado estrechos como para que pasen dos a la vez con comodidad. Tienes que enseñar al perro a salirse de la senda echándose a un lado cuando llegue otro excursionista. Si, por ejemplo, tu perro camina a tu izquierda y quieres que pase al otro lado, usa la correa para dirigirlo hacia la derecha

ECHARSE A UN LADO Enseña a tu perro una orden para que se eche a un lado, quitándose así de en medio cuando pasen otros excursionistas o ciclistas.

Ningún animal debería subirse a una silla del comedor
a menos que estuviera totalmente seguro de poder
llevar el peso de la conversación.

FRAN LEBOWITZ (antes de 1950),
Humorista y escritor norteamericano

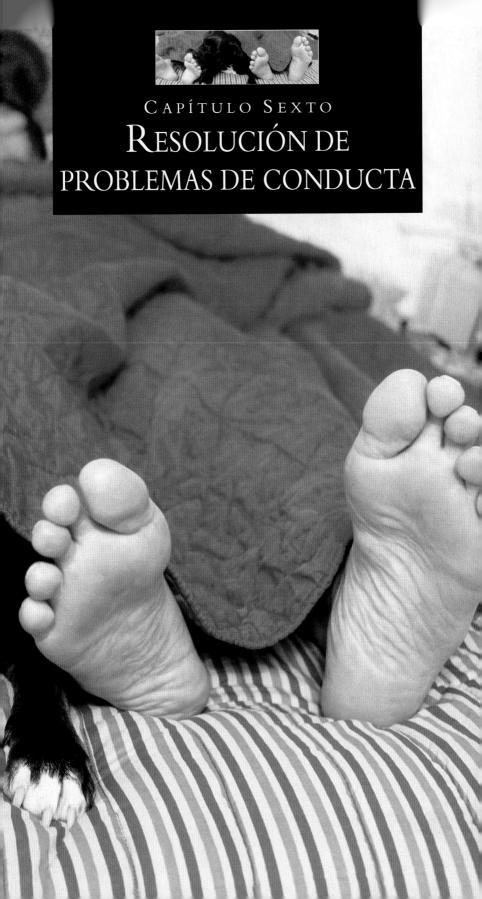

CAPÍTULO SEXTO

RESOLUCIÓN DE PROBLEMAS DE CONDUCTA

Agresividad

La agresividad en los perros se manifiesta con muchas conductas,
como gruñidos, ladridos, arrufes, arremetidas, tarascadas y mordiscos.

A veces un perro manifiesta sus intenciones agresivas mirando fijamente e irguiéndose sobre sus cuatro patas con las orejas y el pelo del lomo erectos. Los machos sin castrar a menudo se comportan de modo agresivo con otros machos, lo cual deriva en peleas caninas.

El miedo, el dolor y el nerviosismo también pueden hacer que un perro se comporte con agresividad. Si tu perro despliega una conducta agresiva y amenaza a miembros de la familia, a visitas o a extraños, o si ha mordido a gente, será esencial la intervención de un especialista en conducta canina. No creas que el problema desaparecerá solo. Hasta que no estés seguro de que tu perro es de fiar, no lo dejes con niños pequeños sin supervisión.

ACTUACIONES TEMPRANAS

La mejor forma de encarar una conducta agresiva es prevenirla. La primera vez que te gruña no tengas miedo de decirle «¡No!». Al hacerlo, tu perro sabrá que hablas en serio al corregirle. Actúa en cuanto oigas que se forma el gruñido en la garganta del can. Asimilará el mensaje antes si entiende que el gruñido que está a punto de emitir no le va a ser permitido. Cuando digas «no», es importante ofrecerle una respuesta alternativa que prefieras y por la cual puedas recompensarle.

NADA MÁS QUE UN JUEGO No todas las agresiones en apariencia responden al miedo o la furia. Estos dos perros gruñen y se muerden mientras juegan a pelearse.

Con un cachorro nuevo, imponte como jefe desde el principio estableciendo reglas que sean compasivas pero siempre en curso. Acostúmbrale a verte manipular su comida, sus juguetes y su cuerpo. Hazlo cuando esté tranquilo, nunca excitado.

Si necesitas coger algo de un cachorro, hazlo con firmeza pero también con suavidad, y ofrécele un juguete alternativo y más apropiado. Si le chillas y te abalanzas sobre él, tal vez lo asustes y desencadenes una respuesta agresiva. Recuerda, los castigos duros pueden activar una agresión por miedo o dolor. Si tienes que regañarlo, basta con una reprimenda verbal firme. Recompensa siempre al perro con premios y alábalo cuando se comporte en calma y sumisamente.

Entre los tres y seis meses de edad los cachorros comienzan a echar los dientes. En ese período también se vuelven más juguetones con la gente, y una mano blanda y carnosa resulta relajante para las encías del cachorro. Un poco de mordisqueo juguetón no es una conducta agresiva, pero puede pasar a mordiscos fuertes y derivar en una agresión. Lo mismo puede ocurrir con otros juegos, como un juego de posesión. Para impedir que un cachorro desarrolle tendencias agresivas evita los juegos con ganadores y perdedores.

PREVENCIÓN DE CONDUCTAS AGRESIVAS

Algunos animales se muestran cautos con los extraños y manifiestan una conducta agresiva. La socialización temprana y frecuente con muchas personas distintas y en muchos lugares es un buen comienzo para evitar esta conducta; una existencia sobreprotegida no prepara a un perro

TÚ ESTÁS AL MANDO El adiestramiento habitual en obediencia enseña a los perros a obedecer el liderato de su amo, lo cual reduce las posibilidades de una conducta agresiva.

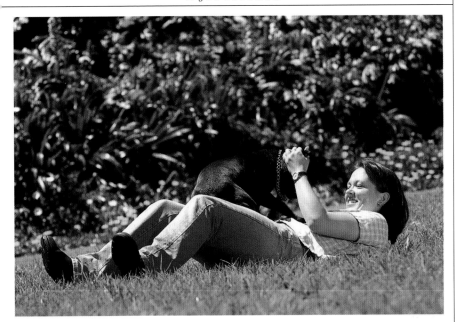

para los ruidos de la calle, otros perros o personas. Que tu voz suene tranquila y feliz para animar al perro a mostrarse amistoso con la gente.

Durante las visitas enseña a tu perro a estar sentado o tumbado para llamar la atención. Haz que en las presentaciones a otras personas dominen los premios y elogios. Ten un bote de premios en la puerta de casa y haz que las visitas le den un premio al llegar. El perro empezará a asociar cosas buenas cuando llega alguien a la

JUGAR CON SUAVIDAD Aunque a muchos perros les gusta jugar con rudeza, puede estimular conductas agresivas. Si tu perro muestra tendencias agresivas, evita jugar fuerte y los juegos en que haya vencedores y vencidos, como los juegos de posesión.

puerta. El perro se guiará por tus señales y actitud, así que relájate y elógialo cuando acepte el premio y no se aparte con timidez. Si estás nervioso por su respuesta, el perro también se pondrá nervioso.

Si tu perro se asusta, no lo cojas en brazos ni lo mimes como si fuera un bebé. Lo peor que le puedes decir a un perro asustado es «Venga, no te preocupes». Esto sólo reforzará su timidez. Relájate y tu perro seguirá tu estela.

Si has adoptado un perro mayor que se muestra agresivo con la gente u otros animales, tal vez necesites una correa para controlarlo, incluso en casa. Esto, por lo menos, prevendrá que dañe a los que te visiten.

En público lleva al perro con correa si no estás seguro de sus reacciones. Si sospechas que a tu perro no le gustan otros perros, no permitas que se le aproximen cuando salga a pasear. Si le ponen nervioso los niños, mejora su confianza haciendo que se siente y quede quieto cerca de un parque infantil donde haya niños jugando. Si muestra ansiedad y miedo en tal caso y no puedes calmarlo, llévatelo en seguida. Si este tipo de conducta se produce repetidamente, tal vez necesites ayuda cualificada. No asumas que tu perro superará esa conducta.

PERROS DE GUARDA

Muchos dueños quieren un perro que ladre y les alerte de la presencia de intrusos. ¿Cómo conseguir un perro que ladre, pero no despliegue conductas agresivas ni excesivas? Lo importante es tener el control y un adiestramiento temprano. No dejes que el cachorro ladre en exceso dentro o fuera de casa. Un exceso de ladridos puede hacer que el perro esté agitado y aumente sus conductas agresivas. Cuando se inicien esas manifestaciones excesivas, debes salir fuera e interrumpirlo. Tal vez incluso tengas que ponerle la correa para interrumpirlo con más facilidad.

Algunas razas se criaron selectivamente como perros de guarda, para los cual los criadores eligieron de forma activa ciertos rasgos, como la obediencia, la lealtad y la agresividad. Aunque estas razas sean por naturaleza perros de guarda, se deben saber controlar. El adiestramiento debe ser firme, pero nunca cruel. Un buen perro guardián debe aprender desde el principio a controlar sus instintos agresivos.

UNA CUESTIÓN TERRITORIAL

Los perros son criaturas muy territoriales, sobre todo si pasan mucho tiempo atados en el jardín. Algunos perros se tornan muy protectores de su pequeño espacio y se vuelven agresivos. Además, si están atados, no pueden escapar cuando los molestan o someten a otros fastidios. Como resultado, pueden incurrir en una conducta agresiva para detener esas intrusiones. Los perros criados para guardar son especialmente propensos a una conducta territorial excesiva.

Los perros no sólo se muestran territoriales con la casa y el jardín. Considerarán parte de su territorio cualquier lugar que visiten con regularidad, como un parque, incluso una calle por la que paseen con frecuencia. Para prevenirlo, varía cuanto sea posible las rutas de los paseos y los parques y otras áreas exteriores que visites.

ENCUENTROS CON OTROS PERROS

Cuando dos perros se encuentran por primera vez, de inmediato establecen la jerarquía social. Si un perro impone su autoridad y el otro perro se somete, el orden imperará. El problema empieza cuando ambos perros quieren ser el jefe.

Cuando saques al perro de paseo, llévalo con la correa floja. Si se pone agresivo cuando se acerque un perro que no conozca, intenta distraerlo cambiando el paso o girando a derecha o izquierda con frecuencia. Si le ves divisar a otro perro por delante, no te tenses ni tires de la correa. El perro sentirá que algo va mal por tu conducta y se aprestará a afrontar un peligro potencial. Si mantienes la calma, el perro también se sentirá más relajado. A veces, sin embargo, tal vez sea mejor evitar la situación.

En muchos casos es mejor que los perros se conozcan sin llevar la correa (ver p. 107).

PELEAS

Es divertido ver a dos perros jugando. Sus cabriolas, sus ruidosos juegos de persecución pueden mantenerlos distraídos horas y horas. Dos perros que vivan juntos establecerán sus propias normas y se turnarán a estar al mando. Sin embargo, los juegos de gruñir y persecución se les pueden ir rápidamente de las manos si entra en escena un perro nuevo o uno de los perros se excita demasiado y sube el nivel del juego. Si uno de los perros agarra constantemente al otro por el cuello y lo hace rodar por el suelo, o le muerde bastante fuerte y lanza un gañido, eso no es aceptable. Si uno de los perros es más pequeño o joven, este juego duro le puede asustar.

Para evitar que se inicien peleas, debes observar si ambos están haciendo una imitación de una pelea, es decir, si se ponen de pie sobre los cuartos traseros y se mordisquean en torno a la cabeza y las orejas. Los perros que son muy dominantes, que tienen miedo o que han sufrido ataques con anterioridad son más propensos a iniciar peleas.

Cómo interrumpir una pelea entre canes

Si ves a tu perro peleando con otro, no intentes cogerlo por el collar, aunque parezca lo más lógico. Tu perro puede pensar que tu mano forma parte del otro perro y morderte. Intenta hacer ruido chocando dos objetos de metal y grita a los dos perros que paren.

También puedes mojar a los dos perros con una manguera del jardín, con un cubo o incluso una jarra. La sensación fría del agua los sobresaltará y los distraerá lo suficiente como para llamar a tu perro, ponerle la correa y alejarlo.

Si tu perro es macho, la mejor forma de prevenir que se meta en peleas es castrarlo. Así se reduce su tendencia natural a la agresividad, y también significará que los otros perros no lo verán como un competidor en la eterna lucha por alcanzar un estatus más alto.

LA PELEA HA TERMINADO Mojar a los perros que se pelean con una manguera los sorprenderá y hará que se distancien lo suficiente como para poderlos separar.

Llamadas de atención

Todo perro que haya establecido estrechos vínculos con su dueño

es un posible candidato a seguir una conducta de llamadas de atención.

Todos los cánidos son oportunistas: experimentan con una amplia gama de nuevas conductas para saber si éstas les aportan beneficios. Esto explica la variedad enorme de respuestas –sobre todo el robo de objetos, la caza compulsiva de la propia cola, los empujones a los dueños y los gemidos– que se puede clasificar como conductas para llamar la atención.

Los perros también otorgan gran importancia a la interacción social. Por eso llamar la atención de los miembros clave del grupo social, sobre todo los líderes, es tan valioso para ellos. Si el líder se relaciona con los miembros de rango inferior del grupo, lo perciben como una recompensa considerable. En las interacciones entre seres humanos y perros los elogios son un ejemplo claro de reforzar la atención, pero a veces incluso una mirada al perro le puede recompensar por lo que ha hecho. El perro aprende a llamar y mantener la atención del dueño repitiendo esa conducta, sea ladrar, saltar para saludar o hacer cabriolas.

MÍRAME Una sonrisa de su dueña puede ser recompensa suficiente para este schnauzer enano que deja un juguete a sus pies siempre que quiere llamar su atención.

Estos dos factores –el oportunismo y el valor de las interacciones sociales– explican por qué la búsqueda de atención es tan habitual. A muchos dueños les divierten las conductas para llamar la atención, sobre todo las primeras veces que se manifiestan. Se pueden reír y enseñar el último truco del perro a otra persona, o simplemente pueden sonreír. Esta es suficiente recompensa para que muchos perros sepan que han dado con algo importante. Darán otra vez la misma respuesta para ver qué ocurre; si obtienen la recompensa que están esperando, empezará a establecerse la conducta dentro de su repertorio. Persistirá aunque se les haya recompensado de forma irregular. De hecho, las recompensas infrecuentes suelen enraizar más las conductas en ausencia de una atención continua.

PREVENCIÓN

El reto para los dueños de perros que buscan llamar la atención es aprender a negar la recompensa, es decir, la atención que refuerza las conductas indeseables. No es tan fácil como

parece. Incluso apartar a un perro que ha saltado sobre ti para saludarte puede considerarse una recompensa, porque el resultado es una forma de contacto físico.

La máxima para los dueños que quieran prevenir las conductas para llamar la atención es que «nada es gratis». Durante el contacto diario con personas los perros deben trabajarse las recompensas, sea interacción física, elogios verbales o contacto visual. Una vez los dueños se dan cuenta de lo poderosas que son estas recompensas en apariencia menores, tendrán que dispensarlas siguiendo sus propias reglas. Los perros que exigen atención deben ser ignorados. Esto significa que todos sus intentos (nuevos y viejos) por llamar la atención deben responderse con el mismo desinterés. Eso no significa que los lazos entre perro y dueño tengan que resentirse, sino que los dueños tendrán el control. Se puede indicar al perro cuándo es apropiado llamar la atención, lo cual implica el beneficio añadido de potenciar su papel de líderes afectuosos.

Ladridos y aullidos

Los perros ladran o aúllan para comunicarse, expresar su excitación, aliviar su aburrimiento, estrés o ansiedad y para alertar de la presencia de intrusos.

Aunque la mayoría de los perros ladran para decir algo, otros lo hacen por diversión o por costumbre. Este tipo de ladridos puede prolongarse todo el día y convertir al perro en el incordio del vecindario.

Cuando tu perro ladre en exceso, es importante determinar la motivación. Algunos perros ladran incesantemente cuando sus dueños los dejan al aire libre todo el día. Este ladrido es muy difícil de acallar y primero tendrías que plantearte por qué hay que dejar al perro fuera. ¿Es porque no te fías de lo que hará dentro de la casa? Si es así, entonces son otros los problemas que hay que abordar primero.

Si tu perro ladra dentro de casa y no consigues que pare, entonces tendrás que enseñarle la orden «¡silencio!». Si has probado a gritarle para que calle sin éxito, entonces asume que no ha asociado el silencio con la palabra que has usado. Necesitas establecer una relación directa entre tu orden y la respuesta deseada (ver cuadro).

Si tienes problemas para enseñar al perro la orden «¡silencio!», tal vez quieras probar con un cabezal. Cuando un perro lleva un cabezal, puedes atarle la correa y usarla cerca de la boca del perro mientras le das la orden.

CÓMO EVITAR QUE LADRE

Para que tu perro gaste energías que de otro modo podría emplear en ladrar, bríndale multitud de oportunidades físicas para expresarse. Largos paseos diarios le aportarán satisfacción mental y lo agotarán físicamente, así como llevarlo a una zona cercada del parque donde pueda correr, jugar y ladrar en un entorno controlado.

Si tu perro está solo largos períodos, tal vez los ladridos sean su forma de expresarse. Los perros son animales sociales, por lo que nunca deben estar solos mucho tiempo. Pero si no puedes evitar dejar el perro en casa y solo, prueba a encender la radio o la televisión antes de irte. Algunos perros las asocian con la presencia de sus dueños y les reconfortan y calman.

También puedes dar al perro juegos para pensar, como los que están huecos y llenos de mantequilla de cacahuetes o galletas para perros, para que jueguen con ellos mientras estás fuera. Estos juguetes los mantienen horas ocupados tratando de extraer la comida. Esta estimulación mental también los agotará, por lo que pasarán el resto del tiempo durmiendo.

Los ladridos son a menudo provocados por lo que oyen o ven. Si no tienes control sobre la fuente del sonido al que ladra tu perro, tal vez tengas que meterlo dentro de casa. Si ladra cada vez que ve a alguien que no conoce por la calle, o a un gato en el jardín, echa las cortinas o baja la persiana o asegúrate de que la valla del jardín sea tupida para impedir que vea lo que ocurre fuera.

Cuando ladre, no lo acaricies ni tranquilices diciendo que todo está bien. Si lo haces, pensará que lo estás elogiando por su valor y diciéndole que ladrar es algo bueno. Chillarle que deje de ladrar lo

HABLA AHORA Perros como este braco húngaro aprenden a ladrar a una orden, lo cual ayuda a controlar sus ladridos cuando estás con ellos.

AL ACECHO Muchos perros ladran a cosas que ven fuera de casa. Una sencilla solución en el caso de este cruce de bullterrier podría ser retirar el sofá de la ventana para eliminar su puesto de vigía y, con él, su motivación para ladrar.

convencerá de que te sumas a su llamada de alarma.

Si el perro ladra porque le asusta algo como el aspirador, el cortacésped o un cubo de la basura grande, intenta desensibilizarlo de estos objetos. Si le das de comer junto a estos artículos habituales o mientras están en marcha, terminará asociando estos objetos que le dan miedo con el acto positivo de comer. Desensibilizarlo de los objetos que le asustan no sólo reducirá sus ladridos, sino que también aumentará su confianza. Véase en las pp. 85 y 133 más consejos para su desensibilización.

Otra forma de impedir que un perro ladre es emitir un sonido agudo que sea al menos el doble de fuerte que sus ladridos. Entrechoca dos ollas o pulsa una bocina o sirena como las de los barcos. Busca la motivación del can antes de usar este método; tal vez funcione si está ladrando para llamar tu atención o porque está aburrido, pero, si está inquieto, ese sonido desapacible lo agudizará y aumentará sus ladridos.

Un recurso para casos extremos con que controlar sus ladridos es usar productos para corregir al perro cuando ladre. Los collares antiladridos que usan un disuasor de ruidos, o los que usan un espray de citronela pueden ser eficaces. No se recomiendan los collares con descargas eléctricas. Si todo lo demás falla, busca el consejo de un profesional en conducta animal.

ENSEÑAR «SILENCIO»

a) Para adiestrar a un perro para que deje de ladrar, primero debes dejarle que empiece. Busca algo que siempre le haga ladrar, como el timbre de la puerta. De pie en el marco de la puerta, llama al timbre y deja que el perro ladre un poco.

b) Sostén un premio encima del morro del perro mientras le dices «silencio», «calla» o algo parecido. (No importan las palabras, siempre y cuando uses siempre las mismas).

c) Cuando el perro deje de ladrar para olisquear, elógialo y dale el premio. Repite la acción, exigiendo que el perro esté en silencio cada vez más tiempo antes de recibir el premio.

Súplicas

Los perros aprenden pronto que los ojos suplicantes y una

pata en alto son la mejor forma de obtener comida extra.

Los perros suplican por el deseo de obtener lo que nosotros comemos; nos ven disfrutando tanto que se quieren unir a la diversión.

Resulta duro resistirse a la mirada suplicante del perro, pero, si cedes sólo una vez y le das aunque sólo sea un mordisquito de algo que haya en la mesa, pocas veces te dejará en paz a la hora de la comida.

POR QUÉ LAS SÚPLICAS SON MALAS

Compartir tu cuenta calórica garantizará que nunca tengas un momento más de paz. También hará que el perro gane peso, porque, además de su ración habitual de comida canina, estará comiendo de ese bollito hecho con mantequilla, ese filete, ese plato de pasta, esa ración de pastel o cualquier cosa que pueda sacarte.

El sistema digestivo canino no es igual que el del ser humano, por lo que puede enfermar por consumir demasiada comida para humanos. Tal vez pienses que le demuestras amor dándole fritos o dulces, pero el amor verdadero se manifiesta dándole comida sana y alimentándolo correctamente.

No toda la comida sobrante es mala para un perro; sólo tienes que controlar el tipo y la cantidad. Si alimentas al perro con comida sobrante, escoge verduras crudas o cocidas, arroz, queso fresco bajo en grasa o trozos pequeños de fruta. Un trocito de pollo a la parrilla y sin piel podría ser un buen premio. Pon la comida sobrante en su escudilla en lugar de parte de su ración habitual al día siguiente o después de que hayas limpiado la cocina.

CONSEJOS PARA QUE DEJE DE SUPLICAR

- Nunca le des comida de la mesa y asegúrate de que todos siguen esa regla.
- Pide a las visitas que no le den nada de comer, o encierra al perro en su jaula cuando acudan invitados a cenar.
- Ignora las súplicas del perro. Siempre que esté tranquilo y no ruegue, elógialo y dale un premio cuando hayas acabado de comer.
- Si tu perro salta sobre ti, si ladra o babea sobre tu regazo durante las comidas, ordénale «abajo» o «quieto» en un lugar especial para que aguarde durante la comida.
- Lleva al perro a ese sitio especial y dale un hueso que morder o un juguete de goma lleno de comida para que juegue mientras cenas.
- Dale de la comida antes de sentarte a comer. Si está lleno, es más probable que te deje tranquilo.
- Llévalo a hacer ejercicio vigoroso antes de las comidas. Si está cansado, dormirá.
- Si lo alimentas con restos, ponlos en su escudilla con su comida habitual al día siguiente. No olvides reducir la cantidad de su comida habitual para equilibrar las calorías (kilojulios) de más que aportan los restos.

¿Y YO QUÉ? Todos los perros ruegan, como este foxterrier. Si se les recompensa con comida, seguirán rogando hasta que se convierta en una conducta fastidiosa.

Morder

Morder es una forma normal de comunicación canina, si bien,

cuando hay personas, se debe controlar para que no se desmande.

Cuando un perro te atrapa la mano con la boca sin usar los dientes, te está saludando amistosamente. Esta conducta es habitual en los labradores y otros perros cobradores a los que se ha criado selectivamente para llevar a sus amos la caza sin dañarla. Cuando los perros juegan, a menudo uno de ellos usa la boca para cerrar el hocico del contrario sin dañarlo.

Sin embargo, a los perros nunca se les debe permitir usar los dientes con personas, incluso de forma controlada, porque a este tipo de conducta le suelen seguir otros tipos de agresiones. Necesitarás reconocer los distintos tipos de mordiscos y sus causas para evitar situaciones en que tu perro pueda morder. Y, si tu perro te muerde a ti o a otra persona, no lo pases por alto; actúa de inmediato para impedir una escalada de esa conducta.

NO VALE TODO PARA DIVERTIRSE Los perros jóvenes, como este perro crestado de Rodesia, se sobreexcitan fácilmente y es probable que muerdan a quien juegue con ellos.

MORDISCOS DE CACHORROS

A los cachorros les encanta perseguir y mordisquear, pero se debe desanimarlos a hacerlo cuando haya gente. Una de las cosas que los cachorros aprenden cuando muerden a otros cachorros es cuánta presión causa dolor. Cuando un cachorro muerde muy fuerte, el otro gime. Esto suele provocar que el que ha mordido tenga más cuidado en adelante. Las personas también tienen que hacer saber a los perros cuándo sus mordiscos duelen. Cuando tu cachorro use sus dientes contigo, grita bruscamente, como haría un cachorro y di «¡Ay!» o «!No!».

La frontera entre perros y personas se vuelve especialmente borrosa para los cachorros cuando están con niños. Para un cachorro, los niños parecen actuar más como cachorros que como seres humanos. Cuando corren a su alrededor y chillan, los cachorros se excitan. Si uno de sus hermanos de camada estuviera jugando de este modo, procedería a mordisquearlo.

Explica a tus hijos que, cuando juegan con fuerza, el cachorro puede perder el control en su deseo de sumarse a la juerga. Si esto sucede con tus hijos, enséñales a gemir como un cachorro, aunque los mordiscos no les duelan mucho. Esto enseñará al cachorro a inhibir sus mordiscos y será menos probable que los niños sufran daño accidentalmente. Es mejor favorecer que los niños jueguen a algo más tranquilo con el cachorro y que lo confinen en otro sitio cuando jueguen a algo más bullicioso.

Cuando un cachorro muerde, suele ser ineficaz pegarle, mantenerle con la boca cerrada y apartarlo de un empujón. Tal vez sólo consigas que se excite más y muerda más al interpretar erróneamente que tus métodos bruscos son una invitación a jugar más fuerte. Si todo lo demás falla, abandona. El aislamiento social es una poderosa herramienta para los cachorros. No les gusta estar solos y, si te vas, pierden su compañero de juegos. Todos y cada uno de los miembros de la familia deben seguir estas reglas. Nunca animes al cachorro a saltar y morder a ningún miembro de la familia, ni siquiera jugando.

MORDER POR MIEDO

En situaciones en que sienta miedo, cualquier perro puede llegar a morder sin importar lo tranquilo, amistoso y obediente que sea normalmente. En tales casos los mordiscos se suelen producir cuando se maneja erróneamente a un perro aterrorizado. El perro está nervioso y no quiere que le obligues a hacer algo que le da demasiado miedo. Por ejemplo, si tu perro se mete bajo la cama al oír un trueno muy estruendoso e intentas arrastrarlo fuera, te puede dar una tarascada. En lugar de eso, espera a que se calme y salga por voluntad propia. No lo castigues por tener miedo. Todo lo que harás es sumar terror al miedo. Si esa conducta se repite en muchas ocasiones, expón el caso a su veterinario por si hubiera una razón grave.

Los perros también muerden cuando sienten dolor. Este es otro tipo de reacción al miedo; el miedo a que duela más. Como tu perro siente dolor y no entiende lo que ocurre, se asusta. No importa lo manso que sea normalmente, el miedo que acompaña a una herida puede hacer que muerda descontroladamente. Tu perro no será capaz de asumir que intentas ayudarlo. El perro tendrá miedo de que tu contacto agudice la agonía. Si lo piensas desde su punto de vista, sólo está intentando

detenerte e interrumpir el dolor que cree que le estás causando. La forma más segura para el can de evitarlo es darte un buen mordisco, por lo que la mejor forma de evitarlo es ponerle un bozal. Puedes ponerle un bozal comprado en tiendas o improvisar uno con una corbata, un par de medias o un paño (ver p. 279).

CONSERVAR EL CONTROL

Si te muerde un perro adulto que no está asustado ni siente dolor o muerde a alguien más, no lo abordes como un incidente aislado con la esperanza de que no vuelva a suceder. Un perro que muerde y no se le castiga asumirá que lo que ha hecho es aceptable. Incluso si entiendes que hay una razón para ello –por ejemplo, si intentas quitarle la escudilla con la comida antes de que haya terminado y te muerde–, no lo toleres. Morder es un intento de controlarte; es lo que un perro de alto rango haría con un perro de rango inferior, y puede revelar que tu perro está intentando asumir tu papel en vuestra relación. No pienses que la cosa pasará sola. Un perro que traspasa una vez esa frontera con su dueño, volverá a hacerlo, porque es para lo que la mentalidad de la jauría le ha programado.

Nunca debes tener miedo de tu perro. Si lo tienes, da de inmediato los pasos para remediar la situación. Habla con tu veterinario o contrata a un adiestrador para reforzar el entrenamiento en obediencia de tu perro y para enseñarte a lograr el control.

LA OPCIÓN SEGURA
Antes de ayudar a un perro con dolor, tal vez tengas que ponerle un bozal para que no muerda. Si es grande como este perro, o está especialmente nervioso, puede que necesites la ayuda de otra persona.

Cazar

Si se mueve, la mayoría de los perros lo cazarán. Pelotas, pompas de jabón, palos u hojas que caen son algunas cosas que estimularán el deseo de los canes por la persecución.

La caza es una conducta instintiva en los perros; en la naturaleza era como capturaban sus presas. Incluso ahora, aunque se les suministre comida, todavía les encanta cazar. A los perros jóvenes, en particular, les encanta el desafío que suponen los objetos en movimiento. Son juguetes perfectos y es divertido contemplar a un cachorro entretenido en capturar una mosca en la ventana o investigando una bola de algodón que revolotea en el jardín.

A medida que maduran, algunos perros se vuelven territoriales. Intentan proteger su casa de los intrusos, y el juego de persecución que una vez resultaba tan divertido se convierte pronto en ladridos y locas carreras arriba y abajo tratando de alejar y amedrentar todo lo que se mueve. Para un perro territorial, los gatos y las ardillas son una amenaza igual que los niños en bicicleta y los ruidosos monopatines.

La primera vez que tu perro logre cazar algo con éxito se henchirá de orgullo y eso hará que quiera volver a probar su habilidad para la caza. Los perros que persiguen gatos son un fastidio, sobre todo si su presa vive en la misma casa. Pero

CÍRCULO VICIOSO El algunos perros la caza de la propia sombra, de insectos o de la propia cola se vuelve a menudo compulsiva.

cuando un perro adquiere suficiente confianza en sí mismo como para empezar a perseguir perros, es que ha asumido una agresividad peligrosa y pondrá en peligro su vida y la de otros peatones.

Para impedir que un perro se convierta en un perseguidor, no le animes a practicar persecuciones inapropiadas. Si tu perro te roba algo, no corras tras él. Llámale diciendo «ven» y recompénsalo con entusiasmo –o con un juego de cazar y cobrar una pelota– lo cual satisfará su motivación. El adiestramiento en obediencia ayudará a instilar con firmeza la idea de obediencia a la orden «ven».

LA EMOCIÓN DE LA CAZA Una forma de evitar el incordio del instinto de persecución es canalizar ese instinto en una actividad aceptable, como perseguir y traer pelotas y palos.

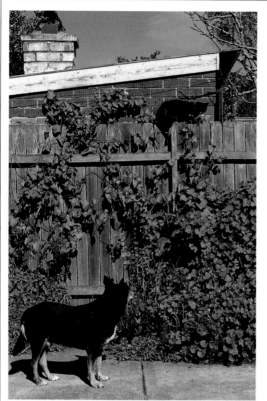

Impedir la persecución de gatos

Todos los perros persiguen gatos. Los perros mayores o los que tienen un temperamento tranquilo es probable que dejen en paz a un gato que pasa, al igual que los perros que se han criado con gatos. Incluso los perros que persiguen gatos pueden no hacerles daño si los arrinconan; a la mayoría de los perros modernos les encanta perseguir, pero han perdido el ansia de matar. No obstante, hay buenas razones para desalentarle a perseguir gatos. A ningún gato le gusta que le persiga un perro y, si la cacería es dentro de casa, pueden dañar el mobiliario, otras pertenencias y castigar los nervios de los dueños.

Confiere al gato un territorio propio instalando una barrera (como una reja de seguridad infantil) a la entrada de una habitación sólo para el gato. Sitúala a unos centímetros del suelo para que el gato se pueda deslizar por debajo y dejar al perro al otro lado. Desde luego, este método sólo funciona si el perro es bastante más grande que el gato. Si son de tamaño parecido, monta la reja a ras del suelo y asegúrala con firmeza con clavos o atornilla una percha en su parte superior. La percha puede ser tan sencilla como un listón. Los gatos son mejores saltadores que los perros, y el listón o percha ofrecerá al gato un trampolín hacia la seguridad.

Otra forma de desanimar a un perseguidor de gatos es interrumpirle la diversión. Llévalo con correa en todo momento y si le ves a punto de abalanzarse en su persecución, pisa la correa. No le gustará la sensación de la correa al tirar cuando su movimiento se vea detenido. Unos cuantos tirones secos de la correa pueden hacer que se lo piense dos veces antes de sentir la tentación de perseguir a un gato.

Pasear a un perro perseguidor

Para impedir que tu perro persiga cosas mientras lo sacas a pasear, llévalo con correa y aumenta su margen de atención haciendo que obedezca tus órdenes y esté pendiente de ti (ver p. 161). Si comienza a correr detrás de un objeto en movimiento mientras pasea con correa, gira bruscamente en dirección opuesta. Cuando te siga en vez de ir tras el objeto, recompénsalo con un elogio y un premio, o mejor aún, un juego de pelota que satisfaga su necesidad de cazar.

Prevenir la persecución de coches

Si tu perro ha adquirido la costumbre de perseguir coches, asegúrate de mantenerlo dentro de un jardín vallado o con la correa puesta cuando esté fuera de casa. Proporcionar a tu perro mucho ejercicio es otra forma de aminorar su instinto de prelación. Enséñale a cobrar objetos y luego pasa mucho tiempo lanzándole pelotas y palos para que los cace y te los traiga. Nunca le animes a correr detrás de algo sin que te lo vuelva a traer.

Si los coches en movimiento siguen fascinándole, pide a un amigo que conduzca despacio por delante de tu casa. Cuando el perro comience a correr detrás, haz que tu amigo lance globos llenos de agua o algo ruidoso (pero inofensivo) desde el coche. Debería asustarlo lo suficiente como para cambiar de idea.

También puedes probar a atar una cuerda o correa de 5 metros a su collar de ahorque. Pide de nuevo a tu amigo que conduzca el coche lentamente por tu casa. Cuando el perro comience a darle caza, deja que corra un poco y luego tira de la correa con firmeza, di «¡no!» y vuelve a relajar la tensión sobre la correa para no dañarlo ni ahogarlo. Recompénsalo con un juego de pelota en cuanto se dé la vuelta. Repite este ejercicio hasta que capte la idea.

Morder objetos

Sea comida, juguetes para morder, patas de sillas, pelotas de tenis o los
zapatos de sus dueños, a los perros les encanta dar una alegría a los dientes.

Mordisquear es una conducta natural de los perros. Proviene de los días en que eran cazadores, cuando tenían que destrozar cadáveres de animales para obtener pedazos manejables. El deseo de mordisquear sigue latente en los perros actuales. Si no fuera porque los perros en ocasiones destrozan cosas que no deben, el mordisqueo es un buen hábito porque mantiene limpios los dientes. También es una forma estupenda de gastar energías y aliviar tensiones.

Los perros criados para cazar y cobrar piezas, como los spaniel y los labradores retrievers, sienten el deseo instintivo de llevarse cosas a la boca. Sin embargo, se criaron selectivamente para tener la boca «blanda», lo cual significa que se limitan a portar objetos en la boca, en vez de desgarrarlos o destrozarlos.

Causas y soluciones

El mordisqueo no debería ser un problema si los perros dejan de hacerlo cuando superan la fase de cachorros, o si todo lo que muerden son sus propias posesiones. No obstante, algunos perros siguen mordisqueando cosas toda su vida, y parece que algunos muerden todo lo que encuentran menos sus propios juguetes.

Problemas con cachorros

Los cachorros comienzan a mordisquear hacia los tres meses de vida, cuando los dientes de leche se caen y salen los dientes permanentes. Les duele la boca y el mordisqueo alivia la presión. Los cachorros tienen todos los dientes permanentes hacia los seis meses, pero suelen seguir mordisqueando cierto tiempo mientras los dientes se acomodan en las encías.

HORAS DE DIVERSIÓN Algunos perros pueden hora tras hora morder el mismo objeto. Si es un objeto aceptable, como la pelota favorita de este perro, permíteselo.

Además de mantener tus posesiones lejos del alcance de tu cachorro, casi todo lo que puedes hacer es ofrecerle variedad de juguetes masticatorios. Prueba también a meter uno de estos juguetes en el congelador una hora o dos, y luego dáselo para que lo muerda. A la mayoría de los cachorros les gusta mordisquear cosas frías, pues el frío actúa de anestésico temporal y duerme las encías.

Una vez termine la dentición, el perro pasará por una fase de morder más frenético, porque emplean los dientes para explorar el mundo. Las patas no son muy útiles para manipular y explorar, por lo que usan los dientes. La mayoría de los perros superan la fase de morder al llegar a la adultez, aunque

UNA ALTERNATIVA ACEPTABLE Para disuadir a este pastor alemán de que mordisquee un zapato, su dueña le ofrece una pelota de tenis.

algunos nunca lo hacen, por lo general, porque sus dueños lo soportan y se convierte en un hábito. Si dejas que un cachorro muerda tus posesiones, seguirá haciéndolo cuando sea adulto. Pero en vez de regañar al perro por mordisquear el objeto equivocado, es más eficaz darle objetos que sí pueda morder y recompensarlo cuando muestre interés por ellos. Cada perro tiene preferencias distintas, así que experimenta un poco hasta encontrar los juguetes masticatorios que tu perro prefiera a tus deportivas.

DESTRUCCIÓN POR FRUSTRACIÓN Si no quieres que tu perro destroce tus zapatos nuevos, no le dejes los zapatos viejos. No sabrá distinguir la diferencia entre ambos.

Ansiedad y aburrimiento

Muchos perros se vuelven solitarios o ansiosos cuando están solos y el mordisqueo les ofrece una distracción. Mordisquear sus propios juguetes ayuda, pero morder las pertenencias de sus dueños es más atractivo, porque tienen un olor humano familiar que les ayuda a sentirse menos solos.

Los perros también mordisquean cosas por frustración y aburrimiento. Los perros no fueron criados para dormir todo el día sobre una alfombra y necesitan mucha actividad física y mental. Cuando no lo consiguen, se aburren rápidamente y comienzan a buscar formas de divertirse. El mordisqueo es un medio perfecto. Cualquier cosa que esté a su alcance es una buena presa para sus mandíbulas. A los perros les encanta morder y les resulta muy satisfactorio trabajar las mandíbulas y clavar los dientes en distintos objetos, si no sus juguetes, pues tus zapatos, mangueras en el jardín, cables eléctricos o el mobiliario.

Los perros que tienen ansiedad o sienten frustración, entre los que se incluyen casi todos los perros que no se mantienen física y mentalmente activos, buscan con desesperación algún estímulo. Aparte de sacarlos a pasear más, una solución excelente es proporcionarles juguetes más excitantes. Marcas como Kong y los cubos Buster son buenas elecciones por estar hechos de material duro que ofrece un nivel de resistencia satisfactorio a las mandíbulas caninas. También se pueden rellenar con comida, como galletas para perro, queso bajo en grasa o mantequilla de cacahuete. Estos juguetes educativos ofrecen a los perros un desafío mental mientras

MULTITUD DE OPCCIONES Ofrece a tu perro variedad de juguetes para morder, como una cuerda, y juguetes que chillan, para mantenerlo entretenido y que ejercite las mandíbulas.

intentan sacar lo que llevan dentro. Por si fuera poco, la comida oculta los recompensa por mordisquear sus propios juguetes, con lo cual es menos probable que se fijen en tus posesiones. El esfuerzo mental también los satisface y los agota, eliminando la necesidad de morder para aliviar el estrés.

Sin embargo, al igual que los niños, no pasa mucho tiempo antes de que se aburran con sus propios juguetes. En vez de comprar uno o dos juguetes masticatorios, compra varios. Pero no se los ofrezcas todos a la vez. Cada día, guarda un juguete y saca otro. De ese modo, al perro siempre le parecerán razonablemente novedosos.

La solución del sabotaje

Si bien algunos perros mordisquean cualquier cosa, otros desarrollan un poderoso deseo por algo en concreto. Tal vez comiencen a mordisquearlo por su tamaño y textura y sigan volviendo a él porque les atrae el olor personal que han dejado en él. Al rociarlo con un repelente para mascotas o incluso con salsa de chile, se puede vencer la fijación por ese objeto. Empieza por impregnar un punto que no esté a la vista para asegurarte de que no lo tiña.

A los perros no les gustan las sorpresas, razón por la cual algunos expertos recomiendan poner una trampa en esos objetos como unas monedas dentro de una lata de refresco vacía y conectar ese objeto con un cordel. La lata caerá armando un estrépito en cuanto el perro toque el objeto, y el ruido podría hacerle cambiar de conducta.

124

Subirse a los muebles

La mayoría de los perros pueden usar muebles sin causar problemas, mientras que a otros hay que desanimarlos.

En algún momento casi todos los perros tratarán de reclamar su derecho a usar los muebles. Si llamas alguna vez a tu perro para que se suba a tu lado en la cama o el sofá, creerá que es lo que quieres que haga siempre.

Si no le haces caso la primera vez que se suba al sofá o a la cama, o ríes y le dices lo gracioso que está, pensará que estás aprobando este nuevo orden de cosas. Eso no es un problema si no te importa que el perro esté junto a ti. Pero si más tarde decides que no lo quieres ahí, o si comienza a tomar excesiva posesión del mueble e intenta que no te sientas o tumbes, tendrás que convencerlo de que ese mueble es incómodo. Conseguirlo requiere cierto esfuerzo y perseverancia, por lo que es mejor tomar una decisión firme al principio y no ceder.

NO TAN CÓMODO

Para desanimar a tu perro a saltar y sentarse sobre el mobiliario, extiende papel de burbujas sobre el sofá o la cama. La próxima vez que se suba le sobresaltará el sonido y el tacto y volverá a bajar. Para algunos perros, esto es suficiente para pensárselo dos veces antes de subir de nuevo, pero otros identificarán el papel de burbuja y se subirán cuando no lo vean. En tal caso, extiende una sábana sobre el papel de burbuja y déjalo puesto siempre, o al menos hasta que el perro decida no volver a subir.

También puedes poner trampas de plástico (no de metal) para ratones debajo de la sábana. Estas trampas harán un chasquido brusco en cuanto el perro salte sobre el sofá, lo asustarán y volverá a bajar. Las trampas para ratones de plástico ligero no son peligrosas para el perro porque no contienen piezas de metal.

También hay alfombrillas especiales pensadas para ponerse encima de estos muebles y evitar que el perro se suba. En cuanto el perro se suba, la alfombrilla emitirá una descarga eléctrica mínima.

LA ZONA CÓMODA A los perros les encanta subirse a los muebles que son blandos y cómodos y poder estar cerca de su gente. A las personas no siempre les gusta esa proximidad, sobre todo si es un perro grande como éste.

PERROS Y CAMAS

A muchos perros les gustan las camas. Como los perros son animales de jauría, les gusta el calor, la seguridad y la compañía derivada de dormir con otras criaturas, sean otros perros o personas. Las camas están por encima del suelo, lo cual les confiere un punto de ventaja y una sensación de poder. La mayoría de los perros pueden dormir en la cama sin que se les suba a la cabeza, mientras que otros se aprovecharán de lo que consideran una elevación de su estatus. Tal vez comiencen a gruñir en actitud defensiva cuando el gato, otro perro o incluso el dueño de la cama intenten meterse en ella. Esta conducta dominante puede derivar en agresiva y se debe desalentar.

Fuera de la cama, en el suelo

Si quieres que el perro se baje de la cama, hay varios pasos que debes dar. Un compromiso intermedio es poner su yacija en el suelo del dormitorio. Podrá olerte y oír tu respiración y disfrutará compartiendo tu espacio habitual aunque no pueda compartir la cama. Para mejorar su bienestar emocional, ponle en la yacija una manta o prenda viejas que hayas llevado. Tu olor hará que se sienta seguro mientras duerme. Una táctica adicional consiste en hacer que su yacija sea especial. Si lo que quiere es tu compañía a la hora de dormir, concédesela, pero en su cama, no en la tuya. Siéntate en el suelo junto a su yacija, o en el borde si es lo bastante grande. Acarícialo, háblale y dale un premio. De vez en cuando sorpréndelo dejando un premio o un juguete que le guste en su yacija.

UNA POSICIÓN IMPORTANTE Las camas proporcionan una posición de ventaja, sobre todo si el perro es pequeño como este caniche enano, así como una oportunidad de estar con las personas.

Comprueba asimismo que la yacija es cómoda y amplia. Tal vez aspire a subir a tu cama porque la suya es demasiado pequeña, dura o está en una localización insuficientemente a resguardo. Los perros mayores o los que tienen problemas articulares apreciarán una yacija más blanda.

Aunque los perros suelen dormir hechos un ovillo, necesitan espacio para desperezarse cuando les apetece. La yacija de tu perro debe ser por lo menos tan larga como él cuando está estirado. Las razas gigantes, como el mastín danés y el lebrel irlandés, pueden requerir un mullido adicional para que aguanten su peso y protejan sus articulaciones. Una yacija tipo cama elástica puede ser un opción cómoda para los perros muy grandes.

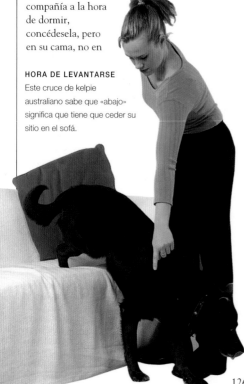

HORA DE LEVANTARSE
Este cruce de kelpie australiano sabe que «abajo» significa que tiene que ceder su sitio en el sofá.

POR QUÉ TU SILLÓN FAVORITO TAMBIÉN ES EL SUYO

Tu perro querrá sentarse en tu sillón favorito por algunas de las mismas razones que tú. Es probable que sea el asiento más cómodo de la casa. Es blando en todas las partes que debe serlo e incluso puede que tenga cojines y una manta para mayor comodidad. También tendrá tu olor, que puede no significar nada para ti, pero que reconforta a tu perro, sobre todo cuando esté solo en casa.

Estará situado en un punto donde no hay corrientes y, si está junto a una ventana, habrá algo que ver fuera. O tal vez se encuentre es una esquina tranquila de la habitación donde el perro se pueda relajar.

Destructividad

Mordisquear y excavar son actividades naturales y divertidas para los perros, pero algunos lo llevan hasta el extremo y siembran el caos.

L a destructividad de enseres domésticos no es sólo exclusiva de cachorros traviesos. Incluso un perro que siempre se porta bien en casa puede cambiar drásticamente cuando te vas a la cama o al trabajo.

No es coincidencia que los perros manifiesten su actividad más destructiva cuando se quedan a su aire. Los perros son animales sociales y no les gusta pasar tiempo solos. Cuando sales de casa, el perro no tiene forma de saber si vas a volver y puede sentirse abandonado. Su ansiedad puede crecer hasta sentir necesidad de aliviar el estrés. Algunos perros lo hacen ladrando de forma incesante; otros lo hacen destruyendo cualquier cosa a la que puedan echarle los dientes o las patas.

A menos que pases el día en casa, no hay forma de controlar las andanzas de tu perro. Lleva tiempo y paciencia, pero hay modos de ayudarlo a afrontar su soledad.

MANTENER SU MENTE OCUPADA

El aburrimiento y la ansiedad son las mayores causas de las conductas destructivas. Mantener activa la mente del perro hará que se sienta mejor y alejado del jardín y tus pertenencias. Es mucho menos probable que los perros que están seguros y confiados se vuelvan destructivos cuando están solos. Es posible potenciar la confianza del perro en sí mismo dándole cosas que hacer mientras estás con él, desde paseos y deportes caninos como el flyball hasta visitar hospitales o clínicas de reposo. Además, los perros activos son perros cansados, por lo que es probable que duerman en vez de buscar problemas cuando no estás.

Los perros muerden enseres domésticos cuando están alterados, ya que es el modo de aliviar la tensión y de pasar el rato. Una buena forma de impedirlo es darle alternativas aceptables como juguetes masticatorios

EDUCACIÓN EN LA CAMA Algunos perros concentran su conducta destructiva en un objeto. El mimbre de esta yacija se ha protegido con una malla de alambre, pero todavía hay que remplazar de vez en cuando la goma espuma.

o pelotas de tenis. Una buena opción son los juguetes de la marca Kong y los cubos Buster. De plástico resistente con una cavidad interior, están pensados para esconder pequeñas cantidades de comida como queso, galletas para perros o una cucharada de mantequilla de cacahuete. Los perros pueden pasar horas felizmente intentando sacar la comida del agujero.

Cuando elijas juguetes para morder, no le des calcetines o zapatos viejos. No sabrá distinguir viejos de nuevos. Si le permites pensar que un calcetín o un zapato son objetos aceptables, llegará a la conclusión de que todo el calzado es apropiado.

Si tu perro sigue obsesionado por un mueble concreto, deja una caja llena con sus juguetes junto a ese mueble. Siempre que se dirija a ese mueble, dile «No» y añade «Mira en la caja de los juguetes», mientras pones la mano en ella y le enseñas un juguete moviéndolo en el aire para llamar su atención. La mayoría de los perros aprenderá rápidamente lo que esas palabras significan, sobre todo si comienzas añadiendo a la caja un par de galletas caninas.

JUEGOS DE INTELIGENCIA Un cubo Buster mantendrá a raya la conducta destructiva de este braco húngaro mientras se devana los sesos tratando de sacar la comida del interior.

127

USAR LA DISUASIÓN

Algunos perros tienen un objeto favorito y volverán a morderlo una y otra vez. Rocía el objeto con algo que huela o sepa mal como citronela o un repelente para mascotas; esto ayudará a mantenerlo alejado.

O puedes montar una trampa en esos objetos que muerde tu perro metiendo monedas en una lata de refresco y atándola al objeto de sus deseos. Cuando lo agarre, el ruido lo sobresaltará y tal vez se lo piense dos veces antes de volver a morderlo.

Es difícil quitar la costumbre a un perro al que le guste excavar, pero puedes hacer esta tarea menos divertida enterrando rocas o sus propias heces (o las de otra mascota); no le gustará el tacto de las rocas cuando choquen con sus garras y las heces actuarán también como repelente. O espolvorea el área con pimienta molida; no le gustará el olor cuando cave.

COMPAÑÍA Y EJERCICIO

Si vives cerca del trabajo, tal vez puedas dejarte caer ocasionalmente a la hora de la comida. Así interrumpirás el aislamiento del perro y será

TRES SON COMPAÑÍA Los perros que gozan de compañía, sea canina o humana, son mucho menos propensos a aburrirse o frustrarse y, por tanto, a mostrar conductas destructivas.

menos probable que esté ansioso cuando te vayas. Asegúrate de no llegar durante un episodio de conducta indeseable o el perro quizá crea que tu vuelta es una recompensa por lo que estaba haciendo.

Otra opción es que un amigo o un canguro canino profesional acudan a tu casa durante el día. Dar al perro algo con lo que jugar, incluso sólo unos minutos, lo mantendrá entretenido y dejará de pensar en tus pertenencias. Si un amigo o vecino tiene perro y se lleva bien con el tuyo, tal vez lleguéis a un acuerdo para que tengan ocasional o habitualmente «citas para jugar» en la casa del otro.

Aunque los perros suelen usar una conducta destructiva para aliviar el estrés, también lo hacen simplemente porque tienen muchas energías y no saben qué hacer con ellas. Una buena solución es que haga mucho ejercicio vigoroso antes de que te vayas por la mañana y de nuevo cuando vuelvas por la tarde. Será menos probable que un perro que haya agotado las fuerzas se vuelva destructivo.

PERSECUCIÓN DE PAPELES A algunos perros les encanta jugar con el papel higiénico. Es fácil de mordisquear y se desenrolla en largas tiras blandas y revoloteantes que son divertidas de cazar y atrapar con las patas.

Cavar

A la mayoría de los perros les encanta excavar. Algunas razas sólo cavan cuando son cachorros, mientras que otras lo siguen haciendo toda la vida.

Cavar es instintivo en los perros. En su pasado salvaje era una táctica de supervivencia. Cavaban para crear cubiles en los que dormir y criar a sus cachorros. También excavan para atrapar presas que viven en madrigueras y para enterrar restos de comida. El ser humano mejoró con posterioridad el instinto de excavación mediante la cría selectiva de los cavadores más entusiastas, creando razas de terrier para capturar ratas y otras alimañas, y tejoneros para atrapar tejones. Aunque los perros mascota tengan poca necesidad práctica de estas habilidades, muchos siguen excavando.

EL DESEO DE EXCAVAR Para un perro al que le guste excavar, como este pastor australiano, juguetes, botas o cualquier otra cosa pueden acabar enterrados.

¿POR QUÉ EXCAVAN?

A los perros les encanta excavar y lo hacen por muchas razones. Algunos lo hacen sólo porque disfrutan haciéndolo, mientras que otros están aburridos y quieren una ocupación. Y también está el olor de la tierra, que un can puede querer investigar más a fondo. Un roedor puede haber cavado un túnel profundo y el perro querrá atraparlo, sobre todo si le gusta guardar su territorio, o si es un terrier cuyos antepasados llevan generaciones sacando alimañas del subsuelo.

Si te ve cuidando el jardín, tal vez imite tu conducta. Para un perro, las plantas nuevas pueden oler bien y eso es suficiente para hacer una inspección. Y a las perras que están a punto de parir o que experimentan un embarazo psicológico les gusta excavar una madriguera para sus cachorros.

El tipo y localización del agujero manifestarán en ocasiones la motivación de tu perro. Los agujeros junto a la valla muestran que está intentando escapar; puede estar aburrido o frustrado, o tal vez haya algo fuera que quiera explorar. Los agujeros poco profundos alrededor del jardín muestran que está intentando ponerse cómodo. Si hace calor, excavar, sobre todo bajo arbustos, ofrece al perro un lugar fresco donde tumbarse. La tierra también ofrece un lugar más cálido cuando hace frío.

CÓMO EVITAR QUE EXCAVEN

El primer paso consiste en descubrir la motivación del perro y dejar una zona para que excave llena de tesoros enterrados, como sus juguetes y algunos premios. Si le ves excavando lejos de la zona asignada, dile que no. Luego dale un juguete para que se distraiga. Probablemente tengas que repetir la corrección varias veces antes de que entienda dónde puede cavar y dónde no. Para evitar que cave en ciertos sitios, cubre esa zona con ladrillos pesados. Siembra el terreno con rocas pequeñas, lo cual le resultará desagradable al cavar, o echa pimienta, cuyo olor lo alejará. Rodea las plantas y arbustos que quieras proteger con malla de alambre hexagonal.

Es menos probable que un perro atareado excave, así que llévalo a correr contigo o lánzale una pelota hasta que se agote. Esto le hará quemar energías que de lo contrario podría usar para remover la tierra.

Si hace calor fuera, deja una piscinita que le llegue a la barriga para que se refresque. Y cuando llegue el frío, comprueba que tiene un refugio donde resguardarse o métclo dentro para que entre en calor.

Rechazo a la manipulación

Algunos perros apreciarán toda la atención que quieras prestarles;

otros mantendrán una actitud distante al contacto manual.

A tu perro tal vez le guste que lo acaricies, pero se zafará y alejará cuando le toques los pies para cortarle las uñas. Quizá también sea reacio a que le examinen el trasero o los dientes. Será difícil asear correctamente a un perro que aborrezca que lo manipulen o que lo examine un veterinario.

Cuando los cachorros no se manipulan mucho desde que nacen, las sensaciones táctiles les resultan novedosas y extrañas. No están seguros de lo que va a ocurrir, por lo que mueven la cabeza a uno y otro lado para ver lo que haces con la mano. A veces las perras se sienten incómodas cuando les tocan la parte posterior, sobre todo si están en celo o a punto de estarlo. Otros perros han podido ser tocados y acariciados mucho de pequeños, pero son muy obstinados y dominantes y quieren controlar su cuerpo.

SIÉNTELO, NO LUCHES

Intentar retener a un perro que trata de zafarse de ti no es fácil. Además de arañarte, podría morderte las manos. Si esto sucede, dile con firmeza «¡No muerdas!». Sigue reteniéndolo y elógialo cuando deje de luchar.

Acostumbra al cachorro a tu tacto dándole masajes suaves desde que llegue a casa por vez primera. Háblale con suavidad y acaricia tranquilizadoramente todo su cuerpo. Aplica una presión muy suave al principio. Cuando tu perro comience a disfrutar, responderá echando el cuerpo sobre tus dedos.

Con un perro mayor, ponle el collar y la correa. Mientras sostienes la correa, háblale con

suavidad y acarícialo donde le guste. Desplaza con seguridad la mano a otras áreas de su cuerpo mientras le dices lo buen perro que es. Si, como muchos canes, no le gusta que le toquen las patas, ofrécele un premio mientras le acaricias suavemente una pata. Cuanto te consienta hacerlo, di «buen perro». Si se sigue oponiéndose, dile en voz grave y poderosa «alto», y dale una corrección con la correa. Tócale el resto de las patas una a una. Repite este proceso hasta que puedas levantarle un poco las patas y frotarle los dedos muy suavemente sin que proteste. Practica este ejercicio varias veces al día.

Intenta inventar un juego dando a tu perro palmaditas fuertes y haciéndole cosquillas después de pasar las manos por su espalda y cola. No dejes de reír para que sepa que es divertido. El objetivo es que se sienta lo bastante seguro como para aceptar tu autoridad.

BUEN ASPECTO Este cruce de collie de las montañas está tan acostumbrado al contacto que no le importa que usen un aspirador portátil para eliminar el exceso de pelo.

Comer y rodar por el estiércol

Una vez que tu perro adquiera el gusto por lo innombrable, esto se convertirá en un hábito difícil de desarraigar.

Son pocas las razones por las que tu perro pueda comer estiércol. Quizá cubra una necesidad nutricional que no sacia la comida canina convencional diaria. O tal vez haya visto a otro perro hacerlo y copie esa conducta. Si tu perro es de una raza de cobradores, entonces estará programado genéticamente para llevar objetos en la boca. Al igual que rodar sobre el estiércol, esta conducta es una reliquia de cuando vivían libres en la naturaleza. Algunos expertos creen que, para despistar a predadores que seguían su rastro, los perros salvajes se cubrían con restos apestosos para borrar su propio olor. Rodar y restregarse en el estiércol también puede resultarles un agradable masaje de espalda.

SIGUE AL JEFE Los cachorros aprenden de los perros mayores imitando lo que hacen. Si este adulto cruce de kelpie encuentra abono entre los arbustos y se lo come, el cachorro, un cruce de spitz de Pomerania, es probable que imite su conducta.

CÓMO IMPEDIRLO

Si el perro se restriega sobre estiércol mientras lo sacas a pasear, dile «fuera» (ver cuadro). Si se lo lleva a la boca, prueba con la orden «suéltalo» (ver página 142). De vuelta a tu jardín, supervisa el momento de las deposiciones del perro y límpialo todo de inmediato. Si no están allí, no se las comerá.

Si persiste en comer excrementos, prueba a rociarlos con un repelente de mascotas. También hay productos para espolvorear sobre la comida del perro antes de comer, lo cual dará a sus excrementos un sabor que no soportará. Pregunta a su veterinario o a la tienda de mascotas.

Para evitar que tu perro se revuelque en estiércol, mantén el jardín limpio de todo tipo de sustancias. Si tu perro es propenso a revolcarse en porquería mientras sale de paseo, llévalo con correa.

Si lo sacas a que haga ejercicio y ves que os acercáis a una zona problemática, dile «ven» de inmediato y distráelo con un juego o unos cuantos ejercicios de obediencia.

ENSEÑAR AL PERRO «DÉJALO»

Cuando le dices a tu perro «fuera» o «déjalo», en realidad le estás diciendo «no hagas caso». Enseñarle a no acercarse a excrementos o a algo que le apetece es todo un reto, así que empieza a enseñarle esta orden dentro de casa cuando esté tranquilo. Lo ideal es que tu perro no haga caso a lo que llama su atención en cuanto se lo pidas.

1. Con su collar de adiestramiento y la correa puestos, ordena al perro que se siente delante de ti. Muéstrale un trocito de comida y dile «déjalo».

2. Acorta la correa, lanza la comida cerca y dile de nuevo «déjalo».

3. Cuando el perro se abalance sobre la comida, tira de la correa. Cuando vuelta a tu lado, elógialo y recompénsalo con un premio. Repite el proceso hasta que entienda la orden. Ponle a prueba con su comida favorita antes de probar en la calle.

Conducta miedosa

Cuando un perro no entiende algo o se encuentra en una situación inusual, puede sentir miedo.

Un perro equilibrado que haya estado en contacto con muchas personas y expuesto a gran variedad de sucesos se tomará bien las situaciones nuevas. Sin embargo, un perro que no haya sido tan afortunado y haya pasado mucho tiempo solo cuando era pequeño se mostrará confundido y tal vez lo pase mal dando sentido al mundo que lo rodea.

EL PERRO MIEDOSO

Un perro miedoso es el que se pone nervioso con muchas cosas: personas que se le acercan, un paseo en coche o estruendos como truenos o el zumbido del aspirador. La imagen de un perro miedoso al que nada sosiega es descorazonadora. Puede gruñir, temblar o intentar salir corriendo a esconderse. Y si no resuelves el problema, su miedo se puede tornar en una conducta agresiva y que muerda por miedo.

CÓMO REFRENAR EL MIEDO

Convertir un perro miedoso en otro estable no resulta fácil y puede llevar tiempo, pero vale la pena el esfuerzo. No reconfortes a un perro asustado dándole un abrazo o diciéndole que no pasa nada. No es así y lo sabe. Puede estar tan asustado que intente morderte.

En lugar de eso, actúa con calma y es probable que el perro siga tu ejemplo. Si puedes reír mientras tu perro lucha por escapar cuando el veterinario intenta practicar una exploración, tu carácter alegre es probable que se le contagie. No pasa nada por que lo toques con suavidad cuando está nervioso, pero no conviertas en una montaña el granito de arena que le preocupa.

Para ayudar a un perro miedoso, socialízalo llevándolo a todas partes. Lleva contigo premios y, cuando la gente se acerque, pregunta si no les importa dar un premio a tu perro. Aunque al principio éste tal vez no acepte, al final lo hará. Si haces esto con frecuencia, pronto disfrutará conociendo a extraños.

También ayuda mucho el contacto físico con el perro. Toca todo su cuerpo como lo haría un veterinario. Esto lo relajará y le acostumbrará al contacto. También puedes apuntarlo a clases de obediencia donde aprenderá órdenes básicas como siéntate, quieto, tumbado, al pie y ven. Esto aumentará su confianza en sí mismo y también te dará las herramientas para tratar con él cuando se asuste. Considerará que estás al cargo y la próxima vez que tenga miedo, se volverá a ti para sentirse seguro.

Miedo a los ruidos fuertes

El oído del perro es mucho más agudo que el de las personas, por lo que todo lo que hace ruido lo perciben con mucha más intensidad. Ruidos altos habituales, como la caída de un plato o el sonido de una alarma, pueden hacer que el perro salga a escape y se acurruque en un rincón o debajo de la cama.

SUPRIMIR LOS MIEDOS Si tu perro muestra miedo, prueba a distraerlo con su juego favorito o un juguete. Actúa como si estuvieras contento y animado, como hace la dueña de este foxterrier enano, para darle seguridad y distraer su mente de lo que le preocupa.

MEJOR QUE SE ACOSTUMBRE Si un perro, como este cruce de collie, reacciona con turbación ante un objeto cotidiano, será necesario desensibilizarlo.

Para superar esa conducta, desensibiliza al perro a los ruidos altos mediante juegos ruidosos. Mientras come, por ejemplo, échate a reír y deja que choquen sartenes y ollas. O sube el volumen de la radio y baila por la habitación mientras le das premios. Pronto se dará cuenta de que el ruido no debe alarmarlo.

Miedo a objetos

Muchos son los objetos que pueden asustar a un cachorro: un jarrón grande en el suelo, el cubo de la basura o un neumático en el jardín. Hasta que se familiarice con ellos, el cachorro mirará estos objetos con recelo. Tal vez se quede mirando un objeto extraño un rato antes de ladrar y retroceder corriendo. Si tiene valor sufriente, podría avanzar arrastrándose lentamente y en silencio para no asustarlo. Para familiarizar al perro con cosas nuevas, acércate al objeto y siéntate al lado. Háblale con un tono alegre y pasa la mano por el objeto. Cuando el perro vea que no te ataca, su miedo disminuirá gradualmente.

A CUBIERTO Cuando se asustan por estrépitos, como truenos y fuegos artificiales, los perros como este pastor australiano suelen esconderse.

Miedo a extraños

Algunas personas dan miedo sin quererlo. La forma en que caminan puede resultar amenazadora o quizá lleven un sombrero grande que intimide a un cachorro que todavía no ha visto mucho mundo. Algunos perros se ponen nerviosos nada más ver a gente que no es de su familia.

Si a tu perro le da miedo la gente, llévalo contigo cuando visites a un amigo. Pide a tu amigo que le ofrezca un premio. Quédate cerca y mantén la calma. No tires del collar ni la correa para evitar que retroceda. Si no quiere tomar el premio, tu amigo se lo puede lanzar. Puede llevar tiempo que los perros se sientan cómodos con gente a su alrededor, así que ten paciencia. No intentes acelerar el avance.

Una vez mejore tu perro, comienza a pedir a otras personas que sostengan la correa mientras tú te quedas cerca. Esto enseñará al perro que otras personas también pueden ser el jefe. Con práctica, el perro tendrá suficiente confianza como para olisquear la mano de extraños para recibir un premio en cuanto esa nueva persona se acerque.

Hacer las necesidades en casa

Los perros bien enseñados que constantemente sufren "accidentes" en casa
casi siempre tienen un problema que no desaparecerá solo.

La mayoría de los perros ya controlan sus esfínteres a los cinco meses de edad. Y una vez conocen las reglas, pocas veces las rompen, a menos que sientan que no tienen otra opción.

CAUSAS FÍSICAS

La causa más habitual de errores –que más tiene que ver con el dueño que con el perro– es que pasen demasiado tiempo dentro. Incluso perros con excelente control no pueden aguantar indefinidamente. La mayoría de los perros adultos aguantan 10 a 12 horas, pero estamos llevándolos al límite.

Para la mayoría, salir con más frecuencia es todo lo que necesitan para no hacer las necesidades en casa. Lo más importante es que salgan a primera hora de la mañana y después de las comidas, cuando la urgencia es mayor. También debes dejarles salir antes de irte a la cama, porque algunos perros no pueden esperar hasta la mañana. Los cachorros necesitan aliviarse con más frecuencia; al menos cada dos horas durante el día y cada cuatro horas por la noche. Si puedes, instala una gatera para mascotas para que pueda salir cuando lo necesite.

Los perros mayores pueden sufrir lapsos en su control de esfínteres por debilidad muscular. La mayoría de los músculos, también los que controlan la vejiga y el intestino, se debilitan a medida que los canes se hacen mayores. Esto tiende a ser más un problema en las hembras mayores a las que hayan quitado los ovarios, porque tienen muy pocos estrógenos, una hormona que ayuda a mantener fuertes los músculos. Pero cualquier perro mayor tendrá probablemente menos control que cuando era más joven. Además, los perros mayores pueden tener

artritis u otras afecciones que hagan difícil salir con la rapidez que deberían. Puedes impedir muchos accidentes simplemente poniendo la yacija del perro un poco más cerca de la puerta o la gatera, o dejar la yacija donde puedas verla. Esto mejorará las posibilidades de que salga a tiempo.

Los perros que orinan dentro de casa –no sólo una vez, sino varias veces al día–, a menudo tienen una infección de las vías urinarias. Estas infecciones irritan los delicados tejidos que revisten la vejiga o la uretra, generando en el perro una sensación de urgencia que no pueden controlar. Algo parecido sucede cuando tienen la gripe. Al igual que con otras infecciones víricas, la gripe puede causar diarrea que se presente sin casi ningún aviso. Cuando los "accidentes" sucedan a diario, o cuando el perro padezca casos frecuentes de diarrea o sufra goteo posmiccional, acude al veterinario. Una diarrea que dure más de 24 horas debe tomarse con seriedad por el riesgo de deshidratación. El goteo posmiccional puede ser una señal de una enfermedad de la vejiga, diabetes u otras enfermedades. Ve sobre seguro y lleva el perro a una revisión.

INSTINTOS TERRITORIALES Después de la visita de otro perro, el can anfitrión puede sentir la necesidad de marcar con su olor la casa para reafirmar que es su territorio.

VISITAS MOLESTAS La mayoría de los perros se limitan a marcar con orina el terreno fuera de casa, a menos que se sientan amenazados cuando otro perro ha estado dentro de casa.

MARCACIÓN TERRITORIAL

Los perros marcan de forma instintiva su territorio usando la orina para que otros perros sepan a quién pertenece. La mayoría de los perros entienden que esa marcación sólo se puede practicar fuera de casa, aunque a veces también sienten la necesidad de proteger el interior.

Si tu perro es de carácter dominante y un amigo trae otro perro a casa, esto podría desencadenar dicha conducta. La marcación territorial puede ser confusa, porque no ocurre necesariamente al mismo tiempo que la «amenaza» original. Algunos perros seguirán sintiendo la amenaza varios días, semanas o hasta meses después, y por eso seguirán orinando en casa. Una vez el perro comience a mostrar esta conducta en casa, puede ser muy difícil que pare. A menudo la esterilización interrumpe la marcación territorial tanto de machos como hembras, sobre todo si los perros son jóvenes. Sin embargo, incluso entonces algunos perros se mostrarán agresivos o a la defensiva cuando haya cerca otros perros y pueden expresar sus sentimientos orinando dentro de casa. Todo lo que puedes hacer en estos casos es dejar al perro fuera o tener a uno o a ambos en una jaula.

MICCIÓN DE SUMISIÓN

Esta conducta, en la que se tumban de espaldas y orinan, es una forma de expresar respeto. Suele ser propia de cachorros y perros adultos que son especialmente tímidos o sumisos. Los perros que se comportan así en la familia humana suelen ser inseguros o estar asustados. El estrés en casa también puede provocar que un perro sin confianza en sí mismo pierda el control.

La micción de sumisión es natural entre los perros, pero inapropiada en las familias humanas. Conseguir que estos perros tengan más seguridad en sí mismos es un modo de afrontar el problema. Pasa a diario unos minutos practicando ejercicios de obediencia básica, como la orden de «sentado», y elogia al perro cuando lo haga bien. Los perros inseguros a menudo desean ardientemente contar con la aprobación de sus dueños. Enseñarles cosas sencillas y recompensarlos cuando tienen éxito es la mejor forma de aumentar su confianza. Prueba también a sacarlos a lugares públicos donde vean sitios nuevos y conozcan a gente nueva. Los perros que orinan por sumisión a menudo se asustan por todo. Cuantas más cosas experimenten, más atrevidos serán y también más felices.

ADIESTRAMIENTO TERAPÉUTICO

Los perros que de repente comienzan a orinarse en casa a menudo necesitan un curso para reaprender el control de esfínteres (ver pp. 86-89). Trata al perro como si volviera a ser un cachorro. No le quites ojo cuando esté dentro de casa. Tu objetivo es pillarle antes de que levante la pata o se agache sobre la alfombra, ya que es más eficaz alabarlo por hacerlo en el lugar correcto que castigarlo por cometer un error. No tienes que esperar a que esté casi en el acto para dirigirte a la puerta. Dejarle salir con más frecuencia le brindará más oportunidades de aliviarse, y el elogio que recibirá lo ayudará a comprender lo que se supone que tiene que hacer en el futuro.

Monta de objetos

Los perros que intentan montar brazos, piernas,
ositos de peluche, cojines o incluso gatos no siempre tienen
en mente la idea de aparearse.

Incluso un perro revolucionado por las hormonas sabe la diferencia entre una hembra receptiva y la pierna de una persona. La monta de objetos no es una cuestión de placer, aunque pueda desempeñar un papel. A menudo es un intento de autoafirmarse. Cuanto más tiempo se les deje hacerlo, mayor será el estatus que asuman.

MAYORES DE EDAD

La monta de objetos suele comenzar en la adolescencia, entre los seis meses y los dos años de edad, dependiendo de la raza (las razas más grandes maduran más tarde que las pequeñas). No es estrictamente una conducta de los machos, aunque son los que más incurren en la conducta. A diferencia de las hembras, cuyas hormonas fluyen con sus ciclos reproductores, los machos mantienen un nivel relativamente estable de hormonas en todo momento. Las hormonas en sí no son la causa, pero aumentan las probabilidades. Por eso la esterilización (pp. 216-17) es la mejor forma de reducir o eliminar esta conducta indeseable.

REBELDÍA JUVENIL

Los machos también son más competitivos que las hembras. Siempre están intentando demostrar –a personas tanto como a otros perros– lo duros e independientes que son. La monta de objetos es otra forma de dilatar sus límites e imponer su dominio dentro de la familia.

Cuando los cachorros juegan, pasan bastante tiempo subiéndose unos encima de otros. Los perros más firmes aprovechan su posición y exhiben esta conducta. Es su forma de decir que son, literalmente, los que están por encima de los demás. El mismo instinto persiste a pesar de vivir con personas. Las piernas de las personas no tienen un atractivo especial, pero son accesibles y fáciles de rodear con las patas. En la naturaleza los perros nunca montan a otros perros de rango superior. El único momento en que intenta esto con personas es cuando hay alguna confusión sobre quién está al mando.

No se trata de que los perros tomen conscientemente la decisión de imponer su autoridad. La monta es sólo algo que hacen. Incluso quienes entienden que no deben hacer eso pueden olvidarse cuando llegan visitas a la casa o cuando alguien juega con ellos en el suelo.

Si el perro se quiere enseñorear de sus juguetes o de otros perros, tal vez no te importe. Pero nunca será correcto que lo haga con una persona.

PREVENCIÓN

La monta suele ser el último eslabón de una cadena de libertades físicas. Puede que el perro siempre te esté empujando o apoyándose en tus piernas. O tal vez insista en lamerte la cara o subirse en tu regazo. Esta acometividad física es un signo de que los perros se creen con libertad para hacer lo que les dé la gana. Una vez se salen con la suya manifestando algún contacto físico agresivo, es natural que quieran traspasar esa frontera. Puedes enseñar a tu perro a mantener las distancias rechazándolo a empujones con la rodilla cuando se incline sobre ti o alejándote cuando se aproxime a tu cara. Una vez entienda que sólo admitirás el contacto físico cuando tú quieras de ti, será menos probable que se tome libertades en otros ámbitos.

Los perros necesitan entender que no importa lo exaltados que estén con otros perros, siempre serán un rango subalterno entre los humanos. En vez de enfrentarte directamente a la monta, te será más eficaz abordar la actitud subyacente. Una forma es que los perros se ganen lo que desean. Haz que tu perro se siente antes de darle de comer o sacarlo a pasear. Haz que se tumbe antes de darle un juguete. Haz que haga algo –lo que sea– antes de hacer tú algo por él. Cuando refuerces tu posición de autoridad, el perro se sentirá menos inclinado a mostrarse irrespetuoso.

Si tu perro comienza a montar, disciplínalo dándote la vuelta. Recompénsalo en cuanto se sienta o se aleje.

Hiperactividad

La hiperactividad no es un problema habitual de los perros, pero si tienen necesidad de quemar energía, han de hacer más ejercicio y recibir mayor estimulación mental.

MANTENLO ACTIVO Sobre todo los perros hiperactivos necesitan mucho estímulo físico y mental.

Los perros jóvenes son por naturaleza excitables y algo marcharía mal si no lo fueran. Sin embargo, los perros adultos que tienen tanta energía que no se pueden sentar quietos a menudo se consideran hiperactivos. Hay quien cree que con tantos premios ricos en calorías (kilojulios) y azúcar, la alimentación puede influir y elevar sus niveles de energía. Pero no hay pruebas que sugieran que la hiperactividad en los perros tenga que ver con la alimentación. Si crees que tu perro es hiperactivo, culpa a sus antepasados. Años atrás se hubieran criado para correr todo el día reuniendo y conduciendo el ganado o cazando animales. Si tomas el mismo perro y lo dejas solo en casa ocho horas en un jardín exiguo con nada que hacer, no es sorprendente que cuando vueltas tenga energías a raudales para gastar. Correr de una a otra habitación sin poder calmarse es un signo de que tu perro necesita alguna tarea que hacer.

MANTENERLO OCUPADO

Para tratar a un perro hiperactivo, necesitarás canalizar sus energías en una conducta aceptable. Alterarte y gritar no ayudará. Tu perro se dará cuenta de tu mal humor y se pondrá más nervioso. En lugar de eso, que haga mucho ejercicio físico. Da con él largos paseos, o sal a correr o a montar en bici en su compañía. Si has de dejarlo solo mientras trabajas, contrata a alguien para que vaya durante el día y lo saque a trotar o jugar a buscar una pelota hasta que comience a cansarse. Con algo de actividad física diaria, el perro no estará subiéndose por las paredes cuando entres en casa. Intenta levantarte un poco antes por la mañana para pasar más tiempo con él.

El ejercicio mental es tan importante como el ejercicio físico para un perro hiperactivo. Darle una actividad para que esté concentrado hará que se serene, así que llévalo a clases de *agility* o de obediencia. También puedes montar tu propio circuito de obstáculos en el jardín. Los perros hiperactivos necesitan trabajo constante para mantener bajos sus niveles de energía; haz que esas actividades formen parte permanente de su vida.

Desobedecer órdenes

La falta de constancia suele ser la causa de que los perros

empiecen a no hacer caso de órdenes que antes obedecían.

Una de las razones principales de la falta de constancia es la repetición. Tu perro considera las órdenes repetidas como estímulos totalmente distintos de la orden original. Trabajar una orden repetidamente le enseña a esperar que la orden se repita. En cierto sentido, significa que cada orden repetida no es más que un aviso de que las cosas se pondrán serias a no tardar mucho.

La constancia al dar órdenes es crítica porque es la mejor forma de evitar que el perro se confunda. Así, una vez te hayas decidido por una orden para cierta conducta, no la cambies. Cambiar una orden sólo suele ser recomendable si el perro ha sido readiestrado para ofrecer una respuesta distinta o mejor. Un error corriente es trabajar una serie de órdenes que cambian, a veces un poco, otras radicalmente, de una vez para otra sólo porque la primera no funcionó. Es lo que hacen los seres humanos cuando quieren aclarar un mensaje. Sin embargo, lo que para las personas es una conexión evidente entre una orden y otra nunca es claro para tu perro.

Piensa en cómo empleas el nombre de tu perro antes de darle una orden. Añadir su nombre puede hacer fracasar tus intentos por ser coherente y puede confundir al perro que acaba de aprender una respuesta nueva a una orden concreta. El problema es que el nombre y la orden juntos pueden sonar muy distintos a la orden sola.

Dar una orden y no estar seguro de que sea obedecida es una práctica especialmente contraproducente, porque enseña al perro a ignorar las órdenes. Los perros confundidos aprenden a no responder. Aprenden a filtrar los ruidos (incluidas las órdenes) procedentes de los seres humanos, porque son irrelevantes para ellos. Las órdenes se vuelen irrelevantes cuando dejan de asociarse con hechos predecibles. Además, llaman abiertamente a la desobediencia cuando se pierde la asociación con consecuencias agradables o se asocian con resultados

ÓRDENES EFICACES

Para evitar que el perro aprenda a no hacer caso a tus órdenes, recuerda lo siguiente:

- Usa una sola orden para obtener una sola respuesta.
- Da las órdenes solo una vez.
- Asegúrate de que el perro responda a todas las órdenes.
- Nunca lo llames en vano.

indeseables. Pocos perros se someten voluntariamente a circunstancias desagradables sin al menos intentar evitarlo aunque sea experimentalmente. Los experimentos que realiza un perro para evitar acontecimientos indeseables a veces se califican como desafíos, pero en realidad representan una respuesta natural al malestar y no son calculados.

Muchos dueños se buscan el fracaso cuando no atienden a la motivación del perro y dan una orden que va en contra de lo que le gusta al perro en ese momento. El mejor ejemplo es llamar al perro para que acuda a ti cuando evidentemente está concentrado en correr lejos de ti para jugar con otro perro. El perro puede probar a no hacer caso a la llamada y recibir la recompensa de acercarse a un posible compañero de juegos. Por tanto, la consecuencia directa de la desobediencia es una gratificación inmediata. De este modo el dueño enseña al perro a desobedecer cuando lo llame. En este contexto hay lecciones importantes que aprender de los halconeros, que siguen esta máxima: nunca lo llames en vano. Esto evita llamar al pájaro de vuelta cuando claramente está concentrado en marchar.

La clave del éxito implica encontrar el momento justo. En el caso de la orden de llamada («ven»), el reto consiste en emitir la orden cuando el perro esté a punto de abandonar el objeto de deseo; así tienes más posibilidades de que la orden sea obedecida. Sincronización y coherencia son propias de los buenos adiestradores, sin importar la especie que estén adiestrando.

Saltar para saludar

La forma exuberante de saludar a la gente por parte de un cachorro puede parecer divertida hasta que se hace adulto y amenaza con derribarte.

Muchas personas se quejan de que sus perros saltan sobre las visitas, aunque a menudo son los dueños los que refuerzan inadvertidamente esta conducta en sus mascotas. Un error común es dejar que el perro salte en ciertas situaciones y no en otras. A un perro le resulta muy difícil saber cuándo saltar es aceptable y cuándo no. Si dejas que el perro salte sobre ti cuando estás jugando a la pelota el fin de semana y luego le gritas «¡abajo!» en otros momentos, no sabrá por qué es correcto un día y otro no.

Tal vez creas que es divertido e inofensivo que un cachorro salte sobre ti, pero esta conducta será mucho menos atractiva cuando el cachorro se convierta en un perro grande, fuerte e inmaduro capaz de derribar a la gente. Si dejas que el perro salte sobre ti cuando es un cachorro, esperará seguir haciendo lo mismo cuando sea adulto, sin importar lo grande que se haya hecho. Sus intenciones tal vez sean amistosas, pero un perro que se abalanza y salta sobre la gente, sobre todo niños y ancianos, resulta amedrentador, intimidante y potencialmente peligroso.

Cuando se saludan, los perros siempre se olisquean la cara y luego el trasero. Cuando saludan a la gente, también intentan olisquearles el rostro. Sin embargo, como los perros suelen ser más bajos que las personas, para la mayoría saltar es la única forma de llegar tan alto. Además, saltar suele llamar la atención, aunque sea para verse rechazados con

HOLA Tal vez no te importe que tu perro salte sobre ti cuando se lo permitas y estés preparado, pero puede ser peligroso si se lanza sobre alguien inesperadamente.

un empujón, y eso basta para que el perro lo interprete como una señal para jugar. Ponerse en cuclillas para saludar a tu cachorro es una buena forma de empezar a enseñarle a no saltar. Si quieres que el perro se ponga a dos patas para acariciarlo, le puedes enseñar a hacerlo a una orden. De este modo su conducta estará bajo tu control verbal.

Algunas razas como el chow chow son mucho más reservadas en sus saludos que otras y, por tanto, es menos probable que salten. El terrier, el golden retriever y el labrador retriever saltarán casi sobre cualquier persona. Para suprimir con éxito esta conducta necesitas identificar todo refuerzo de tal comportamiento. Si el perro se

ESTÁ MUY ALTO A los perros les gusta saludarse olisqueándose las caras. Como la gente suele ser mucho más alta que ellos, los perros saltan en un intento por alcanzarlos, como hace este cruce de terrier.

VALE LA PENA VOLVER A INTENTARLO Si los perros obtienen una buena reacción a una conducta, es normal que sigan haciéndolo. La risa de su dueña como respuesta a la acción de este terrier lo animará a volver a hacerlo, desee o no su dueña que vuelva a saltarle encima.

sube cuando llegas a casa, una buena estrategia consiste en no hacerle caso hasta que obedezca una orden como «sentado». No le prestes atención hasta que esté sentado y tranquilo.

Otra técnica parecida es anticiparse a esa conducta y darse la vuelta e irse. Esto suele conseguir que el perro se ponga a tu lado de modo que puedas darle la orden de sentarse antes de prestarle atención. Para algún perro es incluso más eficaz abalanzarse hacia él cuando

se te aproxime. Muchos perros retrocederán para evitar que los pises, momento en que podrás darles la orden de sentarse.

¿Y qué hacemos con el perro que salta cuando hay visitas? Hay varias formas de anular esta conducta. Sujeta al perro con correa cuando saludes a la gente y haz que tu perro practique las órdenes «sentado» y «quieto» en el umbral de la puerta de casa. Haz que personas que conozca se le aproximen con un premio y lo acaricien si no salta sobre ellos. Luego practica con personas a las que conozca menos. Lo importante es la práctica y tener paciencia. No es suficiente que el perro esté sentado de vez en cuando para que lo saluden. Para que tu perro aprenda, siempre debe estar sentado para que lo saluden aunque se trate de miembros de la familia.

En el caso de perros que persisten en esa conducta, los cabezales aportan un control adicional muy útil. Estos collares rodean tanto el hocico como el cuello y controlan el movimiento de la cabeza del perro. Si controlas dónde va la cabeza, puedes hacer que el perro se siente, esté quieto y no salte sobre la gente. Estos collares no requieren hacer uso de la fuerza, ni estrangulan al perro como los collares de adiestramiento ni los collares de ahorque.

ENSEÑAR «FUERA» O «ABAJO»

Todos los perros entienden la orden «fuera» o «abajo». Esta sencilla orden se puede usar para que los perros no se apoyen en puertas ni mostradores ni se suban en sofás ni sobre invitados. He aquí dos formas de evitarlo:

1. Cuando estés esperando visitas, ponle la correa y déjala floja detrás de él. Cuando llegue gente y salte para saludar, pisa la correa. No conseguirá alcanzar la altura que desea y su impulso hacia delante tensará la correa y le tirará el collar. En esencia, se estará corrigiendo a sí mismo. Cuando deje de saltar, elógialo.

2. Ponle la correa al perro y deja el asa suelta. Cuando salte para saludar a alguien, dile con firmeza «fuera» y tira de la correa con firmeza hacia un lado. Cuando un perro salta, se apoya sólo sobre dos patas, lo cual significa que no puede mantener el equilibrio. Tirar de la correa lateralmente forzará al perro a volver a poner las patas delanteras en el suelo. Una vez esté en el suelo y relajado, aunque sólo sea un segundo, elógialo.

Lametones

Cuando un perro te lame la cara, te está saludando. También es la forma en que los perros jóvenes muestran sumisión ante perros mayores.

Cuando los perros las lamen, algunas personas se ríen y dicen que les hace cosquillas, mientras que a otras la sensación de humedad y aspereza de la lengua del perro les resulta desagradable o incluso repugnante. Sea cual fuere la reacción, cuando tu perro te da un lametazo en la mano o en la cara, suele ser un signo de afecto, aunque a veces se puede extralimitar y requerir corrección.

UNA EXPERIENCIA TEMPRANA

Los primeros lametazos que recibe un perro son justo después de nacer. La madre lame a los cachorros recién nacidos para limpiarlos y para estimularlos a orinar y defecar. Los lametazos son también su forma de hacerles saber que ella es su madre. Siempre serán capaces de reconocerla por el olor de su saliva. La saliva de la madre también ayuda a que todos los hermanos de la camada huelan parecido y sea más fácil mantenerlos juntos.

Los lametazos pueden ser un medio para pedir comida. Cuando los cachorros de lobo saludan a su madre al volver de cacería, le

LAMETONES POR QUE SÍ Aunque estos perros no estén emparentados, el cachorro de labrador reacciona ante este braco húngaro adulto como si fuera su madre, lamiéndole la cara en un gesto de afecto y apaciguamiento.

lamen el hocico para animarla a regurgitar comida para ellos.

LAMETONES PROBLEMÁTICOS

No sólo los cachorros tienden a dar lametones. Cuando alcanzan la edad adulta, los perros siguen lamiendo a otros perros y a las personas. Algunos amos toleran algún lametazo ocasional de sus perros, pero la práctica continua de dar lametazos es inaceptable. Si no corriges al perro, lo que comienza como afecto se puede convertir en una forma sutil de imposición de rango. Cuanto más te resistas apartándote, empujándolo y vocalizando tu desagrado, más se empeñará él en lamerte

EVITAR EL PROBLEMA

Para evitar que dé excesivos lametazos, reafirma tu autoridad corrigiéndolo siempre que despliegue esa conducta. Ponle el collar y la correa y, cuando te lama, dale la orden de «¡no lamas!». Si persiste, dale un tirón seco con la correa.

Puedes remplazar su deseo de lamer por otra actividad que prefiera. Dale un nuevo juguete para morder con el que tenga ocupada la boca, juega a buscar y cobrar una pelota o dale un paseo largo. El entrenamiento de obediencia también reafirmará tu autoridad sobre él y reducirá su tendencia a lamer.

CONTENTO DE VERTE Los lametones a menudo son señal de sumisión o una conducta solícita, y es la forma en que los perros de todas las edades saludan a otros canes y a las personas.

Sobreprotección

Un perro protector hace que te sientas seguro y amado.

Sin embargo, un perro sobreprotector puede volverse agresivo.

Es reconfortante tener un perro que se quede a tu lado, incluso que duerma en tu cama o en el umbral de la puerta de tu dormitorio. Pero cuando tu perro comienza a considerarte su propiedad personal, volviéndose cada vez más posesivo y protegiéndote de cualquier cosa, la experiencia ya no resulta tan positiva. Cuando comienza a gruñir porque alguien nuevo acude a tu casa y se sienta en el sofá a tu lado, o comienza a actuar de matón con el resto de los habitantes de la casa con ladridos amenazadores y una conducta dominante, tu sensación de confianza puede volverse pronto en miedo. Los perros que no asumen que el jefe eres tú se convierten en un problema. Y una vez perciben que alguien le teme, lo protegerán todavía más estrechamente. Si tu perro es de una raza de pastoreo, tal vez incluso te arrincone lejos del extraño, o aleje a la otra persona de ti.

FIELES PROTECTORES Los perros criados para la guarda, como el pastor alemán, suelen ser especialmente leales a sus dueños y tal vez propensos a una conducta sobreprotectora.

PREVENIR LA SOBREPROTECCIÓN

No sólo los perros grandes o dominadores se vuelven sobreprotectores con sus dueños, cualquier raza o tamaño de perro puede desarrollar este rasgo. Para prevenir esta conducta, evita decir al perro «está bien» cuando gruña a alguien. Esto no hace más que reforzar la conducta, porque le transmite el mensaje de que los gruñidos son aceptables. Dile con firmeza «basta» o «no gruñas». Luego ordénale que se siente o tumbe; esto le dará algo que hacer y reducirá su nivel de excitación cuando alguien se acerque.

Para que tu perro sepa que estás al mando, no lo dejes dormir en tu cama ni en el sofá. Cuando aprenda a comportarse más sumisamente, podrás volverle a invitar a que te acompañe.

Para acostumbrar al perro a que otras personas estén cerca de ti, pide a un amigo que ofrezca al perro un premio mientras lo llevas con correa. Permanece cerca del perro y actúa de forma relajada; si ve que no estás nervioso, se sentirá menos inclinado a protegerte.

Hay varias razones por las que tu perro puede volverse sobreprotector, pero de ti depende recuperar el control ante esta situación potencialmente peligrosa.

Posesividad

*La protección de las posesiones es un rasgo evolutivo de la época
en que los perros protegían celosamente lo poco que tenían.*

Cuando un perro recibe un juguete nuevo, su primera reacción es protegerlo para que nadie se lo quite. Se lo llevará a un sitio seguro, lo guardará cerca y lo lamerá o morderá. Y si alguien se acerca, su instinto inmediato será proteger su nueva posesión gruñendo. Los perros a menudo también se muestran posesivos con la escudilla de la comida, incluso cuando está vacía.

VIVIR CON ESPERANZA Muchos perros protegerán incluso sus escudillas vacías, posiblemente por si alguien acude y les deja algo.

APRENDER A COMPARTIR JUGUETES

Algunos perros se vuelven tan posesivos que arrufan o sueltan tarascadas cuando alguien se acerca mientras comen o juegan con sus juguetes. Tal conducta puede ser peligrosa, sobre todo con niños pequeños y otras mascotas.

Es importante enseñar a tu perro a no ser posesivo con los juguetes. Para enseñarle a compartir, ponle el collar y la correa. Dale su juguete nuevo y de inmediato pídele que te lo dé diciendo «suelta». En cuanto lo suelte, aunque sea un poco, elógialo. Si se niega, haz caso omiso del juguete y dale la orden de sentarse, con muchos elogios, sobre todo siempre que muestre alguna mejora. Estos ejercicios le recordarán que tú eres su jefe y que controlas el juguete. Repite este ejercicio varias veces y termina la sesión llevándote el juguete. Si todavía se debate a la hora de entregártelo, llévatelo después de que termine de jugar y deshazte de él.

Otra forma de prevenir la posesividad es ofrecer al perro otro juguete o un premio para cambiarlo por aquel con el que está jugando. Dile «suelta» y, en cuanto lo haga, dale el juguete nuevo. Unos minutos después, dale

HACER CAMBIOS Dar de comer al perro en distintas partes de la casa reduce su tendencia a proteger la escudilla.

PREVENCIÓN DE GUERRAS POR LA COMIDA Si tienes más de un perro, que coma cada uno en su propia escudilla para que sientan menos necesidad de competir entre ellos.

de nuevo el juguete original; repite el ejercicio unas cuantas veces más. Mediante el juego de intercambio de juguetes, harás que el perro considere que vale la pena darte sus juguetes.

POSESIVIDAD DE LA COMIDA

Nada afecta tanto a la supervivencia como la comida. Por eso los perros engullen todo cuanto pueden y lo más rápido posible, y por eso también consideran que vale la pena proteger su escudilla. Los perros que han pasado hambre, como los perros callejeros, son especialmente propensos a mostrar esta conducta. Los perros que viven con otros perros siempre los ven como competidores por la comida; no importa lo bien que se lleven en otros momentos, todos se tomarán a mal que otro se acerque a su escudilla, esté llena o vacía.

Hay formas de reducir la tendencia de tu perro a proteger su escudilla. En una casa con varios perros, da de comer a cada perro por separado y en su propia escudilla, preferiblemente en distintas partes de la casa o el jardín. Si no hay competencia, sus instintos protectores disminuirán. Otra táctica consiste en lavar la escudilla y guardarla después de cada comida. Si no está a la vista y no ocupa un lugar fijo, tal vez le parezca menos importante.

No sólo es la escudilla en sí por lo que el perro muestra posesividad, sino por todo el espacio. Para reducir esta tendencia, cambia de lugar cuando le des de comer: los lunes, en la cocina; el martes, en el jardín; el miércoles, en el cuarto de baño, etc. De esta forma, ningún punto de la casa será el lugar especial donde come.

ALGO A CAMBIO A los perros no les gusta entregar un objeto interesante a cambio de nada. Ofrecerle un premio hace que este terrier irlandés ceda gustosamente su juguete.

Ansiedad por separación

Los perros son animales sociales y no les gusta estar solos.

Cuando lo están, pueden expresar su ansiedad de formas indeseables.

Muchos perros aceptan tus idas y venidas con ecuanimidad, pero otros lo pasan mal para entender por qué estás en unos momentos y otros no. El perro puede sentirse inseguro y preocuparse por si no vas a volver. Y mientras estás fuera, tal vez ladre, gima o aúlle de miedo. Un perro preocupado también se puede volver destructivo, hacer sus necesidades en casa, negarse a comer o tratar de escapar de la casa o del jardín.

ECHARTE DE MENOS

Hay varias teorías sobre por qué un perro tiene miedo cuando está lejos de su amo. Los perros que han sido abandonados antes son los que probablemente sufran más ansiedad por separación: tal vez asuman que sus nuevos dueños también los abandonarán.

Los cambios espectaculares en el estilo de vida, como mudarse a una casa nueva o una tensión repentina en el hogar, pueden despertar la ansiedad por separación. Y a un perro que ha tenido contacto constante con su dueño (porque está jubilado o trabaja en casa) también le costará adaptarse a que su dueño tenga que pasar tiempo lejos de casa por la razón que sea.

FORMAS DE SUPERAR LA ANSIEDAD

Son muchas las cosas que puedes hacer para que tu perro se sienta más seguro cuando estás fuera. Empieza por meterlo en su jaula cuando no estés. Igual que los niños pequeños prefieren estar en su cuarto a vagar por una casa enorme, muchos perros con ansiedad prefieren estar confinados en un espacio pequeño. Dejar al perro en su jaula lo ayudará a relajarse e impedirá que vague por la casa con ansiedad o que intente escapar. Tampoco podrá causar destrozos en la casa estando en la jaula.

También puedes probar a que haga más ejercicio. Aunque tengas que levantarte más temprano por la mañana, añade 20 a 30 minutos más de carrera vigorosa antes de dejarlo solo. Un perro cansado es más probable que duerma y que se preocupe menos por tu ausencia.

HAZ QUE SE MUEVAN El ejercicio adicional ayuda a algunos perros que sufren ansiedad por separación.

DÍAS DE SOLEDAD Los perros que han sido abandonados antes, como los que se adoptan en los albergues, son especialmente propensos a la ansiedad por separación.

Desensibilizar al perro de tus idas y venidas también ayuda. Acostúmbralo a ver tu rutina de cerrar la puerta, correr las cortinas o ponerte el abrigo cada vez que salgas de casa. Al principio, permanece fuera poco tiempo; primero unos pocos segundos y vuelve a entrar. No te precipites a felicitarlo en cuanto entres por la puerta; no quieres que tus ausencias

sean destacadas, sino algo habitual para que aprenda a darlo por sentado. Si está tranquilo, elógialo con calma unos minutos a tu regreso.

Una vez se sienta cómodo con este procedimiento, ve sumando minuto a minuto en tus ausencias, luego cinco. Practica saliendo varias veces al día. Podrían pasar de una semana a varios meses hasta que el perro se sienta tranquilo con tus ausencias, pero, una vez que se sienta seguro, se pondrá menos nervioso estando solo. También ayuda a desensibilizar al perro dejarlo dentro de casa antes de dejarlo solo en el jardín.

Un perro que tiene compañía o una ocupación se alterará menos cuando estés fuera. Que otro perro visite al tuyo en tu ausencia es una solución. Si esto no es posible, déjale muchos juguetes para que juegue, sobre todo los que ejerciten su mente. Una elección popular es un hueso de plástico hueco o un juguete hueco de goma de la marca Kong en que se puede introducir un poco de comida sabrosa, como mantequilla de cacahuete. La mayoría de los perros pasarán horas felizmente entretenidos en extraer el premio del interior.

SIN TENSIONES Se puede desensibilizar gradualmente a tu perro de tus ausencias para que le causen menos trastorno.

Hurtos

Algunos perros hurtan para llamar la atención.

Otros roban comida sencillamente porque pueden.

Un perro al que le guste hurtar se puede apoderar de cosas con gran rapidez. Un pollo asado, salido del horno y caliente, uno de tus nuevos zapatos de cuero, tu cartera o los huesos de la basura estaban allí hace un minuto, pero ya no están. Si el perro ladrón es listo, esperará a que dejes de mirar, se abalanzará sobre la encimera o meterá la cabeza en la basura para apoderarse del tesoro y huirá con la presa a toda velocidad.

Si sorprendes al perro en el acto, tu reacción inmediata podría ser gritarle que se detenga. Pero si chillas y emprendes una persecución, podrías asustarlo o incitarle sin querer a jugar. A muchos perros les encanta jugar a pillar y te enseñarán su trofeo para provocarte.

Cuando se trate de comida, muchos perros no pueden resistirse a atacar un plato de comida desatendido. Son animales oportunistas, programados por la evolución para comer cuanto puedan y siempre que haya ocasión. No importa lo bien alimentados que estén; siempre estarán tentados por la oportunidad de una comida gratis.

PREVENCIÓN DESDE EDAD TEMPRANA

Cuando tu cachorro comience a hurtar cosas, nunca lo persigas; prueba a agacharte y pedirle dulcemente que acuda a ti. Si esto no funciona, prueba a irte corriendo. Si el cachorro te persigue, puedes parar y elogiarlo por acudir a ti.

Deberías enseñar al cachorro la orden «suelta» desde muy temprano. Ofrécele un juguete y cuando lo tome, dile «buen perro». Luego ase el juguete suavemente y dile que lo suelte. Si lo deja, elógialo. Si tu cachorro no suelta el juguete, prueba a negociar con él. Ofrécele un premio u otro juguete muy preciado mientras le pides que lo suelte. El mismo principio se aplica a las cosas de las que el cachorro se apodera sin tu permiso. Si lo suelta a tu orden, recompénsalo con premios o juguetes. Una vez suelte el objeto, dale el premio. Practica a recibir cosas del perro diciéndole «suelta» a lo largo del día. Menudea los premios de comida para que esta recompensa se vuelva impredecible.

Recompensa y elogia siempre a tu perro y, si el objeto hurtado no es muy precioso,

LA ESCENA DEL CRIMEN A un perro como este rottweiler le cuesta unos segundos coger comida de una mesa o una encimera desatendidas.

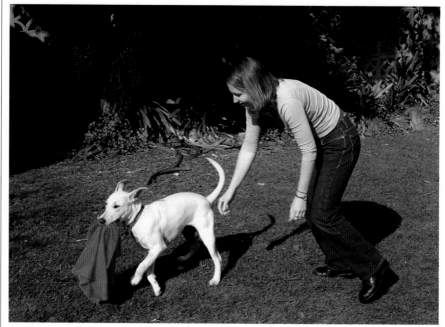

vuélveselo a dar. De ese modo aprenderá que, aunque le quites cosas, a veces también se las devuelves.

El robo de comida es un problema más difícil de frenar. Si hay comida al alcance, pocos perros dejarán pasar la oportunidad, por lo que del dueño depende mantener la comida fuera de su alcance. A veces el problema es que el cachorro goza de excesiva libertad. La supervisión es vital para su temprano adiestramiento.

DESBARATAR AL LADRÓN

La mejor medida preventiva es enseñar al perro la orden «suelta». Puedes ponerle trampas con comida o cosas que le guste hurtar. Obsérvalo y cuando acuda a cobrar la presa, dile «suelta» y recompénsalo cuando retroceda. Costará tiempo y perseverancia conseguir que este método funcione.

Para corregir con eficacia a un perro que persista en hurtar cosas, debes pillarlo in fraganti. La mejor forma de hacerlo es poner objetos trampa que hagan mucho ruido cuando intente apoderarse de ellos. Ata un extremo de un tramo largo de hilo dental a un pedazo pequeño de carne. Ata el otro extremo a una lata de refresco con unas piedrecitas dentro. Pon la carne en el borde de una mesa y sal de la habitación. Cuando el perro se apreste a atrapar la carne, se llevará una inesperada sorpresa con la lata y no tardará mucho en salir corriendo sin el botín. (Si el perro cae en la cuenta de la presencia de la lata «sonajero», puedes cubrirla con un paño de cocina).

LA EMOCIÓN DE LA PERSECUCIÓN Perseguir a un perro ladrón resulta ineficaz; sólo conseguirás que piense que te estás sumando a la diversión y se excitará todavía más.

Este mismo método se puede aplicar a cualquier cosa de la que tu perro quiera apoderarse. Puedes cambiar la lata por un llavero muy ruidoso y atarlo a documentos importantes dejados en el despacho o a zapatos en el armario. Rociar salsa de Tabasco o repelentes de mascotas sobre las presas favoritas de tu perro es otra forma de acabar con los hurtos. No es totalmente seguro, porque a muchos perros no les importa ese sabor extra.

Si hay una zona concreta de la casa que quieras proteger de los hurtos del perro, como el escritorio o la cocina, pon rejas de seguridad infantil, o pide consejo al veterinario o a otro dueño de una mascota. Con persistencia y paciencia, el perro acabará llegando a la conclusión de que el crimen no da dividendos.

Como último recurso, hay varios productos que ayudan a controlar ciertas conductas descuideras, como sensores de movimiento que se activarán cuando el perro entre en el campo de la alarma. Sirven para alertar al dueño cuando el perro entra en cierta habitación. Las alfombrillas que emiten una descarga eléctrica baja mantendrán a los perros fuera de ciertas habitaciones, pero no las recomendamos.

Micción de sumisión

Un perro que orine cuando está nervioso, asustado o bajo tensión
tiene un problema de confianza, no de vejiga.

Si tu perro te saluda con alegría pero con cierta timidez y se agacha o rueda sobre la espalda y emite algunas gotas de orina, no pienses que tiene un problema de esfínteres. Se trata de un problema de ansiedad llamado micción de sumisión.

La conducta sumisa puede ser heredada, o podría haber sido causada por correcciones demasiado frecuentes o duras, o incluso por maltratos físicos que tu perro sufriera antes de adquirirlo.

Entre los lobos en plena naturaleza la micción de sumisión es un tipo de disculpa por cualquier cosa que el perro subordinado pueda haber hecho para molestar al jefe de la jauría. Aunque más habitual durante los saludos, tu cachorro puede orinar cuando te inclines sobre él para cogerlo o cuando lo castigues. Es un reflejo condicionado al tratamiento firme y enérgico y no lo hace a propósito. De hecho, ni siquiera es consciente de ello.

No te enfades con él porque sólo empeorarás las cosas. Haz que tus entradas en casa sean sosegadas. Échale en silencio un premio al cachorro en cuanto acuda a la puerta, luego no le hagas caso hasta que se acerque a ti. (Mimarlo sin apartar la vista de él sólo será contraproducente.) Cuando se aproxime a ti, no te inclines sobre su cabeza para acariciarlo. Un perro muy tímido interpretará que se

UN POSIBLE CANDIDATO Un perro tan tímido como este perro boyero probablemente de cachorro tendió a la micción de sumisión.

trata de un gesto intimidatorio. Prueba a arrodillarte y a acariciarle el pecho.

O mejor aun, enseña al cachorro unas cuantas órdenes sencillas para que aprenda a agradarte y ganarse tu aprobación. Emplea una orden como «de pie, quieto» cuando te salude, para que pueda expresar su devoción por ti sin una actitud sumisa y reciba tus elogios. Aprovecha situaciones en las que sepas que es probable que se comporte de forma deseable, para que puedas alabarlo una vez lo haga. Si le gusta que lo aseen y se comporta bien cuando lo cepillas, entonces cepíllalo con frecuencia –incluso si es solo unos pocos minutos– para tener muchas ocasiones en que elogiarlo.

La mayoría de los perros jóvenes superan la fase de la micción de sumisión una vez que tienen unos cuantos meses, cuando tienen oportunidad de aprender más sobre el mundo y aumentar su confianza.

¡BIEN HECHO! Enseñar a tu perro órdenes sencillas y elogiarlo cuando lo haga bien aumentará su confianza en sí mismo y reducirá su tendencia a la micción de sumisión.

Olisqueo incómodo

El olisqueo es una parte normal de la comunicación canina,
pero debe evitarse con las personas, que no suelen apreciarlo.

Cuando dos perros se encuentran, inevitablemente pasan los primeros segundos olisqueándose la cara, antes de pasar a la región genital para un olisqueo más prologando si cabe. Oler es el modo que tienen los perros de recabar información sobre un animal nuevo. Como los perros tienen un sentido del olfato muy desarrollado, son capaces de detectar si el otro can es macho o hembra, amigo o enemigo, así como su estado de salud y si ha estado con otros animales.

Así es que cuando tu perro conoce a personas nuevas, es natural que las quiera saludar oliéndolas. Tal vez no vea nada malo en levantar la falda a una mujer o en meter el morro en la entrepierna de un hombre, pero esta conducta suele resultar incómoda a las personas, sobre todo si el olisqueo es desmesurado; por eso a ti te corresponde enseñar a tu perro a saludar a los amigos humanos de una manera que sea socialmente aceptable.

IMPEDIR EL OLISQUEO

Para prevenir que tu perro se muestre demasiado inquisitivo con las partes privadas de otras personas, ponle el collar y la correa cuando esperes invitados. Prepárate para corregirlo con una orden y un pequeño tirón de la correa si intenta meter el hocico donde no quieres. Sigue a la primera orden con un «sentado» o «tumbado» para poder elogiarlo cuando se pliegue a tus deseos. Cuando se haya calmado y, si lo desea el invitado, deja que el perro satisfaga su curiosidad oliendo la mano de la visita.

Si tu perro te huele de este modo, no des un paso atrás ni te alejes de él. Podría interpretarlo como una conducta de sumisión y empezar a pensar que él es el jefe. Échalo atrás andando hacia él y diciéndole «¡no!» con un tono de voz fuerte. También puedes ofrecerle un objeto para que se interese por él y puedas premiarlo por dejarte en paz.

El deseo de oler de un perro se puede centuplicar cuando lo sacas al aire libre para sus sesiones diarias de ejercicio. Si tu perro es de los que olisquean constantemente mientras caminan, usa la misma orden de «suelta» y una pequeña corrección con la correa. Así sabrá que no tiene que inspeccionar todos los olores que encuentre.

HOLA, COLEGA Como alternativa al olisqueo, este perro inteligente ha aprendido a saludar a la gente chocando los cinco.

Gemidos

Los gemidos son una reminiscencia de la infancia, y son el modo como los cachorros llaman la atención de su madre.

Los perros que gimen, sobre todo los que lo hacen constantemente, suelen alterar los nervios. Si tu perro gime alto y con persistencia, tal vez sea un signo de que está estresado o sobreexcitado. La causa quizá sea que quiere algo que no puede hacer él mismo: salir de la jaula, comer, libertad para perseguir a un gato o salir a pasear. Los gemidos también pueden significar que tu perro está tan excitado que no sabe cómo calmarse.

PASOS PARA QUE DEJE DE GEMIR

Si no corriges esta conducta, un perro voluntarioso aprenderá pronto a conseguir lo que quiera si gime el tiempo suficiente. Para que deje de gemir, no lo reconfortes como si hablaras a un niño pequeño ni lo acaricies. Prueba a no hacerle caso. Solo cuando deje de gemir podrás prestarle atención. De ese modo aprenderá que se le recompensa cuando no gime.

Dar al perro algo que hacer también sirve para distraerlo de gemir. Si comienza a gemir, llévalo a otra habitación o sácalo fuera. Cuando calle, haz que vuelva a entrar y dile que se siente o tumbe. Después de unos pocos ejercicios de obediencia, la mayoría de los perros dejan de gimotear.

También puedes corregir los gemidos de tu perro diciéndole con la voz grave y baja «¡no gimas!». Procura que tu voz no resulte demasiado áspera; una corrección enfadado hará que algunos perros se pongan más nerviosos o ansiosos. Cuando responda guardando silencio, recompénsalo y elógialo. Una vez que entienda la orden «¡no gimas!», podrás incluso darle la orden contraria. Saber responder a las órdenes y que lo elogien por ello mejora mucho la confianza en sí mismos de los perros ansiosos.

SOLO EN CASA En situaciones en que los perros sufren de ansiedad, como cuando se quedan solos, a veces se pasan gimiendo horas y horas.

Perro. Especie de deidad complementaria concebida para ser la receptora del sobrante de la adoración del mundo.

AMBROSE BIERCE (1842–1914),
Periodista y escritor norteamericano

Si crees que eres alguien influyente, prueba a dar una orden a un perro del que no seas dueño.

WILL ROGERS (1879–1935),
Actor y humorista norteamericano

Capítulo Séptimo

Adiestramiento

Adiestramiento eficaz

Los perros necesitan saber lo que pueden hacer y lo que no

para vivir en armonía con las personas y otras mascotas.

El adiestramiento no es antinatural ni reprime la personalidad del perro. De hecho, los perros necesitan orden y dirección. Su naturaleza de jauría significa que esperan que un miembro de su grupo social sea el líder. Esto significa que adiestrar a tu perro será mucho más fácil una vez te hayas erigido –así como el resto de los miembros humanos de tu casa– como el superior de tu perro.

El adiestramiento conlleva beneficios para perros y personas. Es fácil vivir con perros de buena educación; aportan alegría a la familia y a otras personas, lo que les permite pasar mucho tiempo con seres humanos. Al ser animales sociales, esto es para ellos una recompensa estupenda.

SOBRE RUEDAS Si tu perro tendrá que viajar en coche, empieza por acostumbrarlo desde pequeño.

Nunca es demasiado pronto para empezar a adiestrar a un cachorro. Se puede iniciar un adiestramiento ligero en cuanto el nuevo cachorro llegue a casa. El control de esfínteres (pp. 86-89) y enseñarle a jugar tranquilo con personas (p. 199) son dos de las lecciones más importantes para un cachorro nuevo.

Los cachorros también necesitan socializarse (pp. 90-91). Las clases de habituación ayudarán a tu cachorro a acostumbrarse a otros perros y personas, y a aceptar tu autoridad.

Una buena regla para el temprano adiestramiento de cachorros es pensar en qué esperas de tu mascota cuando crezca. ¿Tendrá que subir escaleras o viajar en coche con frecuencia? Pues enséñale mientras sea pequeño. ¿Querrás llevarlo con correa o evitar que se suba a los muebles o que no entre en ciertas habitaciones? Pues enseña al cachorro estas reglas y tareas desde muy temprano. Inicia el camino para lograr una buena conducta desde el principio.

TRAVESURAS

Los perros no son maliciosos; cuando causan problemas, no es por que tengan malas intenciones. La mayoría de las conductas que las personas consideran malas son simplemente cosas que los perros siempre han hecho, como ladrar, mordisquear cosas, excavar y perseguir a otros animales. Sólo se convierten en problemas cuando se hacen en el contexto equivocado. De nosotros depende, como dueños, enseñar a los perros la conducta apropiada en el ámbito de los seres humanos.

BUENA CONDUCTA Un adiestramiento eficaz se traduce en un perro equilibrado y bien educado con el que es un goce convivir.

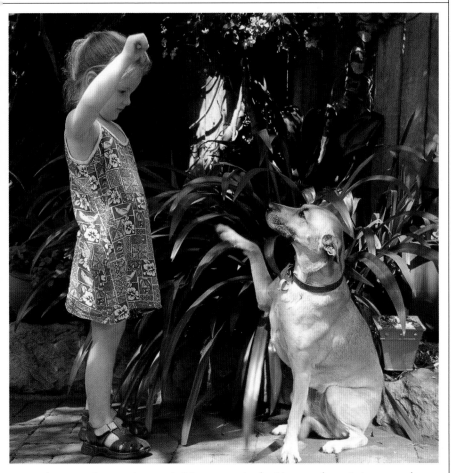

JERARQUÍA SOCIAL El adiestramiento es más fácil cuando los perros saben que el lugar que ocupan en la familia está por debajo de todas las personas, incluidos los niños.

Durante generaciones la mayoría de las razas se han criado selectivamente para mitigar estas tendencias, rasgos distintos de los de sus antepasados salvajes. La cría selectiva ha favorecido rasgos como la docilidad, el deseo de complacer, la dependencia, la alegría y la ternura. Junto con estas cualidades encantadoras propias de los cachorros, se adquiere la conducta infantil e inmadura que a menudo se confunde con un carácter travieso.

La raza de un perro influye, pero no controla por completo las «travesuras» que debe superar. A los terriers les encanta excavar; las razas de pastoreo y cobradoras necesitan mucho ejercicio y se pueden volver inquietos y destructivos si no lo obtienen; los sabuesos enanos tienden a aullar; los perros de caza a la carrera, como los galgos ingleses y los lebreles ingleses, se han criado para perseguir a otros animales. No se puede suprimir por completo una conducta que es natural en una raza concreta, pero casi siempre se puede reducir la intensidad o frecuencia con la que se manifiesta.

CÓMO APRENDEN LOS PERROS

Para enseñar a un perro con eficacia, es útil saber cómo aprenden los animales. Uno de los medios principales para aprender es mediante la relación entre una conducta y sus consecuencias; es decir, cuando un animal despliega cierta conducta, algo sucede como consecuencia. La relación entre una conducta y sus consecuencias puede ser positiva (recompensa) o negativa (castigo). Con repeticiones, un perro terminará aprendiendo la conexión y responderá en consecuencia.

Recompensas

Los refuerzos positivos (o recompensas) aumentan la posibilidad de que una conducta se repita. Las buenas conductas se incrementarán si les sigue de inmediato una recompensa. Puede

DARLE LA ESPALDA Algunos perros tienen conductas indeseables, como saltar encima para llamar la atención de sus amos. No hacerle caso cuando se comporte de ese modo sirve para negarle la recompensa deseada y, si se hace constantemente, evitará que siga con esa conducta.

ser cualquier cosa que envíe al perro un mensaje claro de aprobación, como un elogio, una palmadita o un premio. Cuando se hace correctamente, los refuerzos positivos son un medio excelente para modificar la conducta de un perro.

Aprovecha lo que le gusta a tu perro –sea comida, juguetes, elogios, una palmadita, un juego o palos que perseguir a la carrera– y úsalo para motivarlo y recompensar las buenas conductas. Rota las recompensas para que el aprendizaje sea más divertido para ambos y asegura que el perro no se canse de ellas. Si comienza a desinteresarse por una recompensa que normalmente genera su entusiasmo, sabrás que has abusado de ella.

Algunas recompensas como la comida o los elogios son evidentes. Sin embargo, en muchos casos los perros y las personas entienden las recompensas de forma muy distinta. Por ejemplo, si tu perro ladra para llamar tu atención, tal vez le grites que se calle. Tu intención es castigarlo, pero el perro lo ve de otro modo. Le parecerá que ha conseguido su propósito; no importa lo breve que haya sido, pero

REPETICIÓN DEL MISMO ACTO

Recompensar a un perro, como este collie, por una conducta deseable –por ejemplo, ir a buscar el periódico– lo animará a seguir realizando el mismo acto.

ha llamado tu atención. De forma parecida, tu perro puede estar tocándote la mano mientras lees un libro. Si lo apartas, no lo considerará un rechazo, que es lo que pretendías, sino que lo interpreta como una recompensa materializada en atención y contacto físico, que era lo que pretendía desde el principio. En ambas situaciones, has recompensado sin saberlo una conducta indeseable.

Castigos

Los castigos también implican una relación entre conducta y consecuencias. Sin embargo, en este caso la consecuencia es indeseable. Cada vez que tu perro despliega una conducta indeseable, las consecuencias son desagradables y esto debería hacer que esa conducta disminuyera.

Para que el castigo sea eficaz, debes tener pruebas de que la conducta ha disminuido o cesado. Si no es así, lo más probable es que no hayas castigado la conducta relevante.

El castigo es una herramienta difícil de usar correctamente. Si es demasiado frecuente o excesiva, puede derivar en miedo y agresividad, que son contraproducentes para el aprendizaje. Por otra parte, si el castigo es muy suave no interrumpirá la conducta indeseable. En cualquier caso, siempre es más fácil enseñar lo que quieres que castigar lo que no te gusta.

El castigo no tiene que consistir en una acción negativa; puede limitarse a la ausencia del resultado pretendido. Por ejemplo, si tu perro te incordia para que le prestes atención, dale la espalda y no le hagas caso, o sal de la habitación. Sólo cuando pare, podrás darle una palmadita o elogiarlo o volver a la habitación donde se encuentra. Esto le hará llegar el mensaje de que su táctica incordiante no funciona, y que una conducta pasiva y tranquila es lo que realmente recaba tu atención.

El castigo nunca debe ser duro ni físico. Pegar al perro o insultarlo sólo le enseñará a temerte o provocar su agresividad; y no interrumpirá su conducta indeseable. La forma más eficaz de enseñar a un perro es darle muchas oportunidades de hacer lo correcto, y recompensarlo cuando lo haga.

El momento justo y la frecuencia

Tiene vital importancia para el aprendizaje el momento justo y la frecuencia de las recompensas o castigos. Por lo que al momento oportuno se refiere, la recompensa y el castigo se deben aplicar lo antes posible y, por supuesto, dentro de los 15 segundos posteriores a la conducta. Recuerda que la conducta es algo que se manifiesta en todo momento, por lo que lo último que hace el animal antes de recibir la recompensa o el castigo es lo que te afecta. Un espacio de 30 segundos puede suponer que el perro esté haciendo otra cosa cuando le llegue la recompensa o el castigo.

Por ejemplo, si tu perro está mordisqueándote el zapato, le pides que lo suelte y luego que venga. Él te obedece y al hacerlo lo regañas por mordisquear el zapato. Esto lo confunde, porque él entiende que ha hecho lo que le has pedido: ha acudido a tu llamada. No sabe que te estás refiriendo a su conducta anterior, porque no entiende tus palabras. Para enseñarle bien, necesitas darte cuenta –y evitar– situaciones en que se puedan dar estos malentendidos.

ACTÚA CON RAPIDEZ Un perro necesita ser reprendido de inmediato, es decir, en los 15 segundos posteriores a la mala conducta, para establecer una conexión entre la acción y el castigo.

EDUCACIÓN EN LA MESA Si sus dueños ceden y dan de comer a este cruce de terrier en la mesa, habrán recompensado una conducta indeseable animándole a repetirla.

Una conducta se puede recompensar o castigar de forma continua o intermitente con distintos resultados. La recompensa continua significa que cada vez que el animal despliegue esa conducta recibirá una recompensa. Un problema con este tipo de refuerzo es que, cuando deja de haber recompensas, el perro suele abandonar esa conducta. Las recompensas intermitentes, por su parte, suponen no premiar todas las acciones aceptables, sino cada dos o cinco veces, o después de cierto tiempo; la clave

«MÍRAME»

Algo que hay que enseñar a todos los perros es la orden «mírame». Sirve para que te presten atención para poder seguir dándoles órdenes.

a) Con el perro mirándote, señala tus ojos (si fuera necesario, con un premio entre los dedos para tener toda su atención) y dile «mírame». Intenta mantener el contacto visual unos 10 segundos.

b) Recompénsalo. Repite la acción con frecuencia en distintos sitios y con diferentes distracciones.

es no ofrecer siempre una recompensa. Esto tiende a aumentar la tasa y persistencia de la conducta, porque el perro nunca sabe cuándo se le va a recompensar y, por ello, persiste en esa conducta con la esperanza de que lo premien.

Ésta es a menudo la forma en que inadvertidamente se refuerzan y mantienen las malas conductas. Piensa en un perro que pide de comer junto a la mesa. Si es recompensado de vez en cuando, seguirá implorando a menos que las recompensas desaparezcan por completo. Si nunca se le da de comer, dejará de implorar. Se produce un proceso de extinción cuando una respuesta aprendida –en este caso las súplicas– deja de recibir cualquier tipo de refuerzo o recompensa. La respuesta se irá dando progresivamente con menos frecuencia y de forma menos enérgica.

Reglas y constancia

Las dos cosas más importantes que puedes hacer al enseñar a tu perro es establecer unas reglas claras y cumplirlas. A los perros les gusta saber cuál es su lugar y lo que se espera de ellos, pero sólo entenderán estas reglas si se refuerzan con constancia, no insistiendo un día y luego relajándose al siguiente. Todos los miembros de la casa deben conocer y guiarse por las mismas reglas o el perro terminará confundido, y el resultado derivará en una mala conducta.

Establece reglas acordes a lo que te interesa; si el jardín es una selva descuidada, tal vez no te importe que el perro cave, pero te puedes subir por las paredes si se aposenta en el sofá o la cama. En tal caso, puedes hacer caso omiso de

COMIENZA CUANDO SON PEQUEÑOS
Es mucho más fácil enseñarles lo que quieres que lo que no te gusta cuando son pequeños, que corregir la conducta establecida en perros maduros.

TODO CON ANTICIPACIÓN Hacer que los perros se ganen lo que les gusta es una buena forma de reforzar amable y constantemente tu liderazgo. Este golden retriever sabe que para salir de paseo primero debe tumbarse en silencio y esperar la señal de su amo.

sus excavaciones, pero tendrás que enseñarle a no subirse a los muebles.

Es casi imposible frenar su mala conducta si no eres constante. Ser constante consiste en usar una orden para obtener una sola respuesta. Por ejemplo, si alternas las órdenes «ven», «ven aquí» y «vamos, chico», es casi seguro que el perro se sentirá confuso y su respuesta será poco o nada fiable. En este caso la culpa no es del perro sino de la orden recibida.

Trabajar por recompensas
Del mismo modo que en todo momento se producen conductas, ocurre lo mismo con el adiestramiento, sea activo o inadvertido. Esto significa que el adiestramiento no tiene que concentrarse en largas sesiones de ejercicios de obediencia. Todas las acciones e interacciones diarias del perro se pueden usar como oportunidades para enseñarle. Una estrategia eficaz es enseñar al perro que nada es gratis. Siempre que quiera algo, deberá ganárselo. Si quiere su cena, puedes hacer que se siente antes de ponerle la escudilla y luego que espere tu orden antes de empezar a comer. Si quiere jugar, haz que primero se siente o se tumbe. El refuerzo constante de tu liderazgo de este modo sutil pero poderoso logrará que el perro siempre te mire para recibir instrucciones.

Si realizas el adiestramiento de obediencia en bloques, que éstos sean cortos. Los perros se mantienen alerta y centrados unos 20 minutos. Es mejor hacer dos o tres sesiones diarias de diez minutos que una de media hora. Si tu perro empieza a parecer distraído, bosteza, se rasca o despliega «conductas desplazadas» (ver también p. 27), es un signo seguro de que necesita un descanso.

HAZLO DIVERTIDO Los perros tienen un margen de atención corto. Para que el adiestramiento sea eficaz para él y divertido para ambos, haz que las sesiones sean cortas y alegres, y que terminen con un incremento emocional. A continuación, recompensa al perro con su juego o premio favoritos.

Órdenes básicas

No importa lo mayor o joven que sea tu perro, hay varias

órdenes esenciales que deberían conocer.

ORDEN DE «SENTADO»

El hecho de que un perro tenga una columna relativamente inflexible significa que, si levanta la cabeza lo bastante alto, tendrá que sentarse. Puedes usarlo en provecho propio para enseñarle a sentarse como respuesta a una orden dada. Recuerda que tu perro ya sabe sentarse; lo que quieres es conseguir una respuesta a tu orden.

Usando un premio puedes conseguir fácilmente que el perro se siente. Repite el proceso expuesto abajo seis a ocho veces, elogiándolo cada vez que realice la tarea. Luego pasa a otra orden.

Di sólo una vez la palabra «sentado» mientras le instas a sentarse. Ten cuidado de no enseñar la comida tan alto que quiera saltar para alcanzarla. Una vez que el cachorro se acostumbre a la orden, recompénsalo con el premio de forma intermitente. Tienes que estar seguro de que el cachorro se sentará aunque no reciba comida.

REGLAS DE ADIESTRAMIENTO

- Las sesiones de adiestramiento deben ser breves e interesantes.
- Da la orden una vez y espera a que el cachorro cumpla la tarea.
- Emplea comida al principio para guiar al cachorro hasta la posición correcta. Cuando conozca la tarea, dale premios con menos frecuencia.
- Emplea elogios siempre que el perro obedezca correctamente.
- Trata de acabar todas las sesiones con un éxito, cuando el perro haya completado una tarea correctamente.

1. Con el perro delante de ti y mirándote, sostén un premio entre los dedos con la palma hacia arriba y cerca de su hocico.

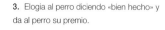

2. Levanta el premio un poco hacia arriba por encima de la cabeza del perro y hacia su espalda. Di «sentado» a la vez que haces esto. Cuando el perro siga el premio con los ojos y cabeza, terminará sentado.

3. Elogia al perro diciendo «bien hecho» y da al perro su premio.

ORDEN DE «TUMBADO»
Para enseñarle a tumbarse, de nuevo usaremos comida para guiar al perro hasta la posición (abajo). Descubrirás que algunos perros no se tumban cuando pones la comida entre sus patas. En ese caso, tal vez sea necesario tomar la comida y

lentamente llevarla hacia delante. El perro la seguirá y se tumbará. Una vez que los codos del perro hayan tocado el suelo, dale el premio. De nuevo, una vez que el perro asocie la palabra con la acción, comienza a espaciar los premios, pero elógialo siempre.

1 Haz que el perro se siente. Toma un premio, di «tumbado» y lleva el premio desde el hocico del perro hasta el suelo. Mira cómo lo sigue su cabeza.

2 Ahora toma el premio y méteselo entre las patas. Al intentar seguirlo, su parte anterior se deslizará hasta tumbarse. Di «bien sentado» y dale el premio.

ORDEN «DE PIE»
Hacer que el perro se ponga en pie es fácil; conseguir que lo haga a una orden es un poco más difícil.

1. Para conseguir que se ponga en pie, primero haz que se siente o tumbe.

CONSEJOS PARA EL ADIESTRAMIENTO

Prueba a usar estas órdenes en distintas combinaciones. Varia el orden y haz que el cachorro las ejecute con solo un premio o ninguno.

No confines el adiestramiento a sesiones pautadas. Emplea estas órdenes a lo largo del día como parte de la rutina regular del perro. Pide al cachorro que se siente antes de comer, salir o acariciarlo. Asegúrate de que el cachorro haga estas tareas siempre que se lo pidas y en cualquier sitio. Esto resultará útil cuando quieras que se siente cuando llegan invitados a casa, o para que espere a ponerle la correa para dar un paseo. Al controlar la conducta de tu mascota, te reafirmas como el «líder».

3. Al tiempo que el perro se levanta, di «bien hecho» y dale el premio.

2. Toma un premio y pásalo por encima del perro hacia su espalda mientras dices «de pie». (Si el perro está tumbado, mueve el premio hacia arriba.)

ORDEN DE «VEN»

Enseñar a un perro a acudir (o «la llamada» como se designa en el adiestramiento de obediencia) es muy importante y a menudo una tarea difícil. Si tu perro acude siempre cuando se le llama, se puede evitar muchos desastres. Sin embargo, los dueños a menudo no lo consiguen. La atención a unos pocos detalles facilitará que aprenda esta orden.

Primero, nunca llames al perro para castigarlo o gritarle. Si llamas al perro y lo castigas, ¿por qué querría volver a acudir a ti en el futuro? Otro error habitual es llamar al perro cuando está haciendo algo divertido. A menudo llamamos al perro para meterlo dentro, para alejarlo de algún objeto que está masticando felizmente o para confinarlo porque vamos a salir. Es importante en esos casos practicar a llamar al perro en otras circunstancias. Cuando acuda, dale una palmadita o un abrazo o un premio y envíalo de nuevo a jugar. Esto lo ayudará a aprender que el acudir a ti no siempre significa el final de algo bueno.

Para tener éxito
Al principio mantente cerca pero haz que el perro esté cada vez más lejos para acudir a ti. También puedes practicar este ejercicio llamando al perro desde el otro lado de la habitación. Si al principio no acude, ponte en cuclillas, abre los brazos y haz que tu voz sea invitadora. Acuérdate de darle una buena razón para acudir a ti.

Una vez que tu cachorro acuda siempre a ti cuando lo llames, añade la orden «sentado» al final de la orden de acudir. Esto lo acostumbrará a acudir, sentarse y esperar antes de marcharse en busca de diversión en otra parte.

1. Ponte cerca del perro con un premio en la mano.

2. Retrocede un poco, mueve el premio y dile «ven».

3. Cuando el perro se aproxime, di «bien hecho» y dale un premio cuando llegue a ti.

ORDEN DE «AL PIE»

«Al pie» o la orden de seguirte, es una extensión de la orden «mírame» (p. 161). Repite esta orden varias veces y añade la orden «al pie». Al principio, desplázate sólo distancias cortas, pero ve aumentando la distancia y durante más tiempo a medida que aprenda a quedarse a tu lado.

1. Con el perro sentado a tu lado, di «mírame» y establece contacto ocular.

DISTINTAS VELOCIDADES DE APRENDIZAJE

Todas las razas de perros se han criado selectivamente para realizar distintas tareas y esto afecta a la rapidez con la que aprenden. Hay diferencias reales en la anatomía, sentidos y niveles naturales de motivación de las razas caninas. Para obtener resultados rápidos, ajusta la tarea a la raza.

Los perros de caza a la carrera, como el galgo inglés o el galgo persa, son muy rápidos y tienen una vista excelente. Les costará tumbarse y quedarse quietos un tiempo, pero si les pides que corran tras un objeto, lo harán en un santiamén. Las razas más sedentarias, como el sabueso o el perro de Terranova, probablemente son mucho mejores aprendiendo a tumbarse a una orden.

Las perros cobradores han sido criados para cobrar piezas de caza, por lo cual es fácil enseñarles a traer de vuelta una pelota o un palo. No te molestes con carreras y trineos; deja eso para el malamute de Alaska y el husky, pero no esperes que esas razas se muestren hábiles corriendo a buscar cosas. Si un perro brilla en un campo, tal vez no sea tan bueno en otro.

El tamaño del perro también afecta a la velocidad con la que responde a las órdenes. Un perro pequeño puede responder muy rápido a una orden como «sentado», por ejemplo. Un perro de raza gigante, como el mastín danés o un lebrel irlandés, pueden necesitar más tiempo en coordinar su gran cuerpo y sus largas extremidades.

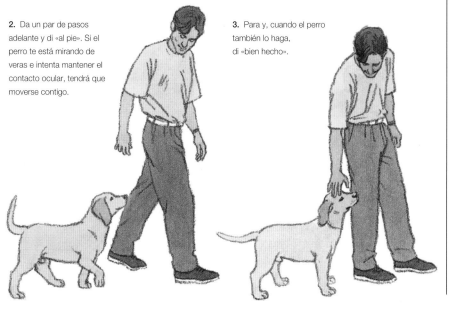

2. Da un par de pasos adelante y di «al pie». Si el perro te está mirando de veras e intenta mantener el contacto ocular, tendrá que moverse contigo.

3. Para y, cuando el perro también lo haga, di «bien hecho».

ORDEN DE «QUIETO»

Enseñar a un perro la orden de quedarse quieto puede evitar muchos desastres, sobre todo si vives en una zona urbana con tráfico. Enseñarle «quieto» puede ser otra tarea complicada, pero será mucho más fácil si intentas lograr pequeños éxitos en vez de que se quede mucho tiempo quieto.

Al principio, recompensa al perro con comida y elogios si no se mueve en cinco segundos. Luego aumenta gradualmente la duración del ejercicio. Lo mismo se aplica a la distancia entre el cachorro y tú. No te alejes mucho al principio. Esto sólo hará que tu cachorro interrumpa la orden y no cumpla la tarea. Siempre debes planear ejercicios para que tengan éxito. Si interrumpe la orden, no lo regañes; ve a buscarlo en seguida, devuélvelo a su posición e inténtalo otra vez, pero desde más cerca y durante menos tiempo. Cuando aguante, elógialo profusamente. Nunca pidas al perro que acuda a ti después de darle la orden «quieto», porque así lo recompensarías por interrumpir la orden.

1. Con el perro sentado, pon la palma de la mano abierta delante de su cara.

2. Di «quieto» con voz firme mientras retrocedes unos pasos.

3. Si el cachorro está quieto cinco segundos, recompénsalo con comida y un elogio.

ADIESTRAMIENTO DE CACHORROS

Los cachorros no tienen mucha coordinación ni agilidad, así que olvídate de la perfección y céntrate en enseñarle con juegos. Si tu cachorro ve una hoja arrastrada por el viento, lo natural es que se lance a por ella. Dile «busca» y cuando la atrape di «buen perro». Has dado un nombre al hecho de perseguir algo y podrás usarlo más adelante cuando le enseñes a buscar y cobrar. O cuando dejes su escudilla con la comida en el suelo, llámalo por su nombre varias veces con excitación en la voz. El perro acudirá volando cuando oiga tu llamada.

Los cachorros tienen un margen de atención más corto, así que limita las sesiones de adiestramiento a cinco minutos varias veces al día.

ORDEN DE BUSCAR Y COBRAR

Buscar y cobrar es un juego divertido para el cachorro y para ti, y le aportará gran parte del ejercicio que necesita. Algunos perros jugarán con más ganas que otros, porque ciertas razas como los cobradores cogen y llevan cosas de un lado a otro por instinto. Lo más difícil es conseguir que te traigan los objetos de vuelta. Los cachorros a los que se ha regañado por mordisquear objetos en la casa pueden ir a buscar la pelota a regañadientes porque han aprendido que llevar cosas en la boca les puede costar una regañina.

1. Tira cerca un juguete o pelota. Cuando el cachorro mire el juguete, di «busca».

2. Cuando el perro lo recoja con la boca, di «buen perro» y «ven».

3. Para que el cachorro suelte el juguete a una orden, sostén en la mano otro juguete y dile «suelta».

4. Cuando el cachorro suelte el juguete, elógialo.

5. Ahora lanza el nuevo juguete y repite los mismos pasos.

Exhibiciones

Si quieres un reto adicional para tu perro y para ti, plantéate

entrar en algún certamen de exhibición u otra competición.

Aunque la mayoría de las personas se conforman con que su perro sea un compañero cariñoso, algunos dueños tienen otras aspiraciones. Si piensas que tu perro es un buen representante de su raza, capaz de ser campeón en una pista, entonces tal vez te interesen los concursos caninos.

CERTÁMENES DE MORFOLOGÍA CANINA

La morfología canina significa ajustarse a un ideal de raza (se describe un ejemplo ideal de una raza dada). En las exposiciones caninas los perros de raza pura se someten a examen sobre en qué medida cumplen el estándar de su raza.

Las exhibiciones caninas a veces son para una sola raza (specialty shows) o para todas. Los jueces examinan y evalúan la estructura general, la forma física, el color y la calidad del pelaje y el temperamento de todos y cada uno de los perros. Los jueces evalúan los movimientos y la marcha de los perros observándolos moverse por la pista.

En la mayoría de los países los perros de cada raza se dividen en clases, por lo general basadas en la edad, para la manga inicial de la competición. Los ganadores de todas las clases

EN CONCURSO En los certámenes de morfología canina, perros de raza pura, como este golden retriever, compiten con otros de su misma raza.

compiten a continuación entre sí y con perros que ya son campeones. El juez escoge el «mejor de la raza». Si la competición es para todas las razas, los mejores entre los ganadores de cada raza compiten contra todos los demás del grupo (por ejemplo, perros de caza o de pastoreo).

Finalmente, entre los ganadores de cada grupo se elige «el mejor de la exhibición».

La mayoría de los inscritos en las exhibiciones compiten por puntos que al final los convertirán en campeones (designados con las letras Ch. delante del nombre del perro). El número de puntos que puede ganar un perro en una exhibición varía de uno a cinco dependiendo de los factores, como son el número de perros en la exposición y la raza y el sexo del perro. Para que un perro aspire a campeón debe obtener 15 puntos de al menos tres jueces

UNA LABOR AFECTUOSA Lleva considerable esfuerzo, tiempo y dinero preparar a un perro, como este terrier escocés, para una exhibición.

DICTAMEN

El estándar de una raza es el ideal con que se comparan todos los perros de esa raza. Este terrier australiano se acerca mucho a ese ideal.

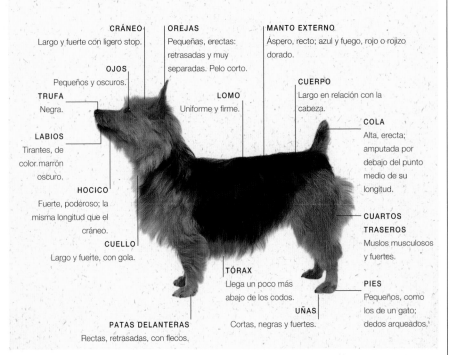

CRÁNEO
Largo y fuerte con ligero stop.

OJOS
Pequeños y oscuros.

TRUFA
Negra.

LABIOS
Tirantes, de color marrón oscuro.

HOCICO
Fuerte, poderoso; la misma longitud que el cráneo.

CUELLO
Largo y fuerte, con gola.

OREJAS
Pequeñas, erectas: retrasadas y muy separadas. Pelo corto.

LOMO
Uniforme y firme.

TÓRAX
Llega un poco más abajo de los codos.

PATAS DELANTERAS
Rectas, retrasadas, con flecos.

UÑAS
Cortas, negras y fuertes.

MANTO EXTERNO
Áspero, recto; azul y fuego, rojo o rojizo dorado.

CUERPO
Largo en relación con la cabeza.

COLA
Alta, erecta; amputada por debajo del punto medio de su longitud.

CUARTOS TRASEROS
Muslos musculosos y fuertes.

PIES
Pequeños, como los de un gato; dedos arqueados.

diferentes, incluyendo al menos dos tanteos de tres puntos o más (llamados «majors»).

Los certámenes de morfología canina se restringen a perros de pura raza y no esterilizados, y para que un perro saque buena puntuación debe ser un representante excelente de su raza. Algunas personas optan por exponer ellos mismos a sus perros, mientras que otros eligen a adiestradores profesionales.

OTRAS COMPETICIONES

Si las exhibiciones caninas formales te quedan un poco lejos (o para tu perro), hay otros tipos de competición en los que se admiten cruces de razas y animales castrados. Así hay pruebas de obediencia, pruebas para perros rastreadores, pruebas para perros de caza, pruebas para perros de pastoreo y competiciones de agility. Las pruebas de obediencia examinan la capacidad del perro y su adiestrador para ejecutar una serie específica de ejercicios, como órdenes del tipo sentado, quieto, tumbado, al pie y cobranza. Las pruebas para perros rastreros exigen que el perro siga un rastro mediante el olfato. Las pruebas para perros de caza examinan la habilidad cazadora

en el campo (mostrar y cobrar, por ejemplo), mientras que las pruebas para perros de pastoreo exigen que el perro controle el ganado en distintas situaciones complicadas. En las competiciones de agility los perros y sus adiestradores recorren a gran velocidad una pista de obstáculos compuesta por túneles, rampas, balancines y vallas. También puedes encontrar alguna exhibición canina local que otorgue premios por el mejor truco, o incluso al perro con más manchas o con las orejas más grandes. Sea cual fuere tu interés, una exhibición canina puede sacar lo mejor de tu perro y darte una oportunidad para presumir.

MALETÍN DE ESTÉTICA Los dueños de perros de exhibición viajan con un maletín bien pertrechado para que sus canes tengan el mejor aspecto posible.

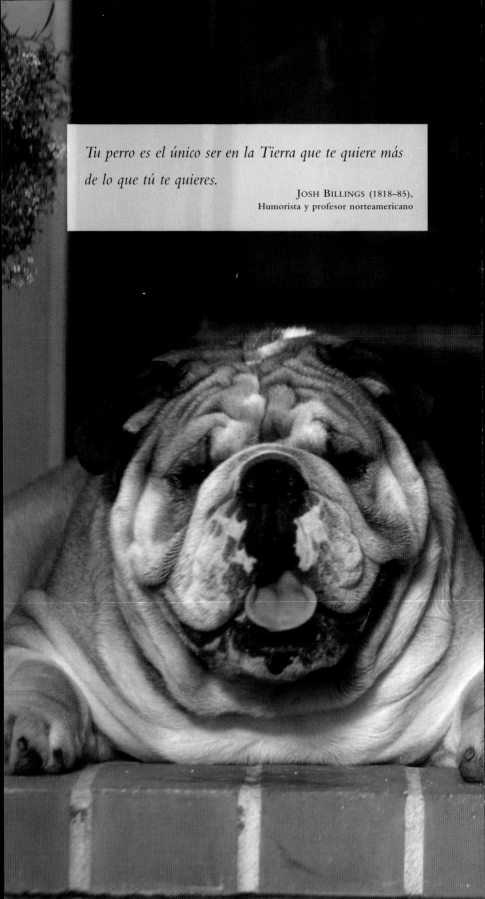

Tu perro es el único ser en la Tierra que te quiere más de lo que tú te quieres.

JOSH BILLINGS (1818–85),
Humorista y profesor norteamericano

Si crees que los perros no saben contar, métete
tres galletas en el bolsillo e intenta dar sólo dos a
Fido.

PHIL PASTORET

CAPÍTULO OCTAVO

ALIMENTACIÓN

Necesidades nutricionales de tu perro

Los perros necesitan ciertos nutrientes para crecer, curarse

y mantener el funcionamiento del sistema inmunitario.

Los requisitos nutricionales de cada perro varían dependiendo de si es activo o sedentario, joven o viejo; si es un perro de trabajo dedicado a la caza, al pastoreo o las carreras; si padece alguna enfermedad crónica o temporal, o si está preñado o criando una camada de cachorros.

Los seis nutrientes básicos que todos los animales necesitan son agua limpia, proteínas, hidratos de carbono, minerales, grasas y vitaminas. Para equilibrar sus necesidades corporales concretas, los perros deben comer alimentos que contengan la cantidad justa de esos seis nutrientes. Una vez consumida, la comida se catabolizará y procesará en formas utilizables por las células del cuerpo del perro. Esto, dicho llanamente, es la nutrición canina.

CUALQUIER ESCUDILLA SERVIRÁ Cuando te plantees la dieta de tu perro, recuerda que no comerá sólo lo que le des; algunas de sus comidas serán fruto del sigilo y el hurto.

LOS SEIS NUTRIENTES BÁSICOS

Agua

Es el elemento vital para toda forma de vida y uno de los requisitos vitales para tu perro. Puede sobrevivir un tiempo sin comida, pero sin agua se deshidratará pronto y sufrirá un golpe de calor u otra afección grave. El peso corporal de un perro adulto es un 50 a 60 por ciento agua; el de un cachorro supera el 80 por ciento. Ten siempre a su alcance una escudilla con agua fresca y limpia. Un perro de tamaño medio que siga una dieta de comida seca podría necesitar hasta dos litros de agua al día.

Limpia la escudilla y cambia el agua cada mañana, y luego ve comprobando su nivel a lo largo del día. Esto es muy importante cuando

hace calor o si tu perro pasa mucho tiempo al aire libre. Intenta disponer la escudilla en un lugar a la sombra.

Para una perra preñada o lactante, el acceso libre a agua limpia y fresca es de suma importancia. El agua contiene nutrientes para los fetos en desarrollo y también ayuda eliminar desechos del sistema de la madre. En la lactancia ésta necesita mucha agua para mantener la producción de leche.

La perra puede beber cuanto quiera siempre que quiera, excepto cuando vaya a hacer bastante ejercicio.

Generalmente nunca debes preocuparte por si tu perro bebe «demasiada» agua. Habla con tu veterinario si aprecias un incremento acusado del consumo de agua

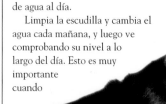

MANTENLO CONTROLADO Los perros pueden volverse obesos, como este corgi, si la comida contiene demasiada grasa, o si comen demasiado y hacen poco ejercicio.

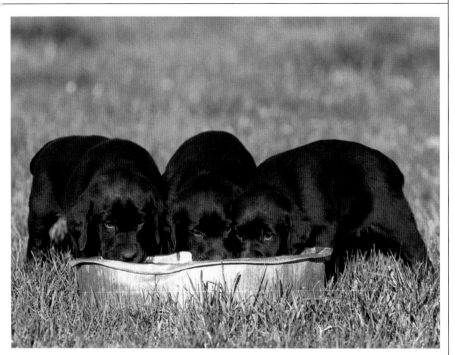

UN BUEN COMIENZO Los cachorros necesitan proporcionalmente más proteínas que los perros adultos para potenciar su rápido crecimiento los primeros meses de vida.

de tu perro. La diabetes, la insuficiencia renal, la enfermedad de Cushing y otras afecciones se caracterizan por un aumento de la sed.

Proteínas

Los perros no necesitan proteínas como tales; lo que realmente necesitan son los aminoácidos que componen las proteínas. Los perros fabrican algunos aminoácidos, llamados aminoácidos no esenciales. El resto –diez aminoácidos esenciales– deben obtenerlos de los alimentos, sobre todo de productos de origen animal o vegetal que contengan proteínas.

Las proteínas de origen animal, como huevos, carne y pescado, son proteínas completas o de gran calidad. Las proteínas incompletas se obtienen de cereales y verduras, y contienen sólo algunos aminoácidos esenciales. Tal vez pienses que, cuantas más proteínas de calidad tome tu perro, mejor, pero no es tan sencillo. Los perros necesitan ambos tipos de proteínas, porque actúan juntas para garantizar que los procesos de generación celular, coagulación de la sangre y lucha contra las infecciones del cuerpo funcionan correctamente.

Si tu perro es muy activo y sano, bastará con una pequeña porción de proteínas. La única excepción son los cachorros, las perras

embarazadas y lactantes, y los perros que trabajan mucho. Estos perros necesitan un ratio mayor de proteínas en su comida. Los perros jóvenes y activos necesitan más proteínas en su dieta: los perros jóvenes para su crecimiento y los perros activos porque están destruyendo constantemente tejido celular, como tejido muscular y eritrocitos, que es necesario remplazar. Necesitan obtener esas proteínas de fuentes animales. En las pp. 178-181 aparece más información sobre las dietas especiales.

Hidratos de carbono

Hay hidratos de carbono simples, como el azúcar, y complejos, como las féculas y la fibra vegetal. Ayudan a que los perros se abastezcan de energía y mantienen el funcionamiento de los intestinos, de modo que los desechos alimenticios cursen por el sistema.

La fibra vegetal suele estar incluida en las dietas pensadas para que los perros pierdan o mantengan el peso, porque hace que los perros se sientan llenos sin disparar el recuento calórico. Las dietas ricas en fibra vegetal se prescriben tradicionalmente para perros con problemas de peso.

La fuente preferida de hidratos de carbono en muchos alimentos caninos comercializados es el maíz, seguido por los brotes de soja y el trigo. Recientemente el arroz se ha convertido en un ingrediente popular, sobre todo en las fórmulas especiales para perros que han desarrollado

COMER POR VARIOS Las perras preñadas o
lactantes necesitan una mayor proporción de
proteínas que los demás perros.

reacciones químicas en el cuerpo o
sirven de bloques de construcción para
sistemas específicos del cuerpo, como el tejido
nervioso (magnesio), la piel y las enzimas (zinc),
el corazón y los riñones (potasio).

Por lo general, los perros no necesitan
muchos minerales. Por ejemplo, la cantidad de
hierro que necesita un perro para afectar sus
eritrocitos se mide en partes por millón. Otros
minerales, como el calcio y el fósforo, se
necesitan en mayor cantidad para garantizar la
salud ósea. Si un perro sigue una dieta
completa y equilibrada, no necesitará
suplementos minerales. En el mejor de los
casos, no aportarán nada. En el peor podrían
ser dañinos. La mayoría de los piensos para
perros aportan todos los minerales necesarios.

intolerancia a otros cereales. Los hidratos de
carbono son una parte importante de las
necesidades nutricionales de tu perro, aunque no
deberían superar el 50 por ciento de una dieta
canina equilibrada.

Grasas
Cualquier dieta demasiado rica en alimentos
grasos propenderá al sobrepeso del perro, pero
no significa que una dieta sin grasas sea
beneficiosa. Las grasas son esenciales para la
salud del perro y una fuente importante de
energía. No obstante, debe equilibrarse con
otros nutrientes.

Dar al perro la cantidad correcta de alimentos
completos y equilibrados debe
garantizar que ingiera el nivel
correcto de grasa, pero ten
cuidado con darle demasiados
premios y aperitivos.
Demasiadas calorías
(kilojulios) suelen ser el
resultado de demasiadas
grasas, por lo general
demasiadas galletas o
demasiados restos de comida.

Los perros muy activos y
trabajadores se pueden
beneficiar de una dieta más
alta en grasas y proteínas que
lo que sería saludable para
perros menos activos. Los
perros de trineo, por ejemplo,
pueden consumir hasta un 40
por ciento de materia seca de
su dieta en forma de grasas;
eso sería suficiente para que la
mayoría de los perros fueran
tan anchos como largos.

Minerales
Los minerales desencadenan

Vitaminas
Del mismo modo que el cuerpo del perro necesita
minerales, también necesita vitaminas para las
reacciones químicas vitales y las funciones
metabólicas normales. Los perros necesitan las
mismas vitaminas procedentes de los alimentos
que nosotros, excepto en el caso de la vitamina
C, que los perros son capaces
de metabolizar.

Las vitaminas se dividen
en dos grupos: hidrosolubles y
liposolubles. Las vitaminas B,
que ayudan a convertir la
comida en energía, son
solubles en agua, como
también la vitamina C. Esto
significa que necesitan
remplazarse a diario,
eliminándose cualquier
exceso por la orina.

Las vitaminas solubles en
grasa, como las vitaminas A,
E, K y D, permanecen más
tiempo en el cuerpo, lo cual
es una suerte, porque su
déficit puede causar
problemas graves. No
obstante, su exceso, sobre

EL EQUILIBRIO CORRECTO Una
buena nutrición, ejercicio habitual y
asistencia veterinaria preventiva
mantendrán sano a tu perro.

NECESIDADES ESPECIALES Las mascotas con afecciones temporales o crónicas, y también muchos perros mayores, necesitan nutrientes en distintas proporciones que los demás perros.

todo de vitamina A, también causa problemas. En los perros viejos los suplementos ricos en vitaminas C y E (ambas antioxidantes) ayudan a combatir ciertos deterioros propios del envejecimiento.

Lograr el equilibrio justo no debería ser un problema. No hay razón para recurrir a suplementos siempre y cuando el perro siga una dieta completa y equilibrada. Los suplementos sólo suelen ser necesarios si le das comida casera. Además, tendrás que asegurarte de que la comida sea nutricionalmente equilibrada. Si optas por preparar en casa la comida a tu perro, es aconsejable repasar su dieta con el

veterinario por si fuera necesario algún suplemento: su veterinario te aconsejará en ese tema.

Cuándo comer

La mayoría de los perros adultos suple sus necesidades energéticas y de nutrientes con una comida diaria. Sólo debes asegurarte de que coma en el momento adecuado para el horario de tu casa. Para una familia que sale a trabajar y a estudiar la mayor parte del día, tiene sentido dar de comer al perro por la noche, porque habrá alguien en casa para que salga después de comer. Por otra parte, si siempre hay alguien en casa por el día, una comida por la mañana podría ser mejor para tu perro y para ti.

EL APORTE DE ENERGÍA Los perros de trabajo, como los perros de pastoreo, requieren dietas que contengan más calorías (kilojulios) que las de los canes más sedentarios.

Dietas especiales

Las necesidades alimenticias de tu perro cambian a lo largo
de su vida y se deben evaluar y ajustar.

Atenerse a una dieta especial puede ser tan fácil como comprar comida especial para cachorros en el supermercado o regular cuidadosamente cuándo y cuánto come un perro diabético. Si siempre te preguntas si tu perro necesita una alimentación especial, habla de ello con su veterinario.

CACHORROS

En su primer año de vida todo perro experimentará la mayor parte de su crecimiento. Los cachorros crecen con una rapidez asombrosa y necesitan niveles equilibrados de energía y nutrientes que triplican los que necesitarán de adultos. Esta necesidad disminuye pasados los cuatro meses, pero sigue siendo mayor que lo que necesita un adulto hasta que el cachorro termina su crecimiento entre los diez meses y los dos años, dependiendo de cuándo madure cada raza.

Los cachorros también necesitan más proteínas de gran calidad, que obtienen de la carne, los huevos, la leche o el requesón. Son productos sabrosos y fáciles de digerir. O puedes optar por comida comercializada para cachorros, que se formula teniendo presentes sus necesidades especiales.

No te pases

A la mayoría de los cachorros se los desteta entre las seis y ocho semanas, de modo que tu cachorro ya estará consumiendo alimentos sólidos cuando llegue a tu casa. Tal vez quiera comer sin cesar, pero no le dejes. Experimentará estirones de crecimiento, pero sólo debe comer lo que necesite para mantener un ritmo constante de crecimiento. Un cachorro perfectamente sano no debería ser regordete. Es mejor que sea delgado que esté sobrealimentado, sobre todo en el caso de las razas grandes. Si un perro come demasiado, crecerá demasiado rápido. El crecimiento rápido y desproporcionado de los huesos y músculos podría derivar en displasia de cadera y otros problemas articulares, sobre todo en razas grandes. Cualquier cachorro de raza grande sigue una curva de crecimiento rápida y distinta que se extiende por un largo período, y debe comer en consecuencia. Mantener a ese cachorro delgado reducirá las posibilidades de que desarrolle problemas ortopédicos.

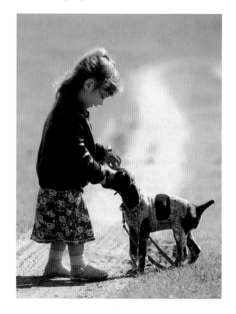

OLVIDA LA GRASA EN EL CACHORRO Es más sano que un cachorro esté delgado que regordete, sobre todo si va a ser grande, como este braco alemán de pelo corto.

También es vital garantizar un equilibrio correcto de calcio y fósforo en la comida de los cachorros grandes. Demasiado calcio puede interferir con el desarrollo normal de huesos y cartílagos. En las razas grandes el calcio no debería superar el 1,1 por ciento de la materia seca y debe equilibrarse con al menos la misma cantidad de fósforo. Esta información no aparece en las etiquetas de la comida para mascotas, pero puedes llamar al teléfono de información gratuita del fabricante para obtener un análisis nutricional detallado. Este sencillo paso puede prevenir que el perro padezca afecciones dolorosas.

Los cachorros de las razas pequeñas no son tan propensos a este tipo de afecciones del aparato locomotor. Sin embargo, son especialmente susceptibles a niveles bajos de azúcar en la sangre y a otros problemas.

Comidas frecuentes

Los estómagos de los cachorros son pequeños y no pueden contener suficiente comida a la vez para nutrirse todo el día. Hasta que el cachorro tenga unos cinco meses de edad, dale tres a cuatro comidas diarias (si es de una raza especialmente pequeña). Si le das pienso seco para cachorros, humedécelo con un poco de agua caliente. Esto no sólo hace que sepa mejor, sino que también le facilita comerlo con sus dientes de leche hasta que caigan y sean remplazados por los dientes permanentes.

De los cinco a los nueve meses de edad dale de comer dos veces al día. Si todavía le gusta la comida humedecida, concédeselo un tiempo. Pero recuerda que la comida seca y crujiente será mejor para sus dientes a largo plazo, porque la acción masticadora los limpia.

Hacia los diez meses podrás empezar a darle una dieta adulta una vez al día.

Introducción de comida para adultos
Cuando el ritmo de crecimiento de un cachorro se reduzca de forma apreciable, será el momento de iniciarle en una dieta adulta de mantenimiento. Por lo general, cuando un perro ha alcanzado el 75-80 por ciento de su tamaño adulto, es un buen momento para pasar de una dieta para cachorros a otra para adultos. Normalmente, cuanto más pequeño sea el perro, antes alcanzará lo que se considera la madurez.

UNA COMIDA EQUILIBRADA La mayoría de los perros adultos, como estos bracos húngaros, sólo comen una vez al día, pero deben poder beber toda el agua que quieran.

Su veterinario podrá aconsejarte. Estudia los cambios en los patrones alimentarios de tu perro y conoce la media de peso en los adultos de su raza. Con cachorros producto de cruces aplica la regla de los cuatro meses: a esa edad un cachorro tiene más o menos la mitad de su tamaño adulto. Es este un marco útil si no estás seguro de la mezcla exótica de razas con la que estás tratando.

Cuando el cachorro pase a una dieta de mantenimiento, reduce el número de comidas. Si optas por darle un alimento distinto, haz el cambio de forma gradual. Esto será más fácil para su sistema digestivo y sus papilas gustativas. A lo largo de siete a diez días remplaza cantidades cada vez mayores del nuevo alimento por su dieta habitual.

PERRAS PREÑADAS O LACTANTES
No incrementes las raciones diarias de una perra preñada hasta el tercer trimestre, cuando esté de siete semanas, y sólo un 10-20 por ciento. El aumento de sus necesidades ocurre después de nacer los cachorros. No la sobrealimentes durante el embarazo ni la dejes con hambre en la lactancia. Si gana mucho peso en la gestación, puede tener problemas para parir los cachorros.

Después de tener los cachorros, aumenta su ración diaria otro 10 por ciento el primer día tras el parto. Luego deja que coma a voluntad (pero sólo comida para perros; nada de bombones ni premios poco saludables). Deja que coma cuanto quiera en vez de seguir un horario las primeras cinco semanas de lactancia.

La demanda de leche de los cachorros aumentará a diario los primeros 20 a 30 días, por lo que se permitirá a la madre comer cuanto necesite para cubrir sus demandas. Se deriva otra ventaja de disponer siempre de comida en este período. Hacia las tres semanas los cachorros

Las perras lactantes necesitan mucha comida para producir suficiente leche para sus cachorros en rápido crecimiento.

proteínas de muy buena calidad. Los subproductos animales, como el pelo y las pezuñas, son proteínas, pero de calidad baja. En comparación, los huevos aportan las proteínas de mayor calidad. Compra comida de altísima calidad o pide al veterinario que te recomiende un producto para tu perro que envejece.

Ten cuidado de no darle demasiada comida. Un exceso de comida combinada con un nivel bajo de actividad puede fácilmente hacer que engorde, lo cual derivará en problemas de salud. Algunos perros viejos son propensos a la obesidad –la principal enfermedad nutricional entre los canes– si consumen la misma cantidad pero hacen menos ejercicio.

Algunos alimentos concebidos para perros viejos restringen la ingesta de proteínas para prevenir problemas renales. Sin embargo, este recorte podría ser innecesario, dado que las enfermedades renales no son habituales en los perros mayores. Y si tu perro no tiene ese problema, no hay necesidad de restringir el número de proteínas que consume. Si recibe asistencia veterinaria y su dieta está adaptada a su estado de salud, no debe cambiar.

comienzan a probar la comida de la madre y pronto cubren la mayor parte de sus requisitos nutricionales de este modo.

Las perras lactantes tienen unas necesidades nutricionales muy altas, casi tres a cuatro veces lo normal. Deben tomar una alimentación destinada a su crecimiento y reproducción o para «todas las fases de la vida». Los alimentos para adultos pueden contener pocas calorías o nutrientes. Sin embargo, es importante que la perra vuelva a los niveles previos al embarazo después de destetar a los cachorros para que no aumente de peso. Recuerda introducir gradualmente los cambios dietéticos.

PERROS MAYORES

Cuando alimentes a un perro mayor, no es la edad lo que importa sino su estilo de vida más sedentario. Sin embargo, aunque sólo necesite tres cuartos de las calorías de su antigua dieta, su necesidad de nutrientes esenciales tal vez sea proporcionalmente más elevada.

Los perros mayores necesitan

PERROS DE TRABAJO

Los perros de trabajo son los que se criaron para cuidar el ganado, para las carreras de trineos o para pasar horas en el campo con sus dueños. Necesitan una dieta rica en proteínas de gran calidad y grasa para mantener su gran resistencia y su cuerpo en forma.

Fisiológicamente, los perros se diferencian de las personas en varios aspectos. Tienen un corazón mayor y más músculo en comparación con su peso corporal total, y su sistema cardiorrespiratorio es superior al nuestro. Además, los perros no sudan del mismo modo que los humanos. Dependiendo de la raza, los perros tienen más

A medida que envejecen, la mayoría de los perros necesitan menos calorías (kilojulios) porque hacen menos ejercicio. Sus dietas tal vez también necesiten ser modificadas para aliviar ciertas afecciones médicas.

MUCHA ENERGÍA Cuando trabajan, los perros de trineo necesitan más de 10.000 calorías (42.000 kilojulios) por día para mantener su peso corporal y sus niveles de energía.

resistencia física y mayor capacidad de oxígeno que nosotros. Estas diferencias son importantes a la hora de alimentar a un perro de trabajo para que su rendimiento sea óptimo.

Los perros de trabajo se mueven y trabajan mejor cuando consumen proteínas y grasas animales. Cereales, verduras e hidratos de carbono desempeñan un papel menor en su aporte energético. Asegúrate de comprar comida con proteínas de origen animal y de gran calidad, y no comida rica en maíz o soja.

Un perro que trabaje duro se beneficiará de comer dos veces al día, pero ten cuidado de no darle la comida justo antes o después de un ejercicio agotador, pues podría provocar vómito, diarrea y meteorismo. De forma similar, no dejes que el perro reanude la actividad hasta 30 minutos después de beber.

Otro factor importante al dar de comer a un perro de trabajo es cuánto tiempo pasa al aire libre cuando hace frío. Por lo general, los perros necesitan un 7,5 por ciento más de calorías por cada 18 °C menos de temperatura.

Si el perro de trabajo es pequeño, darle aperitivos ligeros en el campo es una forma

aceptable de mantener su nivel de energía, si es que los come. Muchos perros de trabajo están demasiado exhaustos y se niegan a comer cuando están trabajando.

CUIDADOS CRÓNICOS Y CONVALECENCIA

Si a tu perro le han diagnosticado un problema de salud, tendrás que determinar con el veterinario la dieta adecuada para él. El tipo de comida a menudo alivia la afección. Por ejemplo, la dieta de un perro con una enfermedad renal tendría menos proteínas, fósforo y sal, pero más densidad calórica, más potencia para la actividad, porque tal vez esté ingiriendo menos comida.

Un perro convaleciente podría beneficiarse de una alimentación especial. Si ha perdido peso por una enfermedad o cirugía, podrías incrementar la densidad calórica de su comida hasta alcanzar el peso previo a la enfermedad. Si su dieta normal era de pienso seco y quieres animarlo a comer, prueba a humedecerlo con un poco de agua caliente o incluso con un poco de carne enlatada.

Hay alimentos prescritos pensados para perros con muchos tipos de afecciones. Sólo se pueden adquirir a través del veterinario, quien trabajará estrechamente contigo si tu perro necesita alguna vez llevar este tipo de dieta.

Cuánta comida

Los perros no son los mejores para juzgar cuándo es suficiente,
por lo que de ti depende decidir cuánto pueden comer.

La cantidad correcta de comida depende de cada perro. Incluso si pesan lo mismo y son de la misma raza, todos los perros son únicos. Su nivel de actividad, edad, salud y metabolismo difieren. Las latas o paquetes de comida canina explicitan ciertas pautas de consumo, pero sólo deben usarse como punto de partida y habrá que ajustarlas a tu perro.

Pautas útiles
Calcula cuánto necesita comer tu perro evaluando su cuerpo en general para luego ajustar su alimentación. Muchos veterinarios recomiendan ahora que uses una escala de cinco puntos (ver el cuadro de la página siguiente) para evaluar el estado de su cuerpo y deducir cuánta comida necesita a diario.

Para determinar el estado de tu perro, échale una mirada objetiva de perfil y desde arriba para ver si está delgado o gordo. Luego apoya las manos en su caja torácica para ver si se le marcan las costillas o se ocultan bajo la grasa (ver p. 273). Con esta información puedes usar el cuadro y las fotos como pauta para evaluar el cuerpo de tu perro y saber si tienes que darle más, menos o la misma cantidad de alimento.

El objetivo es darle la cantidad correcta para que muestre su estampa «ideal». Pero si tu estudio demuestra que tiene sobrepeso, estará

IGUALES PERO DIFERENTES Todos los perros son diferentes; incluso estos carlinos de la misma camada pueden necesitar cantidades distintas de comida y nutrientes cuando crezcan.

tomando más comida de la que debe y tendrás que recortar la ingesta o conseguir que haga más ejercicio. Y si está muy delgado, es que no come suficiente comida y tendrás que darle más o de mejor calidad (ver p. 185).

CUATRO PASOS
SENCILLOS
Dar a tu perro la cantidad de comida correcta es un sencillo proceso de cuatro pasos.

CÓMO PESAR A UN PERRO

La mejor forma de pesar a un perro es cogerlo en brazos y ponerlo sobre la báscula del cuarto de baño. Luego resta tu peso del total y tendrás el peso del perro. Si tienes un perro pequeño o un cachorro, el procedimiento es muy sencillo. Pero si tu perro es grande, como este setter inglés, asegúrate de levantarlo correctamente. Ponte en cuclillas para abrazar su cuerpo (izquierda) y levantarlo lentamente usando las piernas y no la espalda (derecha).

¿EN QUÉ GRUPO SE ENCUENTRA TU PERRO?

Este cuadro y las fotografías te ayudarán a determinar si tu perro está muy delgado, está delgado, tiene el peso ideal, tiene sobrepeso o está obeso. Luego adapta su alimentación hasta que alcance el peso «ideal».

1 Muy delgado	Costillas	Fáciles de palpar, sin grasa.	
	Base de la cola	Estructura ósea prominente sin grasa bajo la piel.	
	Abdomen	Marcado el pliegue abdominal, forma acentuada de reloj de arena.	
2 Delgado	Costillas	Fáciles de palpar, con un mínimo de grasa.	
	Base de la cola	Estructura ósea marcada con poca grasa bajo la piel.	
	Abdomen	Pliegue abdominal; marcada la estampa de reloj de arena.	
3 Peso ideal	Costillas	Se pueden palpar, con ligera capa de grasa.	
	Base de la cola	Contorno suave o algo de grosor; es posible palpar la estructura ósea bajo una capa fina de grasa.	
	Abdomen	Pliegue abdominal; «cintura» lumbar bien proporcionada.	
4 Sobrepeso	Costillas	Difíciles de palpar, con una capa moderada de grasa.	
	Base de la cola	Contorno suave o algo de grosor; todavía es posible palpar la estructura ósea.	
	Abdomen	Escaso o ningún pliegue abdominal o «cintura»; espalda un poco ensanchada.	
5 Obeso	Costillas	Difíciles de palpar, con una capa moderada de grasa.	
	Base de la cola	Engrosada; es difícil palpar la estructura ósea.	
	Abdomen	Vientre prominente y péndulo, sin «cintura», espalda muy ensanchada; se pueden formar dos canales a ambos lados de la columna cuando sobresalen las áreas musculosas de esa región.	

1. Opta por la comida para perros más completa y equilibrada que encuentres.
2. Sigue las pautas alimentarias que indique el paquete.
3. Examina el peso cada dos semanas.
4. Ajusta las raciones, siempre de forma gradual, hasta que alcance el peso ideal según el cuadro anterior.

Con este método puedes controlar al perro y determinar lo que come según los cambios de su cuerpo y de su estilo de vida.

CONTROL DE LA DIETA A lo largo de la vida de tu perro, debes controlar sus requisitos de alimento para asegurarte de que siempre conserve un peso saludable.

Tipos de alimento

Hay a la venta multitud de tipos de comida para perros apropiados para el paladar de tu perro y ajustados a tu comodidad y presupuesto.

La comida para perros comercializada se vende en tres formas básicas (comida enlatada o húmeda, semihúmeda y seca) y con tres niveles de calidad (suprema, normal y genérica).

Elige una comida equilibrada nutricionalmente que cubra las necesidades de tu perro. Por ejemplo, los productos cárnicos tienen muy buen sabor, pero no le aportarán todas las vitaminas y minerales que necesita a diario.

COMIDA EN LATA

La comida en lata es probablemente la favorita de casi todos los perros. El buen sabor y digestibilidad de la comida en lata la convierte en una buena opción para perros pequeños que a veces son melindrosos, para perros que tienen problemas para conservar el peso y para los que han dejado de tener buena dentadura.

La comida enlatada tiene en torno a un 75 por ciento de agua, además de una variedad de carnes, pescado y cereales. Tiene muy buen sabor y es digestiva, pero su contenido energético es relativamente bajo, por lo que los perros grandes necesitan más comida para cubrir sus necesidades. También se estropea con rapidez una vez abierta, por lo que no la puedes dejar todo el día en la escudilla. Si no consumes toda la lata, conserva su buen sabor sacándola de la lata y guardándola en un recipiente de plástico al vacío. Así se mantendrá todo lo fresca posible y evitarás la oxidación, que es lo que la estropea. Refrigerada de este modo, la comida durará dos o tres días.

MULTITUD DE OPCIONES Los piensos para perros difieren en adecuación, coste, humedad, ingredientes, valor nutricional y sabor.

COMIDA SEMIHÚMEDA

Sólo contiene en torno a un 15-30 por ciento de agua, además de carne, cereales, proteínas de origen vegetal, grasas, azúcar y colorante. Su contenido energético es mayor que el de la comida enlatada, por lo que se puede dispensar en menor cantidad. Su sabor también gusta a los perros, pero ensucia menos que la comida enlatada y no se estropea tan rápido. No necesita refrigeración una vez abierta, y los paquetes a menudo se venden en raciones individuales.

Los alimentos semihúmedos se conservan mucho tiempo en la estantería por su contenido elevado en azúcar y por los conservantes, que son su único inconveniente potencial. Para perros sanos, estos alimentos están bien, pero los canes con ciertas enfermedades, como diabetes, es mejor que tomen alimentos en lata o en pienso.

COMIDA SECA

Si quieres dar a tu perro buena comida a buen precio, el pienso es la solución. El pienso tiene el mayor contenido energético y sólo un 10 por ciento de agua. Las croquetas del pienso son crujientes, por lo que es menos probable que se acumulen en los dientes y contribuyan a la formación de placa y sarro. Además es tan nutritiva como la comida enlatada. La comida enlatada para perros que parece carne no es más nutritiva que el pienso preparado con carne u otras fuentes de proteínas animales. Y el pienso se puede quedar al aire libre todo el día sin que se estropee para que el perro pueda comer siempre que lo desee.

Si lo prefieres, mezcla un poco de comida enlatada con el pienso para perros. El coste no será tan alto como alimentarlo sólo con comida de lata y él disfrutará del sabor.

CALIDAD SUPREMA Para perros con requisitos nutricionales especiales –cachorros, perras preñadas o lactantes, o perros con alguna afección o muy activos– probablemente lo mejor sea optar por un alimento de calidad superior.

¿QUÉ GRADO DE CALIDAD?

Los alimentos de calidad extra se han creado para una nutrición óptima de los perros. Se pueden comprar a través del veterinario, en tiendas de mascotas y especializadas. Muy digestibles, se producen con ingredientes de calidad. La mayoría de los productos se elaboran con fórmulas fijas, por lo que los ingredientes no variarán. Son más costosos que las marcas más conocidas, pero se necesita dar menos comida en relación con el peso debido a sus ingredientes de mayor calidad. Esto significa que el coste por ración es comparable a muchas marcas normales. Otra ventaja de los alimentos de altísima calidad es que, como tu perro necesita comer menos, genera menos excrementos que limpiar.

Las comidas para mascotas más conocidas son las marcas que se encuentran en tiendas de alimentación y supermercados. La mayoría son de calidad razonable, pero los ingredientes de una marca concreta pueden variar de una a otra remesa según el precio y la disponibilidad de ingredientes.

La comida para mascotas genérica o de la marca de un distribuidor, disponible en algunas tiendas y almacenes, puede contener sólo la cantidad mínima de nutrientes que tu perro necesita, y los ingredientes variarán según cambien los precios de mercado. Mientras que las etiquetas de algunos alimentos genéricos afirman que el contenido es completo y equilibrado, los beneficios nutricionales no tienen por qué haber sido sometidos a pruebas con perros. Aunque estos alimentos parezcan baratos, su menor valor nutricional exige que haya que dar al perro mayores cantidades, además de que cualquier cambio de su composición podría alterar el estómago del can y causar diarrea o vómitos. Si compras un alimento genérico, busca uno que cumpla los valores marcados por la organización que controle en tu país la elaboración de alimentos para mascotas.

COMIDA CASERA

En el caso de perros con problemas médicos o requisitos nutricionales especiales, o con alergias a ciertos alimentos, colorantes o conservantes, una dieta casera podría ser una buena opción. Estas dietas, como arroz hervido y pollo o cordero picado, también son la solución para problemas puntuales como trastornos gástricos que causen vómitos o diarrea. La dieta blanda calmará el estómago de tu perro.

Para preparar comida en casa, necesitarás mucho tiempo y una receta especial para cubrir las necesidades de tu perro. La comida casera también suele ser más cara que la comercializada: los fabricantes ahorran comprando al por mayor.

Prepara siempre una receta que sepas que es apropiada, preferiblemente de un veterinario o un técnico veterinario. Los ingredientes de una dieta casera deben ser parecidos a lo que tú comes, y todo debe estar bien cocinado. Esto destruye algunas vitaminas, razón por la que los alimentos cocinados se espolvorean con suplementos.

El mayor placer de tener un perro no es sólo poder hacer
el tonto con él sin que te regañe, sino que también se sume
a tus juegos.

SAMUEL BUTLER (1835–1902),
Escritor inglés

CAPÍTULO NOVENO

EJERCICIO

La importancia del ejercicio

El ejercicio es mucho más que diversión para tu perro,

También es vital para su bienestar físico y emocional.

Como especie, los perros son muy activos y juguetones. Sus parientes salvajes pasan la mayor parte del día cazando para alimentarse, defendiendo su territorio y jugando entre ellos. Los perros mascota, por su parte, reciben toda la comida que necesitan –a menudo más– y con frecuencia pasan el tiempo confinados la mayor parte del día. Como resultado, muchos tienden a sufrir sobrepeso, están en baja forma y se vuelven perezosos. La falta de ejercicio también puede derivar en frustración, lo cual provoca muchas conductas destructivas. La clave para que un perro sea feliz y sano es el ejercicio.

Para establecer un programa de ejercicio seguro para tu perro, comienza despacio, sé constante y paciente, y aumenta gradualmente su nivel de actividad. Que sea especialmente suave si tu perro todavía es joven. Los cachorros no tienen la misma coordinación que los adultos. Sus músculos no se han desarrollado por completo y sus huesos son más blandos. También les afecta más el calor y el frío. Los cachorros necesitan ejercicio moderado, y un programa serio de ejercicio no debe iniciarse en la mayoría de los perros hasta que han cumplido los 14 meses de edad. Ese es el momento en que terminan por cerrarse las últimas láminas epifisarias de crecimiento. En las razas gigantes como el gran danés el cierre de las láminas no ocurre hasta los 22 meses. El programa de forma física para perros jóvenes se debe incrementar poco a poco a lo largo de varios meses.

Requisitos de ejercicio

A todos los perros les gusta el ejercicio y los juegos, pero la cantidad y el tipo varían según la edad, la raza y la salud. Antes de comprar un perro nuevo, conoce las diferencias entre razas y la cantidad de ejercicio que necesita. Muchos perros, sobre todo los de caza, pastoreo y trabajo, necesitan ejercicio regular y vigoroso. Si tu trabajo o tu salud no te permiten dar al perro el ejercicio adecuado, sería irresponsable por tu parte hacerte cargo de un ejemplar de una de estas razas a menos que alguien saque a pasear al perro por ti. Lo mejor sería optar por un perro faldero o una raza menos activa; estos perros hacen la mayor parte del ejercicio que necesitan dando un paseo tranquilo o con una sesión de juegos en casa.

En general, debes intentar ofrecer a tu perro algún tipo de ejercicio diario, variándolo de vez en cuando. Si tienes dudas sobre la forma física de tu perro para hacer ejercicio, acude al veterinario antes de empezar el programa para que descarte cualquier problema de salud (como problemas cardíacos o articulares) que pudieran agravarse con el ejercicio, y para que haga sugerencias sobre un régimen de ejercicio seguro. Las razas propensas al meteorismo (ver p. 233) no deben hacer ejercicio justo antes ni después de comer.

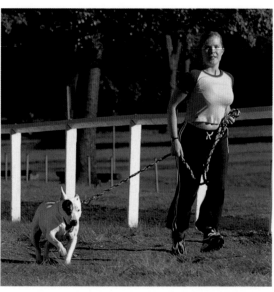

EN CARRERA A los perros jóvenes y a las razas atléticas casi siempre les gusta correr con su amo. Asegúrate de que hayan podido hacer sus necesidades antes de coger el ritmo.

VIEJOS AMIGOS Los perros de todas las edades necesitan ejercicio habitual. Mantiene sus cuerpos en forma además de ofrecerles un estímulo y posibilidades de interacción social.

FORMAS DE EJERCICIO

Los paseos son la mejor forma general de ejercicio, que mejora la condición cardiovascular y el tono muscular. Cuando se pasee a un perro por un lugar público, lo llevaremos con correa. Una correa extensible concede al perro mucha libertad para explorar y permite acortarla cuando sea necesario. Si tu perro es viejo, está en baja forma o tiene problemas de salud, comienza con un paseo tranquilo de 15 minutos y con correa a diario para aumentar gradualmente la duración. Añadir unas cuantas subidas al paseo mejorará la fuerza y la condición física. Con perros sanos y jóvenes, los paseos con correa tal vez no les proporcionen suficiente ejercicio. A estos perros hay que darles actividades vigorosas sin correa. Sin embargo, sólo se les permitirá ir sin correa si obedecen las órdenes y sólo en lugares seguros donde la normativa lo permita. Si tu perro le gusta jugar con otros perros, organiza encuentros con otros dueños para que jueguen juntos.

Correr al trote es otra forma de ejercicio para perros sanos y enérgicos, aunque aplica el sentido común cuando saques al perro a correr. No corras con un perro hasta que su esqueleto sea maduro y evita los días en que haga mucho calor. Intenta correr por superficies blandas para proteger las almohadillas del perro, sobre todo al principio del programa de puesta en forma.

A muchos perros, sobre todo a los de razas cobradoras, les encanta nadar. La natación es un ejercicio excelente, porque no sufren las articulaciones al tiempo que aumenta su resistencia física. También es el mejor modo de poner en forma a tu perro en los calurosos meses de verano. Un baño ejercitará todos sus músculos y aumentará su frecuencia cardíaca y su resistencia física. Y tu perro estará fresco en todo momento, sin riesgo de que sufra un golpe de calor. Como la natación no daña las articulaciones, es especialmente buena para perros con displasia de cadera y otros problemas articulares.

Asegúrate de que el agua sea segura antes de dejar al perro que se bañe. Nunca animes al perro a saltar en aguas que no conozcas para que no se haga daño con objetos ocultos. Ten cuidado también con las resacas y las corrientes fuertes.

JUEGOS COMO EJERCICIO

Los juegos son una de las mejores formas de estimular la mente de tu perro y ofrecerle un ejercicio vigoroso. Además, permite establecer el liderazgo de una forma amable. Los juegos de

NUEVAS SENSACIONES Cuando sea posible, lleva a tu perro a lugares inusuales, como un bosque, para combinar el ejercicio con los estímulos sensoriales que ofrecerán vistas y sonidos poco comunes.

buscar y cobrar con pelotas o discos voladores son un medio excelente de dar a tu perro un buen entrenamiento sin que te canses demasiado. Los perros de caza, como los cobradores y spaniels, llevan en su instinto la búsqueda y cobranza de objetos que sueltan con facilidad. Otras razas, como los terriers, suelen quedarse lo que atrapan. Sin embargo, a todos los perros se les puede enseñar a soltar un objeto a una orden.

Cuando juegues a buscar y cobrar, elige un juguete que a tu perro le guste llevar en boca. Los juguetes de lana, los Frisbees blanditos, los juguetes que chillan al morderlos o pelotas blandas son buenas opciones. Evita las pelotas pequeñas o lisas que podrían tragarse y nunca elijas un objeto que se puedan comer, como el cuero crudo.

Los juegos de posesión gustan a casi todos los perros y se pueden combinar con un juego de buscar y cobrar como recompensa. No pases a los juegos de posesión hasta que tu perro haya aprendido a soltar a una orden. De lo contrario, se pueden excitar demasiado y volverse agresivos. Algunos perros tienen tendencias agresivas que se agravan con los juegos competitivos cuyo

resultado es un ganador y un perdedor, como los juegos de posesión. Si tu perro muestra esas tendencias, evita tales juegos. Por otra parte, la confianza en sí mismo de un perro tímido puede mejorar si se le deja ganar ese juego competitivo ocasional.

Para no caer en el aburrimiento, y para que tu perro tenga más oportunidades de ejercitarse bien, varía los tipos de ejercicio. Guíate por la raza del perro y sus preferencias y, si un tipo de juego o deporte no parece ajustarse a su mentalidad o físico, prueba otra cosa. Deja siempre de jugar mientras lo estéis pasando bien y no lo canses en exceso.

PRECAUCIONES CON EL EJERCICIO

Durante la mayoría de las actividades tu perro correrá más rápido, trabajará más y recorrerá más terreno que tú. Tal vez muestre tanto entusiasmo que siga adelante aún habiendo llegado al agotamiento, sólo por pensar que así lo deseas tú. De ti depende aplicar el sentido común, proceder con moderación y observar si muestra signos de cansancio o dificultad para respirar. En caso de duda, haz un alto y dale tiempo para recuperarse. También deberías asegurarte de que hace un calentamiento y una recuperación activa. Evita los juegos de buscar y cobrar cuando haga calor porque comprometen la capacidad de tu perro para jadear.

Calentamiento y recuperación activa

Antes de hacer ejercicio, los perros, al igual que las personas, deberían empezar siempre con unos estiramientos suaves. Calentar es la mejor forma de evitar distensiones musculares y otros dolores. Comienza todas las sesiones de ejercicio de tu perro con un calentamiento suave de cinco a diez minutos. Esto evitará lesiones y acelerará el flujo de sangre a los músculos. Empieza con un paseo rápido de varios minutos, luego haz algunos ejercicios de estiramiento, por ejemplo, flexionando y estirando cada una de las patas del perro varias veces.

Un paseo tranquilo, seguido por unos estiramientos, es la forma perfecta de finalizar otra sesión divertida y dar al cuerpo del perro tiempo para que vuelva a la normalidad. Un ejercicio vigoroso no se debe interrumpir nunca bruscamente. La recuperación activa es tan importante como el calentamiento.

Golpe de calor

Los perros no poseen un sistema eficaz para enfriar su cuerpo y pueden sucumbir con excesiva facilidad a un golpe de calor si la temperatura es alta. Evita que haga un ejercicio demasiado vigoroso en las horas de más calor y, sobre todo en verano, asegúrate de que su rutina sea muy relajada. Si parece agitado y sospechas un golpe de calor –por

TRES PUEDEN JUGAR Si tienes más de un perro, quemarán algo de energías jugando entre ellos, aunque sigan necesitando el ejercicio regular que les proporcionas.

EJERCICIO BAJO TECHO Muchos perros enanos, como los pomeranos, hacen mucho de su ejercicio corriendo por la casa.

ejemplo sus costados suben y bajan con una respiración agitada o apenas se tiene en pie– para de inmediato y sigue los pasos del apartado «Golpe de calor» de la p. 292.

Problemas con las almohadillas

Si bien las patas de los perros son fuertes y robustas, también están desprotegidas de cosas que tú, con los calcetines y zapatos puestos, ni siquiera notas. Que haga ejercicio las horas más frescas en los meses de verano, y piensa en la temperatura de la acera antes de salir. Pon la mano en la acera unos segundos para comprobar que está bien. Si todavía está caliente, le quemará las almohadillas.

El invierno conlleva problemas diferentes para las almohadillas. La sal para la vialidad invernal, a diferencia de la sal ordinaria, puede quemar los pies de tu perro. (También puede quemarle la boca, si se muerde los pies, y el vientre si le salta mientras trota por la calle.) La arena para el hielo no es mucho mejor. Las sustancias químicas que contiene para derretir el hielo también pueden quemarle los pies. Para evitar problemas en las almohadillas, sacúdele con una toalla el pecho, la barriga y los pies cuando lleguéis a casa. Así se le

TODO EN UN DÍA DE TRABAJO Los perros de trabajo, como este cruce de collie de la frontera, harán todo el ejercicio que necesitan realizando sus tareas diarias.

limpiará la nieve y los residuos químicos que pueda tener entre los dedos.

Cuando tu perro juegue sobre nieve limpia, adopta las precauciones normales contra las congelaciones, como no dejar que permanezca mucho tiempo fuera sobre nieve escarchada o cuando se note la sensación hipotérmica del viento. Comprueba si tiene agrietadas las almohadillas o presenta cortes diminutos en ellas.

Las almohadillas de los perros a veces se secan en invierno, justo como pasa con nuestras manos, y una aplicación diaria de vaselina puede aliviarles mucho. Para más información sobre la prevención y tratamiento de almohadillas dañadas, ver p. 262.

ACTIVIDADES ORGANIZADAS

Si tu perro y tú estáis aburridos del mismo paseo de todos los días por el barrio o si lanzarle la pelota ha perdido su chispa, las actividades caninas organizadas pueden ser la inspiración que los dos necesitáis. He aquí algunas cosas que podríais probar.

Obediencia

En la obediencia para principiantes los jueces juzgan a los perros por su habilidad para andar al pie a cualquier velocidad, por su obediencia a las órdenes de «ven», «sentado-quieto» y por

EJERCICIO EN EL AIRE A la mayoría de los perros les encantan los juegos vigorosos como atrapar en el aire un disco volador.

aguantar tranquilos el examen de un juez. Las pruebas de obediencia avanzada son salto de vallas con cobro, obediencia de señales manuales, discriminación de olores, etc.

Incluso si las pruebas competitivas no son para ti, la asistencia a clases de obediencia y la práctica de lo que has aprendido ejercitarán la mente y el cuerpo de tu perro, reforzando de forma agradable tu liderazgo y consiguiendo a veces que mascotas problemáticas se conviertan en compañeros estupendos.

Agility

Las pruebas de agility son una de las formas más placenteras de que tu perro haga ejercicio. Estas pruebas cronometradas implican guiar a tu perro por una pista llena de variedad de pasarelas, saltos, túneles y otros obstáculos. El adiestramiento necesario garantiza que tu perro esté en una condición física óptima. Los cruces de razas y los perros de pura raza pueden competir en pruebas organizadas por distintas organizaciones caninas locales y nacionales.

Carreras de galgos de campo

Si es un perro de caza a la carrera, como un galgo persa o un galgo afgano, lo natural en él es el deporte de velocidad, tan exigente físicamente, de las carreras. Cuando se les suelta y a la orden del cazador, tres galgos saldrán a la carrera para capturar la presa. Ésta cambiará de dirección varias veces durante un recorrido de 800 m y se juzgará a los perros por su velocidad, agilidad, resistencia física, entusiasmo y capacidad de persecución. Para mantenerlos en una condición física óptima, la mayoría de los entusiastas de las carreras hacen que sus perros practiquen casi a diario.

POR TODO LO ALTO Las pruebas de agility son una forma divertida de que tu perro tenga una sesión de ejercicio muy variada.

Pruebas de pastoreo

En las pruebas de pastoreo se evalúa a los perros por su habilidad para rodear y reunir a ovejas, patos o ganado y conducirlos a un corral. Esto exige rapidez, resistencia física y obediencia, una combinación de habilidades que mantendrá al perro delgado y en buena forma.

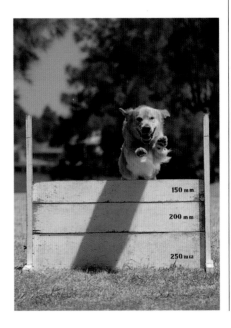

150 mm

200 mm

250 mm

*Quien no sepa a qué sabe el jabón es
que nunca ha bañado a un perro.*

FRANKLIN P. JONES (1887–1929),
Empresario norteamericano

CAPÍTULO DÉCIMO

HIGIENE CANINA

La importancia del aseo

El ejercicio es mucho más que diversión para tu perro,

También es vital para su bienestar físico y emocional.

El aseo habitual mantiene a tu perro limpio y con su mejor aspecto. También mantiene controlada la muda de pelo a un mínimo y te brinda la oportunidad de inspeccionar a tu perro y asegurarte de que su piel, dientes, orejas, ojos y uñas estén sanos.

HERRAMIENTAS DE ASEO (De arriba abajo). Un cepillo de dos caras; un peine de dientes finos y unas tijeras de punta roma para cortar el pelo.

CICLOS DE MUDA

La mayoría de los perros domésticos mudan su manto al menos una vez al año. Los perros salvajes suelen hacerlo dos veces al año, en primavera y en otoño. Se solía creer que la muda era causada por los cambios de temperatura, pero los estudios han demostrado que influyen más los cambios de la luz circundante. Cuanto más expuestos a la luz, más mudan los perros. Por eso los perros de interior, expuestos a largas horas de luz artificial, tienden a mudar el pelo todo el año.

Otros factores también influyen en la muda. Las perras mudan más después del estro, durante el embarazo y sobre todo en la lactancia.

Algunos perros tienen un manto doble, que consta de un manto interno corto de pelo lanoso, y una capa externa más larga de pelo protector. Razas como el corgi, el pastor alemán, el rottweiler y el labrador tienen una doble capa corta. El chow chow, el collie, el pastor de las Shetland y el samoyedo tienen un doble manto largo. Cuando un perro con un manto doble comienza a mudar el pelo, puede parecer que tiene una enfermedad cutánea. Ello es porque el subpelo no se muda de forma uniforme sino racheada, lo cual le confiere un aspecto de alfombra apolillada. Esto, que puede parecer alarmante, es completamente normal.

FÁCIL MANTENIMIENTO Los perros de manto liso y corto, como el doberman, son de los más fáciles de cepillar. Con sólo unos minutos por semana tendrán el pelo lustroso.

ACOSTUMBRAR AL PERRO AL ASEO

Como el aseo es tan importante, es vital que enseñes a tu perro a tolerarlo en cuanto llegue a casa. Aunque sea un cachorro minúsculo, pasa tiempo cepillándolo con suavidad con un cepillo suave y tocándole las patas. Un inicio temprano como éste hará que el cachorro considere el cepillado como una continuación del aseo al que lo sometía su madre. Háblale todo el tiempo y dale un premio ocasionalmente para que las sesiones de limpieza sean un período agradable junto a ti, no un castigo. Si aprende de joven que el aseo es parte de la vida diaria, cooperará más cuando haya crecido. Si tu nuevo perro ya es un adulto, pasa más tiempo a diario antes de las comidas enseñándole a dejarse tocar (ver p. 130).

EL INSTRUMENTAL

Compra un instrumental apropiado para la limpieza según el tipo de pelo de tu perro. Usar un instrumental equivocado es ineficaz, frustrante para ti y posiblemente incómodo para tu perro, lo cual lo volverá reacio al aseo en el futuro.

Si compraste el perro a un criador, pídele que te dé una clase sobre higiene. La mayoría de los criadores tienen experiencia en ese campo y sus consejos y experiencia son muy valiosos, sobre todo si quieres que tu perro tenga una estampa de libro.

CEPILLOS DE CERDAS

Son buenos para estimular la piel de tu perro y extender los aceites naturales que mantienen el pelo brillante y la piel sana. Se usan sobre todo con perros de pelo corto, porque apenas si penetran en los mantos de pelo más largo.

Cepillos de púas

Estos cepillos tienen púas de metal rectas y largas, unidas a una plataforma de goma. La mayoría de estos cepillos tienen forma ovalada y sirven sobre todo para razas de pelo largo. Son excelentes para secar y esponjar a los perros con el pelo largo.

Cepillos de carda

Estos cepillos son los más versátiles, pues sirven para muy distintos tipos de mantos. Sus cerdas curvas de alambre atrapan y arrastran el pelo suelto del manto interno. Los perros cepillados habitualmente con este cepillo pocas veces sufren enredos.

Peines

Los peines de dientes largos se usan para arrastrar el pelo del manto interno de las razas de mucho pelo, mientras que los peines de dientes más finos sirven para examinar el manto interno después del aseo para ver si quedan pelos sueltos que haya que retirar. Los mejores peines para perros son especiales, con dientes de metal y romos en la punta para no dañar la piel.

Peines cortanudos

Se suelen usar con terriers y otras razas de pelo duro para desenredarlo. El uso correcto de estos peines requiere considerable destreza: esta tarea tal vez sea más apropiada para un peluquero canino.

Manoplas

Hay quien prefiere asear a sus perros con una manopla en vez de un cepillo. Estas manoplas se ciñen a la mano como un guante y consisten en una media de tela con protuberancias de goma que atrapan la grasa y el pelo suelo. Estas manoplas dan al pelo del perro un aspecto brillante. A los perros les suelen encantar estos masajes con la manopla, porque les gusta su tacto similar a las caricias. El pelo se retira fácilmente con la mano, y la grasa se limpia con un detergente.

MANTO DE LONGITUD MEDIA El doble manto de pelo largo del collie de la frontera requiere un cepillo de carda o un cepillo de púas y un cepillo de dientes anchos.

ASEO EXHAUSTIVO El lhasa apso tiene un manto largo y áspero que se enreda y enmaraña con facilidad.

Peines sacanudos

Estos peines sacanudos y separadores se venden en todas las formas y estilos, pero siempre concebidos para desenredar el pelo sin tener que cortarlo. Se requiere cierta experiencia para usarlos correctamente, pues tu perro podría acabar pareciendo un melenudo.

DISTINTAS TÉCNICAS PARA DISTINTAS RAZAS

Hay una técnica básica para cepillar los distintos mantos de los perros. Incluso si no tienes un pura raza, tu perro se beneficiará de un tratamiento adecuado de su pelo.

Hay tres aspectos principales para el aseo del pelo de un perro: el cepillado, el peinado y el corte de pelo. La raza del can determinará la técnica que debes usar. Por ejemplo, un caniche necesitará un trabajo amplio de corte de pelo, mientras que un labrador retriever puede pasar con sólo un buen cepillado.

De más importancia para el aseo es usar una técnica de cepillado correcta y el cepillo o peine adecuados para el pelaje de tu perro.

VALE LA PENA EL ESFUERZO Algunos perros criados para climas fríos, como el samoyedo (derecha) y el collie de pelo largo, tienen un doble manto de pelo largo. Requieren un aseo constante y diario, pero los resultados son espectaculares.

Todos los mantos de pelo se agrupan en una de las siguientes categorías. Si tu perro es un cruce, también encajará en una de estas categorías, dependiendo de la raza que sea más dominante en su código genético.

Manto liso y corto

No hay manto interno en este caso. El doguillo, el basenji y el doberman tienen un manto liso y corto.

Probablemente sea el manto más fácil de limpiar. Con un cepillo de cerdas o una manopla, primero se cepilla en la dirección del pelo, para luego hacerlo en la dirección del manto. Un cepillado por semana mantendrá la muda de pelo bajo control, y el paso ocasional de una gamuza o un paño húmedos dará lustre al pelo.

Manto doble y corto

Es un manto liso con el pelo áspero y recto sobre un manto interno de pelo blando y fino. El labrador y el rottweiler tienen este tipo de manto.

Estos mantos requieren más cuidados, porque el doble manto interno pierde pelo constantemente, con una pérdida incluso mayor en verano que en otoño. Con una mano comienza por separar secciones del manto del perro para que haya un punto donde la piel sea visible. A continuación usa un cepillo de cerdas o púas para cepillar el manto interno, cepillando hacia fuera desde la piel. El manto interno será más grueso en la cara anterior del cuello y en el dorso de las patas traseras.

Una vez hayas terminado con el manto interno, usa el mismo cepillo con el manto externo, cepillando en la dirección en que se extiende el manto. Cepilla al perro dos veces por semana, aumentando a varias veces por semana en las temporadas de muda.

Manto corto y duro

En los perros con el manto corto y duro el tacto es un poco como tocar púas. El tejonero de pelo duro, el schnauzer y muchas variedades de terrier tienen este tipo de manto.

Se necesita un cepillo de cerdas, un peine metálico de dientes de tamaño mediano y un peine cortanudos para asear este tipo de manto. Comienza por pasar el cortanudos suavemente por la espalda del pelo, en la dirección del pelo. Así se aclara el manto duro descuidado. Ten cuidado de no aclararlo en exceso. Este aclarado no tiene que hacerse en todas la sesiones de

TOQUES FINALES Una vez hayas cepillado a un perro de pelo corto como este cruce de kelpie, pasarle un paño húmedo eliminará los pelos sueltos y quedará lustroso.

LARGO Y LUSTROSO El terrier sedoso tiene dos mantos largos que no son fáciles de asear. A la mayoría de los perros mascota con este tipo de manto se les corta para facilitar su mantenimiento.

CORTE DE PELO El terrier de Bedlington no muda el pelo y hay que cortarlo cada varias semanas. En los perros de exhibición, las orejas se afeitan y se deja una borla de pelo en el extremo.

limpieza, sólo cuando el pelo que cubre el manto del perro (llamado pelo protector) comience a sobresalir por la espalda. Estos pelos descuidados se encrespan sobre el resto y confieren al perro un aspecto descuidado.

Después del aclarado, cepilla el manto por capas, desde la piel hacia el exterior, con el cepillo de cerdas. Luego puedes peinar por capas del mismo modo con el peine de metal, que atrapará todos los pelos sueltos.

Un manto de pelo duro también necesitará con regularidad cardarlo y desprenderlo a mano. La carda es una técnica en que se elimina el pelo suelto «cepillando» el manto con una cuchilla o piedra pómez. Desprender el pelo a mano es una técnica en la que se asen los pelos sueltos entre el índice y el pulgar y se desprenden. Aunque puedes aprender a hacerlo por tu cuenta, deberías empezar por que alguien con experiencia lo hiciera por ti: una carda defectuosa puede dejar al perro con un aspecto horrible.

Manto rizado

Este manto presenta rizos tupidos que son espesos y suaves. El bichón frisé y el terrier de Belington tienen este manto rizado.

El manto rizado típico necesita un cepillado habitual para conservar su aspecto limpio y ensortijado. Tanto si le cortan el pelo con un corte de exposición modificado (tipo pompones) o un corte de cachorro (lo mejor es que lo haga un

peluquero canino; ver p. 202), tendrás que usar un cepillo de cerdas para cepillar el manto a contrapelo con el fin de que se esponje. Si el manto del perro ha empezado a no parecer rizado, tal vez sea el momento de volver a un peluquero profesional para otro corte de pelo. Nunca intentes hacerlo tú mismo a menos que tengas experiencia en este arte.

Manto sedoso y largo

Este manto no cuenta con otro interno. El terrier de Yorkshire, el terrier sedoso y el bichón maltés tienen un manto sedoso y largo.

Este tipo de manto es difícil de cuidar porque se enreda con facilidad. En los perros que no son de exhibición este manto suele cortarse para que su limpieza sea menos pesada. Si quieres mantener el manto largo, necesitarás dedicar bastante tiempo a su aseo, al menos dos o tres veces por semana.

El mayor reto para el aseo de un manto largo y sedoso son los enredos que a menudo

¡QUÉ BUEN ASPECTO! El doble manto de perro corto del rottweiler se mantiene aseándolo al menos dos veces por semana con un cepillo o una manopla.

se forman en las patas, orejas, costados de la cara o en cualquier punto donde el pelo sea especialmente largo. Para eliminar los enredos, usa algún instrumento adecuado, luego cepilla todo el manto con un cepillo de cerdas siguiendo la dirección del pelo.

Manto áspero y largo

Entremezclado con el largo manto externo, hay otro manto interno más suave. Son perros con este pelo el shih tzu, el lhasa apso y el terrier tibetano.

Este manto es uno de los que más tiempo exige para su aseo. Se enreda con facilidad por lo que la mayoría de los dueños lo mandan cortar con regularidad para no tener que dedicar tanto tiempo a su limpieza. Si no quieres cortárselo, prepárate para invertir mucho tiempo y energía.

Primero pide a tu perro que se tumbe de costado. Elimina todos los enredos que encuentres (ver p. 201), teniendo cuidado de no romper los pelos al hacerlo. También puedes espolvorear fécula de maíz (maicena) en los enredos para facilitar que se separen los pelos. Con un cepillo de púas cepilla el manto suavemente en la dirección en que crece. Una vez cepillado todo el manto, vuelve a hacerlo con un cepillo de cerdas blandas.

Si quieres cortarle el largo pelo que le cubre las orejas, hazlo antes de bañarlo. No lo cortes muy cerca de la piel, y asegúrate de evitar que el pelo cortado le entre en el conducto auditivo.

Doble manto largo

Este pelaje combina un manto externo de pelo áspero, largo y liso con un manto interno muy espeso que cubre todo el cuerpo. El samoyedo, el chow chow y el collie tienen este doble manto largo.

Con un manto interno grueso como característica principal, estos perros son los que más pelo mudan. Necesitarás un cepillo de cerdas o púas y un peine de dientes largos y anchos para este tipo de pelo.

Cepilla todo el cuerpo del perro primero con uno de los dos cepillos, tomando secciones de pelo y separándolo con la mano. Cepilla hacia fuera desde la piel para eliminar el pelo suelto del espeso manto interno. Una vez hayas repasado todo el manto, toma el peine de dientes largos y húndelo en el manto, paralelo a la piel. Peina hacia fuera para eliminar más pelo suelto del manto interno. El manto interno es más grueso en las patas traseras y alrededor del cuello, por lo que si has desatendido el aseo del perro, tal vez necesites deshacer enredos usando un sacanudos.

UN MANTO ELEGANTE El manto sedoso y exuberante del galgo afgano requiere un peinado y cepillado diarios de 15 a 20 minutos.

A FLOR DE PIEL
Si tienes un perro sin pelo, como un crestado chino, tendrás que dedicar cuidados diarios a su piel.

Manto sin pelo

El crestado chino, el xoloitzcuintli (perro pelón mejicano) y el perro pelón peruano son razas de perros sin pelo. A pesar de tener poco o nada de pelo, su sensible piel necesita cuidados habituales.

Los perros sin pelo no necesitan un cepillado habitual, pero sí deben ser bañados una vez al mes. Utiliza un champú suave, preferiblemente con un agente antibacteriano para prevenir problemas cutáneos como seborrea, que es corriente en estas razas.

Una vez por semana es beneficioso frotar suavemente con un algodón desmaquillador mientras lo lavas con un champú. Esto favorecerá la circulación sanguínea y desprenderá las células de piel muerta. Al igual que otros perros, se debe tener mucho cuidado de secarlos muy bien después del baño.

Después del baño, y a diario, siempre hay que humectar a los perros sin pelo con un humectador sin aceites. Estas razas también son muy propensas a las quemaduras solares y deberás aplicar un filtro solar de factor de protección solar 15 o superior siempre que salgan al exterior.

Como no todos los perros sin pelo carecen totalmente de él, puedes usar una maquinilla de afeitar para eliminar el pelo corporal. En razas con penachos en la cabeza, las piernas y la cola, como el crestado chino, usa un cepillo de cerdas para cuidar esas áreas. También hay una variedad llamada crestado chino con pelo (powderpuff), con un largo pelaje áspero que hay que asear con frecuencia para evitar enredos.

FANTASMA PLATEADO El distintivo manto plateado del braco de Weimar es corto y liso, y fácil de asear.

ELIMINAR NUDOS Y ENREDOS

Los nudos y enredos son un problema del pelaje canino, sobre todo en aquellos perros a los que les gusta jugar enérgicamente. Si tu perro nada, entonces tendrá un grave problema con los enredos, porque el agua hace que los pelos se peguen unos a otros. Si tu perro tiene el pelaje largo, un manto sedoso o un doble manto espeso, los nudos y enredos serán un problema recurrente y necesitarás saber eliminarlos.

Los nudos y enredos se deshacen con un sacanudos y un cepillo de cerdas. Los nudos se suelen desenredar con un cepillo una vez deshechos los enredos. El sacanudos se abrirá paso por los enredos, separándolos, y luego el cepillo servirá para desenredar los pelos. Si los enredos son demasiado tupidos, usa un peine desenredante. Se abre paso por toda la longitud del pelaje en vez de hacerlo transversalmente. Usa un cepillo pequeño para cepillar unos pocos pelos cada vez y separarlos del enredo.

Algunos peluqueros recomiendan aplicar una sustancia química, como un pulverizador con una base de silicona, a los enredos y nudos antes de intentar deshacerlos, para luego usar con paciencia un método de duro trabajo para desenredarlos. Este método manual lleva tiempo, pero es el que menos daños causa al pelaje y piel del perro.

Hagas lo que hagas, no bañes al perro hasta que hayas eliminado todos los enredos del manto. Una vez se moja un enredo, se azoca y resulta difícil de eliminar. Además, cuando se baña a un perro con enredos, el champú queda atrapado en aquéllos y no se puede aclarar correctamente. Esto puede causar una irritación cutánea.

A veces los perros tienen tantos enredos o nudos que es más práctico esquilar el manto y volver a empezar. Si un enredo toca la piel, lo mejor es recortar el pelo.

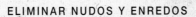

Sacanudos

Esquilado

Muchas razas de perros se benefician del uso de una esquiladora en casa o en una peluquería.

Aunque dominar el arte del esquilado sea propio de los peluqueros caninos, también tú puedes usar estos instrumentos para asear a tu perro y conseguir que tenga buen aspecto. La mayoría de las razas no necesitan jamás un esquilado. Si tu perro necesita un esquilado, la extensión dependerá de su raza y del tipo de pelaje.

¿NECESITA UN ESQUILADO?

La raza que más esquilado necesita es el caniche. Ello es porque el pelaje de los caniches crece continuamente y apenas si muda el pelo. La hermosa librea de los caniches que se ve en las exhibiciones caninas se consigue esquilando el pelo hasta la piel en ciertos puntos, y moldeándolo y recortándolo en otras. Este costoso esquilado de exposición (llamado corte del león) no es práctico para la mayoría de los caniches mascotas, aunque incluso las intervenciones más informales requieren un esquilado.

Otras razas que hay que esquilar con regularidad son el bichón frisé, el terrier de Bedlington, el terrier azul irlandés, el boyero de Flandes, el schnauzer y el terrier de Airedale. Aunque estas razas precisen menos esquilado que el caniche, necesitan que se moldee su manto para tener buen aspecto.

Si tu perro es de una raza que necesite esquilado, pero no va a competir en exhibiciones, lo mejor será que se le haga un esquilado sencillo que le dé buen aspecto y sea relativamente fácil de mantener.

EMPIEZA CUANDO SON JÓVENES Si tu perro es de una raza que haya que esquilar con regularidad, como este cachorro de terrier blanco de West Highland, es mejor que se acostumbre a estas prácticas mientras sea pequeño.

La práctica lleva a la perfección

Si quieres esquilar al perro tú mismo en vez de llevarlo a un peluquero profesional, necesitarás mucha práctica; se necesita una destreza considerable para esquilar correctamente el manto de un perro. Tal vez incluso decidas acudir a un curso sobre aseo y cuidados caninos; o, si has estado llevando a tu perro a un peluquero profesional, podrías pedirle que te enseñara a esquilarlo.

Una de las cosas más importantes que debes tener en cuenta es que siempre debes cortar siguiendo la dirección del pelaje, nunca a contrapelo. Cortar a contrapelo sólo puede causar cortes y quemaduras en la piel del can.

Esquiladoras y cuchillas

Si decides invertir en comprar una esquiladora, centra tu selección en dos tipos básicos que emplean los peluqueros profesionales: esquiladoras estándar y esquiladoras pequeñas. Las esquiladoras estándar sirven para esquilar

MONO Y ENSORTIJADO Para lograr este aspecto estilizado con un bichón frisé, el blanco manto esponjoso se suele tener que cortar con tijeras siguiendo el contorno del cuerpo, para luego cepillarlo hasta esponjarlo.

EL UTILLAJE ADECUADO Compra una esquiladora en una tienda de mascotas o en un catálogo de productos para mascotas; los de los grandes almacenes no pueden con el pelaje espeso, como el de este cocker spaniel.

todo el cuerpo. Las esquiladoras pequeñas, algunas del tamaño de las que sirven para recortar bigotes, se usan en la cara, las orejas y los pies de algunas razas.

Las esquiladoras se compran por catálogo en tiendas de mascotas y en algunas tiendas para mascotas. Las esquiladoras para perros que se venden en grandes almacenes no servirán para la mayoría de los perros. Tienen una cuchilla pensada sólo para esquilar el pelo limpio de los caniches. No podrán cortar el pelo de perros que estén sucios y se trabarán en el pelaje del cocker spaniel y de cualquier otra raza de pelo espeso.

Pide al peluquero que te compre una esquiladora y unas cuchillas decentes. Asegúrate de comprar una cuchilla del número 10 para el estómago, los pies, la cara y el área genital, y una del número 7F para esquilar el cuerpo. El número 7F es bueno para todo tipo de pelajes, desde caniches a chow chow. Si tu perro necesita ser esquilado con regularidad, las esquiladoras y cuchillas estarán amortizadas en unos meses.

LIMPIO Y ACICALADO El schnauzer, así como otras muchas razas de pelo duro, deben ser esquilados con regularidad. Sus cejas y barbas se pueden recortar con tijeras.

EL CORTE DE LEÓN

Este peinado sofisticado se creó para aligerar el pelaje de los perros que nadan y proteger las articulaciones y órganos principales. Ahora es un peinado popular en las exhibiciones para ciertas razas.

Caniche enano

Pequeño perro león

El baño

Si tu perro parece y huele a sucio, lo más probable es que
así sea, y habrá llegado el momento de darle un baño.

Los perros que pasan mucho tiempo al aire libre tienden a ensuciarse más que los perros de interior, aunque a la mayoría se les baña al menos dos o tres veces al año. La piel es el órgano más grande del cuerpo de un perro y es importante mantenerla limpia para garantizar su salud.

Los perros con doble manto espeso como el samoyedo y el chow chow necesitan pocos baños. Lo principal es cepillarlos con regularidad. Así se distribuyen los aceites naturales, se elimina la suciedad y el pelo suelto y se evitan los enredos.

La mayoría de los perros tienen un pelaje impermeable. Lo mejor es no bañarlos con demasiada frecuencia porque se podría reducir la capacidad del pelaje para repeler el agua, lo cual es importante en los perros que nadan mucho, que viven en climas fríos o viven al aire libre.

Entre uno y otro baño el cepillado regular eliminará el pelo muerto y cualquier suciedad acumulada, y frotar el manto del perro con una toalla y agua destilada ayudará a controlar la caspa causante de alergias.

TÉCNICAS DE BAÑO

Dónde bañes al perro –barreño, bañera o al aire libre– dependerá del tamaño del perro y de tus preferencias. Las paredes altas del barreño pueden impedir cualquier plan de escape, y tener un perro a esa altura también es bueno para tu espalda y rodillas. O tal vez prefieras bañarlo en el jardín si hace calor.

Antes de bañar al perro, tendrás que cepillarlo. Es útil para los perros de pelo corto, porque se elimina el pelo muerto y la suciedad suelta, facilitando el lavado. Para todos los demás canes, sobre todo los que tienen manto doble, el cepillado

antes del baño es esencial para eliminar todos los enredos, en la cara y el cuerpo.

Si intentas bañar a un perro con enredos en su pelaje, nunca conseguirás limpiarlo bien. Además le harás daño, porque el pelo enredado se apretará más al secarse. También te arriesgas a que la humedad quede atrapada en la piel del perro, lo cual puede causar problemas cutáneos.

Si lo has cepillado una y otra vez y no consigues deshacer los enredos, incluso con un sacanudos (ver p. 201), será el momento de buscar la ayuda profesional de un peluquero.

Enjabonado y aclarado

La temperatura del agua para el baño del perro debería ser la que usas para un bebé, o quizá un poco más fría. Utiliza un champú especial para canes, porque el nivel del pH de su piel es distinto del de las personas. Extiéndeselo por todo el cuerpo con los dedos o con un guante de baño. Extiéndelo también por la cabeza teniendo cuidado de que no le entre jabón en los ojos, bajo la barbilla y el cuello, bajo el vientre y el trasero, hasta entre los dedos.

Si tu perro está mudando mucho pelo, un baño puede ser la mejor forma de controlar la situación. Después de enjabonarlo, pásale un cepillo de cerdas por el manto. Se desprenderán grandes matas de pelo; sigue pasando el cepillo hasta que dejes de sacar pelo.

Para terminar, aclara al perro a conciencia y no te olvides de los pies. Si le queda jabón en la piel o entre los dedos, sufrirá una irritación.

Después del aclarado, algunos peluqueros recomiendan aplicar un acondicionador para compensar cualquier pérdida de los aceites naturales del pelaje. Hay de varias clases distintas. Los de uso más sencillo se aplican sin más, mientras que los otros se tienen que aclarar con agua.

ACABADO PROFESIONAL Secar el pelaje largo con un secador previene la formación de enredos. También evitará que tu perro coja un resfriado.

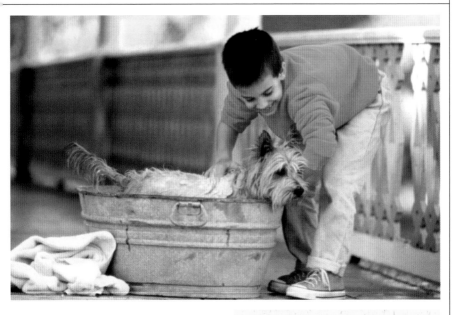

LA TAREA ENTRE MANOS Si hace calor, bañar al perro al aire libre evitará que dejes tanto rastro.

Secar al perro

Secar al perro por completo es tan importante como dejarlo totalmente limpio, sobre todo si tiene un manto doble o largo. Si dejas que el pelo se seque de forma natural, es posible que se formen enredos.

Los perros sin pelo o de pelo corto no tienen problema con los enredos, pero hay que secarlos a conciencia y tenerlos en una habitación cálida unas cuantas horas. No querrás que pille un enfriamiento y, si tiene algún problema de artrosis como displasia de codo o de cadera, un manto húmedo sólo agudizará sus molestias.

Los perros de doble manto o de pelo largo también necesitarán un secador, aunque los que se usan para personas no son adecuados. Los secadores de pelo para personas se calientan demasiado y pueden causar quemaduras al perro, además de no tener suficiente potencia para secarles todo el cuerpo.

Puedes comprar un buen secador portátil, ideal para usar en casa, por un precio razonable en una tienda de mascotas, o consulta los anuncios en las revistas caninas o en catálogos de venta por correo. O podrías llevar el perro a un peluquero canino para el lavado y secado con aire, aunque el coste del aseo de un año sea probablemente el mismo que la cantidad que pagues por un secador canino.

DETECTAR PROBLEMAS

Si tu perro comienza a oler mal, tal vez no sea el pelaje el que cause el problema. Incluso si lo es, un baño podría no ser la mejor solución. Huélelo primero para descubrir el origen del olor.

- Los perros de orejas caídas pueden comenzar a oler sólo porque tienen las orejas sucias. El entorno cálido y húmedo debajo de la solapa de la oreja es perfecto para la proliferación de hongos y bacterias. Limpiar las orejas tal vez sea lo único que necesites para eliminar el olor.

- Si le huele mal la boca, podría ser una señal de una enfermedad dental que requiera la atención del veterinario.

- No todo lo que tu perro come sale con sus excrementos. Parte se exuda por la piel, con lo cual el pelaje puede oler mal. Da a tu perro comida de gran calidad, y asegúrate de que se mantenga lejos de la basura en todas sus formas.

- Muchas razas de pelo largo pueden oler a perro por la presencia de enredos de pelo muerto atrapado en su manto. Asegúrate siempre de eliminar todos los enredos antes de bañar al perro.

- El pelo alrededor del trasero del perro puede atrapar porquería que olerá mal. Muchos peluqueros caninos sugieren esquilar el pelo de esta zona si no tienes pensado exhibirlo en competiciones.

- Los sacos anales de un perro (ver p. 230) a veces liberan sustancias que emiten un olor muy desagradable.

Si tu perro huele mal sin razón aparente, lo mejor es acudir al veterinario. Algunos olores son sintomáticos de problemas médicos y tal vez necesite una revisión veterinaria.

Áreas de especial cuidado

El aseo no es sólo cuestión de baños y cepillados: la cara, ojos,

orejas y dientes de tu perro también necesitan atención regular.

Ciertos perros requieren atención a ciertas áreas, sobre todo los que tienen la cara muy peluda o con arrugas, y los que tienen ojos llorosos. Y sea cuál fuere su raza o cruce, cuida sus orejas y pies.

LA CARA PRIMERO

Si tu perro tiene mucho pelo en la cara, asegúrate de que ésta se mantenga limpia. La comida o saliva acumuladas manchan el pelo y pueden causar irritaciones cutáneas, por lo que tendrás que lavar y secar la barba y los bigotes de tu perro después de comer.

Para los perros con el rostro arrugado como el doguillo, el bóxer o el shar-pei, has de adoptar precauciones adicionales. Los pliegues faciales tirantes necesitan ser limpiados y secados a conciencia al menos una vez por semana para prevenir irritaciones o afecciones como eccemas dentro de los pliegues. Para hacer esto, moja una servilleta de papel o un algodón montado en peróxido de hidrógeno y limpia el interior de los pliegues. Luego pasa por el mismo sitio un algodón limpio y seco para eliminar la humedad.

Al tiempo que limpias la cara del perro, echa un vistazo a la trufa. Debe estar húmeda, nunca seca ni agrietada. La aparición de algún flujo o pérdida de pigmentación no es normal y debe ser evaluada por su veterinario.

OREJAS LIMPIAS

Las orejas sanas tienen un color rosado y fresco, sin ningún olor apreciable. Cuando su aspecto es sucio o inflamado o exudan un olor desagradable, no tengas duda de que hay un problema. Cuanto más peludas sean las orejas, más posibilidades hay de que retengan humedad o sufran un infección. A

BUSCANDO PROBLEMAS Con una linterna, inspecciona el interior de las orejas de tu perro por si hubiera algún objeto extraño, una acumulación excesiva de cera o signos de infección.

los perros que acumulan pelo en el conducto auditivo, como el caniche y el lhasa apso, hay que quitarles el pelo atrapando unos pocos cada vez con los dedos o unas pinzas y tirando con suavidad. Apresar los pelos puede resultar más fácil con el uso de polvos especiales para ese propósito.

Como alternativa, cabe recortar el pelo de las orejas con unas tijeras de puntas romas. Asegúrate de que los pelos cortados no caigan dentro de la oreja del perro, lo que causaría irritación. Si tu perro no se queda sentado y quieto el tiempo suficiente para hacer esto, llévalo a un peluquero canino. No querrás hacerle daño con las tijeras mientras se debate por escapar.

Las orejas de tu perro se tienen que limpiar al menos una vez al mes, aunque no lo bañes con esa frecuencia. Los perros con orejas caídas son especialmente propensos a los problemas de oído, porque la forma de las solapas impide una buena circulación del aire. Si tu perro es de este tipo, sé diligente a la hora de comprobar y limpiar las orejas por dentro. Sin embargo, hay que dejar algo de cera en las orejas, así que no muestres excesivo celo. Si las orejas parecen muy sucias,

CUIDADOS DE LAS OREJAS
Elimina el exceso de cera y la humedad de las orejas de tu perro con un trozo de algodón o de gasa.

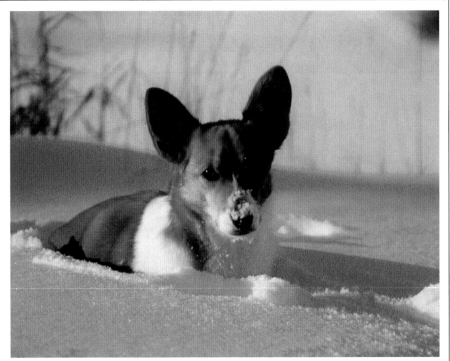

PERRO DE NIEVE Cuando tu perro haya pasado tiempo en la nieve, revisa sus patas por si tuviera heridas o nieve entre las almohadillas.

humedece un paño con aceite de parafina o utiliza una bola de algodón y un limpiador ótico para pasarlo por el interior de la solapa de la oreja. Si la suciedad vuelve en el plazo de una semana, es posible que sufra una infección de oído y tenga que ir al veterinario.

Si tu perro tiene orejas largas y colgantes, puede que se le metan en la escudilla de la comida. Algunos dueños de perros de orejas largas solucionan este problema con escudillas de boca estrecha o recogiendo las orejas por algún medio mientras come. Debe ser lo bastante firme para retirar las orejas pero sin ceñirse de forma incómoda.

OJOS LIMPIOS

Para mantener los ojos de tu perro brillantes y claros, límpialos con una bola de algodón mojada en agua tibia (sirve agua del grifo). Así se eliminará cualquier flujo que se haya acumulado en las comisuras. Si tu perro tiene ojos llorosos o un pelaje claro que se mancha con facilidad, puede que tengas que lavarle los

ojos con frecuencia, no sólo cuando le des un baño.

Lavar con algodón y agua es todo lo que necesitas para eliminar residuos bajo los ojos del perro y en sus mejillas. Pero, para eliminar cualquier sustancia que se haya secado sobre el pelo, usa un cepillo de dientes infantil. Si éste es suave, no le harás daño si accidentalmente toca los ojos del perro (aunque se encogerá o retrocederá); las cerdas eliminarán más suciedad que un paño, que empujaría los residuos más adentro.

Si tu perro tiene pelo delante de los ojos, utiliza una banda de goma o una pinza para retirarlo. O córtalo con unas tijeras de puntas romas, teniendo cuidado de que no le caiga el

ESTUDIA LAS ARRUGAS A los perros con muchas arrugas en la cara, como el terrier de Boston (derecha), el doguillo y el mastín, se les deberían limpiar las arrugas con regularidad.

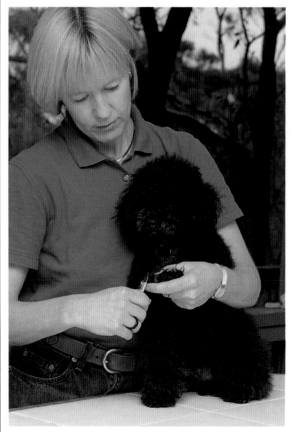

UÑAS LIMPIAS Los perros que pasean mucho por hormigón y otras superficies duras necesitarán que se les corten las uñas con menos frecuencia que a los perros que pasen mucho tiempo bajo techo, cuyas uñas no sufren un desgaste natural.

hubiera ampollas, grietas en las almohadillas, enrojecimiento de los espacios interdigitales u objetos como nudos que se hubieran alojado allí. Si encuentras algo, extráelo con unas pinzas.

Si tu perro usa más una pata, puede tener una herida. Si el problema persiste o tu perro tiene un dolor evidente, acude al veterinario. El problema podría ser algo tan sencillo como una semilla o un nudo de pelo atrapado entre los dedos, o quizá algo más grave.

Las uñas son propensas a sufrir daños. Cuando están demasiado largas, se pueden agrietar, romper o enganchar. Las uñas rotas son a veces muy dolorosas.

pelo cortado en los ojos. Cuando le limpies los ojos, míralos de cerca por si hubiera algo inusual. Si ves algún enrojecimiento, turbiedad, hinchazón o lagrimeo excesivo, lleva al perro al veterinario.

PIES LIMPIOS

Los cuidados básicos de los pies son parte vital de los cuidados de tu perro. Los pies del perro probablemente sean la parte que más sufre de su cuerpo, por la dureza del hormigón, el calor de las aceras y el hielo cortante, la nieve, las rocas, los pedazos afilados de madera y otros objetos.

Frotar las patas con vitamina E y jugo de áloe, antes y después de sacarlo a pasear, evitará algo los daños. Inspecciona los pies después de cada salida; examina las patas por si

ATENCIÓN ESPECIAL Si tu perro tiene el pelaje largo sobre la cara, como este perro pastor de Brie, tendrás que cortar el que cubra los ojos para que no los irrite ni le impida ver. Tal vez también necesites lavarle la barba y los bigotes después de comer. También tendrás que cuidar sus largas orejas caídas y limpiarlas con regularidad.

Corte del pelo entre los dedos

Con la mayoría de los perros de pelo largo o medio es importante cortar el pelo entre los dedos, porque esos espacios a menudo ocultan suciedad, nudos de pelo, pulgas o enredos. Tu perro puede empezar a mordisquearse los pies, lo cual se convierte en seguida en un hábito que es difícil erradicar.

CUIDADO DE LOS DIENTES Hay muchos juguetes para morder que reducirán la formación de placa en los dientes de tu perro.

CUIDADOS EXTRA Las orejas largas y peludas y las patas velludas del setter de Gordon necesitan atención especial.

Los perros también tienen pelo entre las almohadillas de los pies, que es más difícil de cortar, aunque es una buena idea mantenerlo corto.

Emplea unas tijeras para cortar uñas a bebés y que sean de puntas romas. Mantén el pie en alto, separa las almohadillas con una mano mientras cortas con cuidado el pelo lo más cerca posible de las almohadillas.

Corte de las uñas

Cortar las uñas es vital para la salud y comodidad del perro; le resultará doloroso caminar con las uñas descuidadas. Corta la uña justo en el punto en que empiece a curvarse hacia abajo. Hay que evitar tocar el área de la uña que contiene los nervios y vasos sanguíneos, pues le causaría mucho dolor.

Si tu perro tiene las uñas blancas, busca la línea rosada que se extiende desde la base de la uña hacia la punta. Cuando se la cortes, hazlo por debajo de esta línea rosácea para no tocarla. Si tu perro tiene las uñas oscuras, encontrar la

carne viva será más difícil. Ilumina la uña con una linterna para hacerte una idea de dónde termina la carne viva; luego actúa de memoria. O mira debajo de la uña; verás un surco desde la punta hasta el pie. El final de este surco suele ser donde comienza la carne. Si no superas ese punto al cortar, no tocarás la carne.

Sé conservador al cortar la uña. Corta un poco cada vez, y ten a mano polvo astringente en caso de que toques la carne. Espolvorea el área del corte y la hemorragia se cortará pronto.

DIENTES LIMPIOS

Una parte importante y a menudo descuidada del aseo diario de tu perro es el cepillado de los dientes. Una mala higiene dental puede causar diversas enfermedades.

Si no le cepillas los dientes con regularidad, se formará placa en los dientes y bajo las encías. Si ésta no se elimina, se puede desarrollar una infección bacteriana llamada enfermedad periodontal. Si no se trata la infección, puede llegar al torrente circulatorio y afectar al riñón, hígado, corazón o cerebro de tu perro. Pueden surgir otros problemas como abscesos bucales o dientes sueltos en perros sin una buena higiene dental. Y los perros con los dientes sucios y una afección periodontal tendrán muy mal aliento. Una forma de evitar estos problemas es cepillar los dientes al perro diariamente (ver pp. 240-41). El veterinario también debe examinarlo una vez al año, por si recomendara una limpieza profesional.

HIGIENE DENTAL Los cuidados dentales regulares mantienen los dientes de tu perro limpios, las encías sanas y el aliento agradable. La dueña de este cruce de terrier está usando un trozo de gasa para limpiarle los dientes.

En la vida, el amigo más firme,
El primero en saludarte y el primero en
defenderte.

LORD BYRON (1788–1824),
Poeta inglés

SALUD

Aspectos básicos de la salud

Para que tu perro disfrute de una vida larga y sana, necesita mucho ejercicio, una alimentación equilibrada y asistencia sanitaria preventiva.

Los cachorros son susceptibles de sufrir varias enfermedades contagiosas potencialmente mortales que se previenen fácilmente con su vacunación. Después de hacerte con el cachorro, deberás llevarlo al veterinario lo antes posible. Pregunta a amigos que tengan perro que te recomienden un buen veterinario o llama a la sociedad protectora de animales local o a una asociación veterinaria para su derivación. En la primera visita tu veterinario procederá a una exploración física exhaustiva del cachorro para asegurarse de que está sano, es probable que examine las heces por si hubiera parásitos intestinales y programará el calendario de vacunaciones.

VACUNACIÓN

La mayoría de las vacunas se administran dos o tres veces con intervalos de tres a cuatro semanas hasta que el cachorro tiene 12 a 16 semanas (véase el cuadro abajo). Las vacunas se administran varias veces porque la mayoría de los cachorros cuentan con protección temporal (anticuerpos) de sus madres que podría interferir con su capacidad para desarrollar su propia protección.

La mayoría de las vacunas se ponen anualmente. Ten presente que tu cachorro no

CALENDARIO DE VACUNACIONES

ENFERMEDAD	EDAD DE LA PRIMERA VACUNA	EDAD DE LA SEGUNDA VACUNA	EDAD DE LA TERCERA VACUNA	DOSIS DE RECUERDO
Moquillo Enfermedad vírica normalmente mortal que causa problemas en los sistemas nervioso, respiratorio y gastrointestinal.	6-10 semanas	10-12 semanas	14-16 semanas	12 meses
Hepatitis canina infecciosa (CAV-1 o CAV-2). Enfermedad vírica del hígado.	6-8 semanas	10-12 semanas	14-16 semanas	12 meses
Parvovirus canino Enfermedad intestinal peligrosa y a veces mortal (sobre todo en cachorros)	6-8 semanas	10-12 semanas	14-16 semanas	12 meses*
Bordetelosis Infección bacteriana del sistema respiratorio a menudo tras alguna infección respiratoria vírica.	6-8 semanas	10-12 semanas	14-16 semanas	12 meses
Parainfluenza Virus que forma parte del grupo de virus y bacterias que causan la tos de las perreras, el equivalente canino del resfriado humano.	6-8 semanas	10-12 semanas	14-16 semanas	12 meses*
Leptospirosis Enfermedad bacteriana que afecta al hígado y los riñones.	10-12 semanas	14-16 semanas	—	12 meses
Rabia Enfermedad vírica mortal del sistema nervioso que afecta a todos los mamíferos, incluido el hombre. Puede ser difícil de detectar.	12 semanas	64 semanas	—	12 o 36 meses**
Coronavirus Enfermedad intestinal contagiosa que causa diarrea.	6-8 semanas	10-12 semanas	12-14 semanas	12 meses

* Algunos veterinarios recomiendan una dosis de recuerdo a los 6 meses de edad para algunas razas como el rottweiler.

**Comprueba con su veterinario el tipo de vacuna.

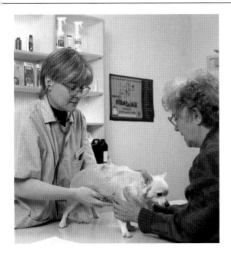

MEJOR PASARSE QUE LAMENTARSE Su examen veterinario anual es un buen momento para que le pongan las dosis de recuerdo. Las vacunas de muchas enfermedades caninas corrientes se administran en una sola inyección.

está totalmente protegido hasta que ha recibido todas sus vacunas infantiles. Hasta que esté completamente inmunizado, no lo lleves a sitios donde pueda codearse con perros sin vacunar o entrar en contacto con sus heces.

Dependiendo de dónde vivas y a lo que pueda estar expuesto tu cachorro, el veterinario tal vez también recomiende vacunas para la enfermedad de Lyme, una enfermedad transmitida por garrapatas que afecta a muchos sistemas corporales, y para el coronavirus, otra enfermedad vírica intestinal que puede ser grave en los cachorros. Se recomienda a menudo una forma intranasal de la vacuna de la tos de las perreras a los perros que se van a alojar con otros canes (en exhibiciones y residencias caninas). El veterinario también puede sugerir un tratamiento preventivo oral para la dirofilariasis, aunque no se trate de una vacuna.

SIGNOS VITALES

La mayoría de los perros no suelen quejarse y ocultan sus molestias. Es tarea tuya observar la conducta y signos vitales de tu perro, y saber cuándo buscar ayuda.

La frecuencia cardíaca normal de un perro se sitúa entre 80 y 140 latidos por minuto. El latido cardíaco se percibe poniendo las manos alrededor del pecho, justo detrás de los codos y aplicando una presión suave. Para comprobar la respiración, repara en el movimiento del pecho. Si un perro está inconsciente y parece sin vida, pon un hilo o un pelo delante de la nariz. Te permitirá detectar incluso el flujo más tenue de aire.

DIARIO ASISTENCIAL DE TU PERRO

Llevar una libreta con datos sobre la salud de tu perro resulta útil cuando se ponga enfermo. El diario de tu perro ayuda a recordar cuándo empezó a manifestar síntomas y lo que estaba haciendo en ese momento, además de muchos otros detalles que podrían ayudar a acelerar la recuperación.

Muchos veterinarios te entregarán una cartilla con el registro de las vacunaciones. Esta información es importante; la necesitarás si quieres alojar al perro en una residencia canina o que participe en una exhibición. Pero no te quedes ahí. Hazte con una libreta para todas tus mascotas. No tiene que ser ni bonita ni grande, porque lo más probable es que no uses más de una docena de páginas.

Apunta el nombre del perro en la tapa de la libreta. En la primera página, titulada «Lista de principales problemas», toma nota de todos los problemas médicos que tenga tu perro, seguido por la fecha en que te diste cuenta y la fecha en que comenzó a sentirse mejor. Esta es la historia médica de tu perro. Contiene la información importante que debes recordar y transmitir, por ejemplo, si cambias de veterinario, si acudes a un especialista o si tienes que llevarlo a una clínica de urgencias, o si el perro se va a vivir con otro dueño.

Las páginas restantes de la libreta serán un diario de las visitas veterinarias y comentarios sobre la salud del perro. No infravalores el valor de tus anotaciones. Por ejemplo, si tu perro se rasca y ves en el diario que también tuvo picores el año anterior por las mismas fechas, hay muchas posibilidades de que hayas ayudado a confirmar una alergia al polen.

La temperatura normal del cuerpo de un perro es entre 38 y 39°C. Para tomar la temperatura, pon un poco de gel lubricante en la punta de un termómetro digital rectal e inserta cuidadosamente unos 5 cm en el recto. Sostén el termómetro en todo momento y procede a su lectura pasados dos minutos. Toda temperatura por encima de 39,5°C es fiebre y requiere atención inmediata.

La mayoría de los perros con fiebre tienen poco apetito, la mirada «apagada» y están inactivos. Tienden a tener la trufa caliente y seca, pero también ocurre con muchos perros sanos, por lo que la trufa no es un indicador fiable de la fiebre. La única forma segura de saber si tu perro tiene fiebre es tomar la temperatura como se dice arriba (ver también p. 250).

Alivio medicinal

Hay algunas cosas que debes saber para tratar
problemas menores de salud de tu perro.

De vez en cuando tu perro tal vez necesite algún medicamento para tratar un problema de salud. Aunque algunos fármacos será el veterinario quien los administre en forma de inyección, la mayoría se los tomará en casa y serás tú quien esté al cargo. Para que se ponga mejor, es importante que tu perro tome las medicinas justo como lo haya prescrito el veterinario y que se administren todas las unidades, incluso si parece evidente que se siente mucho mejor después de unas pocas dosis. Los medicamentos no harán su labor si no las administras justo como se han prescrito.

CÓMO DARLE UNA PASTILLA

Muchos problemas corrientes de salud canina responden en seguida a la medicación, que a menudo te proporcionará el veterinario en forma de pastilla. A los perros no les gusta que los fuercen a tragar cosas, por lo que ten cuidado al administrar pastillas.

Mantén con firmeza abierta la mandíbula del perro, con cuidado de que no te muerda. A continuación, con la otra mano, pone la pastilla en lo más profundo de la lengua. Cierra la boca del perro y espera a que se la trague. Si tiene problemas para tragar, masajearle la garganta tal vez facilite su paso. Si tu perro sigue teniendo apetito, suele funcionar esconder la píldora en un trozo de queso o mantequilla de cacahuete.

Si tu perro siente molestias evidentes y no te deja sujetarlo por el morro, llévalo al veterinario. No vale la pena arriesgarte a un mordisco en la mano.

MEDICAMENTOS LÍQUIDOS

Cuando des a tu perro medicamentos líquidos, administra la medicina con un cuentagotas o una jeringa, porque a la mayoría de los perros no les gustan las cucharas. También es importante dejar que el perro trague el líquido en pequeñas cantidades. Inclina la nariz del perro hacia el techo, con la mano estabilizando el hocico. Inserta la jeringa o cuentagotas en el pliegue labial lateral de la boca y libera un poco de líquido, dando al perro mucho tiempo para tragarlo. No debes darle el líquido muy rápido o mucho de una vez, porque podría aspirarlo y llegar a sus pulmones.

ADMINISTRACIÓN DE MEDICAMENTOS OCULARES

Un colirio graso es mucho más fácil de administrar que un colirio normal, porque se puede extender sobre el párpado inferior distendido. Si hay que usar un colirio, a menudo se tiene que aplicar cada tres a cuatro horas. Suele ser labor de dos personas. Una persona sentada o en cuclillas detrás del perro puede hacerlo sentar o mantener suavemente su cabeza quieta, con el hocico hacia arriba. La segunda persona manipula el párpado superior del perro y deja caer las gotas en el ojo.

Si tienes que hacerlo solo, necesitarás un control firme y suave a la vez. Haz que adopte la posición de «sentado», acércate por delante, usa una mano para llevar hacia arriba el párpado superior usando el pulgar, mientras echas las gotas con la otra mano. En el caso de un perro más nervioso, haz que adopte la posición «sentado» y arrodíllate a su lado. Extiende el brazo y rodea suavemente el cuello si lo vas a inmovilizar con una llave. Recoge su barbilla con la palma de la mano y echa la cabeza hacia atrás hasta que el hocico apunte hacia arriba. Usa la otra mano para ponerle el colirio.

GOTAS PARA LOS OÍDOS

Siempre ten cuidado con lo que le echas a tu perro en los oídos. Las gotas óticas no siempre son seguras, sobre todo para perros que podrían tener otros problemas sin diagnosticar, como un tímpano perforado. Los ingredientes de algunas gotas para los oídos que se venden sin receta médica pueden causar sordera si llegan al oído interno.

EL BOTIQUÍN CANINO

Muchos veterinarios recomiendan que los dueños reúnan un botiquín de primeros auxilios específico para perros. En la mayoría de los casos no es necesario porque muchas medicinas para consumo humano actúan con la misma eficacia en los perros. He aquí los productos básicos que debes tener a mano.

- Carbón vegetal activo para tratar envenenamientos; el veterinario te dirá cuánto darle.
- Loción de áloe vera, o la planta entera, para tratar quemaduras menores.
- Betadine o una solución parecida para limpiar heridas.
- Aspirinas infantiles o recubiertas para la fiebre o dolencias misceláneas; dar un cuarto de una pastilla de 325 miligramos por cada 4-5 kg de peso una o dos veces al día.

- Harina de avena coloidal (échala en el agua del baño para aliviar picores causados por pulgas o alergias).
- Sales de Epsom para limpiar y empapar heridas y úlceras.
- Peróxido de hidrógeno (solución al 3 por ciento) para inducir el vómito; dale una cucharada sopera por cada 7-9 kg de peso; o cristales de sosa o ipecacuana.
- Crema de hidrocortisona para tratar inflamaciones leves.

- Pepto-Bismol™ (salicilato de bismuto) para la diarrea y otras molestias digestivas; una cucharada de postre por cada 9 kg de peso cada cuatro horas.
- Solución salina para irrigar y limpiar de arena los ojos y para aliviar irritaciones.
- Pomada o crema de triple antibiótico.
- Olmo escocés para aliviar inflamaciones leves, así como para picaduras de insectos.

Consulta al veterinario antes de ponerle en la oreja algo más fuerte que una solución de agua con sal. Para ponerle las gotas, ase con suavidad la solapa de la oreja e introduce el número correcto de gotas en el conducto vertical. Sostén la solapa y masajea suavemente la oreja. Cuanto más tiempo permanezcan las gotas en el conducto auditivo antes de que sacuda la cabeza, mejor. Repite en la otra oreja.

Si hay muchos residuos en el conducto, no uses gotas. Consulta al veterinario, porque ningún medicamento llegará al punto donde sea más eficaz si el conducto vertical no está completamente limpio.

Además, ten presente que algunos medicamentos óticos contienen alcohol, que le hará daño si tiene alguna herida. Esto provocará que el perro pierda su confianza en ti y no deje que le vuelvas a manipular las orejas. Antes de administrar una medicina en los oídos, comprueba que no haya áreas sensibles en el conducto auditivo mediante un suave masaje.

MENOS ESTRÉS Este cruce de viejo ovejero inglés y collie de la frontera está más relajado cuando es su dueña quien le aplica el tratamiento.

ALIMENTACIÓN CURATIVA

Un perro que haya estado vomitando o con diarrea necesitará cierto tiempo para que se recupere su tubo digestivo. En la mayoría de los casos esto significa no ingerir alimentos al menos en 12 horas. No obstante, es importante que no deje de beber agua a menos que esté vomitando. Después tendrá que ceñirse a una dieta blanda, como pollo hervido con arroz, hasta que los signos del trastorno gástrico hayan desaparecido al menos durante tres días. Luego se reintroducirá lentamente su dieta habitual.

Otras afecciones crónicas pueden requerir cambios en la alimentación. Los perros con cardiopatías tal vez sigan una dieta con poca sal. Los perros con enfermedades renales suelen tomar una dieta con pequeñas cantidades de proteínas de gran calidad. El veterinario recomendará una dieta elegida entre más de doce dietas prescriptivas para problemas tan variados como obesidad, enfermedades de las encías y otros problemas de salud más graves como cálculos en las vías urinarias e incluso cáncer.

Esterilización

A menos que tu perro tenga pedigrí y seas un criador responsable,
la esterilización a edad temprana es una opción sensata.

Castración es el término para definir la esterilización quirúrgica irreversible de un animal. En las hembras el procedimiento consiste en extirpar los ovarios y el útero. En los machos se llama castración e implica la exéresis completa de los testículos. Como hay tantos mitos y falacias sobre la esterilización, los dueños de perros a menudo temen el procedimiento. Los datos siguientes deberían tranquilizarte y convencerte de que la esterilización es la decisión más sabia.

LAS RAZONES PARA LA ESTERILIZACIÓN

Anualmente se duerme a miles de perros en albergues caninos porque nadie los quiere. Muchos son producto de accidentes. La única forma de detener esta tragedia es no dejar que nuestras mascotas se reproduzcan, y la forma más segura y eficaz para conseguirlo es la esterilización. Al no contribuir con más perros a la población canina, las posibilidades de que las mascotas sin hogar encuentren uno se incrementan.

Con los métodos actuales de la cirugía veterinaria, ambas formas de esterilización son intervenciones rápidas, relativamente seguras e indoloras. Además, la esterilización aporta diversos beneficios para la salud y la conducta.

UNA IDEA FIJA Es difícil confinar a un macho sin castrar cuando hay perras por los alrededores.

¿POR QUÉ ESTERILIZAR A UN MACHO?

La castración conlleva beneficios significativos para la salud de los perros. Previene afecciones de próstata, un problema grave para los machos viejos, y erradica las posibilidades de cáncer o infección testiculares.

La castración también puede modificar muchos problemas de conducta. Elimina la hormona sexual testosterona, que es responsable de «conductas masculinas» como la monta de objetos, la marcación con orina (levantar la pata), las peleas y el fuguismo. No sólo es menos probable que tu perro se pelee con otros machos, sino que también es

SIN DISTRACCIONES La mayoría de las mascotas suelen ser más cariñosas y juguetonas si cabe después de castrarlas.

menos probable que los otros perros se peleen con él. Como los machos castrados tienen menos deseo de fugarse y buscar hembras, también es menos probable que los atropelle un coche.

Al contrario de lo que la gente cree, la castración no hará que tu perro sea más tranquilo, pero suprimirá la causa de gran parte de sus frustraciones. Sólo la madurez, el ejercicio y un buen adiestramiento calmarán a un perro joven y activo.

¿POR QUÉ ESTERILIZAR A UNA HEMBRA?

La extirpación de los ovarios elimina la fuente primaria de las hormonas sexuales femeninas: estrógeno y progesterona. Si esterilizas a una perra antes del primer celo, disminuirás radicalmente las posibilidades de que sufra cáncer de mama. La esterilización elimina las

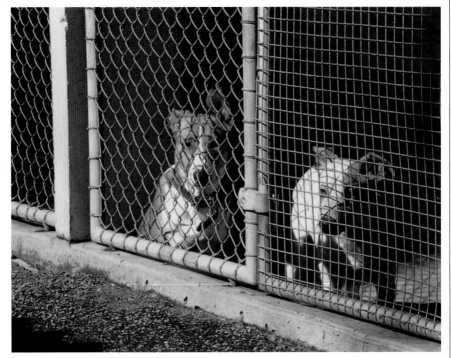

LA TRISTE VERDAD Nacen tantos cachorros que la mayoría no tiene posibilidades de encontrar un buen hogar. La esterilización ayuda a mitigar esta situación trágica.

posibilidades de desarrollar cáncer o infección de útero. Esta última afección es habitual y a menudo potencialmente mortal.

A diferencia de la castración, la extirpación de los ovarios tiene poco efecto sobre la conducta, si bien previene la irritabilidad y agresividad ocasionales que las perras muestran durante el celo y el período de un falso embarazo que a menudo sigue al celo.

La extirpación de los ovarios también significa que no tengas que lidiar con las manchas de sangre en las alfombras por el flujo que se produce durante el celo. Además, te librará de la persistencia de los machos del vecindario sentados a la puerta de tu casa a la espera de tu perra.

MITOS Y HECHOS

Una falacia extendida sobre la esterilización es que las mascotas castradas sufren depresión. De hecho, la mayoría son cariñosas y juguetonas porque dejan de preocuparse por aparearse. Otro mito es que los animales esterilizados engordan y se vuelven perezosos. Los perros castrados requieren menos calorías y se mantendrán fácilmente en forma si siguen una alimentación adecuada y un programa de ejercicio. La obesidad es causada con más frecuencia por comer demasiado y por la inactividad que por la

esterilización. A algunos dueños también les preocupa que la esterilización mitigue el instinto básico de defensa de su territorio, volviendo al perro guardián, antes vigilante, en un ser tímido y encogido. No es cierto.

La esterilización es preferible antes de la pubertad, pero se puede practicar a cualquier edad y tendrá el mismo efecto sobre la conducta y la reproducción. No hay necesidad de que tu perra pase un primer celo o tenga una camada antes de esterilizarla.

La esterilización tiene en ocasiones una consecuencia indeseable: por ejemplo, hay evidencias de que los rottweiler esterilizados antes de los 12 meses de edad corren un mayor riesgo de sufrir osteosarcoma y es bastante más probable que lo desarrollen que los perros sexualmente intactos. No queremos decir con esto que no haya que esterilizarlos; sino que debería hacerse a una edad más tardía en las razas propensas a esta enfermedad. El veterinario te dirá la mejor edad para esterilizar a tu perro.

Realmente no hay ninguna razón para no esterilizar a tu perro. El procedimiento tiene un precio razonable y no necesita espera, siendo muchas las sociedades protectoras de animales que ofrecen programas de esterilización a bajo precio. El coste de la operación es ciertamente mucho menor que el coste de criar una camada accidental de cachorros o que pagar las facturas de los problemas que la esterilización puede prevenir fácilmente.

El perro saludable

La salud y el bienestar de tu perro son responsabilidad
de quien lo quiere y conoce mejor: tú.

Utiliza las sesiones habituales de aseo para inspeccionar la salud de tu perro. La detección temprana de cualquier problema físico ayudará a tu veterinario a tratarlo con más éxito. Empieza la exploración dando al perro un masaje por todo el cuerpo. Comienza por el área de la cabeza y el cuello y avanza suavemente hacia la cola y los pies.

SIGNOS PREMONITORIOS

Consulta siempre a tu veterinario si algo te llama la atención durante el examen físico o si identificas alguno de estos signos:

- Pérdida del apetito acompañada de cambios de conducta que duran más de un día.
- Problemas para comer o dolor de boca.
- Pérdida o aumento repentinos de peso.
- Pérdida gradual y prolongada de peso.
- Fiebre.
- Dolor.
- Vomita más de tres veces. Llama inmediatamente al veterinario si es oscuro o hay presencia de sangre.
- Diarrea que dura más de un día. Llama inmediatamente al veterinario si hay presencia de sangre.
- Cambio que dura más de un día en sus hábitos a la hora de hacer sus necesidades.
- Estornudos, tos o respiración fatigosa que duran más de un día.
- Bebe demasiado más de un día.
- Orina más, con accidentes en casa, dificultad para la micción, tenesmos, sangre en la orina o disminución de la orina.
- Salivación excesiva.
- Pereza o poca apetencia de hacer ejercicio que dura más de un día.
- Picores o rascado excesivos, incluido frotarse las orejas o sacudir la cabeza.
- Cojera que dura más de un día.
- Convulsiones.
- Secreciones oculares que duran más de un día. Si entrecierra los ojos o tiene molestias, llama de inmediato al veterinario.
- Se mordisquea la piel más de un día.

Pasa la mano por el manto del perro. El pelaje sano está brillante y no perderá pelo en exceso al tocarlo. Inspecciona por si hubiera calvas.

Repara en la piel bajo el pelaje. La piel normal no presenta escamas, costras, olores ni grasa. Busca si hay pulgas, partículas de sangre seca y excremento desechado por las pulgas, o garrapatas.

Examina el extremo de la cola del perro. El área anal debe estar limpia, seca y sin bultos. Los signos de irritación tal vez signifiquen que tu perro tiene diarrea o parásitos intestinales, o que los sacos anales están bloqueados.

Examina las patas y pies del perro. Busca bultos o áreas dolorosas.

Busca cortes en las almohadillas del perro o daños en las uñas. ¿Hay que cortar las uñas?

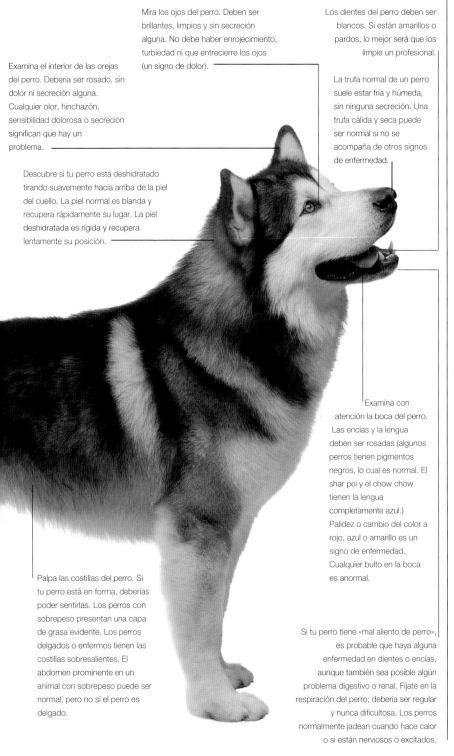

Mira los ojos del perro. Deben ser brillantes, limpios y sin secreción alguna. No debe haber enrojecimiento, turbiedad ni que entrecierre los ojos (un signo de dolor).

Examina el interior de las orejas del perro. Debería ser rosado, sin dolor ni secreción alguna. Cualquier olor, hinchazón, sensibilidad dolorosa o secreción significan que hay un problema.

Descubre si tu perro está deshidratado tirando suavemente hacia arriba de la piel del cuello. La piel normal es blanda y recupera rápidamente su lugar. La piel deshidratada es rígida y recupera lentamente su posición.

Los dientes del perro deben ser blancos. Si están amarillos o pardos, lo mejor será que los limpie un profesional.

La trufa normal de un perro suele estar fría y húmeda, sin ninguna secreción. Una trufa cálida y seca puede ser normal si no se acompaña de otros signos de enfermedad.

Examina con atención la boca del perro. Las encías y la lengua deben ser rosadas (algunos perros tienen pigmentos negros, lo cual es normal. El shar pei y el chow chow tienen la lengua completamente azul.) Palidez o cambio del color a rojo, azul o amarillo es un signo de enfermedad. Cualquier bulto en la boca es anormal.

Palpa las costillas del perro. Si tu perro está en forma, deberías poder sentirlas. Los perros con sobrepeso presentan una capa de grasa evidente. Los perros delgados o enfermos tienen las costillas sobresalientes. El abdomen prominente en un animal con sobrepeso puede ser normal, pero no si el perro es delgado.

Si tu perro tiene «mal aliento de perro», es probable que haya alguna enfermedad en dientes o encías, aunque también sea posible algún problema digestivo o renal. Fíjate en la respiración del perro; debería ser regular y nunca dificultosa. Los perros normalmente jadean cuando hace calor o si están nerviosos o excitados.

Un plan de prevención

El sentido común nos dice que es mejor prevenir que curar, así que sé consciente de los problemas que puedan surgir y prepara un plan para evitarlos.

La vida moderna de los perros acarrea ciertos problemas. Muchos veterinarios creen que los alimentos modernos a la venta y el estilo de vida contemporáneo, como la falta de ejercicio, han causado un aumento de la variedad de amenazas para la salud de tu perro como alergias, diabetes y artritis.

No es que los perros fueran a ser más sanos si volviesen a un estado salvaje, pero todo iría mejor si hiciéramos el esfuerzo de combinar lo mejor de ahora con lo mejor de antes: buena higiene y revisiones veterinarias periódicas, así como ejercicio regular y mucha interacción con otros perros. Los cuidados preventivos son mucho más baratos que la asistencia veterinaria cuando surge un problema, y no llevan mucho tiempo.

COMER BIEN

Es mucho menos probable que los perros que toman alimentos integrales y nutritivos tengan sobrepeso, por lo que también es menos probable que sufran diabetes y otros problemas digestivos. Una dieta saludable también reduce el riesgo de desarrollar cálculos renales.

Elegir la comida adecuada puede resultar complicado. La mayoría de los veterinarios recomiendan evitar los alimentos genéricos.

APERITIVOS VEGETARIANOS Unas verduras poco cocidas y crujientes son un aperitivo excelente para tu perro y ayudarán a la prevención y tratamiento del estreñimiento.

Aunque a menudo cuestan la mitad que los alimentos de marca, no se elaboran con ingredientes de la mejor calidad. La comida de altísima calidad, a la venta en clínicas veterinarias y tiendas para mascotas, se elaboran con ingredientes excelentes y a veces se recomiendan a perros con necesidades especiales, como cuando son muy activos. Sin embargo, para la mayoría de los perros estos alimentos no suponen una gran diferencia para su salud. A menos que el veterinario haya sugerido lo contrario, no te equivocarás si compras los productos de marca más baratos del supermercado, aunque siempre tendrás que leer los ingredientes.

Mide siempre la comida que echas en la escudilla. Los veterinarios han descubierto que, cuando las personas calculan a ojo lo que dan de comer a sus perros y luego miden la cantidad real, se sorprenden de lo mucho que les están dando. Así no sólo podrás controlar con mayor precisión cuánto come tu perro, sino que también sabrás cuándo come más o menos de lo normal, lo cual te puede proporcionar claves sobre su salud.

Cuenta los premios que le das; tanto los comprados como los caseros suelen ser ricos en grasas y energía, y pueden echar al traste la dieta mejor planificada. Remplázalos por trocitos de fruta o verdura. A muchos perros también les gustan las palomitas (caseras y sin azúcar, sal ni mantequilla).

Los perros con sobrepeso corren un mayor riesgo de sufrir muchas afecciones, por lo que el control del peso es esencial. La forma más fácil de limitar las calorías es reducir un 25 por ciento la cantidad de comida. La

GUARDA BIEN LA BASURA Es más probable que tu perro sufra trastornos gástricos si tiene fácil acceso a la basura.

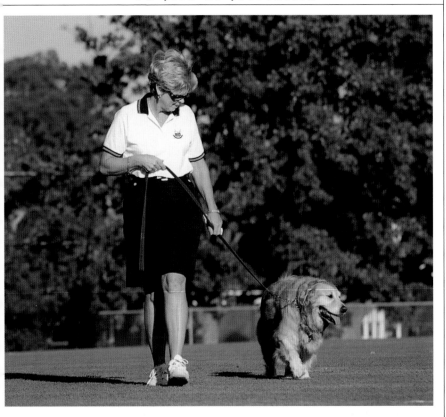

UN HORARIO REGULAR Este golden retriever hace mucho ejercicio, lo cual, además de mantener sus músculos tonificados y las articulaciones en buen funcionamiento, estimula sus intestinos y ayuda a reducir la flatulencia.

mayoría de los perros comienzan a perder peso a las pocas semanas. Si tu perro no empieza a adelgazar, habla con el veterinario para elaborar otro plan.

Da de comer al perro a horas predecibles, por ejemplo, una vez por la mañana y de nuevo por la tarde. Puedes satisfacer el apetito de un perro a dieta añadiendo una cucharada o dos de calabaza en lata a su comida. Es rica en fibra, baja en calorías y saciante; además, a la mayoría de los perros les gusta su sabor.

Mantén la basura lejos del alcance del perro. El basureo causa trastornos gástricos y se han dado casos de perros que se han comido objetos grandes como huesos, papel o plástico, que pueden obstruir el tubo digestivo.

Da al perro alimentos secos. Las croquetas para mascotas ayudan a mantener limpios los dientes al restregarse con ellos en cada mordisco. La comida en lata y semihúmeda se adhiere a los dientes, por lo que es más probable que proliferen las bacterias y causen infecciones e inflamación. Guarda toda la comida del perro en su propia bolsa o caja en un contenedor de plástico para mantener su frescura y sabor sin riesgo de contaminación.

MANTENERSE ACTIVOS

Tener a los perros ocupados haciendo ejercicio regular es una de las mejores estrategias para que se mantengan en forma, sanos y contentos. El ejercicio conserva el buen funcionamiento del corazón y los pulmones. Fortalece los músculos y ligamentos, por lo que son más capaces de proteger las articulaciones. Incluso es menos probable que las mascotas se comporten mal. Muchos problemas habituales de la conducta, como cavar hoyos o mordisquear los muebles, son causados por el aburrimiento, sobre todo cuando los perros no tienen otro escape para sus energías.

La cantidad de ejercicio que necesitan los perros

ENERGÍAS PARA QUEMAR Este fox terrier de ojos brillantes y mucha energía es el vivo retrato de una buena salud.

SABER LO QUE ES NORMAL

No hay dos perros iguales física ni emocionalmente. La única forma de saber si tu perro está enfermando es conocer su conducta cuando está sano. Los veterinarios lo llaman «punto de comparación». Cualquier cambio de su conducta normal, hábitos, aspecto y estado de ánimo significa que algo ocurre.

Controla cuánto come. Uno de los primeros signos de enfermedad es un cambio en el apetito. Los veterinarios recomiendan medir la comida del perro a diario para saber si está comiendo más o menos de lo normal. Repara también en si el perro es más reacio a masticar las croquetas duras, lo cual puede ser una señal de un problema en la boca.

Controla cuánto bebe. La ingesta de agua de un perro suele fluctuar según el tiempo atmosférico y cuánto ejercicio esté haciendo, aunque cambios bruscos pueden ser un signo de un problema grave como diabetes, insuficiencia renal o problemas de las glándulas suprarrenales.

Controla sus hábitos de micción y defecación. Echa un rápido vistazo a su orina y heces; puede aportar mucha información. Cualquier cambio en su aspecto habitual puede ser un signo premonitorio.

Controla su resistencia física y su energía. Un perro que siempre ha sido tranquilo y de repente muestra muchas energías podría tener un problema hormonal. De forma similar, cuando un perro que siempre ha sido una central de energía de repente está siempre cansado, seguro que algo va mal. Mira sus ojos. Los ojos del perro siempre deben estar claros y brillantes. Un cambio de color o la aparición de más lágrimas es motivo de observación.

Mira su boca. Echa un vistazo a los dientes y encías del perro con regularidad. Las encías deben tener un color rosa y ser firmes, y los dientes estar relativamente limpios. Las encías enrojecidas o irritadas, o un aliento que echa para atrás significan que algo va mal, bien en la boca o en otra parte del cuerpo de tu perro.

Palpa la piel. Es normal encontrar algunos bultos a medida que se hace mayor, pero también pueden ser un signo premonitorio de cáncer. Por lo general, es menos probable que los bultos blandos que ruedan libremente bajo la piel sean una preocupación que los que son duros al tacto y no se mueven.

Acudir al veterinario. Una revisión veterinaria anual es una buena idea. Los perros mayores necesitan acudir al veterinario con más frecuencia, por lo general, dos a tres veces al año.

CAMBIOS EN EL APETITO Si tu perro parece tener menos hambre de lo corriente, tal vez algo vaya mal.

depende de la raza. Los terrier, los perros de pastoreo y de caza son dinamos generadoras de energía. Suelen necesitar una hora o más de ejercicio vigoroso al día para estar felices y sanos. Los perros de razas gigantes o enanas tienen a ser más tranquilos y les basta con uno o dos paseos cortos al día. Por lo general, todos los perros necesitan al menos 30 minutos de ejercicio diario: 15 minutos por la mañana y 15 por la tarde.

Si tu perro no ha hecho mucho ejercicio últimamente, avanza poco a poco al principio. Dale un par de paseos al día, preferiblemente un recorrido sin muchas cuestas. O juega con él en el jardín o el salón unos minutos cada vez. A medida que vaya mejorando su condición física, podrás ir aumentando la intensidad y probar otras formas más divertidas de conseguir que se mueva.

Uno de los planes más eficaces de puesta en forma, y que encanta a los perros, es el entrenamiento alternativo, es decir, practicar variedad de actividades como natación, paseos, carreras o persecución de una pelota. La natación es especialmente buena para los perros a los que les gusta el agua, porque ejercita todos los músculos y es benigno con las articulaciones. Desde luego es importante supervisar al perro en el agua, como asegurarse de que pueda salir, comprobar que no haya obstáculos ocultos y evitar los ríos y el mar, donde las corrientes pueden suponer un peligro. Pero si a tu perro no le gusta el agua, no podrás obligarle a que lo pase bien.

Una precaución respecto al ejercicio: evita el ejercicio duro que implique giros y cambios bruscos de dirección sobre asfalto, superficies pavimentadas o cemento. Estas superficies son

SÍNTOMAS EXTRAÑOS

No siempre los síntomas físicos son signos de aviso útiles. Los perros hacen algunas cosas muy extrañas, a saber:

- El estornudo inverso. Los perros periódicamente emiten un sonido que suena a algo parecido a «buusi», en que el aire entra en la nariz con un sonido sibilante. Los veterinarios lo llaman estornudo inverso y no es nada grave, aunque pueda ser causado por alergias intermitentes.
- La coprofagia. Casi todos los perros han comido excrementos alguna vez, sean los suyos o los de otras mascotas. Aparte de aumentar el riesgo de ingerir parásitos, no es un problema grave.
- Abotonamiento. Después de aparearse, los músculos de la perra se contraen y el pene del macho se hincha. La trabazón resultante puede mantenerlos unidos 30 minutos o más. Esta unión prolongada permite el paso de nutrientes al sistema reproductor de la hembra y, por tanto, aumenta las posibilidades de concepción. Es una imagen peculiar, pero es normal y casi todos los perros se separan por sus propios medios.

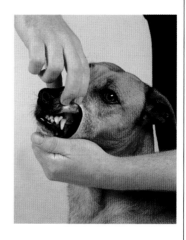

EXAMINA LA BOCA Las encías deben ser firmes y rosadas, y los dientes relativamente limpios. Las encías inflamadas y el mal aliento son signos de que algo va mal.

demasiado resbaladizas como para que agarren bien los pies del perro y los resbalones y deslizamientos hacen sufrir a los pies y las articulaciones.

SOCIALIZACIÓN

En tiempos los perros se mantenían ocupados cazando presas y criando a sus cachorros. Los perros de hoy en día, por su parte, a menudo pasan mucho tiempo solos. Incluso si están con gente, no tienen muchas oportunidades de socializarse con otros perros. Esto puede causar problemas porque los perros son por naturaleza

LA FELICIDAD COMO FACTOR A tu perro le encanta correr y el ejercicio placentero es una de las mejores medicinas preventivas a nuestro alcance, y es gratis.

muy sociables y les gusta la compañía. Cuando no tienen mucho que hacer, se aburren, se deprimen y se enfrentan a estas emociones ladrando, excavando hoyos en el jardín, destrozando las plantas del jardín o comiéndose los muebles.

Es casi imposible brindar al perro demasiadas oportunidades para llevar vida social, y la mejora de su conducta y su estado de ánimo general a menudo es espectacular. Haz un esfuerzo y juega con tu perro media hora a una hora al día para que esté feliz y lleno de energía. Mejor aún, sácalo de casa y lejos del barrio de vez en cuando. Nuevas vistas y nuevos olores, y tal vez algún otro perro para jugar, son todo pura diversión para él. Y es más probable que un perro feliz no tenga problemas.

Cuándo llamar al veterinario

Los perros a menudo hacen cosas -vómitos, diarrea, no tocar la comida- que ponen nerviosos hasta al más pintado.

Los perros son animales muy resistentes y en la mayoría de los casos nunca padecen enfermedades graves. La clave para que tu perro siga sano es estar alerta a los cambios y reconocer pronto los problemas. Esto significa que los problemas pequeños pueden tratarse antes de que se conviertan en algo peor. Algunos síntomas dejarán perplejos hasta a los veterinarios.

CONFÍA EN TU INSTINTO

Los dueños ven a sus perros a diario y suelen darse cuenta con rapidez si algo no es normal. Los veterinarios son observadores preparados, pero sólo ven a sus pacientes una o dos veces al año, por lo que dependen de las interpretaciones de sus dueños.

Por supuesto, el instinto tiene sus límites. Si ya has visto antes un síntoma, estarás más seguro al tomar la decisión de llamar al veterinario. Sin embargo, algunos síntomas no te resultarán familiares o serán demasiado graves como para jugártela. Pide ayuda siempre que estés preocupado.

ESPERA VIGILANTE

Algunos síntomas necesitan tratamiento rápido; muchos otros no. No pases por alto un problema; observa al perro de cerca para asegurarte de que está mejorando. He aquí algunos síntomas que exigen una espera vigilante.

- Diarrea. Si tu perro parece por lo general normal, se puede esperar un día para ver si la diarrea mejora. Ten siempre su escudilla llena de agua, porque tendrá que remplazar los líquidos que está perdiendo.
- Vómitos. Un perro que vomita una vez probablemente esté bien. Un perro que vomita durante horas o días puede tener algo grave.
- Sangre en la orina. Casi siempre significa una infección de las vías urinarias. Muchas se curan en unos pocos días, pero el veterinario debe comprobar que la infección no es grave.
- Saltarse comidas. Los perros pueden pasar un día o dos sin comer. Si tu perro rechaza la comida o tiene fiebre u otros síntomas, acude al veterinario.
- No deja de rascarse. El problema cuando se rasca con persistencia es que los perros se pueden dañar la piel y causarse infecciones y heridas difíciles de curar. Consulta al veterinario si el tratamiento habitual para los picores (ver p. 259) no es eficaz.

ALGUNOS SÍNTOMAS GRAVES

Si tu perro muestra algunos de los síntomas siguientes, necesitará ayuda veterinaria.

Los problemas respiratorios exhiben los síntomas más fáciles de reconocer, y también los más peligrosos. Los perros que jadean con fuerza cuando están descansando o se esfuerzan para respirar podrían tener un problema cardíaco o pulmonar. Incluso si la causa subyacente de los síntomas no es grave, la dificultad respiratoria puede reducir el aporte de oxígeno al corazón y otros órganos, lo cual puede causar daños permanentes. Pide ayuda con rapidez.

Las encías pálidas revelan que los tejidos del cuerpo no están recibiendo suficiente sangre; las encías azuladas son una señal de un aporte insuficiente de oxígeno. Excepto en los perros cuyas encías son oscuras, como el chow chow, las encías deberían ser de color rosa brillante. Muchas afecciones como hemorragias internas y cardiopatías provocan a veces que las encías estén pálidas. Las encías pálidas casi siempre revelan una emergencia.

La fatiga inusual y muy intensa, o que dura más de un día, es motivo para llamar al veterinario.

Un abdomen hinchado puede ser señal de un problema, sobre todo en razas de tórax grande y ancho, como el lebrel irlandés o el mastín danés, que tienen mucho riesgo de meteorismo. En esta afección el estómago se distiende de pronto al llenarse de gases. La distensión puede sobrevenir en pocas horas y siempre es una emergencia.

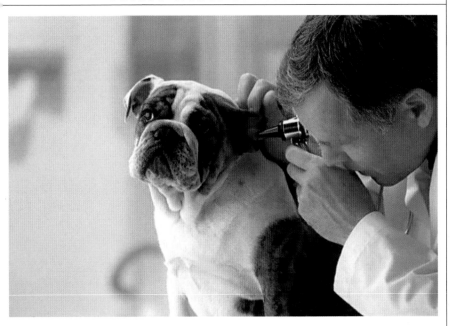

AYUDA PROFESIONAL Cualquier flujo o mal olor en el oído, o cualquier cambio en el aspecto de los ojos, tendrá que ser estudiado por el veterinario.

Los signos premonitorios son conducta agitada, abdomen hinchado y respiración fatigosa.

Heridas repentinas, como un golpe contra un coche que lo haya derribado, no tienen por qué ser evidentes. Pero esos accidentes a veces causan heridas internas sin síntomas hasta horas o días después. No importa lo bien que se encuentre tu perro después de un accidente, llévalo a que le hagan una exploración.

El aliento químico se puede deber a que tu perro haya metido el morro en cualquier cosa, como sustancias químicas guardadas en el garaje o debajo del fregadero. Incluso cuando lo que se haya comido no esté clasificado como «veneno», puede ser tóxico. Tal vez tengas menos de una hora para iniciar el tratamiento. A menos que hayas visto al perro lamiendo un charco o sacando el morro de una bolsa, el envenenamiento puede ser difícil de identificar. Presta atención si ves una botella volcada o una bolsa rota. Los perros que han ingerido veneno pueden tener un aliento que huela a química, o estar mareados o vomitar.

Debido a su apetito temerario, algunos perros tienen problemas digestivos con bastante frecuencia. Los problemas digestivos graves como vómitos y diarrea ocasionales no son un problema para la mayoría de los perros adultos. En los cachorros pueden ser graves. Los cachorros no tienen muchas reservas y se pueden

DEFENSAS NATURALES

Las defensas del cuerpo, el llamado sistema inmunitario, protegé de miles de peligros, como bacterias, virus, alérgenos y del veneno de serpientes y arañas. Cuando un agente invasor, llamado antígeno, entra en el cuerpo, el sistema inmunitario produce anticuerpos para que luchen. Una vez activada la respuesta inmunitaria, los anticuerpos permanecen en el cuerpo como defensa permanente contra el antígeno que causó su creación.

Las vacunas aprovechan este mecanismo de defensa mediante la introducción deliberada de una forma leve de una enfermedad, como la rabia o el moquillo, en el cuerpo del perro. Esto estimula al sistema inmunitario a producir anticuerpos que protegen de forma permanente contra la forma grave

deshidratar o sufrir hipoglucemia con rapidez. Vomitar en exceso es hacerlo más de tres veces en un período de ocho horas.

La dificultad para orinar puede revelar problemas renales o un bloqueo de las vías urinarias. La acumulación de orina aumenta la presión en la vejiga y a veces provoca su rotura.

La mayoría de los cambios en los ojos como enrojecimiento o lagrimeo excesivo son leves y se solucionan solos con rapidez o con la ayuda de antibióticos. Pero los mismos síntomas que revelan problemas oculares menores también pueden tener su origen en un glaucoma, que causará ceguera si no se trata con rapidez.

Identificación de problemas de salud corrientes

La mejor forma de que tu perro esté sano es fijarte en cualquier signo revelador y hacer lo necesario antes de que el problema se agudice.

Si cada semana en casa procedes a un reconocimiento completo, pronto sabrás captar ligeros cambios que tal vez revelen que no todo está como debiera estar. Haz una revisión física de todo el cuerpo. También debes conocer el funcionamiento de su corazón y pulmones. Eso no significa que necesites llevar un estetoscopio colgado del cuello. No se precisa un instrumental especial para tomar el pulso del perro, pesarlo, comprobar su respiración y circulación, y asegurarse de que ingiera suficiente líquido. Si haces estas cosas habitualmente, pronto sabrás reconocer lo que es normal y lo que no lo es tanto.

REPLECIÓN CAPILAR Para saber si tu perro tiene problemas circulatorios, ejerce presión sobre una encía, por encima de un canino, y alivia la presión; fíjate en el tiempo que tarda la sangre en volver a la zona presionada. Esto se conoce como tiempo de repleción capilar; si la sangre vuelve con lentitud, puede revelar un problema de circulación.

RESPIRACIÓN

Examinar la respiración de tu perro es una forma estupenda de saber cómo está, para lo cual aproximarás la cabeza a su pecho y escucharás, u observarás el pecho subir y bajar. Se cuenta el número de respiraciones por minuto. Parece una tarea sencilla, pero puede ser complicado si tu perro tiende a jadear, a exhalar por la boca o a respirar con estertores. Si resulta demasiado difícil, no pasa nada. Los veterinarios se enfrentan al mismo problema. Mucho más importante que la frecuencia respiratoria es que la respiración del perro sea limpia y no detectes tos, estertores ni sibilancias.

Dependiendo de la raza, es probable que tu perro respire 10 a 30 veces por minuto. Si parece disneico o su respiración es rápida en reposo, llévalo al veterinario.

CIRCULACIÓN

El corazón de tu perro late, pero esto indica sólo que cumple su tarea cuando la sangre llega a todos los tejidos de su cuerpo. Puedes comprobar que la sangre llega a todas partes examinando lo que los veterinarios llaman el tiempo de repleción capilar. Levanta el labio del perro por un lado y presiona con firmeza (y suavidad) un dedo sobre la encía de uno de los dientes caninos. Al aliviar la presión, debería quedar un punto pálido que recuperará su tono rosado al cabo de dos segundos al volver a llenar la sangre los capilares. Si la palidez dura más de dos segundos, tal vez haya un problema de circulación y debas llevarlo al veterinario.

NIVELES DE HIDRATACIÓN

Una parte crítica del reconocimiento es asegurarte de que el perro consuma suficiente

HÁBITOS DIARIOS: LA CONSTANCIA ES LO MEJOR

Uno de los mejores indicadores de la salud de tu perro es la constancia. Debe comer, beber y ejercitarse casi igual a diario, y sus hábitos para hacer sus necesidades tampoco deben variar mucho. Cuando alguno de estos elementos cambia de repente, sabrás que tu perro no es el mismo de siempre y que puede estar enfermo.

Si tu perro no quiere salir a aliviarse o si de repente no puede esperar a salir a su aliviadero o si sufre incontinencia, sospecha que tiene un problema. Los problemas urinarios llegan con la edad y a menudo se manifiestan en cambios del patrón de las micciones. De forma parecida, los problemas intestinales se suelen mostrar en alteraciones de los hábitos normales del perro.

Fíjate en si las energías de tu perro se modifican. Si suele pasar horas patrullando el jardín en busca de ardillas pero un día deja de hacerlo, es probable que algo vaya mal y tendrás que echarle un vistazo. Los perros son criaturas que gustan de la rutina, así que toma en serio cualquier cambio que aprecies en la rutina diaria de tu perro.

líquido. Los perros que se deshidratan, por ejemplo por un exceso de calor o por una enfermedad interna como una neuropatía, pueden entrar en shock, una emergencia veterinaria. Para saber si está deshidratado, ase con suavidad un poco de piel del hombro del perro; con cuidado tira y retuerce la piel antes de soltarla. Si cuenta con suficientes líquidos, la piel se mostrará muy elástica y volverá a su estado normal en un segundo o dos. Si está deshidratado, la torsión de la piel persistirá y tardará más tiempo en volver a su sitio.

Tomar el pulso
El pulso de tu perro informa sobre el funcionamiento del corazón. Si el pulso es normal, entonces está bien. Si es inusualmente rápido o lento, es un signo de que puede no estar bien. Para tomar el pulso, localiza la arteria femoral, que es donde el pulso es más fuerte. Se encuentra en la cara interna del muslo (en la patas traseras) y podrás tomarlo con la mascota de pie o tumbada sobre la espalda. La arteria suele ser prominente. Pon uno o dos dedos sobre ella y cuenta el número de latidos en 15 segundos. Multiplica esa cifra por cuatro para obtener los latidos por minuto. Si tienes problemas para encontrar la arteria femoral, pon la mano en el pecho del perro justo detrás de su codo izquierdo. El corazón emite un doble latido, así que notarás un ritmo dub-dub.

El pulso normal del perro puede variar significativamente dependiendo de la raza, tamaño y edad. En los perros más grandes la frecuencia cardíaca suele ser más lenta que en los perros más pequeños, aunque el latido cardíaco normal de los perros de tamaño medio oscila entre 60 y 150 latidos por minuto. Pregunta al veterinario qué frecuencia cardíaca debes esperar en tu perro, y recuerda que los latidos siempre deben ser hondos y regulares, nunca débiles ni erráticos.

Aumento o pérdida de peso
Es importante fijarse en si tu perro pierde o gana peso. No es tan fácil como parece. Los cambios del peso corporal suelen ocurrir de forma gradual durante un largo período, por lo que tal vez no repares en ellos. A menudo es una visita ocasional la que primero repara en el cambio de peso de tu perro. Por eso debes pesarlo con regularidad -digamos una vez al mes- y anotar el resultado.

LO QUE ES NORMAL PARA TU PERRO Este cruce de collie y perro pastor permanece sentado y tranquilo mientras su dueña ausculta su respiración. Los estertores y sibilancias son un signo de que hay problemas.

Alergias

*Los perros que se lamen, rascan y mordisquean puede que no
estén infestados de pulgas. Tal vez lo suyo sea una alergia.*

Las alergias son una de las afecciones más habituales de los perros. De hecho, en algunas partes del mundo incluso rivalizan con las pulgas como causa principal de prurito canino. Busca primero si tiene pulgas y, si no encuentras, el problema tal vez sea una alergia. Pero no esperes que el perro esté estornudando constantemente y sonándose la nariz. Los signos reveladores de que tu perro tiene una alergia son:

● Comienza a lamerse y mordisquearse las patas.
● La zona de las axilas y la ingle están enrojecidas.
● Se frota la cara.
● Se rasca todo el cuerpo.

Es inusual que un cachorro tenga una alergia. La mayoría de los perros tienen al menos seis meses y lo normal es que tengan más de un año de edad cuando desarrollan una reacción alérgica a una sustancia llamada alergeno. Puede ser polen, moho, polvo, algún tipo de hierba… las mismas cosas a las que las personas tienen alergia.

Dependiendo del alergeno, la alergia será estacional o el prurito durará todo el año. Por ejemplo, si es alérgico a la ambrosía, el prurito se agudizará en otoño; si el problema es el polvo de la casa, es probable que el prurito dure todo el año.

ALIVIAR LOS SÍNTOMAS

Lo bueno es que son muchas las cosas que puedes hacer para aliviar su necesidad de rascarse. Hay productos como las antihistaminas y los aceites de pescado que aliviarán los síntomas y harán que se sienta mucho más cómodo.

Algunas antihistaminas diseñadas para el alivio de alergias en los seres humanos son eficaces en un tercio de los casos caninos, y la mayoría se compran en la farmacia sin receta. Se ha usado con éxito difenhidramina, clorfenamina y clemastina en perros. Pide al veterinario que te recomiende una antihistamina adecuada para tu mascota y la dosis que tendrás que darle.

Los aceites de peces también son muy útiles para el tratamiento de alergias. Estos aceites, procedentes de pescado de agua fría, contienen agentes antiinflamatorios. Administrados a diario, atenuarán un 20 por ciento los síntomas de los perros con alergias. Cuando se administran junto con antihistaminas, la tasa de éxito se eleva a más del 50 por ciento. Así que hay muchas posibilidades de que consigas aliviar los síntomas del perro, pero, si no es así, el veterinario podrá investigar y aconsejarte posibles tratamientos.

EVITAR ALERGENOS

Por regla general, los árboles producen polen en primavera, hierba en verano y semillas en otoño. Por eso, si la temporada alérgica de tu perro se concentra en un momento concreto del año, esta clave debe servir para rastrear el alergeno.

Las alergias al polvo y al moho suceden todo el año, aunque las segundas tienden a agudizarse en las épocas de lluvia. Una alergia a los ácaros del polvo se agudiza cuando la humedad es alta. Sin embargo, para saber con seguridad a qué es alérgico tu mascota, el veterinario tendrá que someterlo a una prueba de alergias.

No dejes que tu perro alérgico al polvo de la casa duerma en tu dormitorio. Esa

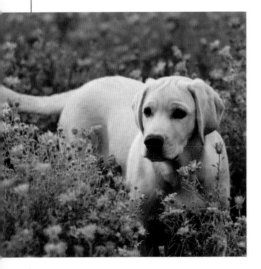

TRATAMIENTO DE EVITACIÓN Si sabes que tu perro es alérgico a una planta o al polen de una planta concreta, intenta que pase el mayor tiempo posible bajo techo en la época de floración.

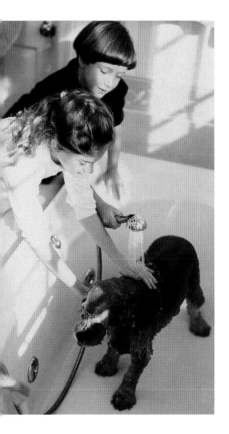

PROBLEMAS AL AIRE LIBRE

Mantén al perro lejos del césped recién cortado, porque tiende a abundar en polen y mohos. Y si sabes que es una planta o semilla concretas las que provocan la alergia, al menos elimina toda traza del jardín y asegúrate de que no entre en contacto con ella cuando salga a airearse. Ponerle alguna prenda ayuda a prevenir que los alergenos entren en contacto con la piel. Introduce la cabeza por el cuello de una camiseta y pasa las patas delanteras por las mangas. Con la prenda extendida por el cuerpo, estará listo para moverse por la hierba. En el caso de perros con los pies muy sensibles, también se les puede poner unos botines.

ALIVIO INMEDIATO

El alivio inmediato y momentáneo de un perro que no deja de rascarse es un baño. Esto ayuda a eliminar el polen, el moho y el polvo de su pelaje, y el agua aliviará su piel. El baño también reduce en parte el olor característico de los perros con trastornos cutáneos.

Abre el grifo del agua fría, porque el agua tibia o caliente sólo aumentará el prurito. Echa avena coloidal en el agua, o lávalo con algún colutorio medicado que contenta antihistaminas, hidrocortisona al 1 por ciento o anestésicos tópicos. El veterinario también puede prescribir un colutorio para aplicar tras el baño. No lo quites con agua, déjalo para que pueda ejercer su acción.

Tampoco podrás estar siempre dando baños a tu perro, claro está, por lo que entre tanto usa uno pulverizador que tenga las mismas propiedades antipruriginosas como las dichas arriba. Tu perro agradecerá el alivio que todas estas atenciones le aportan.

habitación contiene una de las concentraciones más elevadas de ácaros del polvo de tu hogar, por lo que dejarle dormir allí es cualquier cosa menos hacerle un favor. Si esto es imposible, intenta usar cubiertas especiales para controlar las alergias. Con ellas se cubre el colchón, el somier e incluso almohadas para contener la población de ácaros. Ponte en contacto con un dermatólogo (médico o veterinario) para informarte sobre proveedores cercanos.

Lava las sábanas, mantas y edredones en agua caliente cada siete a diez días para eliminar partículas potencialmente alergenas. Y lavar la yacija del perro servirá para eliminar liendres y larvas. Los sistemas de aire acondicionado con filtros altamente eficientes también reducen mucho el número de ácaros, mohos y polen en tu hogar. Intenta mantener la humedad en casa en un 50 por ciento o menos y limpia las áreas en que los mohos se puedan acumular, como son los filtros de aire y los humidificadores.

Problemas de los sacos anales

*Si tu perro arrastra el trasero por el suelo, lo más posible es que
tenga un problema en los sacos anales.*

Los sacos anales son dos bolsas situadas a ambos lados del ano. En ellos se acumula un líquido hediondo, un marcador oloroso con el que los canes se comunican entre sí. Los sacos anales se suelen vaciar cuando el perro defeca. Sin embargo, en ocasiones no se vacían del todo y aumentan de tamaño como diminutos globos y causan dolor. El perro responde arrastrando los cuartos traseros por el suelo con la intención de vaciar los sacos, o bien se muerde o mordisquea el área bajo la cola. Ambas acciones pueden causar lesiones.

Tal vez también aprecies signos de dolor cuando lo asees o acaricies cerca del área de la cola. En cuanto observes esto, llévalo al veterinario, quien examinará el área para determinar si el problema es un caso de retención fecal u otra cosa como una infección.

CALMAR EL DOLOR

El método más directo para aliviar el dolor es presionar los sacos y forzar la salida de su contenido. Esta tarea desagradable se denomina entre los veterinarios «ordeñar» los sacos anales; no es una labor para inexpertos ni melindrosos.

Tu perro no te lo agradecerá mientras estés practicando este servicio y el olor del líquido que extraigas te hará llorar. Puedes llevar el perro al veterinario siempre que veas que sufre para que lo «ordeñen». Pero este problema puede

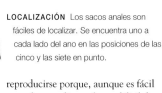

reproducirse porque, aunque es fácil ponerle remedio, suele ser difícil de curar. Puede que hagas muchas visitas al veterinario si no aprendes a afrontar esta desagradable tarea. Tal vez prefieras pedir al veterinario que te enseñe a «ordeñarlo». Si puedes, inténtalo por vez primera en la consulta del veterinario.

Siempre necesitarás ayuda para la tarea, alguien que controle con firmeza al perro. Tal vez quieras ponerle un bozal, porque hasta un perro dócil puede morder cuando siente dolor, y el ordeño de los sacos anales resulta doloroso.

Ponte unos guantes de látex, levanta la cola del perro con firmeza para que sobresalga el ano. Ahora deberías poder palpar los sacos anales a las cinco y a las siete respecto al ano. Pon el dedo índice a un lado de uno de los sacos y el pulgar al lado del otro, y comienza a presionar el pulgar y el índice para juntarlos, forzando la salida del contenido del saco anal. Es importante aplicar una presión lo bastante firme como para expulsar el contenido, pero no tanto como para dañar las paredes de lo sacos y provocar su rotura e infección. Lleva una gasa en la mano enguantada para recoger el material apestoso.

OTROS TRATAMIENTOS

Haz que el perro se sienta sobre agua con sales de Epsom o un antiséptico para aliviar el dolor o el prurito. Si la zona está infectada, el veterinario prescribirá un antibiótico. También tendrás que hablar sobre la dieta del perro con el veterinario. Un peristaltismo lento o inadecuado no provocará el vaciamiento de los sacos, por lo que un cambio gradual de la fibra dietética para generar más volumen podría impedir que el problema se reproduzca.

ALIVIO DEL DOLOR
Pide a alguien que sujete al perro con firmeza. Tras retirar la cola, presiona con suavidad la piel próxima a los sacos y aprieta con cuidado usando el pulgar y el índice enguantados. Ten listo algún pañuelo o paño para recoger el líquido expulsado.

Artritis

Las encuestas a veterinarios sugieren que el 20 por ciento de los perros adultos padecerá osteoartritis, también llamada artropatía degenerativa.

La forma más frecuente de artritis es la osteoartritis, una inflamación dolorosa de las áreas vulnerables de las articulaciones. Suele formar parte del proceso normal del envejecimiento. En ocasiones la artritis reumatoide también afecta a los perros y, aunque no se cura, el alivio es posible.

No se puede predecir en qué momento se iniciará la artritis ni si tu perro la padecerá, pero algunas circunstancias la hacen más probable. Si tu perro tiene una historia de displasia de cadera, displasia de codo u osteocondrosis (una patología en que se destruye el hueso y el cartílago de las articulaciones), presenta mayor riesgo de osteoartritis.

Aparte de estas circunstancias, los cambios artríticos tienden a aparecer cuando el perro ha alcanzado en torno al 75 por ciento de su expectativa de vida: unos 7 años si el perro es grande y hasta 11 o 12 años si es pequeño.

Acude al veterinario si notas que las articulaciones del perro se muestran rígidas o doloridas o si aprecias signos de cojera. Puede tener dificultad para ponerse en pie, sobre todo después de haber estado descansando o durmiendo un rato. O quizá le oigas gemir mientras intenta incorporarse.

ALIVIO

No hay cura para la artritis, pero es mucho lo que puedes hacer en casa para aliviar el dolor y mejorar la movilidad articular.

- No lo expongas al frío y déjale una manta más y más protección por debajo de la yacija los días fríos y húmedos.
- Mantén a raya el peso. El peso extra aumenta el trabajo a que se exponen las articulaciones ya sobrecargadas. Reducir la carga sobre las articulaciones a veces retrasa muchos años el inicio de la artritis.
- Haz que se mueva. Los perros con artritis a menudo son muy sedentarios, simplemente porque sus dueños temen que sufran más dolor. Sin embargo, el ejercicio es muy importante porque mantiene las articulaciones en movimiento, lo cual mejora la movilidad. Además, el ejercicio fortalece los músculos, lo cual ayuda a mantener las articulaciones estables. La clave es un ejercicio suave y regular.
- Dale algo de asistencia manual. Ya sabes lo bien que sienta un buen masaje. Tu perro disfrutará de un masaje brusco en sus puntos dolorosos casi tanto como tú, sobre todo después de un paseo.

CALMAR EL DOLOR

Hay docenas de fármacos para elegir y aliviar el dolor, pero uno de los más eficaces también es de los más antiguos y baratos: la aspirina. Alivia el dolor, pero también reduce la inflamación articular que a menudo acompaña a la artritis.

Cuando los dolores artríticos se exacerban, los veterinarios suelen recomendar un cuarto de pastilla de 325 miligramos por cada 4,5 kg de peso corporal del perro. Habla siempre con el veterinario antes de dar una aspirina (o cualquier otro medicamento) a tu perro.

ALIVIAR LA RIGIDEZ
Emplea los pulgares y yemas de los dedos para masajear suavemente con pequeños movimientos circulares alrededor de los puntos dolorosos.

Mal aliento

Lo llames «mal aliento de perro» o halitosis, su resuello puede hacer que estar cerca de él sea lo último que desees.

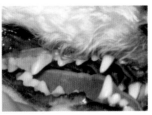

Por desgracia, el mal aliento en los canes es demasiado habitual. Al igual que pasa con las personas, a menudo es producto de la placa bacteriana que se acumula en los dientes. A diferencia de las personas, los perros no se lavan los dientes. Esto significa que la placa, además del olor, no se irá sin tu ayuda. Peor aún, las bacterias pueden causar alguna afección en las encías y desprender olores acres adicionales.

Realmente no hay razón para soportar el mal aliento de tu perro. Con unos pocos cambios en la alimentación y con la práctica de una higiene bucal básica, pronto conseguirás que su aliento vuelva a ser dulce; y conseguirás proteger sus dientes y encías al mismo tiempo.

MANTENER LOS DIENTES LIMPIOS

La forma más sencilla de quitarle el mal aliento es cepillarle los dientes de forma habitual. Las tiendas para mascotas venden cepillos especiales y pastas dentífricas con sabor a carne pensadas con las papilas gustativas caninas en mente. Como mínimo enrolla una gasa alrededor de un dedo y frota con rapidez los dientes para eliminar partículas de comida y placa. Para más información, consulta «Dientes limpios» en la p. 209.

SIGNOS DE UN PROBLEMA Los dientes con una decoloración acusada revelan problemas dentales. Lleva el perro al veterinario para una limpieza exhaustiva, luego proponte mantenerle los dientes limpios en casa.

Si el aliento de tu perro te echa para atrás o si los dientes son de diferente color, tendrás que llevarlo al veterinario o a un dentista veterinario para que un profesional limpie y pula sus dientes antes de que inicies su limpieza en casa. No sólo apreciarás una gran mejoría en su aliento, sino que, una vez que sus dientes estén limpios, será más fácil mantenerlos así.

COMER CON FRECUENCIA

Aunque algunos aperitivos crujientes ayudan a reducir la placa, otros facilitan su acumulación. Y lo que es más, el aporte continuado de partículas de alimento a los dientes permite la proliferación de bacterias. Si dejas comida a tu perro, que sea crujiente.

PREMIOS BUENOS PARA EL ALIENTO

Zanahorias, juguetes de cuero crudo o huesos de nailon, sobre todo los que presentan crestas, son mejores premios que los restos de la mesa o un exceso de galletas caninas, porque eliminan la placa sin añadir calorías. Antes de que te des cuenta su mal aliento será una bocanada de aire fresco.

OLORES SOSPECHOSOS

El mal aliento de tu perro suele significar que hay que lavarle los dientes, pero a veces es un signo de que algo no va bien. La diabetes puede cambiar el olor del aliento de tu mascota, al igual que una nefropatía. En ambos casos también es probable que beba y orine más de lo normal y pierda peso. Así que, si notas que su aliento huele un poco distinto de lo habitual, haz que lo vea un veterinario.

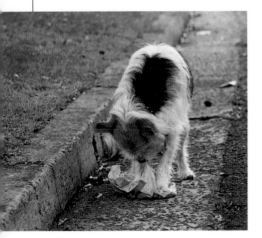

UN APERITIVO DE LA BASURA El aliento de tu perro no olerá a rosas si se le permite comer basura.

Meteorismo

Molestias, jadeos y arcadas son todos signos de que tu perro puede haber tragado suficiente aire como para sufrir una distensión dolorosa del estómago.

Los perros tienden a comer con entusiasmo, engullen todo el contenido de la escudilla y beben agua como si fuera la última comida de su vida. Esto puede causar un problema potencialmente mortal. Los perros que tragan mucho aire al comer o durante un ejercicio vigoroso, o cuya comida fermenta en el estómago, pueden sufrir un peligroso trastorno digestivo llamado meteorismo. El meteorismo provoca que el estómago se hinche como un globo y suele ser muy incómodo. Y peor aún, en algunos casos el estómago acaba experimentando una torsión que corta su riego sanguíneo y posiblemente también el de otros órganos.

Un perro con meteorismo con frecuencia se muestra inquieto e incómodo. Tal vez notes que su estómago está hinchado detrás de la caja torácica. Si hundes un poco un dedo en el área, emitirá un sonido parecido a un tambor tenso.

El meteorismo siempre es una emergencia. También aparece con gran rapidez, por lo que si sospechas un problema, deberás acudir de inmediato al veterinario.

PREVENCIÓN DEL METEORISMO

Una vez aparece el meteorismo, no existe ningún remedio casero; lo único que puedes hacer es plantarte en el veterinario. No obstante, hay varios pasos que puedes dar para prevenirlo. He aquí lo que suelen recomendar los veterinarios.

Observa lo que come y cómo lo hace. Como el meteorismo se suele producir cuando los perros han engullido mucha comida, lo mejor es darle varias comidas frugales en vez de una o dos comidas copiosas o que tenga comida a su alcance todo el día.

Si tu mascota suele comer croquetas secas, humedécelas con un poco de agua antes de dárselas. Esto hará que la comida se expanda antes de hacerlo en su estómago. Además, cuando engulle comida seca, tu perro tiende a tragar más aire; con la comida humedecida, traga menos, razón por la que se considera que la comida enlatada es menos propensa a causar meteorismo que las croquetas secas. Si tu perro come croquetas secas, no le des nada de beber en las comidas.

MEDIDAS PREVENTIVAS Se puede reducir las posibilidades de que tu perro sufra meteorismo con solo levantar la escudilla del suelo para que no tenga que estirar el cuello para comer.

233

LA LENTITUD CUENTA Puedes hacer que tu perro coma más lentamente poniendo algo demasiado grande para que se lo pueda tragar –una piedra lisa o una pelota de goma– en su escudilla, para que tenga que comer rodeándolo. Puedes usar un juguete interactivo con comida dentro, como un cubo Buster o un juguete Kong para que coma con más lentitud.

Al interrumpir la ingesta desenfrenada y acelerada de comida, ayudarás a reducir la cantidad de aire que traga el perro junto con el alimento. Para conseguirlo introduce algunos cambios sencillos en su forma de comer. Levanta la escudilla del suelo para que no tenga que extender el cuello al comer. Esto reducirá la cantidad de aire que traga. Las tiendas para mascotas venden muebles para elevar la escudilla. O puedes ponerla en un escabel o en una silla a la altura de su cabeza. También puede dejar un objeto grande, como una piedra lisa o una pelota de goma, en la escudilla. El perro tendrá que sortear el objeto para comer y eso hará que engulla con mayor lentitud.

Que no haga ejercicio poco antes de las comidas
Evita el ejercicio nada más comer, porque parece potenciar la fermentación de gases en el estómago. Tanto si le das de comer antes o después de una sesión de ejercicio, deja que transcurra al menos una hora entre las dos actividades para que su cuerpo recupere el ritmo normal de sus funciones corporales.

Identificar signos de estrés
No es fácil prevenir que el perro experimente estrés, como tampoco es fácil conseguirlo contigo mismo. Pero vale la pena el esfuerzo cuando se están produciendo muchos cambios en casa; como una renovación de muebles o un período de tensión en la familia, ya que se cree que los perros angustiados engullen grandes cantidades de aire, lo cual puede causar meteorismo.

Es muy probable que esto sea un problema si tu perro va a pasar tiempo en una residencia canina. No sólo resulta estresante para él, sino que no estará tan supervisado como en casa. Comunica al personal de la residencia que te preocupa el tema del meteorismo y seguro que le prestan un poco más de atención.

RAZAS MÁS PROPENSAS El meteorismo se da sobre todo en las razas más grandes con el pecho ancho, como el setter irlandés (izquierda), el gran danés, el golden retriever, el labrador retriever, el San Bernardo y el braco de Weimar.

Cambios en el pelaje

*Si el pelaje del perro parece haber perdido su brillo y lustre
habituales, busca signos de algún problema.*

Aunque hay muchos tipos distintos de manto entre los perros, el pelo siempre está formado por una proteína fibrosa y dura llamada queratina. Los pelos están protegidos y lubricados con aceites que producen unas diminutas glándulas presentes en la piel. El manto del perro no siempre tiene el mismo aspecto ni tacto. El pelaje de algunas razas es sedoso y brillante; el de otras es áspero, o bien corto o bien largo. En general, el manto debe tener un aspecto sano y no oler. Un cambio del aspecto habitual del manto –si se vuelve mate, seco, graso, enredado o huele– es un signo de que hay un problema de salud.

CALVAS

En ocasiones los perros mudan más pelo de lo habitual. En el embarazo, por ejemplo, los cambios hormonales pueden hacer que las perras pierdan mucho pelo. Y algunos perros perfectamente normales mudan mucho una semana y casi nada la siguiente.

Hay una gran diferencia entre esa pérdida abundante y ocasional de pelo y la muda tan profusa que en el manto del perro comienzan a aparecer calvas. La pérdida de pelo en calvas que no vuelve a crecer podría ser un signo de sarna (ver pp. 266-267). No esperes que esta pérdida de pelo se resuelva sola. Acude al veterinario de inmediato.

Las calvas producto de lamerse en exceso también requieren atención inmediata del veterinario. Los perros que concentran toda su actividad lamiendo un punto de la piel a veces sufren úlceras graves llamadas granulomas acrales por lamido, cuya curación puede llevar mucho tiempo. Estos granulomas suelen aparecer en la superficie de las patas por debajo de la rodilla. Es esencial evitar que el perro mordisquee ese punto para que la herida cure. Tal vez haya que vendar el área o poner al perro un collar

**LIMPIEZA Y BRILLO
INSTANTÁNEOS** Para un
rápido acicalamiento, frota el
manto del perro con
salvado de avena caliente
o una mezcla de maicena
y polvos talco, y luego
cepilla a conciencia.

isabelino (ver p. 236). Así se evita que se lama y se da al granuloma la oportunidad de curar. Los granulomas acrales por lamido pueden llegar a gran profundidad y a menudo se infectan.

PELAJE SECO Y DESLUSTRADO

Puede que refleje un problema con la alimentación. El perro tal vez no esté ingiriendo suficiente ácido cis-linoleico en su alimentación. La mayoría de los alimentos caninos de buena calidad aportan esta sustancia en abundancia, pero se puede perder cuando las croquetas secas se almacenan demasiado tiempo. Comprueba siempre la fecha de caducidad de la comida para mascotas.

Dar demasiados baños a tu mascota también puede dejar seco y deslustrado el manto al eliminar sus aceites naturales. El manto de los perros se

limpia solo y los aceites que contiene están por una muy buena razón –para impermeabilizar el pelaje–, así que dale un número mínimo de baños. La mayoría de los perros que viven bajo techo tienen suficiente con un baño anual. Los veterinarios recomiendan usar un champú para perros porque muchos champúes de uso humano son demasiado fuertes. El champú para bebés también sirve al igual que los lavavajillas líquidos suaves.

Un manto sin brillo también puede revelar la presencia de parásitos internos, por lo que es buena idea acudir al veterinario para descartarlo.

ENREDOS

Los cuidados habituales del manto hacen algo más que conseguir que el perro tenga buen aspecto. Se elimina el pelo a medida que se muda, evitando que se acumule cerca de la piel. En los perros a los que no se cepilla este pelo forma una espesa manta que impide que el aire llegue a la piel y reduce la eficacia de las glándulas sebáceas. También hace que la superficie de la piel esté húmeda y caliente, lo cual causa dermatitis piotraumática y otras infecciones cutáneas.

Si encuentras un enredo en el manto del pelo mientras lo cepillas, invierte tiempo en desenredarlo con los dedos para luego pasar un peine. Si no consigues desenredarlo, usa unas tijeras o un peine separador para cortar el centro del enredo. Pon un peine o los dedos entre el enredo y la piel del perro para evitar dañar la piel. Elimina siempre los enredos antes de humedecer el manto, dado que el agua hace que el pelo enredado se estrangule y sea más difícil de deshacer.

SEBORREA

Las células cutáneas tardan unas tres semanas en madurar, viajar de la capa más profunda de la piel hasta la superficie, morir y desprenderse en forma de escamas. En los perros con una afección llamada seborrea, este proceso se acelera. Las células muertas se acumulan con rapidez, haciendo que la piel y el manto tengan un aspecto escamoso. La combinación de aceites y «restos celulares» cutáneos abonan el terreno para la aparición de bacterias, por lo que los perros con seborrea a menudo contraen infecciones cutáneas que provocan prurito y que

FABRICACIÓN DE UN COLLAR ISABELINO

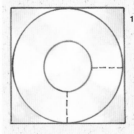

1. En el centro de una lámina de plástico rígido o de cartón, haz un círculo con una circunferencia 7 cm mayor que la del cuello de tu perro. Por fuera de este círculo traza otro círculo con un diámetro 15 cm mayor que el primero. Recorta los círculos y elimina una cuña como se muestra.

2. Corta unas pestañas de 1 cm por el interior del círculo y dóblalas hacia atrás por el borde para formar un cerco. Abre unos agujeros para cordones en cada extremo del collar.

3. Introduce un cordón por los agujeros y junta los extremos: el círculo se habrá convertido en un cono. Rodea el cuello del perro con el collar y ata bien el cordón.

la piel huela mal. El manto adquiere un aspecto grasiento y puede haber escamas parduscas y aceitosas en los codos, corvejones y orejas.

FALTA DE BRILLO

Una forma rápida de dar lustre al manto de tu perro es frotarlo bien con una mezcla de maicena y polvos de talco, o con copos de avena secos ligeramente calientes. Luego se cepilla el manto a conciencia. La avena o la maicena arrastrarán la suciedad y el exceso de aceite, dejando brillante el pelaje de tu perro.

VEJEZ

Todo el cuerpo experimenta un enlentecimiento de sus procesos a medida que el perro envejece. Aceites y nutrientes tardan más en llegar a la piel, razón por la cual los perros viejos a menudo tienen el manto algo seco y deslustrado. Cepillarlo con regularidad ayudará a estimular las glándulas sebáceas y a mantener el flujo normal de aceites naturales.

Estreñimiento

Los perros sufren estreñimiento, igual que las personas,

y cuando todo está parado puede haber molestias.

El estreñimiento suele sobrevenir cuando un perro tiene que esperar más de lo habitual para defecar; tal vez haya tenido que esperar todo el día dentro de casa mientras su familia humana estaba fuera en el trabajo o en el centro de estudios. Esto deja tiempo para que las heces se sequen y endurezcan. No tomar suficiente agua y fibra en la dieta y no hacer suficiente ejercicio también pueden causar estreñimiento.

CURAR EL ESTREÑIMIENTO

Muchas de las mismas cosas que alivian (o previenen) el problema en las personas ayudarán a que tu perro también sea regular.

Hacer más ejercicio

Uno de los remedios más sencillos es que tu perro dé paseos con regularidad. No sólo brinda muchas oportunidades de aliviarse, sino que el ejercicio estimula el peristaltismo del intestino para que el proceso sea más rápido.

Tal vez sacarlo a pasear por sitios nuevos sea especialmente útil con algunos perros, sobre todo machos sin castrar, porque defecan para marcar el territorio.

FIBRA EN ABUNDANCIA Añadir fibra a la dieta de tu perro le ayudará.

Introducir cambios en la dieta

A los perros que a menudo sufren de estreñimiento, los veterinarios suelen recomendar aumentar la presencia de fibra en su dieta. La fibra vegetal absorbe agua en el intestino, haciendo que las heces sean más voluminosas y blandas, y facilitando su tránsito. Uno poco de avena espolvoreada sobre la comida aportará una cantidad saludable de fibra vegetal. También es una buena opción la calabaza en lata.

Tener siempre llena la escudilla del agua

Una causa del estreñimiento es no tomar suficiente agua. Los líquidos son esenciales para conservar la humedad de las heces y que el tubo digestivo trabaje bien. Y con la fibra vegetal adicional que está comiendo el perro necesitará todavía más agua. Así que asegúrate de que la escudilla del agua esté siempre llena.

No usar laxantes

Tal vez los laxantes funcionen con las personas, pero no son buenos para los perros. Los laxantes sin receta médica pueden causar diarrea y hacer más mal que bien.

PROBLEMAS CRÓNICOS

En la mayoría de los casos el estreñimiento no dura más de un día o dos. Si dura más, podría haber un problema subyacente grave, como una obstrucción intestinal, y tendrás que ponerte en contacto con su veterinario.

No asumas que los tenesmos al defecar siempre son causados por el estreñimiento. Los perros también manifiestan tenesmos cuando tienen diarrea o cuando están intentando eliminar un cálculo vesical. Si tu perro manifiesta tenemos mucho tiempo o parece muy incómodo, no te la juegues y acude al veterinario.

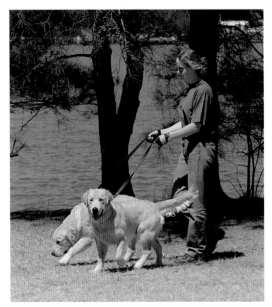

EJERCICIO HABITUAL Es la mejor forma de que el sistema digestivo de tu perro funcione bien.

Tos

*La tos, sea cuál fuere su origen, suele desaparecer en unos días,
pero, si persiste, habrá que acudir al veterinario.*

La tos es un reflejo natural en los seres
humanos, mientras que en los perros
suele manifestar una infección vírica, a
veces con una infección bacteriana
secundaria. Los perros son
especialmente propensos a la tos perruna
o de las perreras. Ocurre cuando los virus
invaden las vías respiratorias superiores y
provocan cosquilleo y dolor. El perro
desarrolla una tos seca y recurrente que puede
durar semanas.

La tos perruna no es grave y suele desaparecer
sola. Sin embargo, en algunos casos hace al
perro más susceptible a otras infecciones más
serias. También es muy contagiosa, razón por la
que se suele recomendar vacunas contra la tos
perruna, la parainfluenza y la bordatelosis.

Dado que la tos también puede ser un signo de
enfermedades más graves, como bronquitis y
neumonía, o incluso cardiopatía, es importante
acudir al veterinario si la tos persiste más de un
día o dos, o si tu perro está tosiendo
constantemente.

El veterinario puede tratar alguna de las
causas subyacentes de la tos, pero aquí te damos
unos consejos para aliviar las molestias de tu
perro.

HUMIDIFICAR EL AIRE
El aire seco hace que se seque el moco en la
garganta y vías respiratorias y se vuelva pegajoso,
y obliga al perro a toser. Pon un vaporizador

**PROBLEMAS
RESPIRATORIOS**
Los perros con el rostro
chato, como los carlinos,
a menudo tienen las
fosas nasales estrechas
o plegadas. El velo del
paladar también se
extiende demasiado en
sentido posterior, lo cual
les dificulta respirar, sobre
todo cuando están emocionados o estresados.

cerca de donde duerma el perro (asegúrate de que
el cable quede fuera de su alcance). O mete al
perro en el cuarto de baño cuando te estés dando
un baño o una ducha. El aire caliente y húmedo
lubricará su garganta y vías respiratorias y
reducirá la necesidad de toser.

MEDICAMENTOS SIN RECETA MÉDICA
En los casos leves pueden darse a los perros
antitusígenos con dextrometorfano (el
ingrediente activo de muchos medicamentos). El
veterinario te aconsejará sobre la dosis. Para
toses más graves, podría prescribir un
antitusígeno más fuerte.

EJERCICIO Y DIETA
No necesitarás suprimir el régimen de ejercicio
de tu perro por completo, pero debes tomártelo
con calma: una carrera por el parque podría
hacer que se pase tosiendo todo el camino de
vuelta a casa. Si comienza a toser por el
esfuerzo, interrumpe de inmediato el ejercicio.

Ten especial cuidado con el collar, porque
puede resultar incómodo si tiene molestias en la
garganta. Hasta que mejore la tos, usa un arnés
que le rodee el pecho.

Si tu perro come comida seca, humedece las
croquetas con un poco de agua en caso de que
tenga dolor de garganta. También es buena idea
añadir un poco de caldo de ternera o pollo en su
escudilla del agua. Eso lo animará a beber y hará
que su garganta esté húmeda y reducirá la
urgencia de toser.

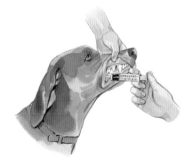

ELIMINAR LA URGENCIA DE TOSER Los antitusígenos
para el consumo humano alivian también la tos de tu
perro. Se usará una jeringa sin aguja para administrarle la
medicina dentro de la boca.

Caspa

Los perros tienen caspa con la misma frecuencia que las personas y por razones similares. En la mayoría de los casos se trata de células muertas que se desprenden.

La caspa tiende a agudizarse en invierno cuando el aire está más seco, aunque en algunos casos la causan ácaros de la piel o infecciones leves. Si descubres escamas, costras o prurito, llévalo al veterinario.

CONTROL DE LA CASPA

Todos los perros tienen caspa, pero tiende a ser sobre todo visible en los perros de pelo corto, como el doberman y el braco húngaro. Tal vez no puedas prevenirla por completo, pero hay formas de controlar el problema y hacer que sea menos evidente.

Una solución es dar a tu perro baños con más frecuencia, digamos, dos veces por semana, para eliminar la caspa antes de que se acumule. Es importante usar un champú especial para canes con buenos ingredientes para la limpieza, como azufre, ácido salicílico o disulfuro de selenio.

Si el problema de tu perro lo causa una levadura –y tu veterinario sabrá decírtelo– tal vez necesites un champú que contenga antifúngicos. Enjabona bien y masajéalo para que penetre en el manto. Puedes dejarlo unos minutos para que los ingredientes activos hagan su trabajo. Luego habrá que aclarar a conciencia con agua fría para aliviar los picores.

Puede llevar un mes o dos conseguir tener la caspa bajo control, pero una vez conseguido, se puede bajar un poco la guardia. Bañar al perro cada dos a cuatro semanas mantendrá el buen aspecto de su manto. Seca el manto a conciencia para evitar una dermatitis piotraumática (también llamada «parches calientes»).

La frecuencia del enjabonado y aclarado puede secar la piel del perro, pero se previene con cuidados y cepillado frecuentes, porque estimula la producción de sebo, un lubricante natural del cuerpo que se extiende por todo el manto, manteniendo la piel bien lubricada y saludable.

Las tiendas para mascotas también venden variedad de vaporizadores para proteger la piel entre uno y otro baño. Sigue las instrucciones del fabricante sobre la frecuencia de uso.

BUENOS CUIDADOS Cepillar en profundidad y a diario redistribuye los aceites naturales por el manto de este perro.

ACABAR CON LA CASPA MEDIANTE LA ALIMENTACIÓN

En ocasiones la caspa se debe a un déficit de ácidos grasos. Si das a tu perro alimentos equilibrados para mascotas, es poco probable que ocurra. Sería preferible darle una dieta mejor si normalmente toma algún alimento canino genérico; tal vez no esté ingiriendo todos los nutrientes que necesita su piel. Un alimento canino de más calidad podría ser todo cuanto necesita para dejar de tener caspa.

Su veterinario quizá recomiende suplementar la dieta con ácidos grasos, de media cucharadita de te a una cucharada sopera de aceite de origen vegetal en cada comida, dependiendo de la corpulencia del perro. El ingrediente vital es el ácido linoleico presente en el aceite de girasol y de cártamo y, en menor cantidad, en el aceite de maíz. Si ya echas aceite vegetal a la comida de tu perro, pregunta a su veterinario por suplementar con vitamina E para mantener un equilibrio justo entre ácidos grasos y vitamina E. El aceite de prímula también da buenos resultados.

Problemas dentales

Con cuidados habituales, el perro evitará la mayoría de los problemas dentales habituales en los perros.

Las caries no son corrientes en los perros. Sus problemas dentales son diferentes. La razón más habitual por la que un perro visita a un dentista es la enfermedad periodontal, que causa daños alrededor de los dientes y puede derivar en gingivitis y dañar las encías. Estos problemas dentales son frecuentes: el 85 por ciento de los perros mayores de cuatro años sufre la enfermedad periodontal.

Si tu perro tiene más de unos pocos años, probablemente tenga una capa de material pardusco y duro en los dientes. Se llama sarro y, aunque empeora el aspecto de los dientes, no es la causa de todos los problemas dentales. El principal culpable es lo que no se ve: la placa, una sustancia tenue y pegajosa llena de bacterias que se forma sobre los dientes. Si tu perro ha desarrollado placa, tendrá que ser un profesional quien le limpie los dientes.

La mejor forma de evitar que se acumule placa es mantener los dientes, encías y boca –y su aliento también– en condición óptima. Y lo puedes hacer cuidando los dientes con una higiene dental regular.

FRUTAS Y VERDURAS CRUJIENTES
Alimentos como zanahorias y manzanas ayudarán a mantener limpios los dientes de tu perro y a que su aliento sea dulce.

PREVENCIÓN DE PROBLEMAS DENTALES

Con un sencillo programa de prevención en casa puedes evitar los problemas incluso antes de que se inicien.

Haz un control diario de la placa

Cepillar los dientes de tu perro a diario es vital para mantener la salud dental y periodontal. Tal vez tener que hacerlo a diario te resulte un poco amedrentador, pero la placa se acumula con rapidez y tendrás que cepillar los dientes con frecuencia para mantenerla a raya. Y como el sarro se desarrolla a partir de la placa, si impides que se forme placa, el sarro no tendrá ninguna posibilidad. Esto es bueno porque, una vez que el sarro se acumula, se necesita algo más que un cepillo de dientes para eliminarlo.

Utiliza instrumental para perros

El instrumental para limpieza de los dientes de tu perro debería incluir un cepillo de dientes y una pasta dentífrica. La pasta para consumo humano está pensada para escupirse, no para tragarse. Tiene un mayor nivel de fluoruro y puede contener sodio y detergentes. Tu perro se la tragará, por lo que es mejor usar un producto pensado para perros. Los dentífricos caninos tienen sabor a carne de ave, ternera y otros, por lo que también le gustará la pasta.

Empezar con parsimonia

El programa de higiene bucal tendrá éxito si comienzas poco a poco y con paciencia. Lo que quieres es que tu mascota considere las sesiones

CUIDADORES RUTINARIOS Y REGULARES A este tejonero se le están limpiando la superficie externa de los dientes y las encías mediante un suave movimiento circular.

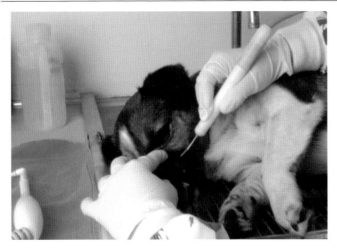

de cepillado de los dientes como un rato agradable que pasa contigo, no como un castigo. Empieza por acostumbrarlo a que le toquen la boca.

Durante un minuto a diario levanta los labios y frota la zona periodontal con los dedos. Intenta usar una sustancia que sepa bien, como un poco de polvo de ajo, aplicada a los dedos si se resiste, y no olvides elogiarlo siempre. Después de pasada una semana, ya no le extrañará y podrás pasar a usar un cepillo de dientes y un poquito de pasta: deja que lama el cepillo.

Cuando se sienta cómodo con el proceso, comienza a pasarle el cepillo hacia abajo por los dientes anteriores. Utiliza movimientos circulares suaves y aumenta lentamente el área cubierta hasta que llegues a limpiar todos los dientes. El cepillado no tiene que durar más de un minuto, y elógialo siempre para que sepa lo buen perro que ha sido. Para saber con detalle cómo se hace, consulta «dientes limpios» en la p. 209.

Existen geles, colutorios y otros productos contra la placa, así como la prescripción de comida canina pensada para reducir la acumulación de sarro. Su veterinario prescribirá uno de estos productos si cree que tus esfuerzos con el cepillo requieren ayuda adicional. La mayoría de los locutorios se aplican con jeringuilla en la unión del diente con la encía, mientras que los geles se frotan contra los dientes.

Aperitivos crujientes

Las croquetas secas y los aperitivos duros y crujientes ayudarán a mantener limpios los dientes de tu perro si los mastica en vez de tragárselos. Un premio mejor para el control del sarro es una galleta comprimida y bañada con ingredientes contra la placa y el sarro. Un juguete masticatorio de goma dura, sobre todo con acanaladuras, es una forma estupenda de que tu perro se divierta y cuide sus dientes. La goma entrará en contacto con el tejido gingival y desalojará el material que se pueda acumular allí. Evita los juguetes masticatorios de goma blanda porque se pueden romper en pedazos y tragárselos el perro. Elige productos con estrías especialmente diseñadas y a la venta en tiendas para mascotas.

A los perros les encanta morder y roer huesos grandes, pero no todos los huesos son seguros. En ocasiones un hueso duro puede dañar los dientes del perro, pero, más importante aun, un hueso agudo puede alojarse en la boca o incluso provocar un atragantamiento o inducir el vómito. Así que elige siempre huesos que haya que roer en vez de astillar.

LA IMPORTANCIA DE LAS REVISIONES VETERINARIAS

Las revisiones veterinarias regulares son la mejor forma de asegurarse de que los problemas se aborden pronto. Los cachorros deben acudir a su primera revisión dental a las 8 a 16 semanas de edad y de nuevo cuando tengan seis meses. (Los perros tienen 30 dientes de leche, luego 42 dientes permanentes diferenciados en 4 caninos, 12 incisivos, 16 premolares y 10 molares.)

Después de esto, la mayoría de los veterinarios recomienda una revisión anual. Puede realizarse al mismo tiempo que sus vacunaciones anuales. El veterinario tal vez recomiende una limpieza profesional para eliminar la placa debajo de las encías. A continuación los dientes serán como una pizarra limpia para que sigas con los cuidados en casa.

Diarrea

La diarrea suele mejorar sola en un día o dos, pero siempre hay riesgo de que sea un signo de algo más grave.

No hay nada inusual en que tu perro tenga de vez en cuando algún brote de diarrea. Después de todo, no importa lo vigilante que seas, seguirá consiguiendo meter de vez en cuando la cabeza en el cubo de la basura o pillará algún virus de algún amigo canino del parque.

La causa más habitual de diarrea es la alimentación. La sobrealimentación o el consumo de alimentos a los que el intestino no está acostumbrado pueden causar diarrea. Otras causas son parásitos intestinales, enfermedades víricas (parvovirus), alergias alimentarias, trastornos digestivos, enfermedades renales y hepáticas y cáncer. La mayoría de los casos de diarrea se tratan en casa, mientras que la diarrea por parvovirus, por ejemplo, puede causar una profunda deshidratación y daños intestinales en poco tiempo.

En la mayoría de los casos todo lo que tienes que hacer es dejar de darle comida un tiempo –pero no el agua– y sea cuál fuere la causa del problema desaparecerá del cuerpo de tu perro. En ocasiones la diarrea es un síntoma de algo más serio y tu veterinario te pedirá que lo lleves a la consulta. Examina cuidadosamente a tu perro por si tiene fiebre, vómitos, dolor abdominal o si parece deprimido. Si notas cualquiera de estos síntomas, o si la diarrea contiene moco o sangre, llama al veterinario. Estate preparado para describir el problema antes de llamar por teléfono.

SIGNOS DE DESHIDRATACIÓN Si las encías normalmente húmedas de tu perro están secas y pegajosas, es que ha perdido líquidos preciosos y debes animarle a beber, además de llevarlo al veterinario.

TRATAMIENTO DE LA DIARREA

La diarrea es una forma que tu perro tiene de desembarazarse de bichos que le causan daño y hacerlo con rapidez. Aunque parezca extraño, le está haciendo bien. Pero eso no significa que quieras que dure mucho tiempo. He aquí tácticas que el veterinario podría sugerir para aliviar el flujo.

- Los veterinarios recomiendan que los perros con diarrea se salten una comida o dos para que su estómago tenga oportunidad de descansar. Cuando no haya nada dentro, no habrá nada que pueda salir.
- Después de saltarse un par de comidas, podrás volver a darle de comer, si bien su estómago o intestinos doloridos apreciarán algo que sea fácil de digerir. Una dieta blanda, como arroz o harina de maíz, con un poco de pollo cocido sin piel es una buena opción.
- El cuerpo de tu perro puede perder sus líquidos esenciales con gran rapidez durante un brote de diarrea, por lo que es importante que te asegures de que no se deshidrate. Mantén llena la escudilla del agua y comprueba que beba con regularidad.

TRASTORNOS GÁSTRICOS
A los perros como este husky les gusta la rutina y los cambios pueden estresarlos. Un poco de atención adicional puede ayudar a que su estómago no se altere.

- Si no parece interesado en la escudilla del agua, dale cubitos de hielo para que los lama o muerda y mantenga alto su nivel de hidratación.
- Prueba un medicamento sin receta médica. En los casos sencillos de diarrea puede darse una o dos veces de un cuarto a la mitad de la dosis recomendada para un niño de un remedio casero como Pepto-Bismol® o caolín. Sin embargo, a veces lo mejor es dejar que la naturaleza recupere su curso, así que administra los medicamentos sólo por consejo veterinario.

CUANDO NO SE CORTA

Incluso si tu perro parece estar bien, una diarrea que persista más de dos días, o que sea sanguinolenta, explosiva o dolorosa, podría ser un problema y debes llamar al veterinario. Las afecciones que pueden causar diarrea crónica como una alergia alimentaria, colitis o problemas pancreáticos no mejorarán sin la ayuda de tu veterinario.

UNA VEZ SE PARA

Sigue dándole una dieta blanda cuatro días, dependiendo del consejo de su veterinario. Una vez que haya parado la diarrea, podrás reintroducir lentamente su alimento habitual sustituyéndolo gradualmente por el alimento más blando en los siguientes tres a cuatro días.

DEJA LAS TENTACIONES BAJO LLAVE Como la mayoría de estos perros, este perro no se puede resistir a saquear un cubo de basura, así que mantenlo lejos de su alcance.

LA PREVENCIÓN ES LO MEJOR

No se puede prevenir la diarrea por completo, pero hay formas de que el cuerpo de tu perro se calme. He aquí unas cuantas cosas que puedes probar.

- Mantener una dieta sin cambios. La gente se cansa de comer siempre lo mismo y cree que a los perros les ocurre lo mismo. Sin embargo, la mayoría de los perros está contenta comiendo lo mismo todos los días y eso es bueno para su tubo digestivo. Un cambio repentino a una dieta novedosa es una causa habitual de diarrea. Si decides cambiar la dieta de tu perro, hazlo poco a poco. En el plazo de una semana empieza a cambiar gradualmente un poco de la comida habitual por la nueva. Sigue añadiendo más de la nueva hasta que el cambio se haya completado.
- Ten cuidado con lo que cocinas. Algunas personas están dejando de dar a su perro comida comercializada y la están remplazando por comidas caseras. A los perros les encanta la comida para las personas, pero esos alimentos no siempre son lo mejor para ellos. La leche, el queso y otros productos lácteos

son causa habitual de diarrea en los perros.
- Evita los huevos. Mucha gente echa de vez en cuando huevo crudo en la comida de sus perros porque han oído que mejora el estado del pelaje. Pero eso aumenta el riesgo de salmonelosis, un tipo de envenenamiento que puede causar un brote de diarrea.
- No des a tu perro restos de comida. Estos alimentos representan un cambio repentino en su dieta y a menudo causan diarrea.
- Mantén las latas abiertas refrigeradas. Si das al perro comida enlatada, no dejes latas abiertas en la alacena. Si no se come una lata entera en una comida, cubre el resto con papel film, o hazle el vacío. Luego guarda la comida en la nevera.
- Evita que se alimente de la basura. Casi todos los perros consiguen ocasionalmente saquear la basura y suelen obtener el premio al día siguiente.

No puedes cambiar el apetito desafortunado de tu perro, pero sí puedes dejar la tentación fuera de su alcance. Mantén el cubo de la basura, incluido el de la cocina que la mayoría de los perros abren con facilidad, con un cierre seguro y dentro de un armario o tras alguna barrera.
- Comprueba el estado del agua. Limpia la escudilla del agua a diario, ya que las bacterias de su boca pueden acumularse en ella y desencadenar la diarrea. Y fíjate en si tu perro bebe fuera. Los perros pueden contraer infecciones víricas o bacterianas si beben de alguna fuente externa como charcos y aguas estancadas en viejos contenedores tirados en el jardín. Especial preocupación despierta la infección por Giardia, organismos protozoarios que a menudo proliferan en los manantiales de curso lento o en las aguas subterráneas estancadas.

Babeo

Nada como que tu amada mascota descanse la cabeza en tu regazo… y descubras un charco de babas cuando la levante.

Es probable que tu perro babee porque es de una de esas razas cuyos labios están pensados para permitir la acumulación y rebose de saliva. No es que produzca más saliva que otros canes, aunque a veces parezca difícil de creer. La cuestión es que no se la traga. Entre los perros cuyo babeo es crónico el peor es el sabueso enano, el pastor de Terranova y el San Bernardo.

EVITAR INFECCIONES

Otras razas presentan un labio que aumenta la posibilidad de infección. Aunque estos perros en realidad no babeen, contienen piel adicional que forma un pliegue en el labio inferior, justo detrás de los caninos. Esto destaca sobre todo en la mayoría de las razas spaniel, como el cocker spaniel, el spaniel ojeador y el spaniel bretón, y crea un reservorio de saliva en que pueden proliferar las bacterias. Los pliegues del labio se pueden modificar quirúrgicamente para que no se acumulen bacterias, si bien la mayoría de los dueños prefieren limpiar la zona una vez al día.

Emplea un hisopo de algodón para eliminar la porquería acumulada. A continuación, humedece otro hisopo de algodón en peróxido, clorhexidina o alcohol –usa solamente alcohol si el perro no tiene cortes en la boca– y limpia suavemente la zona.

TRATAR EL BABEO

Todos los perros segregan saliva cuando hay comida en el entorno o se excitan. Es algo

EL PEOR MOMENTO SON LAS COMIDAS Hasta los perros que no suelen tener problemas babean cuando tienen comida cerca.

completamente natural, pero si tu perro no suele babear y de repente comienza a segregar en exceso sin ninguna razón aparente, podría significar cualquier cosa, desde un diente roto a un envenenamiento por insecticida; llévalo en seguida al veterinario. No hay pociones ni soluciones mágicas para que tu perro no babee en exceso, pero hay formas de limitar los efectos.

Los dueños con experiencia con este tipo de perros siempre llevan una toalla, porque es fácil limpiar la boca del perro cuando empieza a acumularse la humedad. O crea un pañolón airoso y funcional con una tela absorbente, dóblala por la mitad y átalo de modo que el triángulo penda sobre el pecho del can.

Un tapete, o simplemente un periódico bajo la escudilla de la comida, servirán para mantener el suelo seco y facilitar la limpieza después de las comidas al reducirla a algo tan sencillo como retirarlo. Si es un babeador impenitente, un tapete es obligatorio a menos que no te preocupen los charcos de babas.

EVITA UN MORDISCO Si necesitas inspeccionar la boca de tu perro, déjala abierta con una pelota de tenis o un objeto parecido.

Problemas de oído

Si tu perro se rasca mucho las orejas, es posible que esté
intentando aliviarse por algún problema en esa zona.

El picor en las orejas puede hacer que tu perro se rasque como loco. Tal vez sea una colonia de ácaros alojada en el oído o cualquier otro tipo de afección irritante.

ÁCAROS EN LOS OÍDOS

Los ácaros en los oídos son una de las causas más corrientes de problemas en los perros. Los diminutos ácaros semejantes a cangrejos se transmiten de un perro a otro, o entre gatos o cualquier otra mascota que tengas. Se alimentan de la cera y de otros restos y secreciones presentes en el conducto auditivo, aunque pocas veces muerden, pican o causan otros daños, aunque sí provocan reacciones alérgicas muy pruriginosas, lo cual provoca que los perros se rasquen las orejas hasta hacerse sangre. Para el veterinario es fácil diagnosticar su presencia y es fácil tratarlo en casa, incluso si a veces su presencia es persistente en ocasiones.

Si sospechas que tu perro tiene ácaros en los oídos, levanta la solapa de la oreja y mira dentro. Aunque los ácaros de los oídos sean difíciles de ver, los restos que dejan a su paso –una secreción negro-pardusca parecida a los posos de café– son muy visibles. Tu veterinario tendrá que confirmar si es la causa del picor y el rascado, y aconsejar el tipo de gotas óticas que debes usar. Puede llevar cuatro a seis semanas acabar con los ácaros.

También necesitarás atacar los ácaros migratorios. Los productos para los ácaros del oído entran directamente en el conducto auditivo del perro, pero los ácaros tienen ocho patas y hacen lo que hacen los parásitos cuando invades su hogar con insecticida: se mudan a otro lugar, habitualmente a la base de la cola. Cuando el medicamento vertido en el conducto auditivo pierde su eficacia, vuelven a la oreja como si nada hubiera ocurrido. La

forma de evitar esta estrategia no sólo consiste en tratar las orejas, sino también en administrar polvos o espray antipulgas por todo el cuerpo del perro. La mayoría de los tratamientos corrientes para pulgas, como piretrinas, permetrina, rotenona, carbarilo y organofosfatos, matará los ácaros del oído sobre la superficie del cuerpo.

Trata a todas tus mascotas; no te pares sólo en el perro con el problema evidente. Los ácaros del oído se contagian rápidamente de una a otra mascota. Si tienes más de una mascota, acuérdate de tratar todos los animales del hogar (perros, gatos, hurones y conejos incluidos). De lo contrario, podrías descubrir que tus mascotas están jugando a «pásame los ácaros».

Tendrás que ser insistente; los ácaros son difíciles de erradicar. Trata al perro (y a las otras mascotas) durante un mes; así cubrirás todo el ciclo vital de los ácaros, desde los huevos hasta la fase adulta. Si interrumpes el tratamiento demasiado pronto, no acabarás con todos.

Como último recurso, el veterinario puede recomendar medicamentos más fuertes, hasta inyecciones, para matar los ácaros a bordo. Sin embargo, si tu perro sigue en contacto con el portador de los ácaros, seguirá siendo susceptible a nuevas infestaciones.

¿CREES QUE HAY ALGÚN PROBLEMA? La dueña de este shar pei usa una linterna para buscar objetos extraños.

LIMPIEZA Para prevenir infecciones lava los conductos auditivos del perro y sécalos con cuidado y a conciencia con un trocito de gasa alrededor de un dedo.

INFECCIONES DE OÍDOS

Los perros contraen a menudo infecciones por bacterias o levaduras en el conducto auditivo, no de otros canes, sino porque hay una razón subyacente por la que son susceptibles a las infecciones, a saber:

- La forma de las orejas del perro; las orejas caídas o un conducto auditivo pequeño.
- Condiciones húmedas o apetencia por la natación.
- Un exceso de atención a los oídos; eliminar en exceso los pelos o un exceso de esfuerzos de limpieza, o gotas y productos de limpieza irritantes.
- Problemas de salud como alergias, intolerancias alimentarias o algún desequilibrio hormonal.

Si aprecias residuos en el conducto auditivo del perro o en las solapas de las orejas, o si las orejas están enrojecidas, calientes o dolorosas al tacto, podría tener una infección y debes llevarlo al veterinario para su tratamiento. Si inclina o sacude constantemente la cabeza, podría tener problemas en el oído interno. El veterinario diagnosticará la causa subyacente del problema y la tratará. La búsqueda de cuerpos extraños debe formar parte de la rutina habitual.

CUIDADOS PREVENTIVOS

La mejor forma de conservar la salud de las orejas de tu perro es seguir un programa de atención regular de las orejas. He aquí lo que los veterinarios recomiendan.

Examina las orejas semanalmente. Una buena atención a las orejas comienza por la inspección regular del oído como parte de los cuidados habituales. El conducto auditivo deber estar limpio, sin signos de inflamación, sin malos olores ni enrojecimiento alrededor de las solapas de las orejas. Busca también la presencia de garrapatas, y no te olvides de los ácaros de los oídos. No hay necesidad de explorar el conducto auditivo con demasiada profundidad; examina el área externa, luego levanta la solapa de la oreja para ver qué hueles y observas.

Si tu perro es propenso a la acumulación de cera, procede a una limpieza regular. Mantén el conducto auditivo limpio y libre de parásitos como parte de la rutina habitual de cuidados y baño. Pero antes de aplicar alguna solución a los conductos auditivos del perro, coméntalo con el veterinario. Los oídos son muy sensibles y muchos antisépticos y antibióticos pueden causar sordera si llegan al oído interno, lo cual podría ocurrir, por ejemplo, si hubiera una rotura del tímpano.

Después de asegurarte de que el oído está limpio de residuos, humedece un hisopo de algodón en la solución para limpiar los oídos. Limpia con suavidad alrededor y entre las irregularidades de la solapa de la oreja; pero ten cuidado de no meter el hisopo demasiado dentro del conducto auditivo. Siempre y cuando veas el extremo del hisopo, estarás usándolo con seguridad.

Ten cuidado de no empujar los residuos más adentro en el conducto cuando utilices el hisopo. Si hay exceso de líquido y residuos en el orificio del oído, emplea una bola de algodón para retirarlo con cuidado. Para más información sobre el modo de limpiar las orejas del perro, ver p. 206.

No se recomienda la eliminación rutinaria de los pelos del conducto auditivo de perros sanos. Son excepción las razas de pelo vedijoso, como el caniche y el terrier de Bedlington, que puede impedir que la medicación llegue a la zona problemática o que se quede bloqueado el material infectado sin drenar fuera del oído. Sólo se requiere quitar unos pocos pelos. Nunca se debe usar cremas depilatorias con un perro; no están pensadas para ellos y las sustancias químicas que contienen son demasiado fuertes para la piel canina.

ADMINISTRACIÓN DE GOTAS ÓTICAS Levanta la tapa de la oreja de modo que el perro no pueda sacudir la cabeza y echa el número requerido de gotas.

Mantén la oreja como estaba con suavidad y firmeza, cubre el orificio y masajea la base del oído para facilitar el paso de las gotas por todos los recodos que puedan crear el problema.

Displasia de codo

La articulación del codo mantiene los huesos unidos, pero conserva suficiente flexibilidad como para que tu perro corra y salte con gracia y agilidad.

Los codos del perro están diseñados para ser fuertes y móviles. Sin embargo, en algunos perros el juego articular de la articulación del codo no es tan firme como debiera y se aprecia cierto grado de oscilación que puede producir dolor y rigidez, sobre todo después de jugar fuerte. Se cree que este problema, llamado displasia de codo, es hereditario, y tiende a desarrollarse incluso antes de que el perro llegue a su primer cumpleaños.

POSIBLES CANDIDATOS El chow chow es una de las razas más propensas a la displasia de codo (ver cuadro).

Si crees que tu perro tiene displasia de codo o que corre el riesgo de desarrollarla porque sus padres la padecieron, es probable que tu veterinario recomiende hacerle unas radiografías. El diagnóstico precoz del problema permitirá tomar medidas preventivas para evitar que los codos sufran nuevos daños. Si las articulaciones no se han deteriorado aún, su veterinario puede sugerir cirugía.

ALIVIAR LOS DOLORES

Una forma de mitigar las molestias de una displasia de codo es que el perro no engorde. Al mantenerse delgado y esbelto, el peso que tiene que transportar es menor, lo cual reduce la presión sobre las articulaciones vulnerables.

No se recomienda dar suplementos de calcio a los perros con esta afección. En vez de fortalecer los huesos del perro, los suplementos de calcio pueden interferir con el crecimiento normal de los huesos y cartílagos, y eso no hará más que agudizar el problema.

Comprueba que el perro haga ejercicio suave y regular. Eso ayuda a fortalecer músculos, ligamentos y tendones de la articulación del codo, al mismo tiempo que aumenta la lubricación que ayuda a las articulaciones a moverse con mayor suavidad. No te excedas; un paseo de 20 minutos dos veces al día será suficiente.

O prueba con la natación, siempre y cuando el agua no esté fría y luego se pueda secar bien y estar caliente. Para más información sobre el alivio de articulaciones doloridas, ver p. 231.

El veterinario recomendará medicamentos para controlar cualquier dolor e hinchazón. La aplicación de calor o frío varias veces al día también puede ser analgésica. Además, el veterinario puede prescribir un agente protector del cartílago y combinaciones de nutrientes que ayuden a reparar el cartílago.

Como la displasia de codo suele ser hereditaria, es probable que el veterinario recomiende que esterilicen a tu perro. Si estás comprando una raza propensa a esta patología, compra el cachorro a un criador que garantice que la familia del perro lleva tres generaciones sin signos clínicos de displasia de codo. En algunos países como Estados Unidos existen certificados que avalan que los cachorros están «limpios».

RAZAS MÁS PROPENSAS

Algunos perros padecen displasia de codo y otros no por razones que todavía no se comprenden del todo, pero está claro que la genética desempeña un papel. Las más susceptibles son:

- Colie barbudo
- Boyero de Berna
- Sabueso
- Bullmastín
- Chow chow
- Pastor alemán
- Golden retriever
- Labrador retriever
- Mastín
- Perro de Terranova
- Rottweiler

INVESTIGA A LOS PADRES Razas como el bullmastín pueden ser genéticamente más susceptibles a los problemas articulares.

Problemas oculares

El ojo canino es muy parecido al ojo humano, y cualquiera de sus partes puede verse afectada con problemas que alteren su capacidad para ver.

Aunque no verás perros con gafas, también tienen problemas cuando les falla la vista o sufren infecciones oculares, al igual que las personas. La opacificación del ojo es uno de esos problemas que a menudo padecen cuando se hacen viejos. Se llama esclerosis nuclear del cristalino y se puede parecer a las cataratas, pero no es tan grave. Aunque reduce la visión de cerca, no es tan importante para los perros como para las personas.

Tal vez no te des cuenta al principio de que tu perro tiene un problema de visión, porque los perros son muy adaptables y posiblemente compensan su deficiencia con los otros sentidos. Algunos de los signos que puedes apreciar son que no sortea los obstáculos con facilidad, tropieza en los escalones o bordillos y comete muchos más errores de este tipo al anochecer o de noche. Si reparas en que su vista está fallando, llévalo al veterinario para un diagnóstico y asegurarte de que no es nada serio.

Otro problema corriente son las secreciones y residuos en las comisuras del ojo. Son secreciones naturales que se acumulan, y un buen lavado es a menudo todo cuanto se necesita.

La conjuntivitis, una inflamación que suele ser causada por alergias o infecciones, es otra afección corriente que hará que los ojos del perro piquen y estén enrojecidos.

VISORES Tu perro no puede llevar gafas de sol, pero sus ojos necesitan protección tanto como los tuyos. Un visor de quita y pon puede ser la solución.

AYUDAR CUANDO LA VISTA FALLA

Aunque la pérdida de vista, o incluso la ceguera, sea una minusvalía, los perros a menudo la superan mucho mejor que las personas y es mucho lo que puedes hacer para facilitar la vida a tu mascota.

Comienza por dejar las cosas donde el perro recuerda que están. Como su vista ya no es lo que era, tu perro recurrirá a la memoria para moverse por la casa. Así que no cambies de repente el sillón de sitio, porque lo más probable es que choque con él en vez de rodearlo. Deja su yacija y sus escudillas del agua y la comida donde siempre hayan estado; así podrá encontrarlas.

Si tienes que redecorar o cambiar de sitio los muebles, da a tu mascota un pequeño tour para que pueda hacerse una idea de la nueva ubicación. Usa muchas palabras para animarlo a que encuentre su camino rodeando los objetos y llegue adonde quiere llegar.

Protégele de los puntos problemáticos adoptando precauciones extra con las escaleras y otras áreas potencialmente peligrosas como la cocina. Pon una reja de seguridad infantil delante de cualquier puerta o salida por la que no quieras que vaya tu perro a menos que esté contigo. Si usas las mismas estrategias en las salidas como harías con un cachorro nuevo o un niño que empieza a andar, tu mascota debería hacerlo bien.

Sólo por que tu perro no pueda disfrutar del paisaje no significa que no le guste el aire fresco y los olores interesantes que le ofrece un buen paseo. Sigue necesitando ejercicio para mantenerse en buena forma, aunque ahora deberás usar los ojos por los dos.

CATARATAS Son un problema corriente, sobre todo en los perros viejos. El centro del ojo aparece blanco u opaco. Si el caso es grave, las cataratas requieren cirugía.

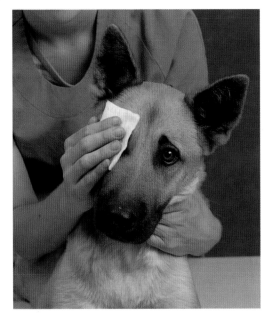

COMPRESA CALIENTE Una gasa empapada en una solución salina tibia ayuda a reducir el dolor de un ojo dolorido.

La atrofia progresiva de la retina (APR) es otra enfermedad hereditaria. Implica una pérdida funcional de la retina en el fondo del ojo, lo cual suele provocar ceguera. La vista empeora lenta pero progresivamente, por lo que al principio el problema puede no ser detectado. Si bien no hay un tratamiento eficaz, la mayoría de los perros se adaptarán con tu ayuda.

DAÑOS EN LA CÓRNEA

Las zarpas de los gatos y las ramas de los árboles a menudo causan heridas en la córnea de los perros. Un perro con una lesión en la cornea mantendrá el ojo cerrado y producirá un exceso de lágrimas. Si no se trata, el área dañada puede terminar infectada, ulcerada y causar ceguera.

Las anomalías congénitas de los párpados también pueden causar daños en la córnea. Algunos perros presentan párpados que se mueven de forma anormal en eversión o inversión, o cuyas pestañas crecen en la dirección equivocada, hacia el ojo, causando irritación. La mayoría de estos problemas se corrigen con cirugía.

Ahora será mucho mejor enganchar la correa a un arnés que a un collar, porque necesitarás tener un mejor control sobre él y conducirlo con más frecuencia. El arnés te procurará un medio más suave para controlarlo que un collar.

ALIVIAR OJOS IRRITADOS

Elimina los restos de cualquier secreción ocular una vez al día con agua tibia, té negro frío o un colirio sin receta médica. Limpia con firmeza hacia el centro del hocico. Hay todo tipo de productos de limpieza en las tiendas de mascotas para limpiar las manchas que puedan haberse vertido en el pelaje por las secreciones oculares. Los perros con fiebre del heno a menudo muestran los ojos enrojecidos y doloridos en primavera y verano, cuando el recuento de pólenes es alto. Cuando haga más frío, el polvo y las esporas de mohos pueden causar alergias y enrojecimiento de los ojos en perros susceptibles. Si tu perro tiene conjuntivitis o alguna otra infección ocular, con frecuencia habrá una secreción acuosa asociada con el enrojecimiento. Acude al veterinario para recibir consejo o tratamiento.

PROBLEMAS GENÉTICOS

Hay varias enfermedades oculares causadas por problemas genéticos en ciertas razas. Por ejemplo, la mayoría de las cataratas se diagnostican en ciertas razas caninas como el cocker spaniel americano y el doberman, y perros más jóvenes resultan afectados. La cirugía casi siempre resuelve el problema.

APLICACIÓN DE UN COLIRIO GRASO Si hay algún resto en la comisura del ojo, lávalo y límpialo con una bola de algodón empapada; limpia siempre del exterior del ojo hacia el hocico. Mantén el ojo abierto y vierte un poco de colirio en la comisura del ojo más próxima al hocico.

Para extender el colirio por el ojo, deja que el perro cierre el ojo, luego masajea suavemente con los párpados cerrados.

Fiebre

*Si tu perro no come, está menos activo de lo normal y su
mirada está apagada, lo más probable es que tenga fiebre.*

Si tu perro parece no encontrarse bien, será hora de ponerle el termómetro; véase en el cuadro inferior los distintos tipos y consejos sobre el modo de tomar la temperatura.

Las causas más habituales de fiebre son una infección vírica o bacteriana, o una reacción a la medicación. En ocasiones, la fiebre es señal de algo más serio, como un problema del sistema inmunitario o incluso cáncer, pero en la mayoría de los casos es sólo un recordatorio temporal de que tu perro no se encuentra bien y necesita un respiro. Una temperatura superior a 39,5°C se clasifica como fiebre; si persiste más de un día, lleva el perro al veterinario sin demora.

TOMAR LA TEMPERATURA AL PERRO

Si crees que tu perro parece un poco apagado, tomarle la temperatura puede darte alguna respuesta. Pero olvida ponerle el termómetro bajo la axila o la lengua. La forma de tomar la temperatura es mediante un termómetro rectal, por lo que necesitará uno para su uso exclusivo.

Tomar la temperatura a un perro es fácil. Lubrica la punta del termómetro con algo de vaselina, luego sitúate de pie o de rodillas mirando su trasero. Levanta la cola e introduce suavemente unos 3 cm del termómetro en el recto. Elogia al perro y mantenlo de pie unos dos minutos para obtener una lectura precisa.

Si has comprado un termómetro digital de alta tecnología, no tendrás que esperar tanto. La temperatura normal de un perro es 37,5° a 39,1°C. Si supera los 39,5°C, se considera fiebre.

Si prefieres no llegar a semejante intimidad con tu perro, podrías pagar un poco más por un termómetro timpánico, cuya lectura de la temperatura se toma casi al instante dentro del oído.

BAJAR LA FIEBRE

No hay motivo para el pánico si tu perro tiene fiebre. Haz lo que harías normalmente si fueras tú quien tuviese la fiebre.

- Reduce el nivel de actividad. Un perro con fiebre no necesita ejercicio vigoroso ni juegos. Deja que descanse o duerma en un lugar tranquilo.
- Dale mucho líquido. Mantén su escudilla del agua llena o, si no parece muy interesado en beber, dale cubitos de hielo para que los lama o muerda. Un caldo de carne puede volver más tentadora el agua.
- Haz cosas buenas por él. Le gustará que lo mimen cuando no se encuentre bien. Siéntate con él a ver una película o dale un masaje suave para que se relaje. Si le gustan los baños, un remojón con agua fría o tibia es reconfortante y le ayudará a bajar la temperatura.
- Prueba con algún analgésico sin receta médica. Las aspirinas suelen ser eficaces para bajar la temperatura de tu perro. Los veterinarios suelen recomendar un cuarto de aspirina infantil de 325 miligramos por cada 4,5 kg de peso corporal una o dos veces al día. Pero siempre habla con el veterinario antes de dar un medicamento para personas a tu mascota.
- Controla su mejoría. Toma la temperatura del perro cada seis horas para ver cómo va y si la fiebre está bajando. Si dura más de un día, acude al veterinario.

ATENCIÓN ESPECIAL Mientras persista la fiebre, anima a tu perro a beber mucha agua o a que lama cubitos de hielo para que no se deshidrate.

Santa Clara County Library District

408-293-2326

Checked Out Items 9/5/2018 16:14

XXXXXXXXXX6934

Item Title	Due Date
1. Manual práctico para duéños de perros 33305241104011	9/26/2018
2. Mexican made easy : everyday ingredients, extraordinary flavor 33305234149577	9/26/2018

No of Items: 2

24/7 Telecirc: 800-471-0991
www.sccl.org
Thank you for visiting our library.

Flatulencia

El gas es un producto habitual de la digestión, pero algunos perros producen
más que otros. El problema se suele solucionar con remedios caseros.

ESCUDILLAS SEPARADAS Si hay más de una mascota en la familia, dales de comer por separado. Los perros a menudo engullen deprisa para asegurarse de que no les quitan nada de su ración.

L a flatulencia se suele producir cuando la comida no se cataboliza del todo y se acumulan gases en el intestino. Gran parte de este gas se absorbe en el torrente circulatorio, pero no todo. He aquí lo que recomiendan los expertos:

● Examina su alimentación. Ciertos alimentos –sobre todo los que contienen brotes de soja– producen muchos gases. Pasar a un alimento con poca o ninguna soja puede ser todo cuanto se necesite para lograr que tu perro no tenga gases. Tendrás que probar varios alimentos a lo largo de unos meses para saber cuál tolera tu perro. Para evitar efectos secundarios como diarrea, asegúrate de que el cambio sea gradual, sustituyendo cantidades cada vez mayores del nuevo alimento por el antiguo a lo largo de varios días.

● Ciertos alimentos como el brécol, la coliflor, la leche y el queso causan flatulencia a casi todos los perros. Evítalos unos días y observa si las cosas mejoran.

● Cambia las proteínas. Si en su alimento actual la mayoría de las proteínas proceden, por ejemplo, de ternera, prueba con otra marca cuyas proteínas procedan de carne de cordero.

● Dale más fibra vegetal. Añadir fibra a la dieta de tu perro hará que el tránsito de la comida por el intestino sea más rápido, dando menos tiempo para que se formen gases. El metamucil (o un equivalente genérico) se puede mezclar con las comidas del perro: añade una cucharada de postre por cada 4,5-9 kg de peso corporal. También vale la pena probar con judías verdes y calabaza en lata.

● Consigue que alcance un equilibrio. Los intestinos suelen contener grandes cantidades de bacterias beneficiosas para favorecer la digestión. Si los perros no tienen suficientes bacterias, se produce la flatulencia. Da a tu perro acidófilo –el ingrediente presente en el cultivo vivo de yogur– para que las bacterias beneficiosas recuperen niveles saludables. A los perros no les gusta el sabor amargo del acidófilo líquido, pero se lo tomarán sin problemas en comprimidos masticables. Puedes dar al perro la dosis para personas descrita en la etiqueta. Suele costar unos días que surta efecto. O añade un poco de yogur natural (con cultivo de acidófilo activo) a su comida si se la come de todas formas. Las galletas de carbón vegetal activo también reducen los gases.

● Haz que coma más despacio. Si los perros engullen la comida, tragan mucho aire al comer, con lo cual los gases se acumulan en los intestinos. Los veterinarios a veces recomiendan depositar un objeto grande –que no se puedan tragar– en medio de la escudilla para que tengan que sortearlo y rodearlo y así comer más lento.

● Que salga fuera de casa. El ejercicio estimula los intestinos y ayuda al peristaltismo de los perros y a la defecación, lo cual elimina el exceso de gases del cuerpo del perro.

Pulgas

Pueden arruinarte la vida. Por suerte, en la batalla estos molestos insectos tienen todas las de perder.

La mayoría de los dueños de perros tienen problemas con las pulgas en algún momento, pero los nuevos avances permiten ahora un mayor control de las pulgas sin la exposición a insecticidas dañinos. Las pulgas no son algo baladí. Se necesita persistencia para asumir el control, si bien en la década pasada los investigadores se han centrado en remedios para las pulgas que interrumpan con eficacia su ciclo vital.

Las pulgas no son sólo parásitos que pican, también transmiten varias enfermedades a los perros como cestodos, tifus y tularemia. También pueden causar prurito intenso y molestias. Y no siempre son fáciles de ver. No creas que ya has hecho todo si no ves pulgas en la parte del pelaje que se está rascando el perro. Podría tener sólo unas pocas pulgas que será difícil localizar. El problema también podría ser que es alérgico a la saliva de las pulgas; y se necesitan sólo unas pocas picaduras para volver loco a un perro y que no pare de rascarse. Si tu perro se rasca y no encuentras un culpable obvio, hazle un favor y llévalo al veterinario.

LUCHAR CONTRA LAS PULGAS

No hay producto ni estrategia que barra las pulgas de un plumazo, pero puedes lograr un control completo en tres a cuatro semanas, la duración del ciclo

INSTRUMENTAL DE ASEO Cepillos de púas rígidas y liendreras son muy eficaces para eliminar las pulgas adultas y sus larvas del manto de tu perro.

COMPROBAR CON FRECUENCIA QUE NO TENGA PULGAS Las pulgas son difíciles de ver, pero si cepillas al perro encima de un papel, podrás ver con facilidad los excrementos rojizos que dejan a su paso.

vital de la pulga. Con perseverancia, la recompensa será una mascota sin pulgas y un hogar sin pulgas.

Enfréntate primero a las pulgas adultas tratando el pelaje del perro con un espray antipulgas una vez al mes. Hay gran variedad de insecticidas entre los que elegir. Las piretrinas, obtenidas de los crisantemos, son muy seguras pero no duran mucho tiempo. Algunas piretrinas sintéticas, como la permetrina, tienen un efecto un poco mejor en los perros, pero parecen ser tóxicas para otras especies, sobre todo los gatos.

Algunos productos actuales ofrecen seguridad a personas y mascotas, eficacia contra las pulgas adultas y la comodidad de aplicarlos una vez al mes. Los productos que contienen imidacloprid matan casi todas las pulgas presentes en tu perro en un plazo de 24 horas. Hay productos que contienen fipronil que actúan contra las pulgas y garrapatas y son seguros incluso para cachorros y perras preñadas. Estos productos nuevos sólo tienes que pulverizarlos en el pelaje de la espalda del perro una vez al mes para que las pulgas mueran en tropel.

Recuerda que para interrumpir el ciclo vital de la pulga, tratar el entorno es igual de importante que tratar al perro (ver cuadro).

CERCAR EL PROBLEMA DE LAS PULGAS

Los insecticidas dejarán sin duda a las pulgas fuera de combate, pero no a las liendres, larvas y pupas que pululen por la casa. Así que en cuanto bajes la guardia un minuto, habrá una nueva generación de pulgas adultas.

Una opción consiste en ponerle un collar antipulgas que contenga un regulador del crecimiento de insectos (RCI) como piriproxifeno, metopreno o fenoxicarb. Son hormonas que inducen a las liendres y larvas a secarse y morir. De hecho, un collar que contenga un RCI es como una suerte de control

EN CASA Y EN EL JARDÍN

Una vez hayas tratado al perro, dirige tu atención a la población de pulgas en la casa.

- Pasa la aspiradora una vez por semana, sobre todo cerca de las yacijas de las mascotas.
- Rocía la casa con un insecticida seguro y que no sea tóxico, como piretrinas, para matar las pulgas adultas que haya en casa.
- Haz que un profesional para el control de plagas aplique poliborato sódico (un primo del bórax). Estos polvos garantizan el control de pulgas durante un año (dependiendo de la superficie del suelo).
- Lava la yacija del perro una vez por semana. Emplea la temperatura más alta que soporte la tela y que mate las pulgas.
- Rocía las áreas a la sombra en el perímetro del jardín, la caseta del perro y el patio con sustancias químicas como diazinón, que no se descomponen con la luz solar.
- O puedes sembrar el jardín de lombrices. Ahora se venden en tiendas de mascotas y para el jardín lombrices microscópicas llamadas nematodos. Atacan las liendres de las pulgas sin dañar a otros insectos beneficiosos. Aplica el producto sobre el césped, por el jardín y hasta la arena, siguiendo las instrucciones que vienen con él.

UN SIGNO SEGURO Utiliza una bola de algodón húmedo para limpiar los restos después de cepillar el manto de tu perro. Los excrementos de las pulgas se disolverán, dejando una mancha pardusca.

Al pasar regularmente al perro una liendrera, podrás detener una posible infestación de pulgas en sus comienzos. Este tipo de peine no es caro. Peina a fondo el pelaje cinco minutos a diario y conseguirás que las pulgas abandonen sus refugios. Sus escondites favoritos son la porción media de la espalda, la base de la cola, el dorso del cuello, las axilas y la región de la ingle.

Sumerge la liendrera en un tarro pequeño de alcohol para friegas y las pulgas se ahogarán al instante. (Incluso si no has arrastrado ninguna pulga, tal vez veas unas partículas con forma de coma en la piel, que son heces de pulga.) Haz siempre esta labor al aire libre; si no atrapas las pulgas cuando abandonen el barco, es mejor que acaben en el césped y no en una alfombra.

de natalidad para las pulgas. Los collares son muy seguros y funcionan bien el tiempo que diga la etiqueta. Elige el collar con cuidado. Algunos matan las pulgas adultas, pero no tienen efecto sobre las larvas y liendres.

OTRAS TÁCTICAS

Pregunta a tu veterinario por Program, un compuesto que contiene lufenurón y detiene el desarrollo de la coraza de las pulgas. Sin ese caparazón protector, las pulgas mueren. Este producto se administra por vía oral una vez al mes. El lufenurón también se ha combinado con una medicina preventiva de la *Dirofilaria immitis* para crear un producto llamado Sentinel, por lo que si vives en una zona en que abunde esta plaga, tal vez te plantees usar esta medida opcional.

Para controlar las pulgas es importante atacar a las adultas, las liendres y larvas al mismo tiempo. Sólo las adultas viven en el perro; las liendres y larvas no. Así cualquiera que fuere el producto que elijas para matar las liendres, asegúrate también de usar otro producto que ataque las pulgas adultas y larvas.

PATRULLA ANTIPULGAS Cepillar con regularidad mantiene el manto de este bichón maltés libre de pulgas. Moja el cepillo en agua caliente o alcohol para friegas después de cada pasada para matar las pulgas atrapadas.

Alergias e intolerancias alimentarias

Aunque las alergias e intolerancias alimentarias pueden provocar una reacción adversa en tu perro, no son lo mismo.

Un perro tiene una alergia alimentaria cuando su sistema inmunitario reacciona a ciertos ingredientes presentes en la comida como las proteínas de la soja. Por su parte, las intolerancias alimentarias no afectan al sistema inmunitario y ocurren cuando ciertos ingredientes de la comida (la lactosa es un agente causal corriente) causan un trastorno gástrico o intestinal.

Aunque las causas subyacentes sean distintas, las alergias e intolerancias alimentarias se parecen en que hacen que tu perro se sienta fatal. En ocasiones es tan sencillo como que el perro vomita poco después de comer, aunque habitualmente la relación no es tan evidente. El alimento puede provocar sarpullidos, dificultades digestivas, síntomas asmáticos, picores, rascado o una conducta anormal, o cualquier otro problema que no parece tener nada que ver con la comida.

Por ejemplo, supón que tu perro tiene una historia de infecciones de oído recurrentes. Hay una posibilidad de que una alergia alimentaria esté causando sus molestias. Una reacción indeseable a un alimento no es fácil de detectar, pero valdrá el esfuerzo, por la salud y felicidad de tu perro; si identificas la causa con certeza, cambia la dieta para que le siente mejor.

PERSEGUIR AL CULPABLE

Para identificar el alimento o sustancia que sienta mal a tu perro, necesitarás el consejo y guía de su veterinario y la cooperación de tu mascota; esto último tal vez no sea demasiado difícil, pues su papel será el de seguir comiendo. También necesitarás tiempo y paciencia; pueden pasar semanas o meses hasta establecer el diagnóstico.

SÍNTOMAS DE PICOR Un perro que se rasca continuamente, como este schnauzer enano, podría estar sufriendo una alergia o alergia alimentarias.

EVITA LOS LÁCTEOS La lactosa -un componente de los productos lácteos como el queso y la leche- es una causa habitual de intolerancia alimentaria en los perros.

El primer paso es poner al perro a una dieta de descarte en la que le darás comida suministrada por el veterinario y que contenga ingredientes con una fuente de proteínas que nunca haya tomado antes, como carne de venado, pavo, cordero o pato. Tendrás que dejar de darle aperitivos e incluso medicinas masticables. Si realmente es una alergia alimentaria, los picores remitirán en unas 12 semanas. Este método se basa en una sencilla regla sobre las alergias: no puedes ser alérgico a algo que no hayas comido nunca antes, porque las alergias se desarrollan con el tiempo.

Si el perro mejora de forma espectacular con la dieta de descarte, el siguiente paso es reintroducir otros alimentos habituales, uno cada vez, para identificar el ingrediente culpable. (El veterinario te suministrará alimentos «de prueba»). Por ejemplo, si es alérgico a la carne de vacuno, no importará que se trate de un solomillo o una hamburguesa; en ambos casos los síntomas se manifestarán de nuevo: Podría ser el pollo, la soja o el maíz, así que hay que hacer la prueba con todos ellos pero individualmente, uno cada cinco a siete días. El alimento que provoca la vuelta de los síntomas es aquel al que tiene alergia o intolerancia, y ése es el alimento que necesitarás retirar de su dieta de ahora en adelante.

Ahora ya puedes solucionar el problema por completo sin necesidad de fármacos. Si por ejemplo, tu perro es alérgico a la soja, compra comida para perros que no contenga soja. Si tiene un problema con la lactosa, dale un alimento que no contenga productos lácteos, que son ricos en lactosa. O al menos dale suplementos de lactasa, que le ayudarán a digerir la lactosa presente en los productos lácteos. Hay muchos tipos de comida para

UN RÉGIMEN ESTRICTO Si tu perro sigue una dieta de descarte, tendrás que ser muy estricto con lo que le das de comer, y eso incluye evitar aperitivos y premios.

con el alimento de prueba, sabrás seguro que es la comida la que está contribuyendo a sus problemas. Si no mejora, al menos sabes que el alimento no es la causa de los síntomas recidivantes. Con la tranquilidad que da esta seguridad, el veterinario y tú podréis rastrear las claves y buscar otras causas potenciales.

DIETAS PREPARADAS EN CASA

Ten cuidado si continúas con la dieta casera. Si quieres darle alimentos caseros (menos el alimento causante de la alergia, por supuesto), pregunta al veterinario por una buena receta que sea equilibrada y cumpla las necesidades nutricionales del perro. Una dieta de descarte no es una dieta equilibrada y provocará déficits si continúa con ella demasiado tiempo.

No hay cura para las alergias alimentarias que causan desde una diarrea grave hasta reacciones cutáneas. Así que tendrás que controlar de cerca la alimentación del perro para que no se introduzcan productos desautorizados y los problemas vuelvan a empezar. También necesitarás asegurarte de que no tenga acceso al cubo de la basura ni que pida comida a un vecino.

mascotas en el mercado, así que, una vez que sepas qué ingredientes evitar, encontrar la comida adecuada para tu mascota no será un problema.

DIETA CASERA DE DESCARTE DE ALERGIAS

La ventaja de dar a tu perro una dieta casera de descarte es que te confiere un control completo sobre lo que entra en el estómago de tu perro. Tu veterinario te aconsejará alguna receta. El perro tendrá que seguirla al menos un mes, preferiblemente tres, antes de estar seguro de los resultados.

Seguir una dieta de descarte puede ser duro. Lo mejor es que tu perro se beneficiará de tus esfuerzos. Si mejora

BUENOS RESULTADOS El resultado de persistir en la dieta de descarte es un perro más sano y feliz sin los síntomas de la alergia.

Dirofilaria

Este peligroso parásito se transmite por el molesto mosquito,

aunque, por suerte, se puede proteger al perro.

Los mosquitos, está claro, no son el mejor amigo del perro. Pueden transmitir la dirofilaria, un peligroso parásito que obstruye el corazón y los pulmones del perro como si fueran tiras de espagueti y dificultan gravemente la circulación de la sangre. Es imposible proteger al perro por completo de los mosquitos, pero hay formas de reducir su presencia. He aquí lo que recomiendan los veterinarios.

Comienza por protegerlo desde el principio. Cuando vivas en una zona en que abunde la dirofilaria, es esencial dar al perro algún medicamento preventivo. Si le pica un mosquito infectado, el medicamento matará las dirofilarias antes de que puedan madurar y causar problemas. Las medicinas masticables contra la dirofilaria son seguras, baratas y se suelen administrar mensualmente. Antes de prescribir un medicamento preventivo a perros adultos, el veterinario pedirá un sencillo análisis de sangre para determinar si tu perro ya tiene este parásito.

Se derivan beneficios adicionales de la administración de este medicamento. Algunos fármacos contra la dirofilaria también protegen contra los parásitos intestinales. Dependiendo del medicamento contra la dirofilaria, también ayudan a controlar la presencia de nematodos, ancilostomas y tricocéfalos.

También es importante mantener alejados a los mosquitos. A nadie le gusta tener las ventanas cerradas cuando hace calor y humedad, pero eso es precisamente lo que quieren los mosquitos. Las mosquiteras para ventanas y puertas los mantendrán fuera de la casa. Y asegúrate de reparar en seguida cualquier rotura en ellas. Incluso el agujero más pequeño facilitará la entrada de los mosquitos.

No olvides el jardín o el patio. Aplica con regularidad un insecticida para exteriores con el fin de mantener el jardín, la perrera o caseta del perro libres de mosquitos. Mantén todo seco, porque los mosquitos crían en aguas estancadas, desde estanques y charcos grandes hasta un poquito de agua en una maceta o lata. Vale la pena hacer todo lo posible para que el jardín o patio estén secos –quitar objetos en que se pueda acumular el agua o cambiar el paisaje para que no retenga agua–. También es útil eliminar todos los charcos antes de que los mosquitos tengan posibilidad de encontrarlos y poner huevos.

Los mosquitos son sobre todo activos al atardecer y por la noche, cuando buscan comida. Para reducir el riesgo de picaduras, intenta mantener al perro en casa a esas horas, sobre todo en noches tranquilas.

Incluso si la presencia de dirofilarias es baja en la zona en que vives y no hay muchos mosquitos, tu perro correrá riesgo si viajas a zonas donde ese parásito sea un problema. Si no está tomando en ese momento medicamentos contra dirofilarias, habla de las medidas preventivas con tu veterinario antes de salir de vacaciones.

MEDIDAS DE PROTECCIÓN Las pastillas para la prevención de la dirofilaria se le pueden administrar como si fueran un premio. Este bóxer no sabe que está tomando una medicina que lo mantendrá libre de esta enfermedad potencialmente mortal.

Displasia de cadera

Los huesos de la cadera de algunos perros no se ajustan como debieran.

Esta dolorosa afección hereditaria se llama displasia de cadera.

Aunque los cachorros no nazcan con los signos clínicos de la displasia de cadera, sí pueden nacer con tendencia a desarrollarla. Las patas traseras de tu perro adquirirán rigidez y empezarán a doler, pero los cambios pueden ser tan graduales que a veces no son evidentes hasta que el perro tiene uno a dos años de edad. Con el tiempo las articulaciones «laxas» de la cadera pueden desgastar los huesos y derivar en un tipo doloroso de artritis.

Cualquier perro puede sufrir displasia de cadera, no sólo las razas grandes, como a menudo se cree, porque muchos perros de tamaño medio también padecen esta patología. Los veterinarios suelen tratarla con fármacos o incluso cirugía. Pero hay varias estrategias preventivas y eficaces tratamientos asistenciales en casa.

CUIDAR LAS CADERAS

Si tu perro es de una de esas razas especialmente propensas a la displasia de cadera, es importante hacer todo cuanto puedas por prevenirla. La situación mejora de forma espectacular si haces lo que aquí recomiendan los veterinarios.

No dejes que gane peso. Querrás alimentar bien a tu cachorro en rápido crecimiento para que no pase hambre, pero ten mucho cuidado de no sobrealimentarlo. Un cachorro con riesgo de displasia de cadera estará mucho mejor delgado que rellenito. No querrás que tenga más peso del necesario, porque esto aumenta la tensión que soportan las caderas.

Da al cachorro cantidades pequeñas de comida varias veces al día. Y no dejes la escudilla en el suelo más de 15 minutos, porque esto sólo lo animará a comer en exceso.

Si tu perro corre el riesgo de desarrollar displasia de cadera, un dieta baja en minerales será lo mejor porque

EJERCICIO SUAVE La natación es especialmente beneficiosa porque desaparece el peso que normalmente soportan las articulaciones de la cadera.

contiene menos calcio y también consigue un mejor equilibrio de electrólitos que otras dietas. Hay varias de estas dietas que se pueden prescribir. Su veterinario recomendará este tipo de comida hasta que tu perro haya terminado su crecimiento.

No le des tampoco suplementos de calcio. Los niños necesitan calcio para sus huesos en crecimiento, por lo que es bueno que beban mucha leche. Los cachorros también necesitan calcio para sus huesos en crecimiento, pero no suplementos de calcio. De hecho, nunca hay que dar estos suplementos a perros jóvenes y en rápido crecimiento de razas grandes como el gran danés, el doberman o los perros de cobranza, ya que en realidad interfieren con el crecimiento normal del cartílago y huesos de los perros grandes. La comida para cachorros ya contiene mucho calcio y fósforo en la proporción correcta, por lo que una suplementación adicional sólo puede causar problemas.

POSIBLES VÍCTIMAS
Los dálmatas son una de las posibles razas entre las que destacan el golden retriever, el pastor alemán, el caniche mediano y el husky siberiano.

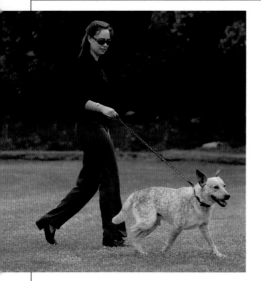

Si bien lo mejor es que el perro se siga moviendo, evitaremos que dé saltos y se retuerza para atrapar pelotas o discos voladores. Sacarlo de paseo con correa por la playa o el parque es mucho mejor para sus articulaciones vulnerables.

El veterinario también puede recomendar algún medicamento sin receta médica para aliviar el dolor y la inflamación; también te dictará la dosis correcta.

Además, asegúrate de que su yacija esté en un lugar caliente y seco. Dale un masaje suave por las articulaciones de la cadera para relajar el área o aliviar los dolores. Para aprender más sobre las formas de aliviar el dolor de las caderas, consulta la p. 231.

EVITAR LA DISPLASIA DE CADERA

Como la displasia de cadera es un problema congénito, ciertas razas son mucho más propensas que otras. Las razas grandes y muchos perros de tamaño medio pueden resultar afectados. Antes de prendarte de un cachorro, asegúrate de que procede de una familia sin historia clínica de displasia de cadera al menos durante tres generaciones.

Los buenos criadores presentarán un certificado de que las mediciones radiográficas de la displasia de cadera son bajas en la familia de tu mascota. Asesórate con un veterinario sobre qué tasas se consideran bajas en esa raza en particular. Éste es el mejor seguro de que tu cachorro nunca sufrirá esta enfermedad.

Si tu perro es susceptible a la displasia de cadera, no te pases con el ejercicio. Es importante que tu perro en crecimiento se mantenga activo, porque se fortalecen los músculos de las articulaciones de la cadera, lo cual favorece su estabilidad. Pero no te pases con el ejercicio, porque eso podría sobrecargar las articulaciones de la cadera ya de por sí anormales y empeorar las cosas.

Sus sesiones de ejercicio tienen que ser regulares y aeróbicas, nunca improvisadas. Opta por un paseo de tres kilómetros con correa en vez de una sesión de frisbee en el parque. La natación también es una forma estupenda de que su cuerpo se mantenga a tono, ya que el agua sostiene su peso y reduce el desgaste de las articulaciones.

ALIVIAR LOS DOLORES

Si tu perro ya ha desarrollado signos de displasia de cadera, entonces algunas de las cosas que sirven para prevenirla también ayudarán a aliviar los dolores. Para empezar, asegúrate de que se mantiene delgado, lo cual aliviará la carga sobre las articulaciones de la cadera. Y que no deje de hacer ejercicio suave. Un paseo de 20 minutos dos veces al día le hará mucho bien. Si le duele, que no salga ese día. El descanso, al igual que el ejercicio, sirve para que las caderas estén mejor.

TRATAR CON CUIDADO Mantener la articulación de la rodilla en su sitio te permite mover la articulación de la cadera de forma aislada. Los perros con displasia de cadera pueden manifestar sus molestias al aplicar este procedimiento.

Prurito

La causa puede ser difícil de determinar, pero no puedes dejar que tu perro sufra picores persistentes.

Hay más de 500 razones por las que un perro puede sentir prurito. Cuando tu perro se rasca todo el rato, es importante descubrir el origen de sus molestias, lo cual no siempre es fácil. Mientras que algunas causas son muy habituales, a veces cuesta mucho trabajo detectivesco hallar al culpable.

MITIGAR EL PRURITO

A tu perro le importa bien poco el origen de sus picores. Todo lo que quiere es que desaparezcan. He aquí lo que los expertos recomiendan:

- Báñalo con regularidad. Tal vez sea una labor un poco intensiva, pero los baños frecuentes son la forma más rápida de aliviar a tu perro cuando lo necesita. Usa siempre agua fría: el agua tibia sólo empeorará los picores. Añade algunas sales Epsom, harina de avena coloidal o bicarbonato sódico al agua para aumentar sus efectos calmantes. Mojar al perro cinco a diez minutos aporta alivio temporal que durará unas horas a unos días. Después de bañarlo y aclararlo a conciencia, seca al perro con una toalla tupida. No uses un secador a menos que emita aire frío.
- Dale ácidos grasos. Los estudios han demostrado que los ácidos grasos especiales presentes en los aceites de pescado o en el aceite de prímula u onagra son muy eficaces para aliviar los picores. Estos suplementos, a la venta en tiendas para mascotas, por lo general se administran varias semanas antes de que el perro empiece a apreciar los beneficios. Esto significa que son más útiles para el alivio a largo plazo de estos problemas que para irritaciones temporales.
- Evita que le piquen los parásitos. Como la gente, los perros pueden sentir muchos picores después de recibir la picadura de un insecto. Cuando visites zonas plagadas de insectos, los veterinarios recomiendan aplicar repelentes para mosquitos que contenga DEET. Asegúrate de seguir al pie de la letra las instrucciones del veterinario porque estos productos son peligrosos si no se usan correctamente.
- Pasa rápidamente a la acción. Los perros ocasionalmente sentirán picores después de estar en contacto con algo que irrite la

EL FRENESÍ CAUSADO POR LAS MOLESTIAS
Un punto de picor puede ser un motivo de distracción para tu perro y, si sigue mordisqueando el mismo sitio, puede dañar la piel y agudizar rápidamente el problema.

piel, como el zumaque venenoso, que suele afectar a la piel del vientre, donde no hay tanto pelo para protegerlo. Lava la zona a conciencia con un producto suave para limpiar la piel y, a continuación, aplica una pomada suave con cortisona y que tenga hidrocortisona al 1%.
- Dale una antihistamina. Los veterinarios a veces recomiendan dar a los perros con prurito una antihistamina sin receta médica. Es muy eficaz para aliviar el prurito inmediato, como la picadura de un insecto o un brote de fiebre del heno. Antihistaminas orales que atajarán el problema son clorfeniramina, clemastina y difenhidramina. El veterinario te aconsejará la dosis apropiada.
- Prueba con un baño o un espray para aliviar el prurito. Trata las picaduras bañándolas con agua fría, aplicando a continuación un espray analgésico de olmo escocés. De hecho, el olmo escocés aliviará cualquier picor. Prueba también con una pomada de hidrocortisona o antihistaminas por vía oral para dar a tu perro alivio inmediato.

Rinorrea

A los perros les gotea la nariz casi con la misma frecuencia que a las personas y por algunas de las mismas razones, como alergias, resfriados y problemas sinusales.

No verás a perros limpiándose la nariz, pero también les gotea cuando están resfriados o tienen una alergia. También emplean la nariz casi como una aspiradora para olisquear todas las cosas excitantes que les rodean, con lo cual a veces aspiran sustancias irritantes como semillas de hierba o polen, lo cual puede provocar moqueo.

Muchos perros emiten algún tipo de flujo de vez en cuando, pero tiende a ser un problema sólo en razas con el hocico chato como el bull terrier de Staffordshire, el bóxer, el pequinés y el carlino, y en perros de hocico largo con las vías aéreas estrechas como el collie. Estas razas también son susceptibles a las dificultades respiratorias.

La mayoría de las secreciones nasales no son graves, pero pueden dificultar su respiración. El flujo constante de humedad también seca e irrita la nariz y las mucosas pueden llegar a doler mucho.

PROBLEMAS HABITUALES

No es inhabitual que los perros contraigan infecciones víricas leves que a menudo causan un flujo nasal claro. La mayoría de las infecciones víricas desaparecen solas en unos pocos días. Sin embargo, mientras tanto tu perro puede ser contagioso e infectar a otros perros, por lo que mantenlo lejos hasta que el problema haya remitido.

Si bien las infecciones respiratorias víricas no suelen ser graves, las causadas por bacterias u hongos pueden ser un problema de verdad porque suelen agudizarse a menos que se traten con medicación. Si las secreciones son sanguinolentas, espesas, lechosas o verdes, es hora de llevar el perro al veterinario.

Los perros también desarrollan alergias a distintas sustancias. Los perros con alergias son más propensos al prurito que a los estornudos, pero en ocasiones también moquean. Cualquier tipo de alergia puede causar secreciones nasales aunque habitualmente será una alergia por inhalación, es decir, causada por polen, mohos o polvo transmitidos por vía aérea. Como con las secreciones causadas por infecciones víricas, una secreción relacionada con una alergia suele ser clara y líquida.

Los vasos sanguíneos que tapizan las fosas nasales son muy pequeños y delicados y un estornudo fuerte o dos pueden provocar su rotura. Las secreciones nasales teñidas de sangre no suelen ser graves y remiten en un día o dos.

ALIVIAR EL DOLOR EN LA NARIZ
A este cruce de collie y perro boyero le están aliviando el dolor de nariz con toallitas húmedas para bebés impregnadas de áloe vera.

HORA DE ACUDIR AL VETERINARIO

Las secreciones nasales claras y líquidas no suelen ser un problema. Si las secreciones son inusualmente espesas, o si se están volviendo amarillas o verdes, suele ser un signo de que tu perro tiene una infección y necesitará estudiarse. El olor de las secreciones también aporta claves valiosas. Un perro con un objeto alojado en la nariz a veces emitirá secreciones hediondas similares a pus. El veterinario tendrá que despejar las fosas nasales y posiblemente recetar un medicamento para detener la infección.

Gracias a las vacunas, el moquillo no es frecuente en la actualidad, si bien los perros con esta peligrosa infección vírica se pondrán muy enfermos y en algunos casos no se recuperarán. Un signo premonitorio temprano del moquillo es una secreción costrosa, amarilla grisácea en la nariz y en las comisuras de los ojos. Llama en seguida al veterinario si aprecias este tipo de secreción.

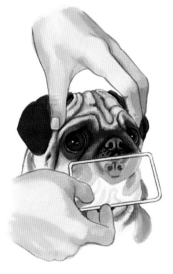

PRUEBA DEL ESPEJO Si crees que hay algún cuerpo extraño en la nariz de tu perro, acerca un espejito a los orificios nasales. Si se empaña de forma irregular, es probable que haya algo allí y habrá que observarlo más de cerca.

Si no es así, acude al veterinario en caso de que haya daños nasales sustanciales o algo más grave, como un tumor que esté causando la hemorragia.

MANTENER AL PERRO CÓMODO

Para cortar el moqueo y evitar que al perro le duela la nariz, he aquí lo que recomiendan los veterinarios. Los perros con alergias o resfriados pueden secretar enormes cantidades de moco en un día. Si no lo retiras en seguida, se secará en los orificios nasales, posiblemente cerrándolos y causando que la nariz termine en carne viva y se llague. Vale la pena dedicar un momento de vez en cuando a limpiar con cuidado la nariz con un paño húmedo y tibio, para luego mojarla ligeramente con un poco de hidratante para mantener la nariz lubricada.

Como los perros con secreciones nasales suelen tener las mucosas irritadas, puedes conseguir alivio inmediato llevando al perro al cuarto de baño cuando te des un baño o una ducha. El vapor aliviará de inmediato el interior de la nariz, lo cual ayudará a reducir el moqueo en adelante.

Si tu perro tiene secreciones nasales, su capacidad respiratoria queda comprometida, así que el ejercicio debe ser suave. Es mejor evitar el contacto con otros perros, para que la infección no se propague entre sus amigos caninos con los que suele encontrarse en sus paseos.

DALE UN ANTIHISTAMINA

Hay medicamentos sin receta como Benadryl® muy eficaces para aliviar alergias que pueden causar moqueo. Los veterinarios suelen aconsejar dar a los perros uno a tres miligramos por cada 500 gramos de peso corporal. Cada perro responde de forma distinta a los medicamentos, por lo que es buena idea determinar con el veterinario la dosis exacta.

HAZ LA PRUEBA DEL ESPEJO

Es habitual que a los perros se les alojen cuerpos pequeños en los orificios nasales, que pueden causar secreciones nasales copiosas y acciones histéricas del perro tocándose la cabeza con las patas o frotándose la nariz. La forma más sencilla de examinar si hay una obstrucción es ponerle un espejito bajo la nariz. Si el espejo no se empaña con un patrón similar por ambos orificios, es probable que haya un cuerpo extraño en la nariz.

Toma una linterna e intenta ver lo que hay alojado dentro. Si ves el objeto, tal vez puedas sacarlo con los dedos o unas pinzas de punta roma. La mayoría de los perros no se quedarán quietos mientras lo intentas, por lo que tendrás que pedir a un amigo que mantenga al perro inmóvil mientras lo sacas. En ningún caso empujes el objeto más adentro. Si el perro se agita demasiado o resulta difícil desalojar el objeto, llévalo al veterinario. Los veterinarios cuentan con instrumentos especializados con los que sacar el objeto con facilidad y con mínimas molestias.

Problemas en los pies y las uñas

Los problemas en los pies pueden ser muy dolorosos, pero suelen ser fáciles de tratar en casa.

Las almohadillas de los pies actúan de amortiguadores cada vez que los pies de un perro tocan el suelo. Las almohadillas están recubiertas por una piel gruesa y flexible, aunque en los perros que corren mucho por superficies duras la piel se ha engrosado formando un callo duro. Los callos son duros, pero no son muy flexibles y se secan con facilidad, causando grietas dolorosas. En la mayoría de los casos, la superficie coriácea de los pies de tu perro acepta lo que la naturaleza desecha. Pero, a diferencia de un par de botas resistentes de trabajo, las almohadillas de los pies se pueden raspar, agrietar o sufrir heridas.

No sólo las almohadillas son vulnerables. Otros puntos potencialmente problemáticos son las uñas. Las uñas de un perro crecen con rapidez y, cuando son demasiado largas, se pueden agrietar y romper. Comprobar con regularidad su estado y dedicar unos minutos a la semana los cuidados básicos de los pies las mantendrán sanos y fuertes todo el año.

MANTENER LAS ALMOHADILLAS SANAS

La superficie dura y áspera de las almohadillas no es muy gruesa y sufre cortes con facilidad. Y los pies peludos de tu perro son una trampa perfecta para nudos, humedad irritante o incluso trozos afilados de hielo. Más que en ninguna otra parte del cuerpo del perro, los pies necesitan atención habitual no sólo para prevenir lesiones, sino también para tratarlas con rapidez una vez se producen.

A diferencia de los pies humanos, que se secan con rapidez al exponerse al aire, los pies peludos de un perro pueden permanecer horas húmedos, lo cual reblandece y daña la piel. Invierte unos segundos en secar a conciencia los pies siempre que se mojen. Presta especial atención a la zona entre los dedos, donde más probable es que se acumule la humedad. Espolvorear talco sin perfumar ayudará a secar cualquier humedad residual.

Los perros que pasan mucho tiempo al aire libre a menudo tienen las uñas quebradizas y

UÑAS ROTAS

Las uñas dañadas duelen y sangran. Cortar las uñas con regularidad reduce mucho los riesgos, pero incluso las uñas bien recortadas se rompen de vez en cuando.

Para cortar la hemorragia, aplica presión firme con un apósito de gasa o un paño limpio. Una vez haya parado la hemorragia, lava bien el pie con agua tibia y jabón, y examina la herida.

Si la uña no está colgando sino que sencillamente se ha roto, es probable que no tengas que quitarla. Una uña rota que se haya separado un poco del pie por el lado interno tendrá que cortarse. Si haces esto habitualmente por tu perro, recórtala y venda la herida para que se pueda curar. Si no estás familiarizado con el corte de las uñas, aplica una pomada y límpiala, aplica una compresa de gasa, déjala allí con firmeza y lleva al perro al veterinario.

Si la uña está colgando, concéntrate en detener la hemorragia. Lava la herida y véndala con vendas estériles y luego acude en seguida al veterinario.

UNA POSIBILIDAD PARA LA CURA Aplica un hidratante a las grietas de las almohadillas de los pies y pon calcetines en dichos pies para que no se pueda lamer y quitárselo. Esto aliviará el dolor y permitirá que las almohadillas curen.

presentan grietas diminutas en las almohadillas. Especialmente en invierno aplica algún producto hidratante como la loción Alpha-Keri™ o vaselina unos días hasta que las almohadillas vuelvan a la normalidad. No hagas esto con demasiada frecuencia, porque volverá las almohadillas demasiado blandas como para ofrecer protección adecuada.

La combinación de humedad y desgaste puede volver los pies del perro muy susceptibles a las infecciones, provocando que las almohadillas terminen hinchadas, enrojecidas y dolorosas. Una forma rápida de aliviar el dolor y prevenir problemas potenciales es humedecer los pies del perro cinco a diez minutos en una

solución de 10 partes de agua
fría y una parte de un
antiséptico como Betadine®
(como si fuera un té suave).

Si tu perro coopera, mete algo
de la solución antiséptica en un
cubo y deja que permanezca con
una pata dentro. Si no aguanta
lo suficiente dentro, empapa una
toalla en la solución y limpia a
fondo las almohadillas y entre los
dedos. Seca bien el pie.

El barro también puede causar problemas en
los pies. El barro húmedo no es un problema,
pero, cuando se seca, los bordes ásperos irritan los
pies. Las toallitas de bebé sirven para eliminar el
barro de los pies. Y simplemente el lavar los pies
del perro en agua jabonosa tibia –o en verano
con la manguera del jardín– quitará fácilmente el
barro antes de que se seque o endurezca.

El invierno es especialmente duro con los pies
de tu perro no sólo porque el aire seco los priva
de humedad, sino también porque la nieve, el
hielo y la sal de vialidad invernal raspan e irritan
las almohadillas. No es muy cómodo lavar los
pies del perro después de los paseos, pero es la
única forma de protegerlos. Una forma de
facilitarlo es mantener un cuenco o un cubo de
agua cerca de la puerta de casa. De este modo se
lavan en un segundo siempre que vaya a entrar.
Acuérdate también de secarlos.

Aunque el manto del perro le brinde
protección contra los elementos, el pelo de los
pies atrapa la humedad e impide que el aire
circule. Corta el pelo entre los dedos para
mantener los pies más secos y sanos, sobre
todo en razas de pelo largo como el
golden retriever, el bichón maltés y
muchos spaniel. Levanta un pie
cada vez y separa los dedos con

ACTÚA CON CUIDADO Con un cortaúñas
afilado, corta la punta de la uña (izquierda).
Ten cuidado de no cortar la carne sensible de
color rosado. No uses un
cortaúñas tipo guillotina
con uñas rotas; usa las
Side-by-side clippers.

los tuyos. Usando unas tijeras de punta roma y
siguiendo la línea del dedo, rapa el pelo cortando
hacia dentro en vez de transversalmente.

Haz una revisión diaria de los pies para
adelantarte a los problemas. Los perros se apoyan
en las uñas y atrapan púas y espinas en sus
vagabundeos, así que quítalas antes de que causen
más daños o provoquen una infección. Cuando
quites algo del pie, asegúrate de limpiar el área a
conciencia y aplica un poco de pomada antiséptica.

Los problemas del sistema inmunitario y los
trastornos autoinmunitarios como el lupus
pueden hacer que el cuerpo ataque la piel y se
abran grietas dolorosas. Estas afecciones aparecen
con bastante rapidez, por lo que, si tu perro
comienza de repente a mostrar grietas en las
almohadillas aunque no haya desarrollado una
gran actividad, acude rápido al veterinario. Las
áreas endurecidas de las almohadillas solían ser
mucho más habituales debido a la afección vírica
del moquillo.

Da también un respiro a los pies doloridos. Las
grietas en las almohadillas a menudo tardan en
curar por la presión y fricción causadas al
andar. Reduce la presión en las patas
paseando al perro sólo por hierba
u otras superficies blandas
hasta que curen las
grietas de los pies.

**EXAMEN DIARIO DE LAS
ALMOHADILLAS** Busca
zonas doloridas o dañadas en
los pies del perro, sobre todo
si éste tiene acceso a zonas
escarpadas y silvestres. Elimina
cuerpos extraños antes de
que causen nuevos daños
o infecciones.

Problemas de próstata

Los perros con problemas de próstata caminan con rigidez por el dolor causado por la glándula inflamada y la micción suele ser frecuente.

Localizada en la base de la vejiga urinaria, la próstata es esencial para la reproducción: produce un líquido del que se compone el semen. Sin embargo, a medida que los perros envejecen, la próstata tiende a aumentar de tamaño y llega a ejercer presión sobre la uretra o el recto. La micción suele ser frecuente y dolorosa.

QUÉ PUEDES HACER

La mejor forma de prevenir y tratar los problemas de próstata es castrar al perro. Pero también hay cosas que puedes hacer en casa para que sufra menos molestias.

Si la próstata se inflama y obstruye el paso de la orina por la uretra, el perro tardará mucho más tiempo en orinar. También necesitará más oportunidades para orinar, ya que le resulta difícil acabar de una sola vez. Esto significa que deberás sacar al perro muchas más veces y estar preparado para esperar a que acabe.

Si la glándula inflamada ejerce presión contra el intestino grueso, el perro tal vez tenga problemas para defecar. Dale un poco de salvado de avena o calabaza en lata, que son ricos en fibra, para reblandecer las heces y facilitar su tránsito. O añade un poco de Metamucil a la comida. Si todavía sigue estreñido, el veterinario puede prescribir un laxante para que defeque con regularidad.

Los problemas de próstata a veces causan infecciones en las vías urinarias porque la orina atrapada en la vejiga es un caldo de cultivo para las bacterias. Anima a tu perro a beber más para que la orina esté menos concentrada y sea menos probable que haya infecciones. Las bacterias serán arrastradas fuera antes de que causen problemas.

SIGNOS PRECOCES

La próstata suele engrosar con gran lentitud, por lo que la mayoría de los perros no presentan problemas hasta la mediana edad o más tarde. Sin embargo, las infecciones de próstata sí aparecen de repente y, una vez iniciadas, pueden causar problemas con rapidez en todo el cuerpo. Llama al veterinario en cuanto se manifieste el primer signo de que hay problemas.

Los perros con una infección de próstata, prostatitis, orinarán con más frecuencia, aunque saldrá relativamente poca orina quizá sanguinolenta. La mayoría de los problemas de próstata ocurren en perros sin castrar, por lo que tiene sentido hacerlo si no tienes planeado que compita en exhibiciones o que tenga descendencia.

Si tu perro es reacio a levantarse para beber, pon la escudilla a su alcance. También es útil animarlo a beber antes y después de un paseo. Los perros no necesitan litros de agua, pero a veces recordarles que está ahí los incitará a beber un poco más.

Dale paseos tranquilos y lentos hasta que se sienta mejor. Los problemas de próstata pueden ser dolorosos y la mayoría de los perros no están para corretear por ahí. Si bien algo de ejercicio es bueno y alivia el estreñimiento, en exceso puede ser incómodo. Para mitigar el dolor de próstata, el veterinario puede prescribir un analgésico como Rimadyl. Tal vez también prescriba hormonas que reduzcan el engrosamiento de la próstata.

ANÍMALO A BEBER
Beber más agua lo ayudará a desaguar cualquier bacteria presente en la vejiga del perro antes de que cause problemas.

Muda

*¿Alguna vez has pensado que podrías hacerte un jersey
con todo el pelo que suelta tu perro?*

Cuando se trata de la muda, la mayoría de los perros tienen mucho pelo del que deshacerse, aunque habitualmente eso sea completamente normal. La muda forma parte del ciclo de crecimiento del pelo de tu perro. La cantidad de pelo que mude dependerá mucho del tipo de pelaje, de la genética y del entorno en que viva. La mayoría de los perros que viven al aire libre experimentan una temporada de muda que suele coincidir con la primavera y en la que pierden el manto «invernal». Sin embargo, si tu mascota es de interior, posiblemente no esté lo bastante al aire libre como para que su cuerpo registre el paso de las estaciones, por lo que mudará el pelo todo el año.

Todos los perros mudan el pelo, algunos más que otros, a menos que sea de una raza sin pelo y no tenga nada que mudar. Los perros de pelo largo tal vez parezca que mudan más, pero es sólo la longitud del pelo la que da esa impresión. Los perros que más mudan son el collie, el dálmata, el pastor alemán y el samoyedo. Si quieres un perro que pierda poco pelo, plantéate adquirir un caniche, un bichón frisé o tal vez un viejo ovejero inglés.

Aunque la muda sea completamente normal, en ocasiones los perros comienzan a perder mucho más pelo de lo habitual. Si comienzan a aparecer calvas en el pelaje, probablemente haya algo mal y tengas que acudir al veterinario en seguida. Hay problemas físicos que causan que los perros pierdan cantidades anormales de pelo como sarna, dermatofitosis, infecciones cutáneas,

UTENSILIOS DE ASEO (De izquierda a derecha) Utiliza el lado "acerico" de este cepillo de púas blandas con perros de pelo corto o pelo duro. Después de cepillar, usa un peine de dientes separados o una manopla para eliminar el exceso de pelo suelto en la mayoría de los distintos tipos de manto.

estrés e incluso cáncer. Tu perro no debería perder pelo al hacerse mayor. No es normal que el pelaje se aclare a medida que el perro envejezca.

FRENAR LA PÉRDIDA DE PELO

La naturaleza ha programado a los perros para que muden el pelo; nada puedes hacer para evitarlo. Sin embargo, si tu perro muda mucho pelo, puedes mitigar el problema. Olvida los fármacos y los suplementos nutricionales. La mejor forma de afrontar la muda excesiva es eliminar el pelo muerto del manto antes de que aterrice en tu ropa, alfombras y muebles.

Es mejor cepillar al perro una vez al día, sobre todo en la temporada de muda. Hay muchos cepillos e instrumental, desde cepillos de carda hasta peines especialmente pensados para eliminar el pelo suelto.

El peluquero o el veterinario recomendarán el instrumental y las técnicas mejores para el manto del perro. Para más información sobre los tipos de pelaje concretos y sus requisitos, ver «los cuidados» en la p. 196. No te sorprenda llenar una bolsa de la basura con pelo en tu primera sesión seria de cepillado. Tal vez creas que hay más pelo en la bolsa que el que le queda en el cuerpo, pero recuerda que, si la pérdida de pelo es anormal, aparecerán calvas. De lo contrario, sigue cepillando hasta que el pelaje tenga un aspecto suave y limpio.

CASOS CONCRETOS

Algunas razas del Ártico como el husky siberiano y el malamute de Alaska (derecha) muestran tendencia genética a absorber poco zinc. Esto provoca pérdida de pelo y formación de calvas costrosas y descamadas. Cuando estos perros toman suplementos de zinc, su manto recupera en seguida su estado normal.

Irritaciones cutáneas

La piel de tu perro desempeña muchas funciones importantes, pero también es vulnerable a los ataques de parásitos e infecciones.

La sarna puede hacer que tu perro parezca como si lo hubieran comido las polillas. Tal vez presente calvas, llagas o algo parecido a la caspa. O podría tener un prurito intenso dependiendo del tipo de sarna. La sarna adopta muchas formas, la más famosa es la sarna sarcóptica, la queiletielosis y la sarna demodéctica. Los ácaros del oído causan otra forma de sarna. De hecho, cada tipo de sarna es causado por distintos ácaros que viven en la piel o debajo de ella. El veterinario diagnosticará primero el tipo de sarna y luego prescribirá el tratamiento apropiado.

ESCABIOSIS

La afección más pruriginosa en los perros es causada por los minúsculos ácaros *Sarcoptes scabiei* que abren túneles en la piel y depositan sus huevos. Los perros a menudo desarrollan sensibilidad cutánea a los ácaros, lo cual agudiza el prurito. Los ácaros se transmiten con facilidad de un perro a otro.

Si bien muy contagiosa, la sarna sarcóptica es muy fácil de tratar. La mayoría de los perros estarán libres de ácaros en cuatro semanas y el prurito se mitigará pasados 10 a 14 días con independencia del tratamiento elegido. Los baños medicados son una solución fácil. Lavar al perro con medicamentos que contengan cal y azufre diluidos en agua no sólo mata los ácaros, sino también mitiga el prurito.

Sin embargo, es probable que el veterinario ponga al perro una serie de inyecciones, dado que es el tratamiento más eficaz. Cuando los ácaros desaparecen, el prurito también. Si bien

"PARCHES CALIENTES"

Los "parches calientes" o dermatitis piotraumática son úlceras dolorosas que aparecen repentinamente en el cuerpo del perro, sobre todo detrás de las orejas y alrededor de la cola. Habitualmente aparecen cuando el perro se ha estado rascando, mordiendo o lamiendo por el prurito causado por una alergia u otra irritación.

Aunque los parches calientes te puedan asustar, sólo las capas superiores de la piel resultan afectadas y curan sin dejar cicatriz. Pocas veces son algo de lo que haya que preocuparse y con los siguientes tratamientos sencillos la mayoría de los "parches calientes" curan en una semana:

- Corta o rasura la piel alrededor del parche. Se secará y curará con más rapidez si está expuesto al aire.
- Limpia el parche suavemente con un antiséptico como clorhexidina o povidona yodada. No emplees isopropanol; es muy doloroso al contacto con heridas abiertas. Lávalas bien y sécalas con suaves toquecitos.
- Aplica baños fríos con sales Epsom y solución de Burow disueltas en el agua para aliviar el dolor y mitigar el prurito.
- Tal vez sirva usar un collar isabelino (p. 236) para evitar que se muerda las úlceras.
- No uses ninguna pomada o producto hidratante.

no tienen reconocimiento para este propósito, algunos productos antipulgas, como Frontline, también parecen ser eficaces contra los ácaros Sarcoptes scabiei.

Incluso cuando trates con éxito la escabiosis, el perro puede sufrir una nueva infestación en cuanto vuelva a estar en contacto con un perro afectado. Vale la pena mantenerlo alejado de perros con calvas o que se rasquen. También vale la pena tratar a todas tus mascotas, no sólo a la que muestra la infestación, porque hay muchas posibilidades de que si una mascota lo tiene, las otras también.

Ten cuidado con la proximidad con tu perro, porque la escabiosis también se contagia a las personas. Los ácaros pueden picar, sobre todo si

ACELERA LA CURACIÓN La zona afectada curará más rápido si está expuesta al aire. Emplea una esquiladora eléctrica para rasurar el pelo que cubre y rodea el "parche caliente".

entran en contacto directo con tu piel. Tal vez descubras zonas pruritosas entre tus dedos o alrededor de la cintura, aunque, por suerte, picarte es lo único que pueden hacerte. Los ácaros que causan la escabiosis en los perros no pueden vivir ni reproducirse en las personas, por lo que, una vez que tu perro haya sido tratado con éxito, los ácaros también te abandonarán; no necesitas tratamiento.

QUEILETIELOSIS

Este tipo de sarna es causada por un ácaro blanco con forma de cangrejo llamado *Cheyletiella*. Parece «caspa andante». Aunque no tan pruriginosa como la sarna sarcóptica, la queiletielosis hará que casi todos los perros se rasquen. Y como la escabiosis, se transmite de una a otra mascota: incluso te la pasará a ti si no te mantienes a una distancia segura.

Las opciones de tratamiento son las mismas que para la escabiosis, así que acude al veterinario. El problema se suele resolver en unas cuatro semanas, pero estos ácaros pueden sobrevivir en el entorno unos cuantos días. Limpia la casa a conciencia y lava la yacija del perro en agua caliente para evitar que los

últimos huéspedes se acomoden. Para estar doblemente seguro, rocía la casa y la yacija del perro con un espray antipulgas que mate los ácaros.

SARNA DEMODÉCTICA

La sarna demodéctica o demodicosis es causada por un ácaro microscópico con forma de cigarro que viven en los folículos pilosos. Estos ácaros viven normalmente en la piel del perro; también viven en la piel del hombre y no son contagiosos. Los ácaros no causan problemas al perro mientras su sistema inmunitario funcione bien. Pero si no está bien de salud o su sistema inmunitario está sobrecargado o desarrolla algún tipo de defecto, puede haber una explosión repentina de la población de ácaros. Los ácaros atestan los folículos pilosos y terminan rompiéndolos, causando que el pelo caiga y la piel termine infectada.

La buena noticia es que, una vez se recupera el sistema inmunitario del perro, desaparece el problema de los ácaros. En casi el 90 por ciento de los casos, si se les da tiempo, la sarna cura sola. No obstante, en el 10 por ciento de los casos el sistema inmunitario no se recupera sin ayuda. Por lo que, si la sarna no mejora pasado un mes o empeora, acude al veterinario para un tratamiento que mate los ácaros y controle las infecciones.

EL PROBLEMA DE LAMERSE

A veces los perros se lamen el mismo sitio hasta que se producen una gran herida abierta; una afección llamada granuloma acral por lamido. Estas heridas pueden ser muy graves y a menudo se infectan, por lo que debes acudir al veterinario de inmediato.

Algunos veterinarios creen que es un problema cutáneo; otros que es un problema de conducta, mientras que otros opinan que es un problema de las terminaciones nerviosas, que provocan que el perro experimente un dolor «fantasma». En

ocasiones los veterinarios recomiendan que los perros lleven un collar isabelino (ver p. 236) para prevenir que se hurguen en la herida, pero, cuando la herida cura y le quitas el collar, el perro suele volver a lamerse. Los esprays de mal sabor no detienen a los perros cuando se trata de un granuloma acral por lamido.

Hay varios medicamentos útiles. Los fármacos actúan de modo distinto según el perro. Algunos responden a una

antibioterapia a largo plazo, cortisona y ansiolíticos. Antes de optar por medicamentos, prueba a aumentar la cuota de ejercicio del perro y evita la angustia causada por la ansiedad por separación.

Eritema solar

Los perros son menos propensos que las personas a los eritemas solares por su tupido pelaje, pero también presentan áreas desprotegidas.

Echa un vistazo a tu perro y es probable que adivines los puntos en que es más vulnerable a las quemaduras solares: la trufa, las puntas de las orejas (sobre todo si tiene las orejas erectas) y el vientre. Además, los perros con la piel clara y el pelo corto necesitarán protección adicional, sobre todo el dálmata, el bull terrier blanco, el terrier americano de Staffordshire, el braco alemán de pelo corto, el bóxer blanco, el lebrel inglés y el perro pachón.

La piel dañada por el sol no es un asunto baladí. No sólo es el dolor, también existe la posibilidad de un cáncer de piel. Y algunas enfermedades, como el lupus eritematoso, se agravan por un exceso de exposición al sol. No debes volverte loco con la protección solar, pero vale la pena ir sobre seguro, en especial si el peludo amante del sol de tu hogar tiene la piel pálida.

Tratamiento

Los veterinarios aconsejan diversos medios para aliviar la piel recalentada de tu mascota y protegerla de las quemaduras solares. El alivio

PROTÉGELES LA NARIZ El pastor ovejero australiano, como estos cachorros, muestra tendencia a los eritemas solares en su pálida trufa.

más sencillo para un perro con quemaduras de este tipo es rociarlo con agua en una botella atomizadora para enfriar las partes dañadas. Mézclala con algo de olmo escocés. O dale un baño relajante con agua fresca. Algo de bicarbonato sódico disuelto en agua lo aliviará mucho.

También hay aerosoles sin receta médica como Solarcaine y Lanacane, que contienen un anestésico local para reducir el dolor. Y no olvides las cualidades curativas del áloe vera. Compra una crema o loción en la farmacia y aplícalas con cuidado o, si tienes una planta de áloe vera a mano, toma una hoja y estrújala para aplicar la savia sobre la zona afectada.

Para un perro que esté expuesto al sol, los filtros solares son una ayuda inmejorable, sobre todo los que no se van con el agua ni al lamerlos. Aunque tu perro no tenga la piel clara, si va a pasar mucho tiempo bajo el sol, ponle un poco en las orejas y la trufa.

Busca un filtro solar con un SPF (factor de protección solar) de al menos 15; cuanto más alto sea el SPF, más protección ofrecerá. Tampoco debe contener un ingrediente llamado ácido p-aminobenzoico, porque, si tu perro se lame el filtro solar –y casi seguro que lo hará–, este ácido es peligroso. Sirven los filtros solares para consumo humano, si bien también hay productos para perros.

La camiseta blanca de un niño puede ser la respuesta para los perros con la piel pálida o a los que les gusta exponer al sol su sensible vientre. Así que, si tu perro te lo permite, métele la cabeza por el cuello y las patas delanteras por las mangas y extiéndesela por el cuerpo.

Evita una exposición prolongada al sol entre las 10 de la mañana y las 3 de la tarde, las horas de más calor del día. Y proporciónale siempre una sombra.

ÁREAS VULNERABLES Los perros de pelo corto y blanco, como este fox terrier, necesitan cremas de protección solar en las partes ralas del cuerpo.

Garrapatas

*La inspección de tu perro para el control de garrapatas es importante
si vives en el campo o visitas alguna zona donde abunden aquéllas.*

Las garrapatas se prenden de cualquier piel que pase cerca y comienzan a chupar sangre, que es su comida. Al comer llegan a hincharse hasta 50 veces su tamaño normal. Pero también son portadoras de enfermedades, como enfermedad de Lyme, fiebre de las garrapatas, encefalitis, fiebre de las Montañas Rocosas, parálisis por garrapatas y una enfermedad nueva y potencialmente mortal llamada hepatozoonosis. Las garrapatas tardan 24 a 72 horas en transmitir las enfermedades de las que son portadoras.

GUERRA A LAS GARRAPATAS

Hay muchos tipos de garrapatas y no todas transmiten las mismas enfermedades, pero, si tu perro tiene una, seguro que no trae nada bueno. He aquí el modo de acabar con ellas.

Examina al perro por si tiene garrapatas. A las garrapatas les gustan las áreas boscosas o herbosas húmedas, así que, cuando te encuentres con este tipo de vegetación, invierte tiempo en hacer una inspección de la cabeza a los pies por el pelaje de tu perro. Las garrapatas tienden a congregarse en o alrededor de la cabeza y cuello de los perros, sobre todo alrededor de las orejas y también entre los dedos de los pies. Pero examina todo el cuerpo.

Un collar antigarrapatas que contenga amitraz (Prevenic) hará que las garrapatas huyan. También evitará que nuevas garrapatas se conviertan en huéspedes. Su protección dura unos cuatro meses. Pero como no repele por completo a las garrapatas, sigue siendo una buena idea examinar al perro después de haber estado en la campiña. Otros tipos de collares antipulgas y garrapatas no son tan eficaces.

Recurre a la protección de un aerosol. Los veterinarios suelen recomendar que se trate a los perros con productos como Frontline, que contienen fipronil y matan las garrapatas en 24 horas después de rociar al perro. Rocía según indique el producto para controlar las garrapatas (y pulgas). Es muy seguro y se puede aplicar a cachorros y perras preñadas. Repelentes como DEET y Permanone también son eficaces, pero las sustancias químicas que contienen pueden ser peligrosas para ciertas mascotas.

Vigila el jardín. La mayoría de las garrapatas se encuentran en la vegetación, por lo que cortar el césped y eliminar los arbustos húmedos, las hojas muertas y el follaje exuberante las dejará sin escondites en tu jardín.

QUITAR GARRAPATAS

Lo mejor es deshacerse de las garrapatas con rapidez. He aquí qué hacer si se han enganchado y están alimentándose de sangre.

1. Ponte guantes de cirujano o cubre las manos con papel film. Como corres el riesgo de exponerte a las enfermedades de las que son portadoras las garrapatas, ten mucho cuidado de no estrujar, aplastar ni perforar su cuerpo. El contacto entre las manos y los ojos después de manipular garrapatas también puede causar una infección.

2. Empapa la garrapata con alcohol. (No utilices queroseno ni gasolina porque dañarán la piel de tu mascota.) Abrumada por el alcohol, la garrapata se soltará y no intentará volverse a enganchar en cuanto apliques algo de presión. Esto facilitará que arranques la garrapata entera, con cuerpo y cabeza.

3. Agarra el cuerpo de la garrapata cerca de la cabeza con unas pinzas o un gancho quitagarrapatas. Tira con suavidad hasta que notes que el parásito cede. Nunca debes dejar la cabeza enganchada porque, si se queda dentro, existe el riesgo de que se forme un absceso, en cuyo caso, el veterinario tendrá que juzgarlo.

4. Echa la garrapata en un recipiente con alcohol.

5. Desinfecta la zona con algún producto como povidona yodada o clorhexidina. El alcohol puede ser demasiado irritante para esa heridita.

6. Lávate bien las manos con agua y jabón. Si no te atreves a arrancar la garrapata, rocíala con fipronil (Frontline), que la matará en 24 horas.

Problemas de micción

Al igual que las personas, los perros a veces tienen problemas de micción: infecciones de las vías urinarias, cálculos urinarios e incluso incontinencia.

Cualquier problema de las vías urinarias es potencialmente grave y debe tratarlo un veterinario. La presencia de sangre en la orina nunca se debe pasar por alto, pero hay cosas que puedes hacer en casa para aliviar las molestias y prevenir la recidiva de algunos problemas.

INFECCIONES

Es probable que haya una infección de las vías urinarias si tu perro antes aguantaba todo el día entre una y otra salida para aliviarse, pero últimamente se apuesta junto a la puerta cada cinco minutos. Otra indicación es que sólo orine pequeñas cantidades de orina. Estas infecciones suelen ser dolorosas y provocan una necesidad frecuente y urgente de orinar.

Da a tu perro muchas oportunidades de aliviarse. Y asegúrate de que bebe mucha agua, porque ayuda a limpiar su cuerpo aunque no cure la infección. Aparte de las visitas frecuentes al baño, no hay mucho que puedas hacer en casa. Es probable que el veterinario prescriba antibióticos orales y antisépticos urinarios.

CÁLCULOS VESICALES

A las personas se les forman piedras en los riñones. En los perros la mayoría de los cálculos o piedras se forman en la vejiga urinaria. Los veterinarios suelen llamarlos urolitos y la afección se denomina urolitiasis. Sospecha este problema si tu perro manifiesta tenesmos al orinar y tiene con poco éxito.

El veterinario te ayudará a aplicar un programa asistencial de doble vertiente. El primer objetivo es evitar que los cristales presentes en la vejiga de tu perro se conviertan en piedras. Para ello asegúrate de que beba mucho líquido y tenga muchas oportunidades de orinar. Todo ese líquido en el cuerpo arrastrará los cristales antes de que puedan convertirse en urolitos. Tu veterinario tal vez también recomiende una dieta especial que haga menos probable que los cristales se conviertan en cálculos.

El segundo objetivo es disolver los cálculos ya formados. Hay distintos tipos de cálculos y antes de poder ayudar a tu perro, el veterinario deberá realizar una prueba para determinar de qué tipo son. Algunos cálculos son más solubles que otros en orina ácida; otros en orina alcalina.

Una vez el veterinario haya diagnosticado el tipo de cálculo, puede recomendar dietas y aditivos especiales para cambiar el pH de la orina del perro y disolver y eliminar los cálculos.

INCONTINENCIA

No es normal que los cachorros encharquen el suelo, pero, cuando un perro viejo orina donde no debe sin darse cuenta, da por seguro que algo no va bien. Esta afección, llamada incontinencia, es más habitual en las perras viejas y esterilizadas, probablemente porque presentan niveles bajos de la hormona estrógeno que el cuerpo necesita para mantener fuertes los músculos de las vías urinarias. También tiende a

PROVISIONES INAGOTABLES Puede parecer que orina con mucha frecuencia, pero este perro está dejando señales de que ha estado allí. Salpica lo más alto posible para mostrar que es un perro grande.

AFRONTANDO EL PROBLEMA
Al igual que este bóxer, tu perro necesita muchas oportunidades de salir.

planchado donde será más fácil limpiar el rastro (ver «Cuidados para perros mayores» en la p. 298).

MICCIÓN POR SUMISIÓN

Cuando un perro quiere mostrar a otro la máxima forma de respeto, se tumbará sobre la espalda y orinará. Entre los perros, este tipo de conducta, llamada micción por sumisión, suelen desplegarla los cachorros y perros adultos especialmente tímidos o sumisos. Los perros que actúan así con su familia humana suelen tener algún tipo de inseguridad, sea porque algo los ha asustado o porque son así. Lo mejor es no hacer caso a un perro que se tumba para darte la bienvenida, porque, si no, la micción por sumisión que suele acompañarla se transforma en un ritual aprendido.

ocurrir en mascotas con un exceso de peso que ejerce presión adicional sobre la vejiga, y a veces en perros excitados o angustiados. No es lo mismo que un accidente ocasional. Con la incontinencia, el perro no sabe lo que está pasando.

A menudo la incontinencia se puede controlar, pero es probable que necesites ayuda del veterinario. Un tratamiento convencional es administrar suplementos hormonales, además de otros medicamentos que mejoren el tono del músculo detrusor de la vejiga. En casa lo más importante que puedes hacer es no culpar al perro de los accidentes, porque él no puede evitarlo. Lo último que quieres es que tenga más ansiedad o angustia.

Intenta reducir su ansiedad y pasar más tiempo con él fuera de casa, donde el goteo no importe. Además, cuantas más oportunidades tenga de aliviarse, menos orina tendrá dentro que ejerza presión sobre la vejiga y menos probabilidades de que haya accidentes.

Si vas a salir de casa y te preocupa que te encuentres la alfombra mojada a tu vuelta, plantéate poner un pañal al perro o confinarlo en el cuarto de baño o la habitación de

Para muchos perros, todo lo necesario para evitar estos vertidos en la casa es sacarlos con más frecuencia a pasear. Es importante que sea lo primero que hagan por la mañana y después de comer, cuando la urgencia es mayor. También hay que sacarlo antes de dormir por la noche, porque las ocho o nueve horas desde la noche hasta la mañana son más de lo que muchos perros pueden esperar. Los cachorros necesitan salir con más frecuencia, al menos cada dos horas por el día y cada cuatro por la noche.

Los perros que empiezan a desplegar esta conducta a menudo necesitan un curso de repaso en adiestramiento básico. Echa un ojo a tu perro siempre que esté dentro de casa, porque siempre es más eficaz elogiar las buenas conductas cuando lo hace donde debe que castigarlo por cometer un error. No tienes que esperar a que casi esté a punto de hacerlo para dirigirte a la puerta de casa. Dejarle salir con más frecuencia y elogiarlo ayudará a que entienda lo que se supone que tiene que hacer en el futuro.

Vómitos

*Los perros vomitan con más facilidad que las personas y
casi siempre hay una razón sencilla para ello.*

Pocas cosas hay menos agradables que llegar a casa y encontrar los restos del desayuno del perro sobre la alfombra del salón. Para tu perro, es un día más. En muchos casos hay una causa sencilla, como un atracón en el cubo de la basura o haber comido demasiado y demasiado rápido. Pero, si todavía no estás seguro de la causa, haz una rápida exploración física del perro y tómale la temperatura antes de llamar al veterinario para recibir instrucciones más específicas.

Si tu perro parece físicamente enfermo o el vómito no se interrumpe, deberías llamar al veterinario de inmediato. Puede que se haya tragado algo venenoso o tóxico, en cuyo caso cada segundo cuenta. Además, si ha vomitado mucho, tal vez necesite líquidos intravenosos para remplazar el agua y los electrólitos que haya perdido.

LA BASURA ES TENTADORA Un perro con determinación, como este pastor ovejero australiano, se aventurará en la basura si se le brinda la oportunidad y el resultado será algún trastorno gástrico.

ALIVIO DE TRASTORNOS GÁSTRICOS

La mayoría de los casos de vómitos se resuelve en 24 horas. Mientras tanto, hay cosas que puedes hacer en casa para ayudar a que tu perro se sienta mejor.

Tu perro se beneficiará si se salta al menos una comida después de haber vomitado. Esto dará a su estómago la posibilidad de descansar y recuperarse. Si el problema es haber saqueado la basura o un brote de gripe, las cosas deberían normalizarse en un día. Hasta entonces intenta limitar la ingesta de alimentos; no es momento de preocuparse por si tu perro pasa hambre o no.

Sin embargo, asegúrate de que tu perro siempre tenga acceso a pequeñas cantidades de agua; no le llenes del todo la escudilla. O dale cubitos de hielo para que los lama.

¿POR QUÉ TANTA PRISA?
Un perro tendrá que comer con más lentitud engullendo menos si extiendes la comida sobre una bandeja.

Es importante que no se deshidrate, pero al mismo tiempo tampoco quieres que beba grandes cantidades, lo cual sólo haría que se sienta de nuevo delicado de estómago.

Si tu perro ha ayunado 24 horas y los vómitos han acabado, podrá volver a consumir alimentos sólidos. Empieza reintroduciendo poco a poco una dieta blanda, como pollo hervido, queso fresco, arroz o caldo de ternera, hasta que estés seguro de que su estómago se ha asentado y puede digerir comida de nuevo. Luego comienza a darle de nuevo y gradualmente su comida habitual mezclada con la dieta blanda hasta que termine comiendo con normalidad.

Un calmante estomacal puede ayudar. Peptobismol es un protector gástrico que aliviará temporalmente las molestias. Pero habla siempre con el veterinario para saber si es seguro y confirmar la dosis y frecuencia para su tamaño.

Problemas de peso

Es natural que los perros coman siempre que haya comida cerca: eso es lo que hacían

sus antepasados; sin embargo, la obesidad es cada vez un problema más grave.

Quizás estemos mimando demasiado a nuestras mascotas, ya que la obesidad es un problema entre la población canina. En un estudio más del 25 por ciento de los perros presentaron un peso un 15 por ciento por encima de su peso corporal óptimo. A veces es porque hay un problema médico, pero lo habitual es que coman demasiado y no hagan suficiente ejercicio. Con independencia de la causa, el sobrepeso puede mermar la calidad de vida y acortar la esperanza de vida de tu mascota.

A los perros les encanta comer y la comida es una recompensa muy a mano para darles. No es que los perros no reciban señales de sus intestinos que informen de que están llenos cuando han tomado suficiente grasa. El problema es que la idea que el cuerpo de un perro tiene de lo que es suficiente grasa es muy distinta a la nuestra. Como eres tú quien controla lo que come, la decisión última –y la responsabilidad– siempre es tuya cuando se trata de controlar las calorías que ingiere tu perro. Lo más probable es que coma todo cuanto le des. Por lo que eres el único que le puede ayudar a perder peso.

Poner el perro a dieta es un acto de amor y responsabilidad. Y descubrirás que a la mayoría de los perros no les importa si el programa es sensato; sólo exige un poco de planificación física y buena conducta por tu parte para llevarlo a cabo.

PERDER PESO

Un régimen de adelgazamiento canino no es difícil ni caro. Sigue las sugerencias aquí indicadas y tu perro se encontrará pronto más sano y feliz.

Primero de todo, reconoce que tiene un problema. Tal vez tu perro sea corpulento, pero no significa que tenga sobrepeso. O tal vez sea un poco más que fornido y realmente tenga sobrepeso. Una forma de saber realmente si un perro tiene mucho peso es saber cuál es su peso ideal. Si es un pura raza,

encontrarás esa información en algún libro dedicado a su raza. Compáralo con su peso y sabrás si su alimentación es correcta. Una alternativa incluso mejor, sobre todo si tu perro es un cruce, es hacer la prueba de las costillas. Palpa sus costados; si no palpas las costillas, es hora de ponerlo a dieta.

El siguiente paso consiste en probar un cambio en su alimentación. Es importante que evalúes las prácticas alimentarias habituales. El veterinario te ayudará a calcular las calorías que debe consumir al día en comparación con las que está consumiendo realmente. Puede ser sólo cuestión de cambiar la cantidad o el tipo de alimento que come para alcanzar el objetivo y reducir el consumo energético.

Por ejemplo, si das a tu perro comida de primerísimo calidad o comida para perros con mucha actividad física, es probable que esté ingiriendo demasiada energía, sobre todo si es un perro sedentario la mayor parte del tiempo. Estas dietas suelen ser ricas en proteínas y grasas procedentes de carne y aportan más calorías de las que puede gastar un perro sedentario.

Si es un perro de trabajo o hace mucho ejercicio, esa es harina de otro costal; y es probable que no tenga un problema de peso. En la mayoría de tales casos es posible pasar sin problemas a algún producto integral con cantidades moderadas de proteínas y menos grasa y más fibra vegetal de la que antes tomaba. La

LA PRUEBA DE LAS COSTILLAS Con un peso saludable, tu perro tendrá una cintura claramente definida y podrás palpar las costillas rodeadas de un poco de carne.

HORA DE PONERSE A DIETA El exceso de peso de este rottweiler es probable que cause otros problemas graves de salud.

mayoría de las veces ni siquiera necesitarás reducir la cantidad de comida.

Si tu perro está a dieta, dale varias comidas frugales diarias en vez de una y copiosa al comienzo o final del día. De este modo se controlará el hambre y lo convencerás de que su estómago está satisfecho. El que le estés dando de comer con más frecuencia no significa que le des más cantidad; divide la cantidad de comida que toma al día en dos a cuatro raciones y sírveselas a intervalos más frecuentes.

Ten presente que los aperitivos son el punto flaco de todos los que están a dieta porque cuesta resistirse a esos momentos tentadores entre comidas. Pero no tienes que dejar por completo de darle aperitivos y premios, sólo necesitas cambiar sus hábitos. Las galletas de cereales tienden a ser ricas en calorías, así que pásate a algo más sano. Prueba con zanahorias, fruta o

RAZAS MÁS PROPENSAS

Algunos perros son más propensos a ganar kilos y no perderlos que otros; está en los genes. Si tu perro es de una de estas razas, tendrás que prestar especial atención a su peso y necesidades nutricionales:

- Sabueso enano (izquierda)
- Perro pachón
- Cocker spaniel
- Perro tejonero
- Labrador retriever

palomitas sin sal, azúcar o mantequilla, por supuesto.

Cuando tu perro se gane un premio y quieras recompensarlo, no metas la mano automáticamente en el bolsillo para darle comida. Piensa en su lugar en una recompensa social como jugar a lanzar y cobrar, un juego de posesión o un baño. Tal vez te sorprenda saber que tu perro prefiere en muchos casos las recompensas sociales a la comida. Claro que a los perros les encanta comer, pero sustituye la comida por algún juego o ejercicio y la mayoría pensará que es un cambio justo.

Tal vez necesites pensar de nuevo en dietas ricas en fibra. Tradicionalmente, estas dietas se han prescrito a perros con problemas de peso. Estas dietas de adelgazamiento tienen mucha celulosa que llena el estómago. Esto causa la emisión de una señal al cerebro con la cual éste determina si se ha consumido suficiente alimento. Sin embargo, estudios recientes han sugerido que la fibra tal vez no consiga la sensación de «plenitud» en los perros. La fibra también puede interferir con la absorción de nutrientes como el selenio y el zinc, así que consulta los beneficios de las dietas ricas en fibra con el veterinario antes de decidir si poner a dieta a un perro rellenito.

Un programa de ejercicio regular es una forma estupenda de que tu perro pierda peso y comience a tener mejor aspecto. Esto no significa que tengas que someterlo a sesiones de ejercicio agotador ni a correr maratones. Un buen paseo largo o una carrerita relajada dos veces al día es la forma de conseguir que el corazón bombee y queme más calorías. Si no ha hecho antes ejercicio, comienza con paseos cortos y ve aumentando hasta someterlo a entrenamientos más vigorosos.

PÉRDIDA REPENTINA DE PESO

La combinación de una vida regalada y la abundancia de comida hace que los perros aumenten de peso casi con la misma facilidad que las personas. Sin embargo, es mucho menos habitual que luego lo pierdan. Excepto en los perros a dieta, el adelgazamiento suele ser un signo de que un perro está enfermo.

Problemas dentales. Los veterinarios han hallado que más del 85 por ciento de los perros mayores de 3 años tiene algún grado de enfermedad periodontal, una afección en que las bacterias y variedad de sustancias irritantes se abren paso por debajo de las encías, causando infecciones o inflamaciones dolorosas. La enfermedad periodontal que no se trata puede hacer que las comidas sean muy dolorosas y los perros dejen de comer. Otros problemas dentales, como dientes fracturados o abscesos, pueden provocar que un perro deje de comer.

Competición. Incluso los perros de vida regalada pueden mostrar mucha agresividad cuando hay comida por medio. En las casas con varios perros es habitual que un perro sea codicioso y desee robar la cena de los demás. La mayoría de los perros protegerán su comida, pero algunos son tan tímidos que huirán ante la posibilidad de un enfrentamiento. Al final comienzan a perder peso.

Dolor. Tu perro puede perder el apetito cuando no se siente bien. Esto suele ocurrir en perros viejos con artritis o problemas con las caderas u otras articulaciones. Las molestias les quitan el apetito e, incluso cuando tienen hambre, tienen problemas para levantarse y acudir hasta la escudilla de la comida.

Estrés. El ritmo trepidante de la vida moderna resulta muy estresante para los perros, que no responden muy bien a los cambios. Los perros con ansiedad o nerviosos –por ejemplo, porque sus dueños están fuera de casa más de lo habitual– tal vez dejen de comer. Este tipo de pérdida de peso pocas veces es grave, porque comienzan a comer bien en cuanto las aguas vuelven a su cauce.

Gasto energético elevado. Los alimentos modernos para perros contienen abundancia de nutrientes y la mayoría de los perros obtienen todas las calorías que necesitan. Los perros que queman muchas energías, como los perros de trabajo o las madres lactantes, pierden peso porque ingieren menos comida de la que necesitan. En este caso el veterinario te recomendará un plan de comidas que ayude a tu perro.

Diabetes. La hormona insulina es responsable del transporte de azúcares presentes en los alimentos a las células del cuerpo. Los perros diabéticos no tienen suficiente insulina, lo cual significa que, no importa cuánto coman, no obtienen todas las calorías que necesitan. Como la pérdida de peso acompaña a docenas de enfermedades internas, desde parásitos hasta cáncer, acude al veterinario en cuanto notes que tu perro parece más delgado de lo habitual. Aunque el problema pueda resultar sencillo, algunas afecciones que hacen que los perros pierdan peso se agudizarán con gran rapidez a menos que reciban tratamiento.

Fíjate en los resultados. No quieres que el peso del perro baje muy rápido; eso no sería bueno para él. La meta es que pierda el peso sobrante en un período de 12 meses. Márcate un régimen de visitas regulares al veterinario durante este período y, si tu perro no ha alcanzado su meta paor entonces, será momento de hacer otra visita al veterinario.

HURTO DE COMIDA A tu perro tal vez no le guste estar a dieta, pero si quiere llegar a su peso ideal, deberás asegurarte de que no pueda acceder a ninguna otra fuente de comida.

275

Parásitos intestinales

La buena noticia es que ahora hay más medios que nunca para
eliminar los parásitos intestinales de tu mascota.

A nadie la gusta oír que su perro tiene parásitos intestinales, pero son un problema habitual en los canes. Los parásitos más corrientes son los nematodos, ancilostomas, tricocéfalos y cestodos. La mayoría de los cachorros nacen con ellos o se infectan poco después de nacer al consumir inadvertidamente huevos o pulgas infectadas durante el estrecho contacto con su madre. Los nematodos y cestodos son los que se pueden ver en las heces del perro. Su aspecto es feo, pero no hacen mucho daño; por lo general, nada peor que un poco de diarrea, vómitos o prurito anal.

Los ancilostomas y tricocéfalos tienden a mantener un perfil bajo y hacen más daño, en ocasiones causan anemia, deshidratación y deficiencias nutricionales. Sin embargo, ninguno de estos parásitos es bueno, porque todos ponen en jaque el sistema inmunitario de los perros. Y todos se pueden contagiar a las personas, con las mismas desagradables y a veces peligrosas consecuencias. Por tanto, estos parásitos son un problema de salud tan importante para las personas como para los canes.

CONTROL DE PARÁSITOS
Por suerte, el control de los parásitos intestinales de tu perro no es una tarea difícil siempre y cuando trates los parásitos, trates tu hogar y también impidas el desarrollo de nuevos parásitos.

Los antiparasitarios actuales son más seguros y eficaces que sus predecesores. Si sospechas

REDONDITO Es normal que los cachorros estén regorditos, como este cachorro de terrier de Staffordshire, pero si tienen el vientre hinchado, es probable que tenga parásitos intestinales.

que tu perro tiene parásitos, una visita al veterinario es lo correcto. Una vez sepa qué parásitos infestan a tu perro, podrá prescribir medicamentos sin receta que erradicarán los parásitos. Emplea siempre un producto recomendado por el veterinario. No compres nada sin receta médica a menos que lo recomiende el veterinario, porque algunos antiparasitarios contienen tolueno o diclorofeno, que son tóxicos para algunos perros.

Si tienes un cachorro, es probable que quieras iniciar el tratamiento a las dos o tres semanas de vida y repetir cada dos semanas hasta que el cachorro tenga varios meses. La mayoría de los cachorros están infectados, pero los huevos de los parásitos no aparecerán en las heces hasta dentro de varias semanas o meses. La idea es tratar al cachorro antes de que empiece a mostrar signos de infección. De ese modo no sólo erradicarás los parásitos de su sistema, sino que también te asegurarás de que sus heces no se conviertan en una fuente de infección para otros.

Trata también al perro contra las pulgas. La forma más habitual de cestodo es transmitida por las pulgas: un perro se traga una pulga infectada y los cestodos se desarrollan dentro del can. Para más información sobre el modo de librar a tu cachorro de estos parásitos, véase «Pulgas» en la p. 252.

La mejor forma de controlar los parásitos intestinales en el entorno de tu perro es limpiar a su paso. Retirar las heces con rapidez ayudará a evitar la

LOS PARÁSITOS MÁS CORRIENTES

Los parásitos intestinales no son todos iguales, aunque todos causan el mismo desagrado cuando los descubres en las heces de tu perro. He aquí algunos de los más habituales.

Nematodos. Los nematodos adultos viven en los intestinos después de que el perro se haya infectado al consumir algo contaminado por larvas. Tal vez veas huevos en las heces, aunque en algunos casos verás lo que parecen hilos retorcidos de espaguetis. Las lombrices puedes llegar a alcanzar 18 cm de longitud.

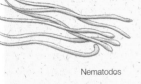

Nematodos

Ancilostomas. Se fijan en las paredes intestinales e ingieren grandes cantidades de sangre. Por lo general, miden menos de 2,5 cm de longitud con una flexura en su extremo. El cuerpo a veces es rojo por la sangre ingerida. Los perros pueden ingerir larvas o bien éstas pueden penetrar la piel del perro.

Tricocéfalos

Tricocéfalos. Se alojarán en el colon de tu perro después de que haya ingerido los huevos. Pueden inflamar el colon. No comenzará a presentar nuevos huevos en las heces hasta tres meses después de infectarse, lo cual puede hacer el diagnóstico muy difícil. Los parásitos en sí, que pueden llegar a 7,5 cm de longitud, no se muestran en las heces. Por su aspecto parecen un látigo; la mayor parte de su cuerpo es esbelto y cordiforme, mientras que el extremo es grueso, como el mango de un látigo.

Cestodos. Los perros son susceptibles de infestación por diversos cestodos. El tipo más habitual es transmitido por pulgas inflamadas, que tu perro traga accidental cuando se lame para limpiarse. Este parásito es largo, plano y compuesto de segmentos rectangulares que contienen huevos. Puede alcanzar 80 cm de largo, y segmentos individuales salen con las heces y se pueden identificar en la piel y pelaje alrededor del ano. Parecen inocuos, como granos de arroz.

Cestodos

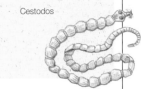

reinfección. Si no hay heces infectadas, el suelo no quedará contaminado con huevos, por lo que el ciclo de reinfección se mantendrá al mínimo.

Aprovecha la protección adicional que ofrecen algunos medicamentos preventivos nuevos. Los fármacos contra la dirofilaria que contienen pirantel (Heartgard-30 Plus) controlan también los nematodos y ancilostomas. El ingrediente milbemicina oxima (Interceptor) previene el desarrollo de ancilostomas y controla los nematodos y tricocéfalos, además de frenar la dirofilaria. Ningún producto mata directamente los cestodos, si bien una combinación de milbemicina oxima y lufenurón (Sentinel) controlará los cestodos, ancilostomas y tricocéfalos, además de ayudar a controlar las pulgas, que son portadoras de cestodos. Como tu perro probablemente esté tomando fármacos contra la dirofilaria, tiene sentido darle un producto que también lo proteja de los otros parásitos.

EMPIEZA MIENTRAS SON PEQUEÑOS Como estos cachorros de perro tejonero de pelo duro, tu cachorro debe seguir un programa preventivo. Su veterinario recomendará productos seguros, eficaces y fáciles de administrar.

Primeros auxilios

Cuando se haga daño, tu perro necesitará una manipulación

y cuidados especiales para que no se agrave.

Cuando tu perro sienta dolor y no sepa qué le pasa, sentirá miedo. No importa lo dócil que sea normalmente, el miedo que acompaña a una herida puede volverlo un animal que muerde descontroladamente.

Lleva al perro herido a un veterinario, a un albergue o a un centro de urgencias lo antes posible para que reciba atención experta. Tal vez nunca ocurra, pero aunque sea por prevención debes estar preparado, porque, cuanto más rápido actúes, mejor. Ten un botiquín de primeros auxilios en casa y a mano así como en el coche (ver p. 291). Además, prevé el modo de transportar al perro con seguridad. lograr que se quede quieto y evitar que te muerda.

RETENERLO CON CUIDADO

Tu perro no entenderá que estás tratando de ayudarle. Si lo ves desde su punto de vista, sólo intenta que no sigas haciéndole el daño que cree que le infliges. La forma segura de que no sigas es darte un buen mordisco. Y la mejor forma de evitar que te muerda es ponerle un bozal. Usa uno comprado en la tienda o improvisado (ver cuadro de la página siguiente).

Dependiendo de dónde vivas, puede haber una buena razón para prevenir que un perro use los dientes. Una vez un perro muerde a alguien –incluso si se trata de su dueño–, las leyes de Estados Unidos, por ejemplo, exigen que el perro quede retenido en custodia (esté herido o no) por un funcionario de control de animales para comprobar si tiene la rabia. Esto es necesario en todos los casos en que un perro muerde para estar seguros de que no tenga la rabia. Un perro que haya sido vacunado contra la rabia debe estar confinado y bajo observación diez días; un perro sin vacunar estará en cuarentena seis meses. Las autoridades locales decidirán si el perro queda en observación en su casa o en un centro de control de animales.

ATENCIÓN EXPERTA Inmediatamente después de un accidente, tu perro debe ser examinado por un veterinario por si hubiera alguna herida interna grave. También te aconsejará un tratamiento en curso si de verás está herido.

En los únicos casos en que no deberías poner el bozal al perro es si tiene heridas faciales, si tiene problemas para respirar o si está vomitando. Y si sufre mucho y está vomitando y trata de morderte, no intentes ponerle el bozal ni moverlo. Llama a un funcionario de control de animales para que ayude a mover al perro con seguridad, sin causarle nuevos daños ni sufrir tú mismo ninguna herida.

MOVER A UN PERRO CON SEGURIDAD

El perro herido debe ser transportando con rapidez al veterinario, pero con la prisa, no

UN BOZAL IMPROVISADO

Cuando tu perro esté herido, o estés intentado ayudar al perro herido de otra persona, puedes improvisar un bozal casero usando la correa del perro, una medias, una corbata o una tira larga de gasa elástica. Si no tienes nada de esto a mano, un paño o una camiseta también servirán.

Un bozal casero es totalmente seguro, pero asegúrate de dejar los orificios de la nariz despejados para que respire con facilidad. Una tela un poco elástica funciona mejor que una correa rígida. Aunque te angustie ver al perro tratando de quitarse el bozal, recuerda que se lo has puesto por el bien de los dos.

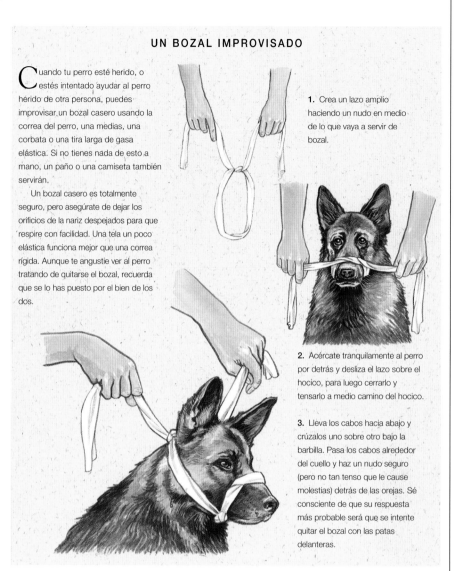

1. Crea un lazo amplio haciendo un nudo en medio de lo que vaya a servir de bozal.

2. Acércate tranquilamente al perro por detrás y desliza el lazo sobre el hocico, para luego cerrarlo y tensarlo a medio camino del hocico.

3. Lleva los cabos hacia abajo y crúzalos uno sobre otro bajo la barbilla. Pasa los cabos alrededor del cuello y haz un nudo seguro (pero no tan tenso que le cause molestias) detrás de las orejas. Sé consciente de que su respuesta más probable será que se intente quitar el bozal con las patas delanteras.

---

olvides que el proceso requiere algo más que premura. Si tu perro ha sido herido en un accidente de tráfico, tal vez tenga huesos rotos o heridas internas de las que no tengas constancia. Moverlo de forma errónea puede agravar una fractura o provocar que los huesos rotos atraviesen la piel. Incluso movimientos leves pueden agravar una hemorragia interna.

El objetivo debe ser mover al perro como una unidad, sin girar su cuerpo. En el caso de un perro pequeño, una vez puesto el bozal, levántalo usando los brazos como una cuchara. Otra forma de transportar a un perro de tamaño medio o pequeño es en una caja de cartón. Ponlo en la

caja con un movimiento delicado y rápido, luego lleva la caja al coche. En el caso de un perro más grande usa un abrigo, manta o toalla para improvisar una hamaca con la que trasladar o arrastrar al perro. Para suplir la falta de una superficie firme debajo, intenta encontrar una segunda persona para ayudarte a llevar la hamaca como si fuera una camilla. Si puedes, consigue que una segunda persona te lleve en coche a la consulta del veterinario para que puedas sentarte atrás con el perro y vigilar su estado y mantenerlo en calma.

Mordeduras y heridas

Hay posibilidades de que en algún momento tu perro llegue a casa con alguna mordedura y tendrás que tirar de botiquín.

La curiosidad natural de los perros los lleva a investigar cualquier cosa que se mueva o huela, y eso puede ser una experiencia dolorosa si el objeto de interés tiene púas, colmillos o aguijón. Tal vez decida defender su territorio y plante cara a un perro más grande o a otro animal sin pensar en el peligro personal.

VENDAR UNA HERIDA

Muchas heridas curan bien sin vendar, mientras que otras están mejor vendadas. Son heridas que hay que vendar los cortes en las almohadillas de los pies y otras áreas que se puedan ensuciar; heridas grandes y profundas, rasponazos y cualquier herida que tu perro se lama en exceso. Si la herida es profunda, contiene suciedad o residuos, o sigue sangrando, lleva el perro al veterinario de inmediato. No intentes vendar estas heridas por tu cuenta.

Antes de vendar una herida, se tiene que limpiar exhaustivamente lavándola con compresas de gasa empapadas en agua tibia y salada. A continuación se aclara con agua tibia y se seca suavemente con compresas de gasa. No uses bolas de algodón, porque las fibras se suelen quedar pegadas a la herida. Seca el área circundante con un paño limpio, luego aplica una pomada antibiótica. Si la herida se tiene que vendar, cúbrela con una compresa de gasa estéril. El modo de vendar la herida dependerá de su localización.

HERIDAS EN PATAS Y PIES

No importa si la herida se encuentra en la pata o el pie, necesitarás vendar toda la pata para evitar la formación de un edema y acelerar la curación. Mantén bien colocada la gasa que cubre la herida con una mano y usa la otra para vendar la pata. Empieza por el pie y venda toda la pata con firmeza pero sin apretar en exceso, hasta arriba. Fija con esparadrapo el final de la gasa a la capa inferior. Por último, cubre todo el pie y pata con una venda autoadherente, de nuevo empezando por el pie y dirigiéndote hacia arriba.

Cambia todos los vendajes al menos cada dos días, antes si se empapan o ensucian, o se sueltan. Cada vez que cambies el vendaje, limpia, lava y seca suavemente la herida, y luego aplica una pomada antibiótica. Busca signos de infección, enrojecimiento, edema, olor hediondo o supuración. Todos estos casos requieren atención veterinaria.

HERIDAS EN LA ESPALDA

Como son las más sencillas de mantener limpias, las heridas en la espalda pocas veces necesitan ser vendadas. Para prevenir infecciones y tener mejor acceso a la herida, tal vez tengas que cortar el pelo alrededor. Esteriliza un par de tijeras de punta roma sumergiéndolas en alcohol para friegas, y úsalas para cortar con cuidado el pelo alrededor de la herida. Examina la herida con regularidad, lavándola y aplicando una pomada antibiótica dos veces al día.

Si la herida es grande o tu perro no la deja en paz, cúbrela con una compresa de gasa estéril y mantén la gasa fija con una venda grande. Busca un paño grande y rectangular de la anchura del vientre del perro (de las axilas a la ingle). Debe ser lo bastante larga como para poder atarlo

¿MENORES O MAYORES? Las heridas menores se pueden tratar en casa; las más graves necesitarán atención veterinaria.

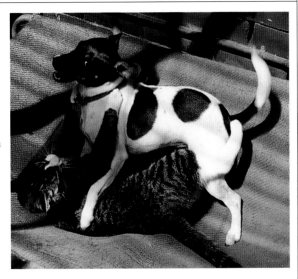

¡ESO DUELE! Las heridas causadas por los dientes afilados y finos de los gatos o de otros perros a menudo son más profundas de lo que parecen.

alrededor de su cuerpo. Por cada extremo corta dos hendiduras en la tela para crear tres colas. Sitúa el centro del paño sobre la espalda para mantener la gasa fija, luego lleva los extremos hacia abajo alrededor del vientre. Ata cada par de extremos con firmeza pero sin molestar al perro bajo el vientre. Este vendaje, invertido, también servirá para heridas en el pecho y el abdomen.

HERIDAS EN LAS OREJAS

Las heridas en la cara exterior de las orejas pocas veces se vendan. Las heridas interiores en las orejas pueden necesitar un vendaje especial para mantener el área de la herida expuesta al aire. Esto es muy importante si tu perro tiene orejas caídas muy pegadas a la cabeza, lo cual crea un entorno cálido y húmedo apto para la infección. Echa las orejas hacia arriba sobre la cabeza y mantenlas en esta posición con un paño rodeando la barbilla del perro y atado con un doble nudo sobre la cabeza. Asegúrate de que los conductos auditivos estén abiertos y la visión del perro no quede entorpecida.

MORDEDURAS DE PERROS Y GATOS

Debido al modo en que se defienden los perros, suelen morderse en el cuello, cara, orejas y pecho. Aunque su aspecto no sea feo, un mordisco con dientes largos y afilados dañará los tejidos subcutáneos y a menudo será mucho más profunda de lo que parece. Recorta el pelo alrededor de la herida, lava la herida con agua jabonosa tibia y sécala con cuidado con una gasa. Aplica una pomada antibiótica y cúbrela con una gasa. Acude al veterinario si hay heridas punzantes, o si el mordisco parece inusualmente profundo.

Si tu perro se mete en una pelea, lo primero es conseguir separar a los animales. No te metas en medio porque podrías resultar herido. Usa una manguera o un cubo de agua para mojarlos y acabar la pelea con agua fría. Una vez el perro esté calmado, examina las heridas.

Las mordeduras de gato suelen ser peores que las de perro porque la saliva de gato está infestada de bacterias y las heridas son profundas y muy estrechas. Los perros con mordeduras graves de gato deben ser tratados siempre por un veterinario.

MORDEDURAS DE SERPIENTE

Barrunta una mordedura de serpiente si tu perro vuelve de una excursión con una herida hinchada y hemorrágica, sobre todo en la cabeza o las patas. Tal vez esté temblando, babeando, vomitando, tenga las pupilas dilatadas o se desmaye. Si no puedes identificar la serpiente con absoluta certeza, actúa siempre como si fuera una mordedura envenenada. Tu objetivo es ralentizar la entrada del veneno en el cuerpo del perro y que reciba asistencia urgente cuanto antes.

Mantén al perro quieto y en calma. Si puedes, llévalo en coche al veterinario, en vez de andando, porque así se ralentiza la circulación de la sangre. Háblale con voz tranquila; cuanto más en calma esté, más lenta será la frecuencia cardíaca y más lento se extenderá el veneno por el cuerpo. Cubre al perro con una manta o abrigo para retrasar un shock.

EXTRACCIÓN DE PÚAS DE PUERCOESPÍN

Si tu perro tiene un encuentro con un puercoespín, emplea unas pinzas para quitarle las púas. Pinza las púas una a una lo más cerca posible de la carne, extrayéndolas sin pausa pero lentamente. Los extremos de las púas de puercoespín presentan lengüetas, lo cual dificulta su extracción. Si consigues extraerlas con éxito, lava las heridas con agua jabonosa tibia, aclara con agua tibia y aplica una pomada antibiótica. Si alguna púa se rompe al sacarla, o si se aprecia tumefacción, enrojecimiento, exudado u otros signos de infección, acude en seguida al veterinario.

Hemorragias

La vista de sangre puede hacer que te marees ligeramente, pero,

cuando esté herido y sangrando, serás su único recurso.

Asume el control de la situación hablando a tu perro con la voz calma que conoce y en la que confía; esto ayudará a que tú también conserves la calma.

Actúa siempre con rapidez si tu perro está sangrando, incluso con más rapidez si cabe si la sangre sale rítmicamente de la herida con cada latido. La salida a presión de sangre suele revelar que se ha cortado una arteria, porque sangra con más rapidez y provoca una pérdida de sangre más acusada que si se secciona una vena. La sangre de una vena cortada mana de forma lenta y continua.

Primero, recuerda que debes poner el bozal al perro si siente dolor. A continuación, para detener la hemorragia usa tres métodos con la siguiente preferencia: aplica presión directa sobre la herida; aplica presión sobre los puntos de presión y, como último recurso, ponle un torniquete. Lleva el perro al veterinario si no consigues detener la hemorragia.

APLICACIÓN DE PRESIÓN DIRECTA

Aplica una compresa de gasa estéril directamente sobre la hemorragia y presiona con firmeza. Si no

MANTÉN LIMPIAS LAS HERIDAS Venda el pie y la muñeca con firmeza, pero no demasiada, para mantener la herida limpia. Deja los dedos libres para examinar si hubiera alguna hinchazón.

cuentas con una compresa de gasa estéril, emplea un trapo limpio, un paño o los dedos hasta que alguien te suministre vendas. Si es posible, impregna la gasa o paño con algo de vaselina para evitar que con el tiempo se pegue a la herida. Si la sangre empapa y traspasa la tela o gasa, no la quites. Simplemente, añade más capas de tela o gasa. De este modo, si la sangre ha empezado a coagularse, no romperás los coágulos.

Una vez detenida la hemorragia, retira el vendaje y las gasas o paños; usa material limpio para vendar la herida. Si la hemorragia no ha parado después de cinco minutos de aplicar presión directa, asegura las compresas de gasa con venda autoadherente para tener las manos libres y proceder con la segunda estrategia, aplicar presión sobre los puntos de presión (ver cuadro, página siguiente).

APLICACIÓN DE UN TORNIQUETE

Si tu perro sigue sangrando mucho después de haber aplicado presión más de diez minutos en sus puntos de presión, ponle un torniquete. Así se consigue la constricción de los vasos sanguíneos entre el corte y el corazón, y se detiene la circulación de la sangre. Los veterinarios advierten que el torniquete se use

TIPOS SANGUÍNEOS DE LOS PERROS

Del mismo modo que los perros tienen distintos tipos de pelaje, también tienen distinto tipo de sangre, que suelen heredar de los padres. Hay ocho tipos corrientes de sangre en los canes, si bien la mayoría de las veces el veterinario no determina el tipo porque los perros pocas veces o casi nunca necesitan una transfusión de sangre.

Sin embargo, en el caso de que así fuera, tienen una gran ventaja sobre las personas. Casi todos los perros pueden recibir una primera transfusión de sangre de cualquier tipo. Para una segunda transfusión, la sangre tiene que ser del tipo correcto. Aunque los veterinarios siempre prefieren transfundir sangre del tipo adecuado, resulta más fácil usar cualquiera que se tenga a mano y, en una emergencia, la rapidez es vital.

APLICA PRESIÓN Presiona con firmeza la herida usando una almohadilla de tela limpia hasta que se corte la hemorragia.

PUNTOS DE PRESIÓN

La segunda técnica para cortar una hemorragia consiste en pinzar la arteria que riega esa área. Hay cinco puntos principales de presión en el cuerpo del perro y, dependiendo de dónde se encuentre el corte, deberás aplicar presión firme en cualquiera de esos puntos que se encuentre entre la herida y el corazón. Elige siempre el punto más próximo a la herida (ver ilustración, abajo). Incluso si la hemorragia continúa, afloja un poco la presión unos segundos cada pocos minutos. Mientras tratas de detener la hemorragia, también querrás dejar que circule algo de sangre al área circundante para que los tejidos sanos no sean dañados por privación del riego sanguíneo.

- Si el corte se localiza en una pata delantera, aplica presión firme y suave con tres dedos en la axila.
- Si el corte se localiza en una pata trasera, aplica tres dedos en medio de la ingle (la cara interna del muslo donde se une con el cuerpo) y presiona con firmeza.
- Si el corte es en la cola, apoya tres dedos en el punto donde la cara inferior se encuentra con el cuerpo. Apoya el pulgar en la parte superior de la cola y aplica presión suave.
- En el caso de un corte en el cuello palpa la tráquea, redonda y dura, justo debajo de la garganta. Desliza tres dedos hacia el costado de donde se encuentre el corte hasta que encuentres el surco blando junto a la tráquea, y presiona con firmeza y suavidad. Si sospechas que el perro tiene

una herida en la cabeza –tal vez esté aturdido o desorientado– no recurras a este punto de presión. Reducir la circulación de la sangre al cerebro podría empeorar una lesión en la cabeza. Es mejor aplicar presión directa y firme sobre el corte mientras te diriges al veterinario.

- Si tu perro presenta un corte en la cabeza, busca el punto donde la mandíbula inferior adopta una curva ascendente justo por debajo del oído, y presiona con firmeza con tres dedos (Éste es también el punto donde a los perros les encanta que les rasquen.)

Cara interna superior de ambas patas delanteras (axila)

Cara interna superior de ambas patas traseras (ingle)

Cara inferior de la cola.

PUNTOS DE PRESIÓN
Aplica presión firme en cualquiera de estos puntos entre la herida y el corazón.

como último recurso. Sólo se aplicará con heridas en la cola o las patas, nunca en el cuerpo o el cuello. Un torniquete no es realmente un remedio casero y sólo se debe utilizar de camino al veterinario. Los torniquetes también son incómodos y los perros que no estén inconscientes no tolerarán su colocación.

Encuentra una banda ancha de tela –como una corbata, una tira de gasa o una media– y rodea dos veces la extremidad o cola por encima del nivel del corte, pero no ates un nudo. Pon un palito, lápiz u otro objeto resistente, largo y fino, sobre la segunda capa del material. Ata el palito donde está con dos cabos sueltos de tela y retuerce ésta de modo que apriete el torniquete lo suficiente como para detener la hemorragia. Es muy importante aflojar el torniquete cada cinco a diez minutos un par de segundos para dejar que circule algo de sangre y oxigene los tejidos sanos

de la zona. Incluso aflojándolo de forma intermitente, pueden producirse daños permanentes, así que es vital que reciba atención veterinaria inmediata.

HEMORRAGIA NASAL
Si tu perro tiene una hemorragia nasal, examina la nariz con buena luz por si identificas la causa. Si localizas un corte, aplica presión con los dedos. Si no hay una causa visible, mantén al perro quieto y, si se lo permite, aplica compresas frías o cubitos de hielo en el puente del hocico. Nunca intentes aplicarlo sobre los orificios nasales; podrías dañar la delicada mucosa nasal. Lleva al perro al veterinario para una exploración completa. Una hemorragia nasal puede ser un signo de que hay un cuerpo extraño en la nariz, un tumor nasal o una hemorragia generalizada, como la causada por envenenamiento por warfarina.

Huesos y cola rotos

Todas las fracturas necesitan asistencia veterinaria y se consideran urgencias que necesitan intervención inmediata.

L a causa más habitual de un hueso roto son los accidentes de tráfico. Otras posibles causas de fracturas son caídas, ser coceado o pisado por otro animal, o heridas por arma de fuego. Incluso los movimientos del día a día pueden ser suficientes para fracturar huesos debilitados por otras afecciones, como un cáncer.

Los huesos de las patas y pies son los más habitualmente afectados, pero cualquier hueso de un perro se puede fracturar, como los de la mandíbula, cráneo, caja torácica, omoplatos y columna vertebral. Los perros con huesos débiles, como los cachorros muy pequeños y perros con enfermedades que afectan los huesos, corren más riesgo de fracturas que los adultos sanos.

Si sabes que tu perro ha sufrido un accidente del tipo que sea, llévalo al veterinario de inmediato, aunque no parezca tener heridas graves. Puede tener huesos rotos o heridas internas que no sean evidentes.

PATAS ROTAS
A veces es difícil saber si tu perro tiene una pata rota porque los perros son muy estoicos. Por suerte, también son muy listos a la hora de aliviar el dolor. Tienden a no apoyar peso alguno sobre la pata rota. Otros signos reveladores que hay que buscar son un bulto en la pata, un pie cuya orientación sea ligeramente distinta o una pata que parezca un poco deformada en comparación con las demás.

Las fracturas cuyos huesos han atravesado la piel, llamadas fracturas compuestas, exigen la visita inmediata al veterinario. Estas heridas abiertas pueden sangrar y se infectan con facilidad. Las fracturas que no han atravesado la piel, llamadas fracturas simples, pueden esperar hasta el día siguiente para su tratamiento si es necesario. Pero pueden ser dolorosas y tu perro se sentirá mejor después de que el veterinario le haya recompuesto la pata con una férula. El veterinario también puede usar una venda enyesada o placas de acero inoxidable, agujas y tornillos de fijación. Los métodos veterinarios modernos permiten el tratamiento de la mayoría de las fracturas con mínimas molestias para el perro y una rápida vuelta a la movilidad normal.

El modo de tratar una fractura dependerá de si se encuentra por encima o debajo de la rodilla o

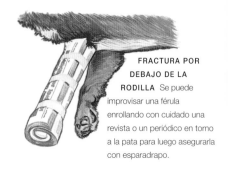

FRACTURA POR DEBAJO DE LA RODILLA Se puede improvisar una férula enrollando con cuidado una revista o un periódico en torno a la pata para luego asegurarla con esparadrapo.

la articulación del carpo. La articulación de la rodilla se localiza en las patas traseras. La articulación del carpo equivale a la muñeca en las personas y se encuentra en las patas delanteras.

INMOVILIZAR UNA PATA ROTA
En todos los casos el objetivo inmediato es prevenir nuevos daños en el área fracturada. Dependiendo del tipo de fractura, se consigue aplicando una férula a la pata afectada o inmovilizando al perro por completo. El siguiente paso consiste en llevarlo al veterinario. Si hay alguna persona adulta para ayudarte, deposita al perro sobre una manta y transportadlo cogiendo los extremos como si fuera una hamaca para meterlo en el coche y llevarlo al veterinario de inmediato.

Fractura por debajo de la articulación del carpo
Una fractura por debajo de la articulación carpiana o de la rodilla es relativamente fácil de inmovilizar con una férula, porque la articulación por encima de la fractura es de fácil acceso. Elige un material para la férula acorde al tamaño del perro. En la mayoría de los casos una férula eficaz es una revista enrollada o varias hojas de un periódico alrededor del área fracturada que se fijan con esparadrapo. Dependiendo del tamaño del perro, lápices o palitos (rotos por la mitad tapando los extremos afilados con cinta adhesiva) también sirven de férulas.

Asegúrate de que la férula se extienda por encima de la rodilla o la articulación del carpo y por debajo del extremo del pie. Antes de intentar mover al perro, asegura bien la férula con varias tiras de tela o gasa alrededor, o bien

LESIONES DOLOROSAS Aunque las colas rotas no son una lesión corriente, los perros que viajan en coche corren un mayor riesgo de que les pillen la cola al cerrar la puerta.

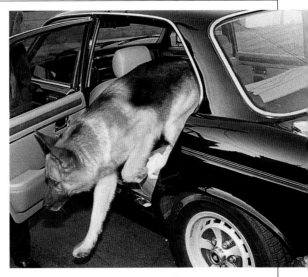

vendándolo con venda autoadherente. No ciñas demasiado la férula, porque podrías interrumpir el riego sanguíneo de la pata.

Fractura por encima de la rodilla
Una factura por encima de la rodilla o de la articulación del carpo es difícil de inmovilizar con una férula porque el área de la cadera (por encima de las patas traseras) o el área del hombro (por encima de las patas delanteras) son difíciles de inmovilizar. Lo mejor es no intentarlo en casa, sino poner el bozal al perro (ver p. 279), ponlo en el coche y llévalo al veterinario.

Huesos sobresalientes
Cuando un hueso roto atraviese la piel, venda la herida. Si es posible, moja una gasa estéril en solución para lentes de contacto o en agua, y aplica el material húmedo sobre la herida abierta. Si esto no es posible, venda la herida con un paño limpio y grueso para protegerla. La pata herida está ahora lista para inmovilizarse con una férula.

Cola rota
Por desgracia, el meneo excitado de la cola de un perro le puede causar problemas. En algún momento u otro muchos perros se pillan la cola accidentalmente con la puerta del coche o de casa. Puedes saber si la cola de tu perro está rota porque sólo la meneará a medias y no podrá moverla por encima del punto de rotura. Hasta que la fractura se consolide, es probable que la menee como si nada hubiera sucedido, pero necesitará un poco de ayuda. Si la piel está rota, la cola sangrará profusamente, y mucho más si sigue moviéndola.

Tratamiento
Primero de todo necesitarás detener la hemorragia. Ase con suavidad la cola por donde esté sangrando con un par de compresas de gasa o un trapo o paño limpio. Recuerda que la cola de tu perro le sigue doliendo, incluso si actúa como si no es así, y asirla por el punto donde está rota puede hacer que hasta el perro más estoico lance un aullido. Presiona con suavidad y firmeza para detener la hemorragia, luego venda la herida con compresas de gasa estéril.

Si la cola de tu perro está rota por la base, necesitarás acudir al veterinario de inmediato. Con una fractura en la base, tu perro tal vez no pueda hacer sus necesidades, simplemente porque ya no es capaz de levantar la cola. Además, tu perro tal vez haya sufrido lesiones nerviosas y sólo el veterinario será capaz de determinarlo. Mantenlo en calma y reconfórtalo hasta que llegues a la consulta.

Su veterinario inmovilizará correctamente la cola con una férula. La fractura tardará tres a cuatro semanas en consolidarse. Tu perro debería ser capaz de mover toda la cola como antes de la fractura.

A veces parece que los perros tienen la cola rota al día siguiente de haber estado nadando mucho. La cola está flácida pero no rota. Esta afección se denomina «cola flexible» o «cola fría»; la situación es transitoria y no requiere más tratamiento que reposo.

SÍNTOMAS HABITUALES

L os síntomas dependerán del hueso afectado y del tipo de fractura, pero pueden ser:
- Una herida evidente en la piel (los extremos del hueso roto pueden ser visibles).
- Hinchazón de los tejidos alrededor de la fractura.
- Una conducta inusual provocada por el dolor como gemidos o agresividad sobre todo cuando se toca al perro.
- Aspecto anormal de la parte afectada del cuerpo.
- Incapacidad para usar la parte afectada del cuerpo.
  No apoyará en el suelo la pata rota: una fractura de columna o de pelvis puede causar parálisis; una fractura de mandíbula puede hacer que la boca penda abierta.

Quemaduras

Hay que actuar con rapidez si tu perro sufre una quemadura grave.

Si haces lo correcto de inmediato, la recuperación será más rápida.

Siempre esperanzados de que les tires o compartas un trozo de lo que estés cocinando, los perros a menudo están detrás de ti junto a tus pies en la cocina. Aunque la mayoría de estos perros saben quitarse de en medio cuando nos movemos, algunos se ponen demasiado cerca de nosotros. Como resultado, pueden sufrir quemaduras, en particular si se vierte grasa o agua hirviendo.

Los perros pueden sufrir quemaduras químicas por contacto con sustancias presenciales en el jardín o dentro de casa, y los cachorros curiosos que muerden los cables eléctricos a menudo se queman la boca. Sea cuál fuere la causa, actuar con calma y rapidez ayudará a que se recuperen con más rapidez.

QUEMADURAS TÉRMICAS

Aplica en seguida hielo sobre la quemadura o ponla debajo del grifo de agua fría para aliviar el dolor y evitar nuevos daños. El frío evita que el calor de la quemadura penetre y dañe los tejidos más profundos. La forma más sencilla de enfriar una quemadura es con la manguera del jardín siempre y cuando no abras el grifo a plena presión. Tu perro tal vez no coopere si el agua sale con demasiada fuerza. O peor aun, el agua con demasiada presión podría dañar los tejidos si las quemaduras son profundas y han destruido la piel. Ayuda a tu perro a mantenerse en calma hablándole en todo momento en una voz suave y tranquilizadora y acariciándole con una mano mientras lavas la herida con la otra.

Como alternativa, mantén al perro quieto con un ligero abrazo mientras aplicas una bolsa de hielo en la zona quemada. Deberías aplicar agua fría o una bolsa de hielo durante un máximo de 20 minutos.

El siguiente paso depende de lo graves que sean las quemaduras. Las quemaduras se dividen en tres categorías: de primero, segundo y tercer grados. En una quemadura de primer grado la piel está enrojecida, dolorosa al tacto y posiblemente hinchada. Las quemaduras más profundas que las ampollas y tumefacción son quemaduras de segundo grado. Las más graves, las quemaduras de tercer grado, se reconocen fácilmente porque la piel está blanca, chamuscada o quemada.

Para las quemaduras de primer y segundo grado, aplica una pomada con triple antibiótico dos veces al día. Cada vez que apliques la

MANTENLO FRESCO Un chorrito de agua fría sobre la quemadura evitará que el calor siga dañando los tejidos más profundos. En el caso de quemaduras graves lleva al perro de inmediato al veterinario.

APLICA UNA BOLSA DE HIELO Pon algo de hielo triturado dentro de una bolsa de plástico y envuélvela en un paño de cocina. Para aliviar el dolor, aplica la bolsa sobre la zona quemada. Una bolsa de guisantes congelados es una opción excelente.

pomada, examina la piel a fondo para asegurarte de que está mejorando y no empeorando. Si el área quemada comienza a exudar, aumenta de tamaño o duele más al tacto, lleva el perro al veterinario para asegurarte de que la quemadura no se ha infectado.

Las quemaduras de tercer grado requieren asistencia profesional inmediata. Antes de llevar el perro al veterinario, cubre el área quemada con compresas de gasa estéril y luego aplica una bolsa de hielo. Incluso si no cuentas con compresas de gasa estéril, aplica la bolsa de hielo. Servirá hielo triturado en una bolsa de plástico. Al mismo tiempo, mantén al perro caliente para evitar un choque hipovolémico.

Las quemaduras graves pueden provocar al perro un choque hipovolémico, un estado en que el sistema circulatorio se enlentece. Para conservar el calor del cuerpo y prevenir un choque, envuelve al perro en una manta, jersey, abrigo o toalla para llevarlo al veterinario. Al igual que para todas las heridas graves, busca a alguien que te lleve en coche mientras atiendes al perro. Por el camino mantén al perro caliente y sigue poniéndole la bolsa de hielo sobre la quemadura.

QUEMADURAS POR ELECTRICIDAD

Los cachorros morderán y romperán casi cualquier cosa que tengan a su alcance, incluidos los cables eléctricos. Si tiene suerte, el cachorro sólo sufrirá una quemadura fea dentro o alrededor de la boca. Por suerte, la mayoría de los perros se recuperan bien solos de estas quemaduras, pero en algunos casos los tejidos de la boca se descaman pocos días después.

Si no has visto al perro morder un cable de cobre, sospecha una quemadura por electricidad si no come nada a pesar de tener hambre. Su boca

MANTENER FUERA DE SU ALCANCE

Algunos productos empleados en el hogar pueden causar quemaduras a tu perro. Las siguientes son cosas que tienes que vigilar:

- Detergentes.
- Productos para la limpieza de desagües.
- Herbicidas y otros pulverizadores para jardín.
- Pinturas.
- Quitapinturas.
- Aguarrás.
- Ácido de batería.
- Productos derivados del petróleo.

tendrá heridas y será sensible al tacto, por lo que tendrás que darle una dieta líquida o alimentos blandos hasta que los tejidos de la boca se hayan recuperado.

Morder un cable eléctrico puede causar heridas más graves, dañando el tejido pulmonar o incluso deteniendo la respiración del perro. Si deja de respirar, inicia la RCP de inmediato (ver p. 290). Las lesiones en los pulmones causarán babeo, tos y dificultades respiratorias. Si notas alguno de estos signos, incluso un día o dos después de que tu perro mordiera el cable, llama al veterinario en seguida.

QUEMADURAS QUIMICAS

Hay varias sustancias químicas habituales en los hogares que pueden causar quemaduras en el cuerpo de un perro. Si tu perro sufre una quemadura química, diluye la sustancia mojando la zona con agua. Aunque la piel se rompa en seguida, lava la zona con abundante agua para eliminar cualquier resto de la sustancia presente en la piel y que no siga quemando los tejidos. A continuación lleva el perro al veterinario de inmediato.

Accidentes de tráfico

*Puede ocurrir en un instante. Una verja abierta, la correa suelta
y el perro se lanza a la carrera por la calzada.*

Incluso si tienes cuidado se producen
accidentes. Si un coche golpea al perro, de
inmediato protege al can y a ti mismo del
tráfico. Si es posible deberías evaluar y vendar
al perro antes de moverlo. Pero si yace en una
calzada concurrida, no te quedará otra opción.
Con tráfico continuo, ondea un paño blanco o
de colores brillantes para alertar a los coches
que se aproximen, y consigue la ayuda
de alguien para trasladarlo a un lugar más
seguro.

Aunque normalmente tu perro nunca te
mordería, tal vez lo intente por el dolor o el
shock. Si tu perro está consciente, protégete de
sus mordiscos poniéndole un bozal (ver p. 279):
A continuación, ase el pelaje a lo largo de su
columna vertebral con ambas manos y arrástralo
hasta alejarlo del peligro. Tira de él sin tirones
bruscos y mantén el cuerpo estirado sobre el
suelo. Recuerda que hablarle con una voz
tranquilizadora lo ayudará a superar esta difícil
situación. También te dará algo en lo que
centrarte para mantener la calma.

COMPROBACIÓN DE TRES PUNTOS

Después de alejar al perro del tráfico, o si te
puedes dar el lujo de dejarlo ahí unos momentos,
has de comprobar tres cosas en el orden
siguiente. Primera, comprueba si respira. Observa

si el pecho sube y baja o pon la mano cerca de la
nariz para apreciar el aire espirado. Si no hay
signos de que respire, necesitarás proceder a la
RCP (ver p. 290).

A continuación comprueba si tu perro tiene
pulso. El punto más fácil donde tomar el pulso es
la cara interna del muslo. Ahí es donde los
principales vasos sanguíneos, sobre todo la
arteria femoral, cursan muy cerca de la superficie
de la piel. Para tomar el pulso, coloca el índice y
el corazón sobre el punto medio de la cara
interna de la pata trasera donde se une con el
cuerpo. Si no encuentras el pulso del perro,
tendrás que practicar la RCP.

Por último, comprueba si hay alguna
hemorragia. Si una herida profunda sangra
profusamente, intenta pararla aplicando presión
directa sobre la herida o presionando en el punto
de presión entre la herida y el corazón.

ABRÍGALO

Los perros pueden entrar en shock tras un
accidente, sobre todo si la pérdida de sangre es
profusa. Mantén al perro caliente cubriéndolo
con un abrigo, jersey, manta, toalla o paño.
Aunque el rastro de sangre sea mínimo, puede
haber una hemorragia interna. Todo perro
atropellado debería pasar un reconocimiento
veterinario lo antes posible.

CUIDADO CON EL TRÁFICO
A algunos perros les encanta
perseguir coches, por lo que no
sorprende que de vez en cuando
resulten heridos. Pero los dueños
más responsables encierran a sus
mascotas detrás de una zona
vallada o con correa cerca del
tráfico. Enseña a tu perro a estar
parado, a mirar y escuchar, pero a
pesar de todo el adiestramiento y
vigilancia, tu perro puede resultar
implicado en un accidente, por lo
que es importante que sepas el
modo de proceder.

Atragantamiento

Sea cuál fuere la causa del atragantamiento, mantener la calma
y actuar con eficacia puede hacer que tu perro vuelva a respirar.

Puede producirse un atragantamiento porque tu perro se olvide de masticar un trozo grande de comida. (Recuerda que los perros vivían en el pasado en jaurías donde el que comía más rápido era el que engullía más comida.) O tal vez sea un juguete que se deslizó demasiado dentro de la boca. El atragantamiento siempre es una emergencia aunque, sea cuál fuere la causa del problema, tendrás que actuar con calma y eficacia. Un perro atragantado puede respirar haciendo mucho ruido, toser, estar ansioso o jadear para tomar aire. Para ayudarle, tendrás que sacar de inmediato el objeto alojado en la boca.

Si pesa poco para ti, levántalo del suelo, pon los brazos debajo del vientre del perro y échalos hacia atrás hasta asirlo por la ingle, justo por delante de las patas traseras. Levántalo en el aire boca abajo y dale una sacudida suave para ver si se desaloja el objeto. Si el perro fuera más pesado, áselo de la misma forma, pero deja que las patas delanteras se apoyen en el suelo como una carretilla. Con la cabeza del perro boca abajo, da una buena sacudida a las patas traseras.

Como no está consiguiendo suficiente aire, un perro atragantado puede acabar desmayándose. Por suerte, eso facilita ayudarle porque no tendrás que preocuparte por su resistencia a tus esfuerzos. Si no se desmaya, abre la boca y sácale la lengua cuanto puedas. Aunque puedas hacerlo con las manos desnudas, conseguirás agarrar mejor la lengua con un paño. Con la otra mano, busca en su garganta y saca lo que esté bloqueando sus vías respiratorias.

CAUSAS HABITUALES DE ATRAGANTAMIENTO

Los perros se suelen atragantar con juguetes, sobre todo con pelotas pequeñas que se puedan deslizar más allá de la lengua. Los perros suelen sentir pánico y comienzan de inmediato a rascarse la boca. También pueden sentir náuseas y arcadas. También es esto lo que sucede cuando un hueso o un palito quedan atravesados en el velo del paladar del perro.

CORDEL, MONEDAS, PIEDRECITAS Y CLAVOS Aunque sea poco probable que estos objetos causen un atragantamiento, son el tipo de cuerpos extraños que tu perro se puede tragar. Estos objetos pueden causar una obstrucción intestinal.

A veces se consigue desalojar cuerpos extraños atrapados en la garganta de tu perro con un par de pinzas fuertes. Unas pinzas de barbacoa también son útiles cuando el objeto está alojado dentro. Lo importante es actuar con rapidez.

NO ES ATRAGANTAMIENTO, SINO TOS

A veces los perros con tos de las perreras parecen atragantados. Este cuadro se inicia con una tos seca que puede terminar en una tos profunda y recurrente. Los perros afectados parecen sufrir bastante y actuar como si tuvieran algo alojado en la garganta. Pueden echar la cabeza hacia delante, toser, sentir náuseas e incluso vomitar.

Un perro con faringitis (inflamación de la garganta) puede toser y sentir náuseas como si la garganta estuviese obstruida, aunque al examinar la garganta se muestre roja e inflamada, no habrá ningún cuerpo extraño presente.

PELIGROS DURANTE LOS JUEGOS Una causa habitual de atragantamiento es una pelota o un juguete pequeños que se quedan alojados en la garganta del perro, o una pieza que se ha arrancado de un juguete de cuero crudo. Aunque a los perros les encanta el cuero crudo, los juegos masticatorios de goma dura son una opción más segura.

RCP

Si practicas la RCP hay posibilidades de que insufles de nuevo vida a tu perro y su corazón vuelva a latir después de un accidente grave.

Todos sabemos que la reanimación cardiopulmonar (RCP) puede devolver la vida a una persona. También sirve con tu perro. Sólo cuentas con cinco minutos antes de que haya daños cerebrales irreversibles, por lo que siempre vale la pena intentarlo. Recuerda el ABC de la RCP: vía respiratoria, respiración y circulación.

A. ABRIR LA VÍA RESPIRATORIA

Un perro atropellado tal vez no respire porque algo está bloqueando la vía respiratoria, quizá sangre, vómito o saliva. Asegúrate de que los orificios de la nariz no estén obstruidos y usa los dedos índice y corazón para barrer el dorso de la garganta y desalojar lo que hubiera.

En otros casos el perro puede que no respire por la posición del cuello. Déjalo tumbado de costado, extiende la cabeza hacia atrás y tira de la lengua hacia delante para que la respiración resulte más fácil. Tal vez sea todo lo que el cuerpo necesita para comenzar a respirar espontáneamente.

B. INSUFLAR AIRE

Mantén cerrada la boca del perro, aplica tu boca sobre los orificios de la nariz e insufla aire cuatro veces. Sopla con suficiente fuerza como para que se eleve el pecho del perro. Deberías notar cierta resistencia al entrar el aire en los pulmones.

C. HACER CIRCULAR LA SANGRE

Sitúa al perro sobre el costado derecho en una superficie dura. Apoya la base de una de las manos sobre las costillas justo encima del

INSUFLA AIRE DENTRO Con la boca del perro cerrada, insufla aire por sus orificios nasales con fuerza suficiente como para inflar su pecho.

corazón, donde su codo izquierdo flexionado tocaría el pecho. Pon la base de la otra mano sobre la primera y ejerce presión hacia abajo. Aplica suficiente fuerza para hundir el pecho hacia el suelo. Comprime 15 veces, luego insufla dos veces aire por la nariz del perro. Repite el proceso.

Lo ideal es que comprimas el corazón 80 a 100 veces en un minuto, por lo que en 15 compresiones no deberías invertir más de 10 segundos. Si consigues ayuda, una persona puede insuflar aire dos veces en la nariz del perro después de que el otro termine 15 compresiones.

Sigue con la RCP mientras alguien te lleva en coche al veterinario. Si no consigues ningún veterinario, sigue con la RCP hasta que el perro respire por sí mismo, o al menos durante 20 minutos.

HAZ CIRCULAR LA SANGRE Bombea rítmicamente y con fuerza razonable unas 15 veces, luego insufla aire por la nariz del perro.

ABRE LAS VÍAS AÉREAS Con cuidado de que no te muerda, barre el dorso de la garganta del perro con los dedos índice y corazón para despejarla.

Ahogamiento

Igual que los niños pequeños, los perros se pueden ahogar con rapidez y a menudo en silencio. La clave para la prevención es una vigilancia constante.

Aunque la mayoría de los perros son buenos nadadores, algunos no lo son. Los perros pueden pasarlo mal si caen en una piscina, lago o río, o si resbalan en el hielo y no consiguen hacer pie para salir solos. A veces hasta los buenos nadadores son arrastrados por una corriente fuerte y no consiguen volver a la orilla.

Si encuentras a tu perro flotando inconsciente en el agua, sácalo y suspéndelo en el aire colgado por las patas traseras. Balancéalo suavemente adelante y atrás para drenar el agua de los pulmones. Si pesa mucho, apoya sus patas delanteras en el suelo mientras lo balanceas, o encuentra algún modo de elevar la pelvis lo más alto posible si no consigues sostenerlo.

A continuación, tumba al perro de costado y pon una toalla, paño o almohada bajo las patas traseras para que la cabeza esté por debajo del resto

EXPULSAR AGUA DE LOS PULMONES DE UN PERRO Si el perro está inerte, limpia primero cualquier flujo o secreción de la nariz y la boca y tira con cuidado de la lengua hacia delante. Para drenar el agua de los pulmones, levanta al perro por las patas traseras y hazlo oscilar adelante y atrás (izquierda), apoyando los pies anteriores en el suelo si fuera necesario.

del cuerpo. Esto permitirá drenar el agua que quede en los pulmones mientras controlas su respiración y pulso. Si el perro no respira o no tiene pulso, procede con la RCP (ver p. 290). Luego lleva al perro al veterinario lo antes posible.

Es mejor estar seguros que lamentarlo: incluso los perros que son buenos nadadores deberían llevar un chaleco salvavidas cuando vayan en barca.

BOTIQUÍN DE PRIMEROS AUXILIOS

Un botiquín de primeros auxilios para tu perro puede marcar la diferencia entre la vida y la muerte. Así que no esperes a que ocurra un accidente para prepararlo. He aquí lo que debe contener:

- Tarjeta de información vital. Debe incluir el nombre y número de teléfono de su veterinario, el número de teléfono y la dirección de la clínica veterinaria de urgencias más cercana y el número de teléfono del Servicio Médico de Información Toxicológica o el centro local de control de animales.
- Manual de primeros auxilios.
- Una media, una tira larga de gasa (pasa improvisar un bozal) y una correa.
- Tijeras de punta roma.
- Pinzas.
- Colirio (como para las lentes de contacto o un líquido ocular para los ojos secos).
- Pomada o polvos antibióticos.
- Peróxido de hidrógeno.

- Leche de magnesia.
- Termómetro rectal.
- Lubricante, como gel K-Y.
- Vendas:
  – Rollos de gasa extensible o rígida de 2,5-5 cm de ancho.
  – Compresas de gasa de distintos tamaños, dependiendo del tamaño del perro.
  – Venda autoadherente.
- Bolas de algodón.
- Esparadrapo fuerte (para entablillar una pata rota).
- Jabón.
- Pinzas largas y finas.
- Toalla de playa o manta (para una camilla).

Golpe de calor

Aunque el pelaje de tu perro lo preserva de perder calor cuando hace frío,
es menos eficaz para mantenerlo fresco cuando hace calor.

Aunque los perros tienen glándulas sudoríparas en los pies, son casi inservibles y el perro depende casi por completo del jadeo para eliminar el exceso de calor. Este sistema de refrigeración no es muy eficaz, lo cual significa que todos los perros son propensos al golpe de calor.

PREPARADO PARA UNA OLA DE CALOR La piscina hinchable para niños pequeños llena de agua ofrece a tu perro una escudilla gigante para beber además de una fuente de entretenimiento los días de calor.

LO QUE MÁS HACE PADECER AL PERRO

Sin embargo, ciertas razas son más susceptibles al golpe de calor que otras, así es el caso de las razas de hocico chato como el carlino, el bulldog y el bóxer, cuyas vías respiratorias son pequeñas y, por tanto, tienen menos capacidad para expulsar el aire caliente.

Los perros de doble manto, como el pastor alemán y el viejo ovejero inglés, son especialmente propensos a sufrir golpes de calor porque retienen más calor que los canes con un solo manto como el caniche y el terrier. Dejar al perro en un coche aparcado es la causa principal de golpe de calor. Al contrario de lo que mucha gente cree, el golpe de calor puede sobrevenir en cuestión de minutos incluso en días de calor relativo. En un día con 24 a 27ºC la temperatura dentro de un coche aparcado –incluso si dejas las ventanillas con una rendija– aumenta a más de 38ºC. No sorprende que esto eleve rápidamente la temperatura corporal del perro.

Los perros también padecen golpes de calor cuando hacen ejercicio intenso al aire libre en días calurosos y húmedos, o si viven al aire libre y no tienen refugio contra el sol. Si tienen sobrepeso o alguna afección cardíaca o pulmonar, también son más susceptibles. Un perro viejo tolera menos el calor y sufrirá un golpe de calor más rápidamente que uno joven.

CÓMO TRATAR UN GOLPE DE CALOR

El primer signo de un golpe de calor es un jadeo rápido y hondo, a menudo con salivación excesiva. Poco después, el perro comienza a luchar por respirar. Los ojos se tornan vidriosos, las encías y la lengua adquieren un color rojo intenso y el animal se muestra débil e incapaz de seguir en pie. Si la afección progresa, el perro puede presentar diarrea sanguinolenta, vómitos y crisis convulsivas.

En cuanto sospeches un golpe de calor, enfría al perro lo antes posible. Los medios más sencillos para bajar la temperatura corporal de tu perro son sumergirlo en agua fría en la bañera, en el fregadero de la cocina, en un cubo o en una piscina infantil. Evita el agua helada, porque un cambio brusco de temperatura puede resultar peligroso.

PREVENCIÓN DEL GOLPE DE CALOR

Casi todos los casos de golpe de calor son prevenibles. He aquí lo que puedes hacer:

- No lleves a tu perro a hacer recados si tiene que quedarse en el coche aparcado. Los cinco minutos que pasas buscando lo que necesitas y haciendo cola en la caja pueden resultar desastrosos.
- Asegúrate de que tenga acceso ilimitado a agua fría, sobre todo cuando haga calor.
- Si te gusta mucho hacer ejercicio, no obligues al perro a seguir tu ritmo en días de mucho calor y humedad. Si se queda atrás, deja que se tome un respiro.
- Mantén a los perros viejos y los que tengan enfermedades cardíacas o pulmonares dentro de casa los días de mucho calor. Si no tienes aire acondicionado, enciende un ventilador.
- A los perros que vivan al aire libre hay que proporcionarles sombra todo el día, como una caseta, un toldo o una gran sombrilla. Recuerda que a medida que el sol se desplaza también lo hace la sombra; los árboles tal vez no ofrezcan protección al perro todo el día.

FRESCO Y REFRESCADO A la mayoría de los perros les encanta beber de una manguera. Asegúrate de que el agua que salga esté fría antes de dársela a beber.

También puedes usar la manguera del jardín para enfriarlo. Si la manguera lleva tiempo cerrada, deja que el agua corra hasta que se enfríe. Como alternativa, ponle toallas mojadas con agua fría sobre la cabeza, cuello, pecho y abdomen. Quítale las tollas y vuélvelas a hundir en agua fría cada cinco minutos porque se calentarán rápido. Además de usar agua fría, puedes dejar al perro enfrente de un aparato de aire acondicionado o de un ventilador. Si el perro está consciente y puede beber, ofrécele agua fría o incluso hielo.

El golpe de calor a veces causa problemas graves que sólo un veterinario puede detectar. Por ejemplo, una temperatura corporal elevada puede lesionar los riñones, el cerebro, el corazón o los pulmones. Después de bajar su temperatura, llévalo al veterinario.

BUSCAR SIGNOS DE DESHIDRATACIÓN

Una sencilla revisión del perro consiste en pellizcar suavemente y elevar la piel de la espalda cercana al cuello. Suéltala y observa si recupera

rápidamente su forma natural; debería volver con firmeza y soltura en cuestión de segundos. Cuando el perro esté deshidratado, la piel recuperará lentamente su forma o no lo hará. Esto significa que el cuerpo contiene poca agua y necesita acudir al veterinario en seguida.

ALIVIO BIENVENIDO Si tu perro parece afectado por el calor, moja una toalla en agua fría y pásasela suavemente por el cuerpo, sobre todo por las zonas más ralas, como el estómago, para enfriarlo.

Envenenamiento

Los perros se tragarán cualquier sustancia química que encuentren en casa y tenga sabor amargo sin pensárselo y les encanta el sabor del veneno para babosas y caracoles.

Los perros a menudo comen sin pensar –y no sólo comida para perros. Pueden robar un plato con galletas o engullir un paquete de medicinas. Sospecha un envenenamiento si tu perro sufre convulsiones o problemas respiratorios, si su latido cardíaco es lento o rápido, babea o echa espuma por la boca, tiene quemaduras en torno a la boca y los labios o sangra por el ano, la boca o la nariz. Otros síntomas de envenenamiento son somnolencia, pérdida del conocimiento o actos fuera de control. Si aprecias alguno de esos síntomas, busca rápidamente por la casa, el garaje o el jardín restos de botellas, cajas o envoltorios que hayan podido contener algo venenoso. Comprueba también el cuarto de baño y tu bolso por si falta algún medicamento.

Para ayudar a tu perro debes saber cómo conseguir que vomite y cuándo es seguro hacerlo (ver el cuadro de la derecha). Si no crees seguro conseguir que vomite, o si no sabes lo que ha comido, consulta al veterinario en seguida. Cualquier perro que haya ingerido algo venenoso debe acudir al veterinario, aunque ya hayas hecho que vomite. Llévalo en seguida al veterinario junto con el veneno o el pastillero y una muestra del vómito.

INDUCCIÓN DEL VÓMITO

La mejor forma de ayudar al perro a vomitar es darle peróxido de hidrógeno. Ponle en la boca una cucharadita de té con peróxido de hidrógeno por cada 5 kg de peso corporal. Si no funciona la primera vez, dale la misma cantidad pasados 15 a 20 minutos. También deberías ponerte en camino al veterinario. Si no tienes peróxido de hidrógeno, toma una taza de agua fría y disuelve una cucharada sopera de mostaza seca o de cristales de sosa. Aunque sea vital sacar

SUSTANCIAS PELIGROSAS Tu bolso puede contener objetos potencialmente peligrosos, desde chocolate hasta medicamentos, todo ello tentaciones irresistibles para los perros inquisitivos como este braco húngaro.

¿CUÁNTO CHOCOLATE ES PELIGROSO?

Para un perro el olor del chocolate es casi tan tentador como el olor de un filete grande y jugoso. Pero, aunque le encante, el chocolate no es compatible con su cuerpo debido a que contiene cafeína y una sustancia química afín llamada teobromina. Ambos estimulantes elevan la frecuencia cardíaca del perro, en ocasiones hasta causar la muerte. Por suerte, a la mayoría de los perros que han ingerido una sobredosis de chocolate se les altera el estómago, lo cual puede ir acompañado de vómitos y diarrea.

La cantidad de chocolate que puede causar la muerte depende del tamaño del perro y del tipo de chocolate que haya robado. Con chocolate fondant –el peor para los perros– sólo 15 gramos pueden causar la muerte a perros pequeños como un chihuahua o un caniche enano. En perros de tamaño medio como el cocker spaniel y el tejonero la cantidad son 55-85 gramos. En perros grandes como el pastor alemán, el collie o el labrador retriever, la cantidad es 110-225 gramos.

Con el chocolate con leche la muerte puede sobrevenir cuando un perro pequeño haya comido sólo 110 g, uno de tamaño medio 450 g, y un perro grande, 1 kg.

CUÁNDO INDUCIR EL VÓMITO

El envenenamiento es una urgencia que requiere actuar con rapidez. A menudo el mejor remedio es que el perro vomite, lo cual elimina la sustancia perniciosa del cuerpo. Sin embargo, si ha tragado sustancias cáusticas como un producto de limpieza para desagües, el vómito sólo empeorará las cosas. La guía siguiente te ayudará a saber si hay que inducir el vómito como medida de emergencia.

Veneno	¿Inducir el vómito?	Veneno	¿Inducir el vómito?
Anticongelante	Sí	Barniz de uñas	No
Arsénico (para ratas, hormigas y ratones)	Sí	Disolvente de pintura	No
Aspirina	Sí	Limpiapinceles	No
Ácido de batería	No	Pegamento en pasta	No
Lejía	No	Pesticidas (ver arsénico, estricnina, warfarina)	
Ácido carbólico (fenol)	No	Fenol (ver ácido carbólico)	No
Ceras para pintar	Sí	Limpiadores a base de resina de pino	No
Productos para la limpieza de desagües	No	Yeso	No
Fertilizante	No	Masilla	No
Barniz para muebles	No	Trampas para cucarachas	Sí
Pegamento	No	Champú	Sí
Productos de limpieza	No	Betún para los zapatos	Sí
Insecticidas (Incluyendo las pulgas y garrapatas caídas)	Sí	Sal para vialidad invernal	No
Queroseno	No	Cebo para babosas y caracoles	Sí (si el cebo contiene carbamato, un organo-fostato que induce el vómito sólo si se ingiere)
Cerillas para la cocina	Sí	Estricnina (veneno para ratas y ratones)	Sí
Detergente para la lavadora	No	Limpiadores de la taza del váter	No
Plomo (presente en la pintura, linóleo, yeso y masilla viejos)	Sólo en la 1.ª media hora tras la ingestión	Aguarrás	No
Medicamentos (antihistaminas, tranquilizantes, barbitúricos, anfetaminas, vitaminas, pastillas para el corazón)	Sí	Warfarina (raticidas y medicamentos)	Sí, pero sólo si lo acaba de tomar
Aceite de motor	No	Herbicidas	Sí

la sustancia del perro antes de que circule por el cuerpo, conseguir que vomite no siempre es seguro. Sustancias como los productos derivados del petróleo y los productos para la limpieza de desagües son cáusticos, por lo que pueden causar quemaduras al entrar y al salir. No obstante hay que eliminar el veneno del estómago y con rapidez, pero sólo el veterinario lo conseguirá con seguridad.

Por eso es tan importante saber lo que ha comido el perro antes de actuar. Si no lo sabes, asume que es algo que pueda causar quemaduras al vomitarlo y llévalo al veterinario. Nunca induzcas el vómito si tu perro tiene problemas para respirar o convulsiones, si la frecuencia cardíaca es baja, está inconsciente, presenta meteorismo o si etiqueta del producto recomienda lo contrario.

ANTÍDOTOS

Dependiendo de la sustancia que haya consumido el perro, el veterinario a veces administrará un antídoto para diluir el veneno en el cuerpo y reducir su absorción. A veces el antídoto de un veneno es algo tan sencillo como leche o agua, pero siempre debes pedir al veterinario que lo administre porque sabrá la cantidad correcta y la forma correcta de hacerlo.

295

Tabla de urgencias de rápida referencia

Si hay una emergencia,

consulta esta tabla para

saber qué hacer.

Emergencia	Síntomas	Qué hacer
Hemorragia		● Presionar con suavidad y firmeza sobre la herida con una gasa estéril o un paño limpio. ● Mantén al perro caliente para que no entre en shock. ● Si la herida sangra y empapa la gasa, aplica más gasa encima; no retires la gasa o paño empapados. ● Si la hemorragia sigue tras cinco minutos, aplica presión para presionar el punto entre la herida y el corazón (ingle, axila, cuello, mandíbula o base de la cola) y lleva el perro al veterinario. ● Si sigue la hemorragia otros diez minutos, aplica un torniquete de camino al veterinario y aflójalo varios segundos con intervalos de cinco minutos.
Pata rota	El perro no querrá andar apoyándose en esa pata; la pata está deformada	● Si el hueso sobresale por la piel, cubre la herida con una venda estéril o un paño limpio. ● Para fracturas por debajo de la rodilla, entablilla con algo firme (una revista, una regla) y asegúralo con cintas de tela y llévalo al veterinario. ● Para fracturas por encima de la rodilla, pon al perro en una superficie firme, tenlo quieto y llévalo al veterinario.
Cola rota	La cola no se mueve por debajo del nivel de la fractura	● Si no está rota por la base, limpia y venda la herida abierta y luego fija toda la cola con una venda autoadherente, comenzando por la punta y acabando por la base. ● Si la cola está rota por la base, llévalo al veterinario.
Quemaduras de primero y segundo grados	Piel enrojecida, hinchada y con ampollas	● Aplica agua fría o hielo de inmediato durante diez minutos. ● Aplica una pomada antibiótica. Venda y controla la herida.
De tercer grado	Piel roja, hinchada, con ampollas y chamuscada	● Cubre y lleva al perro de inmediato al veterinario. ● Aplica en seguida hielo sobre la quemadura. Mantén al perro caliente para prevenir un shock.
Accidentes de tráfico		● Protégete de mordeduras poniéndole un bozal. ● Comprueba que el perro esté respirando y tenga latido cardíaco. ● Comienza con la RCP si es necesario. ● Detén la hemorragia. ● Pon al perro sobre una superficie lisa y llévalo al veterinario de inmediato.

Emergencia	Síntomas	Qué hacer
Atragantamiento	El perro lucha por respirar, tose o está inconsciente	• Mete dos dedos y limpia la boca de cualquier cuerpo extraño. • Tira de la lengua hacia delante y extiende la cabeza hacia atrás para abrir la vía respiratoria. • Ase al perro por las patas, suspéndelo en el aire y sacúdelo para que expulse cualquier objeto atrapado en las vías respiratorias (si el perro es grande, descansa las patas delanteras en el suelo). • Llévalo al veterinario, iniciando la RCP si fuera necesario.
Ahogamiento		• Limpia la boca de cualquier cosa. • Tira de la lengua hacia delante y extiende el cuello hacia atrás para abrir la vía respiratoria. • Suspende al perro en el aire por las patas traseras, balancéalo suavemente para drenar los pulmones. • Inicia la RCP si es necesario de camino al veterinario.
Golpe de calor	El perro jadea en exceso, babea, ojos vidriosos, vómito, pérdida de la conciencia	• Sumergir en agua fría (no helada). • Ofrecerle agua fría si el perro está consciente. • Ponerlo delante de un ventilador o aparato de aire acondicionado. • Después de enfriarse, llevarlo al veterinario para una exploración.
Envenenamiento	El perro tiene convulsiones, quemaduras alrededor de la boca; latido cardíaco lento o rápido; babea; se forma espuma en la boca; sangra por el ano, la boca o la nariz; está inconsciente; su conducta es errática	• Induce el vómito sólo si estás seguro de lo que ha comido el perro y si el vómito es tratamiento apropiado para ese veneno (ver p. 295). • Llévalo al veterinario, junto con el continente de la sustancia venenosa y/o una muestra del vómito.
Shock	El perro está débil, frío al tacto, tiene las encías pálidas o grises y respira con rapidez	• Mantener al perro caliente. • Intentar controlar la hemorragia si ésta es la causa del shock. • Llevarlo de inmediato al veterinario.
Mordedura de serpiente	Herida con hemorragia en la cabeza o las patas; pupilas dilatadas, temblores, babeo, vómitos, desmayo	• Mantener al perro quieto y tranquilo. • Llevarlo al veterinario de inmediato. • No cortes la herida, no chupes ni escupas el veneno.
Perro inconsciente	No se mueve, pero tiene latido cardíaco	• Asegúrate de que el perro respire. Si no es así, limpia la boca de objetos extraños, tira de la lengua hacia delante, practica la reanimación boca a nariz (mantenle la boca cerrada). • Tumba al perro sobre una superficie plana para proteger si hubiera un hueso roto y llévalo al veterinario.
Herida superficial	Hemorragia, rasponazo o corte	• Detén la hemorragia con presión directa sobre la herida. • Lava con agua jabonosa y aplica una pomada antibiótica.
Herida profunda	Hemorragia profusa	• Intenta detener la hemorragia. • Monitoriza si hay signos de shock y lleva el perro al veterinario.

Cuidados para perros mayores

Con la ayuda de un veterinario puedes hacer mucho por que los últimos años de tu perro sean felices y confortables.

Tal vez comiences a apreciar sutiles cambios en tu mascota a medida que se haga mayor. Son mínimos, pero la conoces tan bien, que sabes con certeza que algo ocurre. Cuando se levanta de la siesta, las articulaciones parecen un poco más rígidas. Salís a dar el paseo diario por el parque y está claro que no va a ganar ninguna carrera con las ardillas. Y no recuerdas que antes te pidiera salir tantas veces.

Los cambios que estás presenciando son propios de la vejez. Y en los perros, de forma muy parecida a lo que ocurre en los seres humanos, los cambios causados por la vejez pueden afectar a lo que obtienen de la vida. Algunas afecciones a las que tu perro es propenso las puede tratar el veterinario. Luego está lo que tú puedes hacer. Con la introducción de ajustes sencillos en su entorno y en su rutina diaria, le puedes procurar un estilo de vida con poco estrés, relajado y de ocio.

LOS SIGNOS DE LA VEJEZ

Esas sombras grises en torno al hocico son una prueba real. Tu perro está entrando en la vejez. Hay otros signos obvios: es más lento y ha ganado peso, como les sucede a las personas que envejecen.

También hay un signo que los perros no comparten con nosotros. Muchos perros viejos

GUARDAR CAMA Los perros viejos como este cruce de labrador a menudo tienen problemas articulares y agradecerán una cama blanda y que aporte mucho soporte.

presentan cierta opacificación en los ojos llamada «esclerosis nuclear», que representa un endurecimiento de la proteína del cristalino. Esto enturbia los ojos, un poco como las cataratas, aunque sea muy distinto. Las cataratas afectan la visión del perro y necesitan atención médica. Con la esclerosis nuclear del cristalino la vista no merma. Si aprecias que los ojos del perro se están nublando, pide al veterinario que le eche un vistazo.

SÍNTOMAS HABITUALES

A medida que pasan los años el cuerpo de tu viejo amigo comenzará a ralentizar sus funciones y algunas enfermedades serán más probables. Tendemos a pensar que problemas de salud como la artritis y el mal aliento son propios de la vejez. Pero muchos de los problemas que consideramos «signos convencionales del envejecimiento» son enfermedades que se logra tratar con éxito. La edad no es una enfermedad. Un dueño no debe ver que su perro va más lento y pensar «oh, está viejo». A menudo lo que está en curso es una enfermedad tratable.

Con todos los avances recientes en la medicina veterinaria los veterinarios ahora logran curar o aliviar en gran medida muchas dolencias de los perros más maduros. Los veterinarios consideran la atención prodigada a los animales más mayores como una faceta importante de la asistencia veterinaria a los perros, por lo que los perros ahora viven más tiempo y más sanos. Es buena idea llevar a un perro mayor al veterinario cuando no tenga buen aspecto o no se porte como antes. Habla con el veterinario sobre los signos físicos y cambios de conducta que hayas notado desde tu

TURBIOS Y AZULES Examina con regularidad los ojos de tu perro viejo. Cualquier signo de turbiedad hace obligatoria la visita al veterinario.

NO LO SOBRESALTES Cuando un perro viejo está durmiendo en paz, no asumas que es consciente de tu presencia. Pronuncia su nombre en voz baja cuando te aproximes.

última visita. Los veterinarios dependen de las claves que les suministren los dueños para diagnosticar problemas médicos en los perros viejos.

ARTRITIS

Esos andares con rigidez en las patas que ha empezado a mostrar parecen dolorosos y lo son. La artritis, también llamada «artropatía degenerativa», es uno de los efectos más corrientes y potencialmente discapacitantes de la vejez. Es el resultado de años de uso, corriendo, andando, sentándose, saltando y, por lo general, haciendo todas las cosas que los perros siempre hacen. Las articulaciones afectadas pierden su lubricación, o el cartílago resulta dañado, o hay algún otro problema óseo. Puede suceder después de que un perro haya estado paseando durante años con unas articulaciones de anatomía imperfecta.

Pero hay nuevos medicamentos para ayudar a los perros viejos a mitigar el dolor de la artritis. Además de reducir el dolor, muchos de los nuevos fármacos introducidos en los últimos años parecen ralentizar la degeneración. Así, si tu perro parece tener achaques o le crujen los huesos, llévalo al veterinario para su evaluación y tratamiento. Es mejor adelantarse a un problema antes de que éste asiente.

Es importante que siga haciendo ejercicio. Si al perro le gusta el agua, la natación es buena porque se mueven las articulaciones y músculos en toda su amplitud articular y porque el agua reduce en gran medida la presión que soportan las articulaciones.

ENFERMEDAD DENTAL CANINA

Hubo un tiempo en que tu perro esbozaba una «sonrisa» y los dientes eran blancos. Ahora, son amarillos o parduscos, y su aliento quizás huela mal. Los perros viejos tienden a mostrar esta combinación de mala salud dental y mal aliento. No es por toda la comida que el perro ha comido estos años; es el inicio de la enfermedad dental canina.

Además de tener mal aliento y perder dientes, la enfermedad dental causa problemas más graves a tu perro. La enfermedad dental es un factor concurrente importante de problemas cardíacos y renales en los perros viejos debido a las bacterias perniciosas que se acumulan en las encías enfermas. Una parte importante de la prevención de estos problemas consiste en mantener los

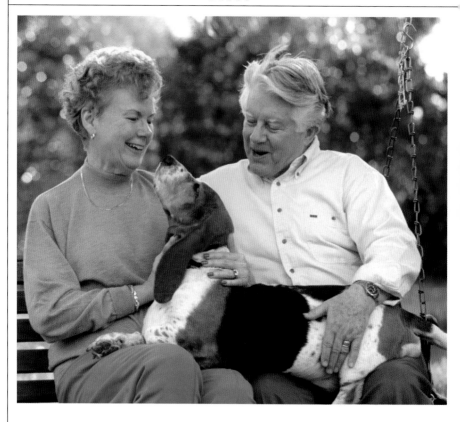

PLACERES MÁS TRANQUILOS Este sabueso enano todavía disfruta de una visita al parque, aunque el ritmo sea algo más pausado.

dientes limpios. Como las personas, los perros tienen que limpiarse los dientes de forma habitual. Si no se hace, se acumulan bacterias, placa y sarro, lo cual puede causar la pérdida de piezas dentales.

Tos

Puede ser un problema grave, sobre todo en perros de muy pequeño tamaño cuyas minúsculas vías respiratorias se bloquean con facilidad. Todos los perros pueden tener tos en la vejez, pero sobre todo las razas más pequeñas. Las vías respiratorias de los pulmones envejecidos comienzan a producir mucho moco y sobreviene una bronquitis. Si el perro comienza a toser, llévalo de inmediato al veterinario. Hay medicamentos que pararán, o al menos aliviarán, el problema.

Diabetes

La diabetes se produce cuando el páncreas produce muy poca insulina o la insulina que produce no actúa como debiera. La insulina es una hormona que capta el azúcar del torrente

circulatorio y lo envía a las células de todo el cuerpo donde se emplea como fuente de energía. Los perros experimentan muchos de los mismos síntomas de diabetes que las personas, como aumento de la sed y micción frecuente. Cuando el equilibrio de insulina es correcto, los perros reciben la cantidad necesaria de azúcar. Cuando los niveles de insulina caen, no es posible

TRATAMIENTO CON INSULINA

Si bien darle la cantidad correcta de insulina ayuda a controlar los niveles altos de glucosa en el torrente circulatorio, darle en exceso puede hacer que los niveles de azúcar desciendan a niveles peligrosos, causando una enfermedad potencialmente mortal llamada hipoglucemia. Esto suele ocurrir a las pocas horas de que tu perro comience a recibir inyecciones de insulina. Los síntomas que se observan son:

● Letargo o debilidad.
● El perro se tambalea y muestra desorientado.
● Convulsiones.
● Falta de respuestas.

Aunque se puede tratar la hipoglucemia dando en seguida al perro un poco de miel o jarabe, siempre es una emergencia y deberás acudir al veterinario.

PROBLEMAS CARDÍACOS

Los problemas cardíacos pueden sobrevenir con rapidez y no siempre son fáciles de reconocer. En los perros pequeños una de las válvulas cardíacas puede no cerrarse correctamente, una afección llamada regurgitación mitral. En los perros más grandes es más probable una cardiopatía llamada miocardiopatía dilatada en la que el músculo cardíaco aumenta de tamaño y no late tan vigorosamente como debería. En torno al 90 por ciento de los perros con miocardiopatía dilatada pertenecen a una de las siguientes razas: bóxer, doberman, golden retriever, gran danés, lebrel irlandés, cócker spaniel, San Bernardo y pastor alemán.

Los perros con problemas cardíacos siempre necesitan recibir atención veterinaria. Suelen precisar medicación, en algunos casos inmediata. Cuanto antes sepas lo que pasa y lleves el perro al veterinario, más probable será que se recupere. He aquí lo que tienes que buscar:

- Tal vez tenga problemas respiratorios.
- Tose, sobre todo cuando se despierta o se excita.
- Parece aletargado o más débil de lo habitual.
- Se desmaya.

mantener el equilibrio adecuado de azúcar y se debilitan y cansan. Además, los perros diabéticos queman grasas para suplir la energía que no aporta el azúcar, lo cual causa que pierdan peso.

Aunque los perros diabéticos siempre deberían recibir atención veterinaria, es muy fácil controlar los síntomas dándole dos inyecciones diarias de insulina para abastecer el aporte natural del cuerpo. Además, el veterinario te aconsejará algunas cosas muy eficaces que puedes hacer para mejorar el equilibrio glucémico del perro e incluso reducir su necesidad de medicamentos. Los perros que tienen un riesgo mayor de lo normal de sufrir diabetes son tejonero, doberman, pastor alemán, golden retriever, labrador retriever, samoyedo, rottweiler, caniche miniatura, cócker spaniel y pomerano.

OJOS Y OÍDOS

Algunos perros viejos pierden lentamente la vista o el oído. No hay razón para preocuparse, pero, si crees que tu perro no tiene la vista o el oído tan agudos como antes, acude al veterinario. Tal vez

pueda invertir o detener su avance. Incluso si esto no es posible, no por ello dejará de llevar una vida cómoda. Con el amor y el apoyo emocional de un dueño cariñoso, un perro se puede adaptar a muchos tipos de minusvalías físicas mejor de lo que cabría esperar.

INCONTINENCIA

La última vez que limpiaste un charco de pis en casa, tu perro era un cachorro. Ahora tienes que volver a limpiar algún rastro. Resulta frustrante, pero la incontinencia afecta a muchos perros viejos. A medida que envejecen, pueden tener problemas para contener la urgencia de orinar o defecar. Y a veces sufren accidentes.

Si tu perro presenta un caso leve de incontinencia, sacarle más veces a que se alivie puede ser la solución. Consulta también al veterinario. Los medicamentos ayudan si es un caso de pérdida del tono muscular. El veterinario le hará una revisión para asegurarse de que no haya una causa oculta. Suele haber una respuesta y un fármaco puede ayudar, pero primero debes descartar una infección de las vías urinarias u otra enfermedad interna o problema metabólico.

Si la medicación no ayuda, adopta medidas especiales para que la incontinencia no derive en otros problemas de salud. Que se mantenga seco y limpio es muy importante. La orina puede quemar la piel y las heces atraen parásitos, por lo que la yacija del perro debe cambiarse con frecuencia.

PROBLEMAS HEPÁTICOS Y RENALES

Todos los días tu perro produce grandes cantidades de desechos celulares; no sólo los que ves cuando recorres el patio o cuando se para en todos los árboles a dejar una tarjeta de visita, sino otros subproductos de la digestión y el metabolismo, como compuestos minerales. Muchos de estos desechos se alteran, catabolizan o quedan atrapados en los riñones y el hígado, que son los principales filtros del cuerpo. Unas de sus labores principales es eliminar las toxinas de la sangre antes de que se acumulen en el cuerpo.

Las funciones de los riñones y el hígado son

PAÑALES CANINOS Para perros con problemas de control de la vejiga, estos productos mantendrán limpios su pelaje y las alfombras.

MUCHOS PROBLEMAS SE PUEDEN SEGUIR TRATANDO

Los cambios son algo natural en los perros viejos, pero no asumas que todos sean achacables a la vejez. El perro puede estar padeciendo algo que se trate con facilidad. Con asistencia adecuada hay buenas posibilidades de que pronto se vuelva a sentir bien. Acude al veterinario si reparas en alguno de los siguientes síntomas:

- Pérdida de energía o apetito.
- Aumento de la ingesta de agua.
- Aumento de la micción.
- Escape accidental de orina o excrementos.
- Llagas que no se curan.
- Cambios de peso.
- Olores anormales.
- Bultos o chichones en la piel.
- Cambios de color en la piel o los ojos.
- Tos o estornudos.

extraordinariamente complejas, y no es inusual que trabajen con un poco menos de eficiencia a medida que el perro se hace mayor. En algunos casos esto es una parte normal del envejecimiento. Con más frecuencia, los problemas renales y hepáticos ocurren cuando algo, por ejemplo, una infección vírica o bacteriana, o la exposición a toxinas dañinas del entorno, han causado daños internos.

Los riñones y el hígado son órganos resistentes, razón por la que aguantan una vida de exposición a compuestos dañinos. Pero eso también significa que siguen trabajando aunque estén dañados. Muchos perros no muestran síntomas hasta que las lesiones están avanzadas y, como consecuencia, son más difíciles de tratar. Los riñones en particular tienen gran habilidad para compensar los daños: hasta tres cuartos de la función renal puede estar anulada antes de que el perro muestre algún signo de enfermedad.

Los perros con una enfermedad hepática avanzada suelen revelar dolor abdominal a la palpación en el costado derecho del cuerpo. Los ojos y las encías tienen un tono amarillento, y tal vez se aprecie hinchazón abdominal. Los perros con una enfermedad renal avanzada suelen orinar mucho más de lo habitual. La orina será casi clara porque los riñones no están reteniendo agua como deberían. Como resultado, la mayoría de los perros con una enfermedad renal avanzada beben cantidades tremendas de agua. También pueden tener mal aliento y algo de debilidad muscular.

AUMENTO DE PESO

Los problemas de peso a menudo se aprecian en los perros viejos. A medida que tu perro cumple años, su cuerpo y metabolismo se ralentizan. Por eso le resulta más fácil engordar que antes. La obesidad es tal vez uno de los problemas más corrientes y prevenibles de los perros viejos. Estos tienen necesidades nutricionales distintas a los perros jóvenes, por lo que necesitan una dieta diferente. Pide consejo al veterinario. Los perros viejos también necesitan seguir haciendo ejercicio.

OTRAS COSAS DE LAS QUE HACERSE CARGO

Hay otros problemas a los que se puede enfrentar un perro viejo, como trastornos endocrinos y cáncer. Tal vez suene amedrentador, pero entre tu veterinario y tú deberíais mantener esos problemas bajo control.

EN MARCHA Un perro viejo no será tan rápido ni ágil como antes, pero seguirá necesitando ejercicio habitual para mantener su cuerpo y mente sanos.

Cuándo dormirlos

A medida que envejecen, los perros pueden sufrir diversos problemas.
Es una decisión difícil, pero a veces tenemos que dejarlos marchar.

Queremos tanto a nuestros perros que nos gustaría que vivieran eternamente. Por desgracia, no es así como funciona la naturaleza. Así que, cuando llegue el momento, es importante que le ayudes a que el tránsito sea lo más fácil posible.

La eutanasia es algo en lo que no nos gusta pensar, pero es mejor estar preparados antes de que llegue el momento. Es un procedimiento sencillo e indoloro que el veterinario practicará cuando hayas decidido que es el momento. El resultado es una muerte placentera y digna. A algunos amantes de sus mascotas la eutanasia les parece uno de los mayores regalos para una mascota que sufre. Pero es comprensible que a muchas personas les resulte, llegado el momento, muy duro dormir a su mascota.

CALIDAD DE VIDA

La pregunta clave que todo dueño debe preguntarse es si su amada mascota todavía lleva una vida digna, sin dolores y con buena calidad de vida. Antes de intentar tomar una decisión, habla con el veterinario. Mantén una consulta por teléfono o en persona para hablar del tema.

Es importante mantener esta conversación antes de llegue la hora de tomar una decisión, porque tal vez descubras que el problema del perro no es tan grave después de todo, o incluso

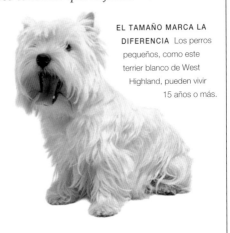

EL TAMAÑO MARCA LA DIFERENCIA Los perros pequeños, como este terrier blanco de West Highland, pueden vivir 15 años o más.

tenga cura. La eutanasia es, sin duda, la decisión más difícil que tiene que tomar cualquier dueño de una mascota. Por desgracia, nuestras mascotas pocas veces se mueren mientras duermen, por lo que debemos afrontar el tema. Con frecuencia, la calidad de vida del perro se deteriora y el dueño se da cuenta de que el perro tiene más días malos que buenos. Cuando esto sucede, ha llegado la hora de hablar con el veterinario sobre la eutanasia.

Hay apoyo para personas que pierden su mascota y también para los que están tomando la decisión de la eutanasia. Hoy en día la pérdida de una mascota y el duelo han sido reconocidos por la comunidad médica. En algunos países hay grupos de apoyo y especialistas que te ayudarán a afrontar este momento tan difícil, tanto antes como después de perder la mascota. Haz lo que te parezca justo y sea mejor para tu perro.

¿CUÁN LARGA ES LA VIDA DE UN PERRO?

Cuando observamos un chihuahua o un perro de Terranova, es difícil creer que sean miembros de la misma especie. Ésa es una de las cosas más sorprendentes de los perros, lo diferentes que son las razas. La variedad no se limita al aspecto, sino también a la personalidad, estilo de vida y, por supuesto, la longevidad. Algunas razas viven mucho más que otras, y las distinciones se suelen basar todas en el tamaño. La edad aumenta a medida que el tamaño disminuye. Las razas gigantes tienen una expectativa de vida más corta, entre siete y diez años. Los perros más pequeños, como el terrier blanco de West Highland, el perro pachón y el tejonero viven más de 15 años.

Pero estas son todas meras generalizaciones. Hay muchas razones por las que un perro puede vivir más tiempo, o tener una vida más corta de lo esperada. Es mucho más difícil predecir la expectativa de vida de un cruce, pero el tamaño del perro te dará una idea aproximada.

Compra un cachorro y tu dinero comprará
Amor resuelto que no sabe mentir.

RUDYARD KIPLING (1865–1936),
Novelista y poeta inglés nacido en la India

La CRIANZA

La Crianza de tu perro

La cría de cachorros se debe hacer siempre de forma responsable.

Miles de perros se abandonan anualmente por preñeces indeseadas.

Si vas a traer nuevos perros al mundo, intenta mejorar el estándar de la raza. Todo perro criado debe representar una mejoría respecto a sus padres. En general es mejor evitar criar perros producto de cruces. La superpoblación canina es un problema grave y los albergues ya están llenos de cruces no deseados, así como perros de pura raza. A menos que puedas garantizar un buen hogar para cada uno de los cachorros que críes, sólo estarás agravando el problema.

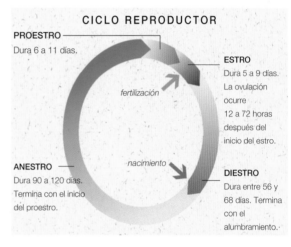

CICLO REPRODUCTOR

PROESTRO
Dura 6 a 11 días.

ESTRO
Dura 5 a 9 días.
La ovulación ocurre 12 a 72 horas después del inicio del estro.

fertilización

nacimiento

ANESTRO
Dura 90 a 120 días. Termina con el inicio del proestro.

DIESTRO
Dura entre 56 y 68 días. Termina con el alumbramiento.

ELECCIÓN DE UN COMPAÑERO

Para garantizar que los cachorros que críes sean de la mejor calidad, elige pareja de un proveedor experimentado y con buena reputación. No elijas el perro de un vecino que lo haga gratis. Comprueba que el perro esté inscrito en un club canino nacional. No obstante, el registro por sí sólo no garantiza la calidad de un perro, así que examina cuidadosamente cualquier potencial candidato.

Presta especial atención al temperamento del perro. Aunque en tiempos los perros se criaron para tareas específicas, la mayoría se usan ahora como animales de compañía. Elige una pareja que posea las cualidades de un buen compañero. Nunca elijas un perro agresivo, muy tímido o con enfermedades hereditarias.

Lo ideal es que la perra que elijas tenga al menos dos años de edad, disfrute de buena salud y lleve al día el calendario de vacunaciones. Es más probable que una perra saludable tenga una preñez sin problemas y dé a luz cachorros sanos.

EL CICLO REPRODUCTOR

A diferencia de los seres humanos, los perros sólo se reproducen en ciertos momentos del año. Aunque los machos se intenten aparear en cualquier momento, las hembras sólo los aceptarán cuando estén ovulando. En ese momento se dice que la perra está en celo. El término técnico es estro. La mayoría de las perras entran en celo dos veces al año (los lobos y los basenji sólo una vez al año). Dependiendo de la raza de la perra y de su tamaño, su primer estro se

ANTES DE CRIAR PERROS

- Busca un buen hogar para los potenciales cachorros.
- Investiga cuáles son los trastornos hereditarios habituales en la raza.
- Elige cuidadosamente la pareja.
- Comprueba que ambos perros estén inscritos en un club canino nacional.
- Haz que un veterinario examine a ambos perros, y que compruebe que no tengan parásitos ni brucelosis (enfermedad de transmisión sexual que causa esterilidad).
- Infórmate y lee sobre reproducción, preñez, alumbramiento y cuidados puerperales.

NUEVA GENERACIÓN Cachorros como estos setter ingleses son deliciosos, pero no se deben tener de forma azarosa. El objetivo debe ser mejorar la raza, no contribuir a la superpoblación canina.

QUÉ BUSCAR EN UN COMPAÑERO

- Elige un buen ejemplar de su raza a través de un criador con buena reputación y responsable.
- Comprueba que el perro esté inscrito en un club canino nacional.
- Asegúrate de que esté sano y no tenga enfermedades hereditarias. Esto puede exigir análisis de sangre, radiografías y un examen ocular por un especialista.
- Busca un perro de buen temple que sea un buen perro de compañía.

producirá entre los 6 y los 24 meses de vida. Las perras más pequeñas entran en celo antes. Espera a que tu perra haya tenido tres o cuatro estros antes de que se aparee. De este modo te asegurarás de que haya madurado física y emocionalmente.

Los perros que pasan la pubertad comienzan a producir esperma fértil y, por tanto, son capaces de reproducirse, por lo general entre los siete y nueve meses de edad. A partir de ese momento estarán siempre dispuestos a aparearse.

Las fases del ciclo

Hay cuatro fases en el ciclo reproductor canino. El comienzo del celo se conoce como proestro. El indicador más fiable del inicio de esta fase es una secreción vaginal sanguinolenta. Otros signos son hinchazón de la vulva, micción frecuente y que la perra se lame. Los perros son atraídos por la hembra en esta fase, pero no les dejará que la cubran. El proestro dura seis a once días.

El estro comienza cuando la perra empieza a permitir que la cubran. Para manifestarlo, a menudo se agacha, eleva la vulva hacia el macho y desplaza la cola hacia un lado. La vulva se torna suave, tensa y cálida, y la secreción es menos abundante y menos sanguinolenta.

La ovulación ocurre durante el estro, que suele durar cinco a nueve días. Hay que tener mucho cuidado en este período para evitar preñeces indeseadas. Lo mejor es confinar en casa a la hembra en celo y que salga para dar paseos cortos siempre con correa y supervisada.

La siguiente fase, el diestro, se caracteriza por una reducción sostenida de la hinchazón de la vulva y su atracción por los machos.

Si el apareamiento se ha producido, esta fase es el inicio del embarazo. Incluso si la perra no está preñada, a veces muestra signos de estarlo, un estado conocido como falso embarazo. El diestro dura 56 a 68 días en las perras preñadas y 60 a 80 días en las perras sin fertilizar.

La fase final del ciclo se llama anestro. En la perra preñada comienza con el alumbramiento de los cachorros y termina con el proestro. En un animal sin fertilizar su comienzo es menos evidente. Básicamente, una perra en anestro es difícil de diferenciar de otra a la que se le hayan quitado los ovarios.

Apareamiento y preñez

La perra preñada requiere cuidados especiales,
pero en gran medida debe seguir su rutina habitual.

Una vez que una perra está en celo, los perros no suelen tener problemas para aparearse. Algunos novatos experimentan ansiedad y se muestran reacios a aparearse. Si prevés que éste vaya a ser un problema, hay varias formas de anticiparte (ver cuadro).

APAREAMIENTO

En los perros el cortejo comienza con el macho oliendo la trufa, la oreja, el cuello, el costado y la vulva de la perra. La perra, a su vez, huele al macho y tal vez quiera jugar, pero no tolerará que la cubra hasta que sea totalmente receptiva. Cuando esté lista, la perra presentará la grupa al macho y se quedará quieta con la cola hacia un lado. El macho ceñirá los costados de la hembra con las patas delanteras, introducirá el pene en la vagina y comenzará a empujar.

Mientras esté dentro, el tejido eréctil del pene se hinchará, lo cual provoca el llamado abotonamiento. Con el pene firmemente alojado, se inicia la eyaculación. A continuación, con los genitales todavía unidos, el perro desmonta y se sitúa a un lado de modo que macho y hembra miran en direcciones opuestas. Esta posición es requerida para la eyaculación completa y dura de 5 a 60 minutos. No intentes separar dos perros abotonados porque podrían sufrir daños.

PREÑEZ

La fertilización ocurre unas 72 horas después del apareamiento y el período de gestación dura 56 a 68 días, u ocho a nueve semanas, siendo el promedio 63 días. Es difícil saber si una perra está preñada hasta al menos la quinta semana, aunque una persona con experiencia puede palpar los cachorros a los 20 días de embarazo. Si no puedes esperar a saber si tu perra está preñada, tal vez quieras hacerle una ecografía. Es cara

MADRE EN CIERNES Este cruce de chihuahua está en la última fase de su preñez y dará a luz cuatro cachorros.

CONSEJOS PARA PAREJAS NERVIOSAS

- Elige un macho experimentado.
- Lleva la perra a la casa del macho para el apareamiento.
- Haz que los perros se conozcan antes de la monta.
- Dales mucho tiempo para que se conozcan.
- Si no es posible que los perros se conozcan antes de la monta, da a cada uno de los perros un objeto que huela al otro.

pero tendrás la confirmación hacia los 24 días. Tal vez también valga la pena si tienes pensado pedir días libres en el trabajo para el alumbramiento, o si la perra tiene algún problema de salud.

Después de que hayas confirmado que tu perra está preñada, repasa los aspectos básicos de la asistencia prenatal, el parto y los procedimientos de emergencia con el veterinario. Si tu perra toma alguna medicación, habla también de ello con el veterinario. Hay algunos fármacos como los corticoides que se deberían evitar en el embarazo porque pueden afectar a los fetos.

Las madres primerizas no siempre presentan un vientre abultado, si bien las mamas y los pezones suelen aumentar de tamaño. Tu perra tal vez también se muestre un poco más rara y antojadiza de lo habitual.

Alimentación, ejercicio y cuidados

Una perra preñada necesitará más alimento para permitir el crecimiento de los cachorros en su interior y para producir leche con la que sobrevivan al nacer. Un buen régimen consiste en darle las primeras seis semanas la misma cantidad que habitualmente. Se aumentará la ingesta en las tres semanas finales hasta que esté comiendo en torno a un 50 por ciento más en el momento del alumbramiento. En este momento dale de tres a cuatro comidas frugales al día. Como los cachorros ocupan mucho sitio, su estómago no podrá ingerir las cantidades habituales. Deja que coma cuanto pueda en 15 minutos. Dale comida canina de primera calidad específicamente pensada para todas las fases de la preñez y lactancia. Ahora no es el momento de ahorrar en la comida de tu perra.

No se necesitan suplementos y algunos son perjudiciales. Pueden causar anomalías en los fetos en desarrollo o una depleción grave de calcio en la sangre cuando la perra amamanta a su camada.

El ejercicio es especialmente importante para una perra preñada. Mantiene el tono de los músculos y eso ayuda durante el parto. Haz lo que normalmente haga. Sácala a dar paseos regulares y deja que siga con sus actividades hasta que esté demasiado pesada para disfrutar de ellas.

Si está acostumbrada a saltar en pruebas de campo, podrá seguir hasta que se sienta incómoda. No debería estar todo el tiempo descansando. Incluso hacia el final de la preñez asegúrate de que dé una o dos vueltas al patio o jardín una o dos veces al día.

Dispensa los mismos cuidados habituales a la perra preñada y dale baños cuando sea necesario. Asegúrate de que no esté en el paso de corrientes de aire y que esté totalmente seca. Y, si necesita un baño las dos o tres últimas semanas, actúa con cuidado extremo para que los fetos no sufran daños ni sean molestados.

EL PRIMER HOGAR DE LOS CACHORROS Una paridera bien preparada ofrece un refugio cómodo para la perra su nueva familia.

La paridera

En los últimos siete a diez días tu perra desplegará conducta de anidación. Éste es el momento de mostrarle la paridera, la cual debe ser lo bastante grande como para dar cabida a la perra y sus cachorros. Uno de los lados debe ser bajo para que la perra pueda entrar y salir con facilidad. Colócala en un lugar caliente, tranquilo y apartado. Tapiza la paridera primero con papel de periódico; es probable que haga un círculo en él y lo haga trizas hasta que esté satisfecha con su cama. Para el alumbramiento, cubre el fondo de la caja con toallas suaves y ten a mano muchas limpias para sustituir las que se ensuciarán durante el parto.

Intenta montar unos raíles a cuatro bandas a unos 7,5 cm del suelo y a otros 7,5 cm de los costados de la paridera con el fin de prevenir que la perra pueda aplastar a algún cachorro contra los lados.

Varios días antes del alumbramiento apreciarás un aumento considerable de las glándulas mamarias de la perra: Es probable que aflore leche a los pezones en este momento. Unas 24 horas antes de alumbrar comenzará a cavar y preparar el nido en la paridera. En este momento, corta con cuidado el pelo alrededor de los pezones para que los cachorros no tengan ningún problema en encontrarlos. Corta también el pelo alrededor de la vulva si fuera necesario.

Dos o tres días antes de parir, la perra tal vez pierda el apetito y emita una ligera descarga vaginal de moco claro y espeso. Durante la última semana antes de parir, puedes tomarle la temperatura dos veces al día. Sabrás que el parto es inminente cuando su temperatura se sitúe por debajo de 38 ºC. Una vez suceda esto, es probable que los cachorros comiencen a aparecer en un plazo de 24 horas.

Alumbramiento y después

La mayoría de las perras no necesitan ayuda para parir.

Sólo hay que intervenir en una emergencia.

Asegúrate de que alguien esté contigo durante el alumbramiento en caso de que haya un problema y necesites ayuda durante el parto de los cachorros. No importa lo dócil que sea tu perra normalmente; si siente dolor te puede morder, por lo que un par de manos más servirán para sujetarla. Asegúrate de que esté listo para asistirte, pero intervén en el parto sólo si hay necesidad. Demasiada interferencia puede hacer que la perra se ponga muy nerviosa y no atienda adecuadamente a los recién nacidos.

EL PARTO

Signos de que la perra ha entrado en la primera fase del parto son jadeos, temblores e inquietud. También podría vomitar. A medida que los cachorros se pongan en posición para el alumbramiento, el vientre de la perra comenzará a hundirse. Tal vez dé vueltas incapaz de encontrarse cómoda y acuda a ti con frecuencia para que la tranquilices. Esta fase puede durar 6 a 24 horas.

A medida que continúe el parto, la perra se calmará para empezar a empujar. Puede que se tumbe de costado al aumentar las contracciones, a veces jadeando, gimiendo y gruñendo. Mantén la calma, habla suavemente y acaríciala lentamente para que se sienta mejor. Es preferible que no esté toda la familia mirando. La perra no quiere distracciones ni que la molesten. Sabrás que está a punto de parir cuando veas salir una bolsa.

La perra puede alumbrar tumbada o de pie. Si prefiere estar de pie, tendrás que estar preparado para coger los cachorros. Cuando sale un cachorro, la perra rompe las membranas placentarias en que está envuelto y se las come. El cachorro inhala aire por primera vez y la madre corta con los dientes el cordón umbilical y tal vez ingiera las secundinas, que suelen aparecer unos minutos después que el cachorro. Luego lamerá al recién nacido hasta limpiarlo y secarlo, lo cual lo mantendrá caliente y estimulará la respiración.

Lleva la cuenta de las secundinas, porque, si no hay una placenta por cachorro, significará que alguna ha quedado dentro del útero y el veterinario tendrá que sacarla para asegurarse de que la perra no desarrolla una infección.

Si tu perra no retira las membranas placentarias que cubren la nariz y boca de un cachorro en los dos primeros minutos, deberás hacerlo tú. Luego, manteniendo la cabeza del cachorro hacia abajo, emplea una jeringuilla con bulbo de goma para extraer el moco que pueda tener en la boca. Frota al cachorro vigorosamente con una toalla de mano limpia. El objetivo es oírle llorar. Una vez hecho esto, pinza el cordón umbilical con los dedos y córtalo con unas tijeras de punta roma. Ata el cordón con hilo dental sin encerar u otro hilo y unta el área con tintura de yodo para desinfectarlo.

UNA FAMILIA SANA Las razas más grandes, como el braco de Weimar (abajo) tienden a tener camadas más numerosas. El número de cachorros también puede depender del nivel de experiencia de la madre; las madres primerizas suelen tener menos cachorros.

RECIÉN NACIDOS Los cachorros, como estos chihuahuas, nacen ciegos y sordos, y dependen por completo de la madre para recibir comida y protección.

Los cachorros pueden aparecer cada varios minutos o tal vez la perra descanse una hora o dos entre uno y otro alumbramiento. Una vez hayan nacido todos los cachorros, probablemente veas una secreción verde, rojo oscuro o pardusca. Este líquido inodoro forma parte natural del proceso de limpieza del propio cuerpo y puede durar varias semanas. No hay necesidad de preocuparse a menos que adquiera olor o la sed de la perra aumente; esto podría ser un signo de infección y debes acudir al veterinario.

Cuándo ayudar

Durante el parto apunta la hora y el momento en que las cosas comienzan y terminan. Si tu perra parece tener contracciones fuertes, si jadea y empuja y está en tensión, tal vez uno de los cachorros haya quedado atravesado en el canal del parto en vez de orientarse cabeza abajo. Si un cachorro no aparece tras 20 minutos de contracciones fuertes continuas, llama al veterinario para que te aconseje. Quizá te hable de girar al cachorro o recomiende que lleves la perra a la consulta.

PRIMERA SEMANA DE VIDA Con una semana de edad, los cachorros como estos labradores todavía tienen los ojos cerrados y pasan la mayor parte del tiempo durmiendo.

Éste es probablemente el problema más corriente durante el alumbramiento. El primer cachorro dilata el cuello del útero, pero no lo suficiente. Como puede que no haya tiempo de ir a un veterinario, tendrás que ayudar en el parto. Para ello, trata de llegar con el pulgar y al menos otro dedo hasta el cuello del útero (asegúrate de tener las manos limpias y las uñas cortas) para palpar cómo está colocado el cachorro. La mayoría de los cachorros salen con el hocico primero y el estómago hacia abajo, pero no pasa nada si nacen de nalgas. Sujeta el cuerpo del cachorro –ni las patas ni la cabeza– con firmeza y suavidad, y deja que las contracciones lo expulsen. La perra es probable que esté asustada y dolorida, por lo que alguien tendrá que sujetarle la cabeza para evitar que te muerda.

Cuidados tras el parto

Comprueba que todos los cachorros maman con fuerza y que todos han encontrado un pezón. Es

EMERGENCIAS EN EL ALUMBRAMIENTO

De vez en cuando las perras tienen problemas durante el parto. Si notas algo de lo siguiente, no retrases el llamar al veterinario.

- Si las secreciones normales que fluyen unos días después del parto son de color verdusco en vez de claras. Esto manifiesta la separación de la placenta y es probable que signifique que al menos una de las placentas se ha desprendido.

- Si el parto no ha comenzado en las 24 horas siguientes al descenso de su temperatura.

- Si no ha aparecido ningún cachorro después de 20 minutos de contracciones fuertes. La incapacidad de dar a luz los cachorros puede ser potencialmente mortal no sólo para los cachorros, sino también para la perra.

- Si la perra jadea y actúa como si tuviera dolores de parto pero sin dar a luz cachorros, o si se inicia el parto y luego se interrumpe más de tres horas. Éstos son signos de que no se están produciendo contracciones y la perra tal vez necesite una cesárea.

vital que tomen leche de su madre en los primeros tres días de vida. Esa primera leche contiene calostro, que proporciona anticuerpos que protegen a los cachorros de enfermedades hasta que son vacunados.

Pesa los cachorros y anota el peso. Tendrás que pesarlos en una báscula que contabilice los gramos cada 12 horas al menos la primera semana para asegurarte de que están sanos y ganan peso. Si no es así, tal vez tengas que suplementar su alimentación con leche de sustitución.

También es buena idea que la madre y los cachorros pasen una revisión veterinaria las primeras 24 horas. El veterinario comprobará que todavía no queden cachorros dentro del útero, ni tampoco ninguna placenta, y podrá examinar a los cachorros por si tuvieran alguna hernia umbilical, paladar hendido o cualquier otro problema.

Una vez que los cachorros han nacido y están mamando, necesitarán calor y tranquilidad. En la primera semana de vida los cachorros no son capaces de tiritar ni controlar su temperatura corporal. Dependen de la madre y los otros cachorros para mantenerse calientes. Una fuente externa de calor que mantenga la temperatura en la paridera a unos 30 ºC, como son una bombilla encendida o una bolsa de agua caliente cubierta con una toalla, ayudará a mantenerlos calientes. Si fuera necesario, pende una bombilla eléctrica a 1,2 metros del centro de la paridera para que todos estén cómodos. No dejes la fuente de calor demasiado cerca de los cachorros para que no se calienten demasiado o se deshidraten.

Para comodidad de la madre y seguridad de los cachorros, mantén alejados a los niños y a los vecinos curiosos. Pasados los primeros días, comienza a coger los cachorros y a tocarlos un par de minutos unas cuantas veces al día para que se acostumbren a la presencia y olor de las personas. Asegúrate de que cualquiera que toque a los cachorros tenga las manos limpias. Aunque la perra hará cuanto esté en su mano para mantener limpios los cachorros y la paridera, deberás limpiar aquellas partes que se haya dejado. Limpia con suavidad los ojos del cachorro, las orejas y la boca cuando sea necesario.

UNA VIDA TRANQUILA Debes comprobar el estado de la madre y sus cachorros con regularidad, pero mantén a las restantes personas lo más lejos posible. Demasiados trastornos causarán ansiedad en la madre, como esta chihuahua, que aparece con sus cachorros de tres días de vida.

Lactancia y destete

Asegúrate de que todos los cachorros tengan acceso a un pezón y puedan mamar. Si un cachorro no recibe suficiente leche, prueba a ponerlo a mamar varias veces al día para que no tenga que competir con los otros cachorros. Si todavía no toma suficiente leche, tal vez tengas que suplementar su lactancia con leche de sustitución proporcionada por el veterinario. Usa un biberón con un agujero en la pezonera lo bastante grande como para que salga una gota de leche.

Una vez los cachorros comiencen a andar, déjales una zona en el cuarto de baño cubierta por papel de periódico a corta distancia de la zona donde duermen. Su instinto los llevará a orinar y defecar lejos de la zona de descanso.

A las tres o cuatro semanas de edad, la mayoría de los cachorros comienza a comer sólido. Para hacérselo más fácil, prepara una papilla de transición y agua. Dásela a comer en una escudilla grande a todos los cachorros tres o cuatro veces al día. En las siguientes semanas, reduce el agua en la papilla hasta eliminarla por completo.

CUIDADOS PARA LAS NUEVAS MADRES

A la perra tal vez no le apetezca comer sólido un día o dos después del parto. En tal caso puedes darle leche de sustitución. Dale leche tres veces al día hasta que recupere el apetito, lo cual mantendrá el aporte de nutrientes y líquidos.

HORA DE COMER La mayoría de las perras destetan a sus cachorros pasadas seis o siete semanas. Llegados a ese momento, los cachorros deberían comer suficiente alimento sólido como para cubrir todas sus necesidades nutricionales.

Vigila de cerca a tu perra los primeros días tras el parto. Si ves que tiembla o está débil, o si de repente se derrumba, acude al veterinario de inmediato. Tal vez necesite una inyección de calcio si los cachorros están mamando mucha leche y no recibe suficientes nutrientes. Toma su temperatura a diario; si llega a 39,5 ºC, necesita una revisión veterinaria. La fiebre puede revelar una infección de útero, que habrá que tratar rápidamente. Examina también sus glándulas mamarias para asegurarte de que al tacto parecen plenas y cálidas. Si están duras y calientes, tendrás que llevarla al veterinario.

Cuando los cachorros dejen de mamar, es probable que la perra se sienta muy incómoda. El veterinario puede recomendar un diurético suave para un día o dos con el fin de aliviar la presión. Una vez los cachorros estén destetados, vuelve a darle la cantidad habitual de comida.

UN BUEN COMIENZO Hay que pesar a los cachorros con frecuencia para estar seguros de que su progreso es satisfactorio. Estos cruces de corgi y pachón de seis semanas están creciendo bien.

*Si no te decides entre un perro pastor, un setter
o un caniche, llévatelos todos… ¡adopta un
perro callejero!*

Sociedad Protectora de Animales de Norte América

QUINTA PARTE

GUÍA DE RAZAS

Historia de los perros domésticos

De los carroñeros en los muladares de los primeros asentamientos humanos a las apreciadas mascotas de hoy en día, los perros han evolucionado con nosotros.

Perros domésticos, coyotes, chacales, lobos y dingos componen el género Canis. Aunque los fósiles con que contamos son limitados, los primeros miembros de este género probablemente aparecieran hace un millón de años, si bien el perro doméstico se desarrolló mucho más tarde.

LA DOMESTICACIÓN DEL PERRO

La domesticación del perro comenzó probablemente cuando nuestros ancestros se convirtieron en cazadores recolectores. Jaurías de perros salvajes se alimentaban de carroña procedente de los campamentos temporales y los cazadores apreciaron las señales de aviso que éstos daban cuando se aproximaba un peligro. A medida que los asentamientos se volvieron más permanentes, los perros adquirieron utilidad como perros de guarda y más tarde perros de caza y de pastoreo.

Desde la prehistoria, la evolución del perro ha sido dictada en gran medida por el hombre. Los perros se criaron de forma selectiva para realizar tareas específicas cruzando perros que mostraban rasgos concretos como el tamaño, la habilidad para la caza o la docilidad. Gradualmente, mediante este proceso selectivo, se fueron desarrollando y conservando distintos tipos de perros.

Los galgos y los perros tipo mastín son las razas más antiguas reconocibles entre aquellas de las que se tiene noticia histórica. Se han encontrado descripciones de galgos en fragmentos de cerámica mesopotámica con más de 8.000 años de antigüedad, y hay noticias sobre mastines casi tan antiguas como éstas. En la Antigüedad los galgos se usaron para la caza, mientras que los mastines, más grandes y

CAZADORES MEDIEVALES Los perros se han criado miles de años de forma selectiva. En esta escena de caza del siglo XV los perros se parecen mucho a los galgos y terriers de hoy en día.

ANTIGÜEDAD Algunas razas han cambiado poco a lo largo de los siglos. Los perros de esta escultura romana del siglo I tienen un parecido sorprendente con el lebrel inglés actual.

agresivos, se usaron en la guerra y para la guarda.

DIVERSIFICACIÓN

A lo largo de miles de años (posiblemente 150.000), los perros se han desarrollado y diversificado a medida que fueron cambiando las necesidades del hombre. La evolución de los perros de caza es un buen ejemplo de este proceso. El galgo fue un cazador ejemplar; rápido, potente, con una vista muy aguda y gran resistencia física, podía perseguir y cazar diversas presas. Sin embargo, con el paso de los siglos, a medida que las técnicas venatorias fueron refinándose y las presas fueron más variadas, se criaron nuevas razas de perros de caza. Los perros no sólo se criaban para perseguir la caza, sino también para encontrar las presas por el olfato (perros rastreros), señalar su presencia en el campo (perros de muestra), levantarlas para que

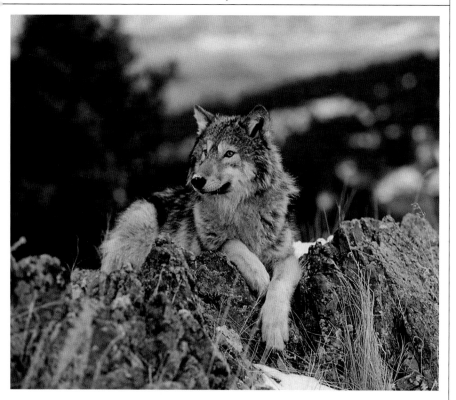

los cazadores pudieran abatirlas (spaniel) o cobrar las piezas (perdiguero) y cazarlas en las madrigueras o excavar para que saliesen (terrier).

CRÍA SELECTIVA POR EL ASPECTO
En los primeros tiempos los perros se criaron para cumplir tareas específicas y su aspecto fue en gran medida irrelevante. Sin embargo, incluso en la Antigüedad, éste no siempre fue el caso. En Asia hay una larga y rica tradición en la cría de perros por su aspecto. Hace 5.000 años los emperadores chinos ya criaban diminutos «perros falderos» para que corretearan por los palacios. Este proceso de miniaturización llevó a la aparición de razas enanas, muchas de las cuales fueron durante siglos las favoritas de la realeza. Las razas enanas no han perdido su popularidad en la actualidad.

LA REVOLUCIÓN INDUSTRIAL
La mayor influencia sobre la domesticación del perro desde que lobos y seres humanos establecieron contacto ocurrió durante la Revolución Industrial. En los siglos XVIII y XIX la urbanización y los cambios de naturaleza de los oficios causaron que la gente tuviera más tiempo libre para dedicarse a sus aficiones. A finales del siglo XIX la cría selectiva y la exhibición de perros eran pasatiempos populares. Como resultado, el interés en la cría

ESTRECHAS RELACIONES Debido al número de parecidos, tanto genéticos como de conducta, se cree que el perro doméstico evolucionó a partir del lobo. Una vez se establecieron en la antigüedad los lazos entre hombres y lobos, el perro doméstico surgió con el proceso de cría selectiva.

se desvió hacia el aspecto del can, y la variedad de razas caninas reconocidas creció muchísimo.

ESTÁNDARES DE LAS RAZAS
Los perros se mantuvieron básicamente igual durante miles de años mediante una cría cuidadosa. Sin embargo, nadie intentó definir una raza en sentido oficial hasta 1867, cuando se publicó The Dogs of the British Islands (Los perros de las Islas Británicas), donde se definieron las características de 35 razas. Así se introdujo el concepto de «estándar» de raza, una descripción escrita para juzgar los ejemplares de una raza.

En 1873 se fundó el primer club canino del mundo en Gran Bretaña. El Kennel Club publicó su propia serie de estándares para 40 razas. Además, se estipuló que, para que una raza fuera reconocida oficialmente, tenía que estar inscrita en el club. Desde entonces en adelante el reconocimiento por parte del club canino se

EL MEJOR DE LA RAZA En las exposiciones caninas ejemplares como este doberman compiten por cumplir el estándar de raza.

convirtió en el principal requisito para cualquier raza.

El American Kennel Club (A.K.C.) se fundó en 1883 y la Fédération Cynologique Internationale (F.C.I.), que representa a los países europeos, en 1911. El número de razas caninas creció rápidamente, pero, al actuar cada club canino por su cuenta, el reconocimiento de razas específicas varió de uno a otro país. En la actualidad, el A.K.C. reconoce 150 razas; el Kennel Club reconoce 196 razas y la F.C.I., 331. A nivel mundial hay hasta 500 razas, y el número crece cada año.

Aunque todas las razas deben criar cachorros que cumplan un estándar, sigue sin haber una definición absoluta de raza canina. Por ejemplo, en Gran Bretaña el pastor belga se considera una raza compuesta por cuatro clases: pastor belga de Malinas, de Tervuren, de Laken y de Groenendael. Sin embargo, en Estados Unidos el pastor belga de Laken no se ha reconocido oficialmente, mientras que las otras tres variedades se consideran razas diferentes. Además, la misma raza puede diferir ligeramente de uno a otro país debido a variaciones locales del estándar.

Ética de la cría de perros

La proliferación de razas caninas y el deseo de cumplir el estándar escrito en los últimos cien años han significado que los perros domésticos hayan cambiado su aspecto de forma acusada. Muchas razas se han estilizado y en algunos casos se han criado para mostrar sus rasgos genéticos más extremados. Aunque la intervención humana siempre haya influido de alguna forma en la evolución del perro doméstico, pocas veces quedaron comprometidos el rendimiento y la salud de los perros criados para tareas específicas. Sin embargo, cuando los perros se crían sobre todo por su aspecto, los rasgos que en realidad entorpecen el rendimiento de un perro pueden haberse elegido inadvertidamente. El bulldog, por ejemplo, ha evolucionado hasta el punto de que su gran cabeza, sus patas muy separadas, su velo del paladar y su piel facial arrugada pongan en peligro su salud y longevidad. Como el estándar del bulldog exige que la pelvis sea estrecha y la cabeza grande, los cachorros de esta raza suelen tener problemas para salir por el canal del parto. Esto explica lo habitual que es el parto por cesárea en esta raza.

Incluso en el caso de las fornidas razas de trabajo, la consanguinidad

PERROS DEL MUNDO Miles de años de cría selectiva han producido hasta 500 razas de perros, con grandes diferencias de tamaño, aspecto y propósito para el que fueron creadas.

VIGOR HÍBRIDO Un primer cruce, como éste de frisón maltés y shih tzu, presenta menos riesgos de padecer enfermedades hereditarias que uno de pura raza.

para lograr ejemplares de exposición ha dejado un legado de enfermedades genéticas como la displasia de cadera. En la actualidad los clubes caninos y los criadores responsables evitan en lo posible los perros de cría con defectos genéticos o con rasgos que puedan comprometer su salud.

El desarrollo de razas nuevas

De vez en cuando un grupo de entusiastas acude al club canino de su país e inicia el proceso de reconocimiento de una nueva raza. Hay que demostrar que morfológicamente sea distinta de otras razas parecidas y que «dé crías de la misma raza»; es decir, que los padres que aportan su acervo genético no tengan cachorros diferentes. De aquí probablemente procede la noción de raza pura. Por desgracia, también es una invitación a la consanguinidad.

Si una raza recibe la aprobación del club canino, tal vez reciba un reconocimiento provisional hasta obtener más tarde el reconocimiento completo.

«Cruces de diseño»

Al contrario de lo que se suele creer, los primeros cruces entre ejemplares de pura raza son tan predecibles como los descendientes de padres de la misma raza en cuanto a su estampa y conducta. No obstante, estos híbridos tienen bastantes menos posibilidades de sufrir los trastornos habituales en las razas de sus progenitores, por lo que su salud genética tiende a ser bastante mejor. El punto crítico al seleccionar dos razas para un cruce es que los defectos genéticos de un miembro de la pareja no estén presentes también en el otro. Pensemos en un cruce de labrador y caniche. Como no hay casos de displasia de cadera en el caniche miniatura, es menos probable que los defectos del acervo genético del labrador surjan en los cachorros que si el otro progenitor hubiera sido un caniche mediano, raza en la que también se ha identificado la displasia de cadera.

Con tantas razas para elegir para la cría de cruces, debería ser posible encontrar combinaciones que se ajusten a las necesidades de los dueños y que sean aptos para el entorno moderno en que es posible que vivan los perros. Una vez se han determinado combinaciones favorables, los criadores de las razas progenitoras cuentan con un gran mercado para la venta de mascotas.

En la actualidad ya hay ejemplos del modo en que los primeros cruces combinan rasgos favorables de ambas razas de origen. Por ejemplo, el cruce de labrador retriever y caniche miniatura ha llamado la atención de las asociaciones de guías caninos de Australia porque combina la «tolerancia» del labrador con el manto hipoalérgico del caniche. Vale la pena reparar en que las ventajas de los cruces sólo se aprecian en los primeros cruces, por lo que no es apropiado usarlos como ejemplares para la cría.

Clasificación de las razas

Aunque la mayoría de las razas sean ahora perros de compañía,

todavía se siguen clasificando por la tarea para la que fueron concebidas

La clasificación de los cánidos en grupos varía de un país a otro. El spaniel tibetano, por ejemplo, se clasifica en el grupo de perros no de caza en el American Kennel Club (A.K.C.), en el grupo de perros útiles en el Kennel Club (Reino Unido) y en el grupo de perros enanos y de compañía según la Fédération Cynologique Internationale (F.C.I.). El chow chow se considera una raza de trabajo en el Reino Unido, pero una raza no de caza en Estados Unidos.

Esta guía de razas sigue el sistema del A.K.C., que reconoce siete grupos. El Reino Unido también reconoce siete grupos y la F.C.I. diez.

PERROS DE CAZA

Los perros de caza se criaron para trabajar en asociación con los cazadores en el campo. Los perdigueros se criaron para rastrear aves de caza y, una vez localizadas, mostrar el lugar con una pata levantada. Los setters también localizan presas y muestran su presencia quedándose quietos. Los spaniels, más pequeños y rápidos, se criaron para levantar la caza del monte bajo para que los cazadores las apresaran con redes o las abatieran disparando, mientras que las razas de cobranza recuperan las presas del terreno o el agua una vez abatidas.

Hoy en día los perros de caza son mascotas populares. Conservan la viveza y el amor por el

DE CAZA Los terriers, como este ejemplar de Norwich, fueron criados para cazar piezas pequeñas y roedores.

ejercicio, además de mostrar una intensa lealtad a sus dueños.

PERROS DE BUSCA

Los perros de este grupo son de las razas más antiguas; los galgos fueron los primeros perros de caza de los que se tiene noticia histórica. Criados para perseguir y dar caza a grandes presas, muchos galgos son capaces de alcanzar grandes velocidades y poseen una resistencia prodigiosa.

Los perros de busca se dividen en perros de caza a la carrera y perros rastreros por el modo en que localizan su presa. Algunos perros rastreros no son especialmente rápidos, prefiriendo arrinconar a su presa. En la actualidad los perros de busca se suelen usar para carreras o son perros policía. Son buenas mascotas pero no siempre fáciles de adiestrar.

PERROS DE TRABAJO

Éste es otro grupo de largo abolengo, con razas que se remontan a los tiempos en que se usaban para la guarda de los asentamientos humanos, para acarrear cargas y participar en la guerra, así como para cazar. Hay descripciones de mastines desde hace muchos miles de años.

Los perros de trabajo suelen ser grandes, fuertes y obedientes. Algunos, como el

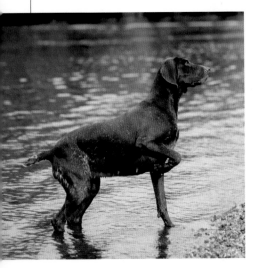

MIRA AHÍ El braco alemán de pelo corto despliega la conducta de muestra para la cual fue criado.

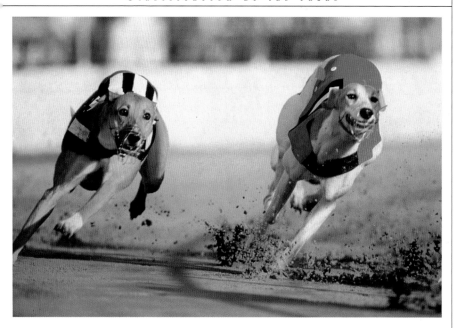

doberman, son perros guardianes ejemplares. Otros, como el San Bernardo, se han usado para rescates. Aunque algunos perros de este grupo puedan ser agresivos, son de una lealtad sin tacha con sus dueños.

TERRIERS

Estos perros se desarrollaron sobre todo en las Islas Británicas durante los últimos cientos de años, aunque hay noticia de la existencia de pequeños perros de caza desde mucho antes. Por lo general, perros pequeños, de patas cortas, fuerte determinación y mandíbulas poderosas, se criaron para cazar piezas pequeñas, a menudo haciéndolas salir de sus madrigueras. Los terriers de patas largas, como el terrier de Airedale, se criaron para cazar presas más grandes. Gran parte de su agresividad se ha eliminado selectivamente, pero siguen siendo juguetones y eufóricos, aunque muchos sean excavadores incorregibles.

PERROS ENANOS

Los perros enanos fueron criados por los antiguos emperadores chinos como mascotas para palacio y perros falderos, y siguieron siendo populares muchos siglos entre la realeza. Hoy en día son mascotas populares, en especial en las ciudades, donde su tamaño y

PERRITOS FALDEROS El bichón maltés, como la mayoría de las razas enanas, se desarrolló para ser mascota y animal de compañía.

VELOCIDAD PURA Los galgos, como otras razas para la caza a la carrera, son capaces de desarrollar grandes velocidades y mantenerlas mucho tiempo.

carácter dócil los vuelve adecuados para vivir en pisos.

PERROS NO DE CAZA (ÚTILES)

Este grupo comprende razas que no se ajustan bien en ninguna de las otras categorías. Algunos entran en este grupo porque la tarea para la que se criaron ya no existe. El bulldog, por ejemplo, fue criado para servir de cebo y luchar con toros, pasatiempos que hoy en día están prohibidos.

Aunque los perros de este grupo tengan poco en común, algunos constituyen las razas más hermosas, inteligentes y populares.

PERROS DE PASTOREO

Aunque no sean tan antiguas como algunas razas de perros de busca, los perros de pastoreo se llevan usando miles de años para proteger el ganado de los predadores y para evitar que se separe y extravíe. Suelen ser listos, inteligentes y de gran resistencia física.

Hoy en día muchos de estos perros se siguen empleando en sus roles tradicionales, aunque también son magníficas mascotas si hacen suficiente ejercicio y reciben mucha atención.

EMPLEO DE ESTA GUÍA

Si estás interesado en ser el dueño orgulloso de un perro de raza pura, debes empezar por aquí. Esta guía ofrece detalles sobre más de 100 de las razas más populares para que decidas qué perro se adapta mejor a tus necesidades.

NOMBRE DE LA RAZA

Las razas aparecen en el orden aproximado de alzada dentro de sus grupos respectivos.

INTRODUCCIÓN

Repaso breve sobre la raza.

TEXTO PRINCIPAL

Descripción detallada de la raza, que incluye su historia, características y temperamento. También se detallan los cuidados, la alimentación y los requisitos de ejercicio de la raza, así como una advertencia a los dueños sobre los problemas de salud habituales que afectan a estos perros.

IMAGEN PRINCIPAL

Un ejemplar de la raza, visto de perfil. Algunos aparecen en calidad de perros de exhibición, otros en calidad de mascotas.

TAMAÑO Y PESO

El tamaño medio de machos y hembras de la raza. La alzada se mide desde el suelo hasta la cruz.

Chin japonés

Esta delicia de perrito japonés es adorable y gustosamente te devolverá todo el amor que indefectiblemente se le prodiga. Es un perro faldero superlativo con pocos o ningún defecto ni vicio.

LA MASCOTA Y SUS DATOS

- Inteligente, vivaz y dócil
- Cepillar a diario
- Frecuente y suave
- Ideal para vivir en pisos
- Perro guardián regular

ADVERTENCIA

- Se debe cortar el pelo enredado de los pies.

HISTORIA

Este magnífico perrito se conoce en Occidente desde hace sólo 150 años, aunque fueran las mascotas mimadas de los japoneses ricos, incluida la realeza, durante siglos, habiéndose introducido la raza en Japón desde China ya en la Antigüedad. Es probable que tenga un parentesco distante con el pequinés.

DESCRIPCIÓN

El chin japonés parece un juguetito. El manto largo, liso y profuso se da en color blanco con manchas negras o tonos rojizos. Sus andares son gráciles con los pies muy levantados del suelo.

TEMPERAMENTO

El simpático chin es un animal vivaz, feliz y de humor dulce, con el tamaño perfecto para vivir en espacios pequeños. Con su docilidad y educación exquisita, tal vez sea mejor para casas donde no haya niños.

CUIDADOS

Aunque el manto parece difícil de cuidar, unos pocos minutos diarios bastarán para que luzca. Se debe deshacer los enredos con un peine y se cepillará ligeramente, levantando el pelo para que se esponje un poco. Se debe aplicar champú seco ocasionalmente y se bañará sólo cuando sea necesario. Se limpiarán los ojos a diario y se examinarán las orejas con regularidad por si hubiera signos de infección.

EJERCICIO Y ALIMENTACIÓN

Si bien no necesita mucho ejercicio, al chin le encanta un paseo diario y tener oportunidad de jugar en espacios abiertos. No necesita una alimentación especial, pero prefiere «picar» en las comidas y tomar golosinas.

PROBLEMAS DE SALUD

Los ojos grandes y saltones son vulnerables a las heridas y se dan casos de cataratas y atrofia progresiva de la retina.

Macho: 18-28 cm
hasta 4 kg
Hembra: 18-28 cm
hasta 4 kg

398

TEMPERAMENTO
Resumen breve de la personalidad.

CUIDADOS
Métodos preferidos y frecuencia de los cuidados.

EJERCICIO
Tipo y frecuencia requeridos.

GRUPO
Las razas se clasifican en siete grupos según el sistema norteamericano (ver pp. 316-17). Cada sección tiene un titulillo diferente para servir de referencia.

CONDICIONES DE VIDA
Entorno preferido.

PERRO GUARDIÁN
Resumen de su capacidad.

LA MASCOTA Y SUS DATOS

Valiente, despierto, afectuoso

Diario y prolongado

Frecuente y moderado

Ideal para vivir en pisos, pero necesita mucho ejercicio

Es un perro guardián excelente para su tamaño

ADVERTENCIA
- Es un excavador entusiasta
- Puede tener celos y buscar pelea con otros perros

ADVERTENCIA
Información importante que se debe tener en cuenta antes de adquirir la raza.

Terrier sedoso

Criado para ser un compañero alegre, el delicado terrier sedoso despliega los mejores rasgos de sus diversos antepasados. Es un perrito seguro de sí mismo, muy entretenido y con gran encanto.

LA MASCOTA Y SUS DATOS

Valiente, despierto y afectuoso

Diario y prolongado

Frecuente y moderado

Ideal para vivir en pisos, pero necesita mucho ejercicio

Es un perro guardián excelente para su tamaño

ADVERTENCIA
- Es un excavador entusiasta.
- Puede tener celos y buscar pelea con otros perros.

HISTORIA
Descendiente de diversas variedades de terrier y perros falderos, como el terrier de Yorkshire al que se parece, el terrier sedoso se desarrolló en Nueva Gales del Sur, en Australia, en tiempos muy recientes. También se le llama terrier sedoso de Sydney. Nunca se concibió como un perro para trabajar, pero, a pesar de su pequeño tamaño, es un perro guardián excelente.

DESCRIPCIÓN
El cuerpo es pequeño y fornido con un manto sedoso que cae a ambos lados de la columna. El manto es largo excepto en la cara y las orejas, y su color es azul o azul–gris con fuego. La cola se suele amputar.

TEMPERAMENTO
Despierto e inteligente, el terrier sedoso es fácil de adiestrar.

CUIDADOS
El peinado y cepillado diarios y el empleo regular de champú son necesarios para mantener su pelaje lustroso en una condición excelente. Esto exige un compromiso por parte de sus dueños. Después del bañarlo, hay que asegurarse de que el pelo se seca bien y no pasa frío. El manto se tiene que esquilar ocasionalmente, y el pelo de las piernas que cae de las rodillas hacia abajo a menudo se lleva corto. Si el pelo que cae sobre los ojos se recoge en un moño, al perro le resultará más fácil ver.

EJERCICIO Y ALIMENTACIÓN
Este perrito tan activo disfruta con largas sesiones de juego y tiene una resistencia física sorprendente. Necesita ejercicio frecuente y actividad para mantenerse en buena forma y feliz. No necesita una alimentación especial.

PROBLEMAS DE SALUD
Estos perros resistentes por lo general gozan de buena salud, aunque sufran enfermedades genéticas oculares y, como muchas razas enanas, pueden padecer hundimiento de la tráquea.

COMPARACIÓN DEL TAMAÑO
El tamaño del perro comparado con un adulto y un niño de estatura media.

IMÁGENES SUPLEMENTARIAS
Pueden aparecer detalles de la cabeza, o de algunos de los colores del manto, o cachorros.

Macho: 23-25 cm
4-5 kg
Hembra: 23-25 cm
4-5 kg

399

PERROS DE CAZA

Cocker Spaniel

Este perro atractivo es más pequeño que su primo inglés, pero conserva la personalidad alegre y amistosa por la que se conocen a los spaniel. El cocker spaniel es una mascota muy atractiva.

LA MASCOTA Y SUS DATOS

 Alegre, feliz, amistoso.

 Cepillar a diario

 Frecuente y moderado

 Se adapta bien a la vida urbana, pero necesita mucho espacio

 Buen perro guardián.

 ADVERTENCIA
• Algunos perros despliegan conductas agresivas sin provocación.

TEMPERAMENTO

Inteligente y responsable, el cocker spaniel es por lo general amistoso y afable. Sin embargo, algunos perros despliegan conductas agresivas con sus dueños, una afección similar al síndrome de rabia del spaniel ojeador inglés (ver p. 329).

HISTORIA

Aunque del mismo origen que el cocker spaniel inglés (ver p. 326), el cocker spaniel era ya tan diferente en la década de 1930 que en Estados Unidos se consideró una raza distinta. En el Reino Unido ese reconocimiento llegó unos 35 años después.

DESCRIPCIÓN

Se trata de un perro resistente con un cuerpo compacto y robusto. El manto sedoso y fino es corto en la cabeza y más largo en el cuerpo, pudiendo llegar hasta el suelo. Dicha librea puede ser de color negro y fuego, de cualquier color uniforme, particolor, tricolor y ruano. Las orejas son largas y de implantación retrasada en la cabeza y la cola suele estar amputada.

CUIDADOS

Algunos dueños prefieren dejar el manto largo, cepillando a diario y lavándolo con champú con frecuencia. Otros esquilan el manto a una longitud media para que sea más práctico. En cualquier caso, el pelo necesitará cortarse con regularidad. Cuando cepilles, ten cuidado de no arrancar el pelo sedoso.

EJERCICIO Y ALIMENTACIÓN

Estos perros tienen mucha energía y necesitan ejercicio con regularidad. En los paseos evita los caminos con arbustos en que se pueda enmarañar el manto. No necesitan una alimentación especial.

PROBLEMAS DE SALUD

Estos perros sufren infecciones de oído, problemas cutáneos (como seborrea), problemas cardíacos, trastornos oculares hereditarios (como glaucoma y atrofia progresiva de la retina) y problemas de columna.

Macho: 33-41 cm
11-16 kg
Hembra: 30-38 cm
9-14 kg

Cocker Spaniel inglés

El alegre cocker spaniel inglés es un encanto de perro y una de las mascotas más populares en su país de adopción. Por su aspecto y personalidad, es el jefe de la manada.

LA MASCOTA Y SUS DATOS

 Juguetón, afectuoso e inteligente

 Cepillar con regularidad

 Ejercicio regular, moderado a vigoroso

 Se adapta bien a la vida urbana, pero necesita mucho ejercicio

 Buen perro guardián

ADVERTENCIA
- Propenso a las infecciones de oído; revisar las orejas con regularidad.

manchas blancas. La cola se suele amputar bien corta.

TEMPERAMENTO

El cocker es un perro activo, juguetón y siempre dispuesto a agradar, y es seguro que te avisará de la presencia de extraños en tu propiedad. Sin embargo, esta raza es la primera en la que se diagnosticó el síndrome de rabia (ver p. 329), un trastorno de la conducta hereditario que se localiza sobre todo en los perros de colores uniformes.

CUIDADOS

Es importante peinar y cepillar el manto con regularidad. Se bañará o se aplicará champú seco según sea necesario. Inspecciona las orejas por si hubiera semillas de hierba o signos de infección. Cepilla el pelo de los pies y el que cubre los dedos y córtalo a nivel de la base de los pies. Corta el pelo alrededor de las almohadillas, pero no el presente entre los dedos.

EJERCICIO Y ALIMENTACIÓN

Esta raza disfruta de tanto ejercicio como puedas brindarle. Deshaz los nudos y enredos después de que el perro haya estado jugando en campos de hierba o en el bosque. No hay requisitos especiales para su alimentación.

PROBLEMAS DE SALUD

Propenso a enfermedades oculares y cardíacas hereditarias, y a infecciones de oídos debido a la escasa ventilación del conducto auditivo.

HISTORIA

La familia spaniel tuvo su origen en España –la palabra puede ser una corrupción de espaignol, vocablo con que los franceses denominaban al can español– y algunos tipos se hicieron populares como perros de caza en todo el mundo. En Gran Bretaña se desarrollaron dos tipos de spaniel a partir de líneas similares, el ojeador y el cocker. El cocker recibe su nombre por su habilidad para levantar las becadas (woodcock) ocultas en la maleza.

DESCRIPCIÓN

Este perro fornido tiene un cuerpo robusto y compacto cubierto por un manto sedoso y liso, de longitud media. El manto adopta diversos colores como rojos, negro, dorado e hígado, así como particolor y ruano, donde el color se ve interrumpido con

Macho: 38-43 cm
13-16 kg
Hembra: 36-41 cm
12-15 kg

Spaniel bretón

Cazador ágil y vigoroso, el spaniel bretón es admirado por sus habilidades en el campo y por su gracia y personalidad encantadora. Aunque sociable, esta mascota prefiere la vida al aire libre.

HISTORIA

Este perro tiene una larga historia en su Francia nativa, donde hay constancia escrita de estos perros desde hace cientos de años. Hoy en día cada vez es más popular en Estados Unidos donde fue oficialmente reconocida en 1982. Además de ser un excelente rastreador y perro de cobranza, también es un perro de muestra natural, un rasgo posiblemente adquirido al cruzarse con setters en el pasado. En el campo, el spaniel bretón tiende a trabajar cerca de su amo.

DESCRIPCIÓN

El más pequeño de los spaniel franceses, el spaniel bretón es grácil, activo y robusto, fornido, con patas largas y de líneas elegantes. El manto de longitud media es denso y con flecos en las orejas, pecho, parte inferior del cuerpo y parte superior de las patas. Su color es en blanco y naranja, negro, castaño o hígado, así como tricolor y ruano. La cola suele estar amputada alcanzando en los adultos una longitud no superior a 10 cm.

TEMPERAMENTO

Fácil de adiestrar y manejar, el spaniel bretón es cariñoso y dócil, obediente y siempre dispuesto a agradar.

CUIDADOS

El cepillado regular del manto liso de longitud media es todo lo que necesita para mantenerlo en perfecto estado. Se debe bañar y lavar con champú seco cuando sea necesario. Examina las orejas cuidadosamente, sobre todo cuando el perro haya estado por un terreno escarpado o monte bajo.

EJERCICIO Y ALIMENTACIÓN

Estos perros necesitan una actividad vigorosa para gozar de una condición física óptima. No tiene requisitos alimentarios especiales.

LA MASCOTA Y SUS DATOS

 Dócil, amistoso, activo

 Cepillar con regularidad

 Regular y vigoroso

 Se adapta bien a la vida urbana, pero necesita mucho ejercicio

 Buen perro guardián

 ADVERTENCIA
- A estos perros les encanta el ejercicio y tienen energía inagotable.

PROBLEMAS DE SALUD

Si bien esta raza es por lo general sana, el spaniel bretón es propenso a las infecciones de oído por la escasa ventilación del conducto auditivo. También padece cataratas y atrofia progresiva de la retina.

Macho: 43-53 cm
16-18 kg
Hembra: 46-51 cm
14-18 kg

Spaniel ojeador galés

Sociable y muy inteligente, el spaniel ojeador galés se adapta bien a cualquier entorno, pero está en su elemento con grandes espacios para correr y, si te lo puedes permitir, con acceso a algún sitio donde pueda nadar.

LA MASCOTA Y SUS DATOS

- Sensato, activo y amistoso
- Cepillar con regularidad
- Frecuente y moderado
- Se adapta bien a la vida urbana, pero necesita mucho espacio
- Buen perro guardián

ADVERTENCIA
- Sin suficiente ejercicio, estos perros se aburren, engordan y se tornan perezosos.

HISTORIA
Menos corriente que el ojeador inglés, con el que está emparentado, el spaniel ojeador galés es de una antigua estirpe emparentada. El spaniel ojeador se usaba para ojear la caza y que saliera al vuelo para cazarse con red, halcón y, tiempo después, con escopeta. La cola se menea más rápido cuanto más cerca esté de la presa.

DESCRIPCIÓN
Trabajador duro y con energía inagotable, el ojeador galés es más pequeño que su primo inglés, con las orejas más pequeñas y con menos flecos. El manto espeso y sedoso es recto y siempre de un color blanco perla y rojizo intenso. La cola suele amputarse.

TEMPERAMENTO
Su naturaleza dócil y paciente y su amor por los niños hace que el ojeador galés sea fácil de adiestrar y una mascota familiar apreciada.

CUIDADOS
El manto es bastante fácil de cuidar y bastará con cepillarlo con regularidad con un cepillo de cerdas rígidas. Sin embargo, requiere atención especial cuando está mudando el pelo. Se debe bañar y lavar con champú seco cuando sea necesario. Examina las orejas habitualmente por si hubiera semillas de hierba o algún signo de infección. Corta el pelo entre los dedos y mantén las uñas cortas.

EJERCICIO Y ALIMENTACIÓN
Este perro vivo y activo necesita mucho ejercicio, en la medida de lo posible sin correa. No necesita una alimentación especial, pero no hay que sobrealimentarlo.

PROBLEMAS DE SALUD
Por lo general es una raza resistente, aunque como otros perros con orejas largas y pesadas, es propensa a las infecciones de oído. Algunos ojeadores galeses también padecen displasia de cadera y problemas oculares.

Macho: 43-48 cm
18-20 kg
Hembra: 41-46 cm
16-20 kg

Spaniel ojeador inglés

El hermoso y robusto spaniel ojeador inglés destaca en el campo a la hora de levantar la caza, aunque también es una mascota deliciosa en el hogar. Es un compañero fiel y alegre.

LA MASCOTA Y SUS DATOS

 Despierto, amistoso, leal

 Cepillar con regularidad

 Frecuente y moderado

 Se adapta bien a la vida urbana, pero necesita mucho ejercicio

 Buen perro guardián

 ADVERTENCIA
- Susceptible al síndrome de rabia, un trastorno de la conducta.

HISTORIA

Uno de los spaniel más corpulentos, el popular spaniel ojeador inglés desciende del linaje más antiguo de los spaniel y es probable que su sangre corra por las venas de los spaniel más modernos. Antes llamado spaniel de Norfolk, es un perro de cobranza en cualquier estación al que le encanta el agua.

DESCRIPCIÓN

Este fornido perro tiene un cuerpo robusto y compacto. Su manto suave, de longitud media y liso se da en todos los colores típicos del spaniel, pero sobre todo blanco con hígado o negro, con o sin manchas de fuego. La cola suele estar amputada.

TEMPERAMENTO

Este ojeador aprende con rapidez y disfruta teniendo compañía, es paciente con la familia y un buen perro guardián. Por desgracia, la raza es susceptible a un trastorno hereditario de la conducta, el síndrome de rabia, que deriva en conductas agresivas. Antes de comprar un cachorro, infórmate de si algún familiar está afectado.

CUIDADOS

El manto es bastante fácil de cuidar usando con regularidad un cepillo de cerdas rígidas para mantener su buen aspecto. Adopta cuidados adicionales cuando el animal esté mudando el pelo. Se debe bañar y lavar con champú seco cuando sea necesario, pero examina las orejas con regularidad por si hubiera signos de infección.

EJERCICIO Y ALIMENTACIÓN

El ojeador inglés disfrutará de todo el ejercicio que puedas brindarle. No necesita una alimentación especial, pero hay que evitar sobrealimentarlo.

PROBLEMAS DE SALUD

Por lo general una raza resistente, aunque como otros perros con orejas largas y pesadas, es propensa a las infecciones de oído. También puede desarrollar epilepsia, problemas cutáneos alérgicos, problemas oculares y displasia de codo y cadera.

Macho: 48-53 cm
20-25 kg
Hembra: 46-51 cm
18-23 kg

Golden retriever

Este perro recibe la aprobación de todo el que haya sido dueño de uno. Imagínate a una familia feliz en torno a un fuego, con un golden retriever dormido junto al hogar dando el toque final al cuadro.

HISTORIA

Es difícil rastrear los ancestros de esta raza, pero conserva características de los perros de cobranza, los sabuesos y los spaniel de aguas, lo cual los vuelve perros de caza muy útiles; son famosos por sus habilidades rastreadoras. Se cree que la raza fue criada en el Reino Unido por lord Tweedmouth hace 150 años.

DESCRIPCIÓN

Es un perro grácil y elegante. Su manto lustroso adopta un color dorado o crema con el pelo liso o un poco ondulado en torno al cuello, los hombros y las caderas. Abundan los flecos.

TEMPERAMENTO

Estos perros tan educados y obedientes son encantadores. Se adiestran con facilidad, y siempre son pacientes y cariñosos con los niños. Como resultado, son estupendos compañeros o mascotas familiares. Poco dado a atacar, el golden retriever es un buen perro guardián, revelando con sus ladridos la aproximación de desconocidos.

CUIDADOS

El doble manto liso y de longitud media es fácil de asear. Se debe peinar y cepillar con un cepillo de cerdas firmes, prestando especial atención al denso entrepelo. Se debe lavar regularmente con champú seco, y se bañará sólo cuando sea necesario.

EJERCICIO Y ALIMENTACIÓN

Al golden retriever lo que más le gusta es trabajar; si sus tareas son regulares y agotadoras, mejor. Como mínimo necesita un largo paseo diario y preferiblemente alguna oportunidad de correr con libertad. Al golden retriever le encanta nadar y debería poder hacerlo siempre que sea posible. No necesita una alimentación especial.

PROBLEMAS DE SALUD

Las alergias cutáneas son habituales en el golden retriever y requieren atención inmediata del veterinario. Estos perros también son propensos a la displasia de cadera y a enfermedades oculares genéticas.

LA MASCOTA Y SUS DATOS

  Tranquilo, afectuoso y dócil

 Cepillar con regularidad

 Regular y vigoroso

Se adapta bien a la vida urbana, pero necesita mucho espacio

 Buen perro guardián

ADVERTENCIA

- Estos perros sueltan mucho pelo, pero ayuda cepillarlos con regularidad.

Macho: 56-61 cm
27-36 kg
Hembra: 51-56 cm
25-32 kg

Labrador retriever

Valiente, leal y muy trabajador, el labrador retriever se ha ganado el respeto de todo el mundo por su dedicación y cumplimiento del deber. No obstante, también es una de las mascotas familiares más populares y cariñosas.

HISTORIA

Originalmente fue usado por los pescadores de Terranova, y no del Labrador, como su nombre sugiere. Estos perros de cobranza se volvieron indispensables como perros de trineo, perros correo y perros de trabajo en general. En tiempos llamado perro de San Juan, integraban la tripulación de todos los barcos pesqueros. Todavía conservan esta tradición de vida dedicada al servicio, siendo muy empleados como perros de lazarillo para ciegos y perros antidrogas o antiexplosivos para la policía.

DESCRIPCIÓN

Este perro fuerte y activo con su esqueleto sólido y fornido es muy buen nadador. La cola, descrita como cola de «nutria», es gruesa en la base, redonda y ahusada. El manto es denso e impermeable, sin flecos, y su color es negro, amarillo, cervato, crema, dorado y chocolate, ocasionalmente con manchas blancas en el pecho.

TEMPERAMENTO

Fiable, obediente y fácil de adiestrar, el labrador retriever es amistoso y muy bueno con los niños. Le encanta recibir atención de las personas y necesita sentir que forma parte de la familia.

CUIDADOS

Su doble manto liso de pelo corto es fácil de asear. Se debe peinar y cepillar con regularidad con un cepillo de cerdas firmes, prestando especial atención al entrepelo. Se debe bañar y lavar con champú seco sólo cuando sea necesario.

LA MASCOTA Y SUS DATOS

Fiable, cariñoso, leal

Cepillar con regularidad

Regular y vigoroso

Se adapta bien a la vida urbana, pero necesita mucho ejercicio

Buen perro guardián

ADVERTENCIA

- Si se le permite, estos perros engordan con facilidad.

EJERCICIO Y ALIMENTACIÓN

Este es un perro con mucha energía, al que le encanta el trabajo y jugar duro. No necesita una alimentación especial, pero hay que tener cuidado con el sobrepeso, porque se vuelven fácilmente obesos y perezosos.

PROBLEMAS DE SALUD

Como otras razas grandes, estos perros son propensos a la displasia de cadera o codo. También padecen enfermedades oculares, como cataratas y atrofia progresiva de la retina.

Macho: 56-61 cm
27-34 kg
Hembra: 53-58 cm
25-32 kg

Braco alemán

Estos perros versátiles y atléticos son excelentes en cualquier labor, desde rastrear presas heridas, hasta pararse para mostrar y cobrar presas. El braco alemán de pelo corto es el más antiguo, mientras que el de pelo duro presenta la ventaja de un manto duradero y resistente. Ambas variedades son buenas mascotas.

LA MASCOTA Y SUS DATOS

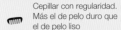

Inteligente, fiable, agudo; el braco de pelo duro puede ser un poco agresivo

Cepillar con regularidad. Más el de pelo duro que el de pelo liso

Regular y vigoroso

Se adapta a la vida urbana, pero necesita mucho espacio y ejercicio

Buen perro guardián

ADVERTENCIA

- Con trabajo insuficiente, estos perros pueden frustrarse y ser difíciles de manejar.

HISTORIA

Entre los ancestros del braco alemán de pelo corto encontramos el braco español (perdiguero de Burgos) y el inglés, el sabueso, el podenco francés y las razas escandinavas. El perro moderno atesora un abanico tan formidable de talentos que ha sido y es muy apreciado por los cazadores. En la continua búsqueda de la perfección, se cruzó con terriers y caniches a finales del siglo XIX. El resultado fue el braco alemán de pelo duro, que tiene todas las habilidades del anterior, habiendo adquirido por el camino un manto duro y áspero.

DESCRIPCIÓN

Estos perros superlativos se usan para la caza de presas de pelo o pluma en todo tipo de terrenos y son nadadores excelentes. Su cuerpo fornido y delgado y el lomo poderoso los vuelve rápidos en el suelo, y sus poderosas mandíbulas les permiten arrastrar presas bastante pesadas. El manto corto, denso e impermeable del braco de pelo corto luce monocolores negro o hígado, o estos colores con manchas blancas, o ruano. El braco de pelo duro tiene un mano grueso de longitud media que presentan un color hígado uniforme, hígado y blanco, y blanco y negro. La cola de ambas variedades se suele amputar dejándola en dos quintos de su longitud.

TEMPERAMENTO

El braco alemán es una mascota obediente y afectuosa, limpia y educada en la casa, pero está mejor al aire libre y es mucho más feliz con una vida en el exterior y con

Macho: 56-66 cm
25-32 kg
Hembra: 53-63 cm
20-27 kg

alguna labor que desarrollar. Inteligente y razonablemente fácil de adiestrar, el braco alemán tiene ideas propias y nunca hay que dejarle que se imponga al dueño. Aunque ambas variedades suelen ser buenas con la gente y es seguro dejarlos con niños, el braco de pelo duro ha adquirido algún rasgo de agresividad junto con su manto duro, probablemente de sus genes de terrier, y puede mostrarse intratable con otros perros.

CUIDADOS

El manto liso del braco de pelo corto es muy fácil de cuidar. Basta con un cepillado regular con un cepillo de púas rígidas, y un baño cuando sea necesario. Pasarle una toalla o gamuza dejará brillante el pelaje. El corto manto del braco de pelo duro necesita un poco más de atención.

Necesitarás cepillarlo unas dos veces por semana con un cepillo de púas rígidas y aligerar el pelo en primavera y verano. Hay que bañarlo sólo cuando sea necesario. Examina las orejas de ambas variedades con regularidad por si hubiera secreciones o cuerpos extraños. Examina también los pies, sobre todo después de que haya hecho ejercicio o haya trabajado.

EJERCICIO Y ALIMENTACIÓN

El ejercicio tiene una importancia capital para estos animales activos e incansables. Son sólo aptos para las familias más activas y no se deben aceptar como mascotas familiares a menos que se les pueda garantizar mucho ejercicio vigoroso. No necesitan comida especial, pero siempre hay que medir la comida que se les da y de acuerdo con su nivel de actividad.

PROBLEMAS DE SALUD

Por lo general es una raza resistente y longeva, aunque, como todas las razas de orejas caídas, son propensos a las infecciones de oído. Algunos también padecen displasia de cadera, enfermedades oculares genéticas y cáncer de piel.

Perdiguero de la Bahía de Chesapeake

Este perro resistente se aprecia por ser un perro sin comparación para la caza de patos, con una capacidad extraordinaria para recordar dónde han caído todas las aves y cobrarlas con eficacia.

LA MASCOTA Y SUS DATOS

Ávido trabajador, puede mostrarse agresivo

Cepillar con regularidad

Regular y vigoroso; le encanta nadar

Se adapta a la vida urbana, pero es mejor que tengan acceso al campo

Buen perro guardián

⚠ ADVERTENCIA

- Son perros muy fuertes y muestran tendencia a ser territoriales, por lo que necesitan firmeza en su adiestramiento y buen gobierno.

caliente y seco. El color del manto varía de fuego a castaño oscuro, los colores de la hierba muerta, por lo que se camufla muy bien para su trabajo.

HISTORIA

El perdiguero de la Bahía de Chesapeake se creó totalmente en Estados Unidos en el área de Maryland, a partir de un par de cachorros recuperados de un naufragio que se cruzaron con distintos perros usados para la cobranza. El resultado fue un perro intrépido, muy valorado por su destreza en el campo.

DESCRIPCIÓN

Aunque no todo el mundo lo considere hermoso, este perro de tamaño medio es atlético y fuerte. El manto es tupido, denso, ondulado y totalmente impermeable; el blando entrepelo es muy aceitoso y los pies tienen espacio interdigital. Es un gran nadador y lo hace incluso en mares helados y movidos. Se libra del agua con una rápida sacudida, por lo que se mantiene

TEMPERAMENTO

Estos perros son valientes e inteligentes, pero pueden ser difíciles de adiestrar. También muestran tendencia a ser agresivos con otros perros.

CUIDADOS

El manto denso, áspero y de pelo corto es fácil de asear. Se cepilla con un cepillo de púas rígidas y sólo se debe bañar cuando sea necesario. El baño destruye el aceite impermeabilizante natural del manto.

EJERCICIO Y ALIMENTACIÓN

Estos perros necesitan mucha actividad vigorosa, incluyendo natación, para mantenerse en buena forma. No necesitan una

alimentación especial, pero mide la cantidad de alimento en relación con su nivel de actividad.

PROBLEMAS DE SALUD

Aun siendo una raza por lo general muy sana, algunos perros padecen displasia de cadera y enfermedades oculares hereditarias.

Macho: 58-66 cm
29-36 kg
Hembra: 53-61 cm
25-32 kg

Braco húngaro

Perro nacional de Hungría, este ágil braco fue poco conocido fuera de su país hasta después de la II guerra mundial. Este excelente perro de caza cada vez es más popular fuera de su país de origen.

LA MASCOTA Y SUS DATOS

 Inteligente, afectuoso y voluntarioso

 Cepillar con regularidad

 Regular y vigoroso

 Se adapta a la vida urbana, pero necesita mucho espacio

Buen perro guardián

ADVERTENCIA

- Son grandes saltadores y, si se aburren, escaparán del jardín que no tenga una valla lo bastante alta.

HISTORIA

El braco húngaro fue criado para la caza, como perro de muestra y de cobranza. Posiblemente descienda del perro amarillo turco y del sabueso de Transilvania, pero lo más probable es que sea el producto de cruces con el braco de Weimar. Buen nadador, en principio trabaja en llanos, bosques y marismas, cobrando presas igual de bien en tierra como en agua. Es un rastreador excelente.

DESCRIPCIÓN

Este hermoso perro delgado y fornido se mueve con gracia a un trote vivo o a un galope rápido devorador de kilómetros. El manto es corto y tupido, de color dorado óxido a rojizo amarillento, y graso al tacto. Se le suele amputar el último tercio de la cola.

TEMPERAMENTO

Aunque afable, inteligente y fácil de adiestrar, el braco húngaro es bastante sensible y necesita que se le trate con mimo. Es seguro dejarlo con niños y se adapta con rapidez a la vida en familia.

CUIDADOS

El manto liso y corto es fácil de mantener en su estado óptimo. Cepíllalo con un cepillo de púas rígidas, y lávalo ocasionalmente con un champú seco. Báñalo con jabón suave sólo cuando sea necesario. Las uñas se deben mantener cortas.

EJERCICIO Y ALIMENTACIÓN

Se trata de un perro de trabajo con mucha energía y resistencia física. Necesita muchas oportunidades para correr, preferiblemente sin correa, y mucho ejercicio regular. Si estos perros se aburren, pueden desplegar conductas destructivas. No necesitan comida especial.

PROBLEMAS DE SALUD

El braco húngaro es una raza razonablemente saludable, pero algunos ejemplares sufren epilepsia y trastornos de coagulación de la sangre.

Macho: 56-66 cm
20-27 kg
Hembra: 51-61 cm
18-25 kg

Braco de Weimar

Si lo gobierna con firmeza un adulto con liderazgo, el confiado, firme y activo braco de Weimar es un compañero maravilloso y un perro de trabajo, aunque se necesitan energías sin cuento para seguir su ritmo.

LA MASCOTA Y SUS DATOS

Inteligente, obediente y amistoso

Cepillar con regularidad

Regular y vigoroso

Se adapta a la vida urbana, pero necesita mucho espacio

Excelente perro guardián

ADVERTENCIA

- Este fornido perro necesita mucho ejercicio para no aburrirse.
- Propenso al meteorismo, que puede resultar mortal.

HISTORIA

Antiguamente usado en toda Alemania para cazar grandes presas como osos y jabalíes, el braco de Weimar se apreció en tiempos más recientes como perdiguero y cobrador de piezas pequeñas como aves acuáticas. A veces se le llama el fantasma gris.

DESCRIPCIÓN

Este soberbio perro de caza tiene un cuerpo atlético y proporcionado. Su brillante manto corto se da en gris plata hasta esfumaciones de color ratón, a menudo más claro en la cabeza y las orejas. Sus llamativos ojos son de color azul grisáceo o ámbar. La cola se suele amputar dejándola de unos 15 cm en los adultos.

champú seco ocasionalmente. Báñalo con un jabón suave sólo cuando sea necesario. Frotar el manto con una gamuza hará que brille. Inspecciona los pies y la boca por si ha sufrido daños después de una sesión de trabajo o ejercicio. Mantén cortas las uñas.

EJERCICIO Y ALIMENTACIÓN

Estos perros son trabajadores natos con gran resistencia. Necesitan muchas oportunidades para correr libres y mucho ejercicio regular. Como son propensos al meteorismo, es mejor que coman dos o tres comidas frugales en vez de una sola copiosa. No deben hacer ejercicio nada más comer.

PROBLEMAS DE SALUD

En general, el braco de Weimar es una raza resistente; sin embargo, como muchas razas grandes, a veces presenta meteorismo y displasia de cadera.

Macho: 61-69 cm
25-32 kg
Hembra: 56-63 cm
23-29 kg

TEMPERAMENTO

Despierto, inteligente y voluntarioso, el braco de Weimar es una raza versátil y feliz cuando se ocupa plenamente en una labor que le ocupe la mente. Requiere un adiestramiento firme y exhaustivo, y es un perro de guarda excelente, bueno con los niños.

CUIDADOS

El manto corto y liso es fácil de mantener en óptimo estado. Cepilla con un cepillo de púas rígidas y usa un

Setter irlandés

Este perro elegante y grácil es muy admirado por su manto lustroso de color castaño con flecos profusos. Es un poco más ligero y rápido que otros setter, pues fue criado para moverse por los terrenos pantanosos de Irlanda.

LA MASCOTA Y SUS DATOS

Alegre y afectuoso

Peinar a diario

Regular, amplio y vigoroso

Necesita mucho espacio para correr suelto. No es apto para vivir en pisos

No es un buen perro guardián

ADVERTENCIA

- La falta de ejercicio vuelve inquieto a este perro y es difícil de adiestrar
- Propenso a los problemas cutáneos

HISTORIA

El setter irlandés, también llamado setter rojo, evolucionó en las Islas Británicas durante los últimos 200 años a partir de variedades de setter, spaniel y braco. Como todos los setters, fue criado como perro de muestra, para localizar aves y quedarse quieto mientras el cazador tiraba o cazaba las aves con red.

DESCRIPCIÓN

El manto sedoso y con flecos profusos del setter irlandés es de muy diversos colores entre castaño y caoba, a veces con motas blancas en pecho y pies. Las orejas son largas y de implantación retrasada, y las piernas son largas y musculosas.

TEMPERAMENTO

Como la mayoría de los perros de caza, el setter irlandés está lleno de energía y de buen ánimo. También es muy afectuoso, a veces abrumador en ese sentido. Aunque pueda ser difícil de adiestrar, por distraerse con facilidad, el esfuerzo valdrá la pena tanto para el dueño como para el perro. El adiestramiento nunca debe ser estricto.

CUIDADOS

El peinado y cepillado diarios del manto blando, liso y de longitud media es todo cuanto se necesita para mantenerlo en un estado excelente.

Se debe mantener sin nudos ni enredos, y se le concederán cuidados adicionales cuando el perro mude el pelo. Se bañará y usará un champú seco sólo cuando sea necesario.

EJERCICIO Y ALIMENTACIÓN

Todos los setters necesitan mucho ejercicio, si es posible, corriendo libre. Si no dan paseos largos y rápidos a diario, se muestran inquietos y son difíciles de manejar. Toman dos o tres comidas frugales al día en vez de una copiosa.

PROBLEMAS DE SALUD

La raza es especialmente propensa a la epilepsia y alergias cutáneas graves. También padece meteorismo, problemas oculares y displasia de codo y cadera.

Macho: 66-71 cm
29-34 kg
Hembra: 61-66 cm
25-29 kg

Setter de Gordon

Más grande, pesado y fornido que sus primos, el setter de Gordon se llamó en tiempos setter negro y fuego de Escocia. Perro de muestra y de cobranza, también es una mascota deliciosa.

HISTORIA

Criado en Escocia como perdiguero por el cuarto Duque de Gordon a finales del siglo XVIII, este perro tiene genes de setter, collie y posiblemente sabueso. Se maneja muy bien por terreno escabroso.

DESCRIPCIÓN

Esta raza tiene gran resistencia. Su manto sedoso y generoso en flecos es siempre de un brillante negro con fuego y manchas de caoba rojizo. En la cara las manchas están claramente definidas y comprenden una mancha en cada ojo.

TEMPERAMENTO

Más tranquilo que otros setters y más reservado con desconocidos, el setter de Gordon es un compañero excelente y afectuoso. Es seguro dejarlo con niños y muy fácil de adiestrar, pero nunca se le debe tratar con dureza, porque es importante no doblegar su espíritu.

CUIDADOS

El peinado y cepillado regulares del manto suave, liso y de longitud media es todo lo que se necesita para mantenerlo en un estado excelente. Es importante deshacer nudos y enredos, y prestar atención especial al perro cuando mude el pelo. Se debe bañar y usar champú seco sólo cuando sea necesario. Hay que cortar el pelo en la base de los pies y cortar las uñas.

EJERCICIO Y ALIMENTACIÓN

Todos los setters necesitan mucho ejercicio, si es posible, corriendo sin correa. Si no dan largos y briosos paseos diarios, son difíciles de manejar. Como son propensos al meteorismo, es buena idea darles dos o tres comidas frugales al día.

PROBLEMAS DE SALUD

La raza es propensa a meteorismo, displasia de cadera y enfermedades oculares como atrofia progresiva de la retina y cataratas.

LA MASCOTA Y SUS DATOS

 Inteligente, amistoso, leal

 Peinado y cepillado regulares

 Regular y vigoroso

 Necesita mucho espacio para correr suelto, no es apto para vivir en un piso

 Perro guardián idóneo

ADVERTENCIA

- Estos perros son propensos a babear.

Macho: 61-69 cm
25-36 kg
Hembra: 58-66 cm
20-32 kg

Setter inglés

Fiable y trabajador, este hermoso perro derrocha fuerza, energía y gracia. También parece tener un sentido innato de lo que se espera de un perdiguero, respondiendo con inteligencia a situaciones nuevas.

HISTORIA

Descendiente de una variedad de spaniel español, esta raza también se conoce como setter de Laverack, en recuerdo de Edward Laverack, que desempeñó un papel principal en su desarrollo.

DESCRIPCIÓN

Este perro elegante tiene la cabeza finamente cincelada y grandes agujeros nasales. Su manto liso y recto, de longitud media, luce un color blanco, moteado con combinaciones de negro, limón, hígado y negro y fuego. Presenta flecos por debajo del cuerpo y en las orejas.

TEMPERAMENTO

Dócil y muy alegre, este perro se toma sus tareas muy en serio y, cuando forma parte de una familia, es sereno y muy leal. Es amistoso, inteligente y siempre atento para anticiparse a los deseos de su dueño.

CUIDADOS

El peinado y cepillado diarios de su manto sedoso de longitud media es importante, y hay que prestar atención especial cuando muda el pelo. Se debe bañar o aplicar un champú seco sólo cuando sea necesario. Se cortará el pelo de los pies y cola, y se inspeccionarán sus largas orejas por si hubiera signos de infección.

EJERCICIO Y ALIMENTACIÓN

Como todos los setters, esta raza necesita un largo paseo diario. Es propenso al meteorismo, por lo que debe tomar dos o tres comidas frugales al día en vez de una y copiosa.

PROBLEMAS DE SALUD

Estos perros sufren displasia de codo y cadera, sordera, meteorismo y atrofia progresiva de la retina.

LA MASCOTA Y SUS DATOS

Inteligente y amistoso

Peinado y cepillado diarios

Regular y vigoroso

Necesita mucho espacio para correr suelto; no es apto para vivir en un piso

Perro guardián idóneo

⚠ ADVERTENCIA

- Se mostrará intranquilo si no hace suficiente ejercicio.
- Es probable que se escape si el jardín no está bien cercado.

Macho: 61-66 cm
27-34 kg
Hembra: 58-63 cm
25-29 kg

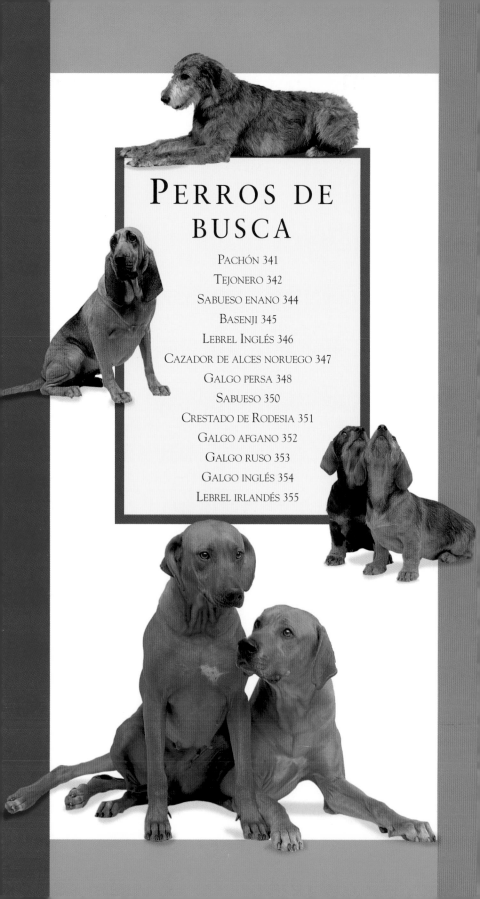

PERROS DE BUSCA

Pachón

No es sólo su tamaño pequeño el que ha vuelto al pachón tan popular. Es una criatura entrañable y simpática, siempre dispuesto a jugar y que requiere poco tiempo de su dueño para el aseo y el ejercicio.

HISTORIA

Jaurías de pachones se usaron tradicionalmente para cazar liebres por el olfato. El nombre en inglés (beagle) tal vez proceda del vocablo celta *beag*, 'pequeño', o del francés *begueule*, 'boquiabierto'. El perro moderno es considerablemente más grande que en sus primeros tiempos, cuando a menudo se los transportaba en bolsillos o alforjas.

DESCRIPCIÓN

Este perrito fornido es el más pequeño de las jaurías. Su denso manto impermeable se da en combinaciones de blanco, negro, fuego, rojo, limón y motas azules. En Estados Unidos se reconocen dos tamaños, menos de 33 cm y 33-38 cm.

TEMPERAMENTO

Esta raza voluntariosa necesita una buena mano firme, porque no siempre resulta fácil de adiestrar. Cuando el pachón capta un rastro interesante, puede ser difícil recabar su atención. Despierto y de buen temperamento, pocas veces se muestra agresivo y le encantan los niños y tener compañía.

CUIDADOS

El manto liso y corto del pachón es fácil de cuidar. Se debe cepillar con un cepillo de púas rígidas, y usar un champú seco ocasionalmente. Se debe bañar con un jabón suave sólo cuando sea necesario. Asegúrate de examinar cuidadosamente las orejas por si hubiera signos de infección y mantén las uñas cortas.

EJERCICIO Y ALIMENTACIÓN

Activo y dotado de energía inagotable, el pachón necesita mucho ejercicio, aunque un jardín de dimensiones razonables cubrirá muchas de sus necesidades. Un paseo a buen ritmo a diario cubrirá el resto. No necesita una alimentación especial, pero, si empleas comida para motivarlo en su adiestramiento, ten cuidado de que no se vuelva obeso ni perezoso.

PROBLEMAS DE SALUD

El pachón puede sufrir problemas de columna, epilepsia, afecciones cutáneas y enfermedades oculares genéticas como glaucoma y cataratas. También muestra tendencia a la obesidad.

LA MASCOTA Y SUS DATOS

 Despierto, alegre y de buen temperamento

 Cepillar con regularidad

 Frecuente y moderado

 Se adapta bien a la vida urbana

 No es un buen perro guardián

 ADVERTENCIA

- Los pachones aúllan cuando ladran, lo cual puede ser fastidioso.
- Son propensos al fuguismo.

Macho: hasta 41 cm
10-11 kg
Hembra: hasta 38 cm
9-10 kg

Tejonero

Estos extraordinarios perros «salchicha» despliegan variedad de colores, tamaños y tipos de manto; parece que hay un robusto tejonero para todos los gustos, aunque la mayoría de los dueños tengan preferencias claras.

HISTORIA

El tejonero (Dachshund) tuvo su origen en Alemania hace muchos cientos de años. El tejonero fue criado para cazar y perseguir tejones bajo tierra, evolucionando gradualmente hasta desarrollar patas cortas para cavar y sacar su presa de las madrigueras. Los tejoneros más pequeños se criaron para cazar liebres y armiños. El tejonero tiene muchas características del terrier. Son perros versátiles y valientes, y se sabe que han cazado zorros y nutrias además de tejones.

DESCRIPCIÓN

El tejonero se cría en dos tamaños: mediano y enano. Todos los tejoneros tienen un cuerpo alargado, fornido, que apenas se levanta del suelo, con las patas muy cortas, poderosas patas delanteras desarrolladas para excavar. La piel es laxa y el manto adopta tres tipos diferentes: pelo raso, corto y denso; pelo largo, suave y liso, y recto con flecos, y pelo duro con un manto doble corto, barba y cejas pobladas. El tejonero de pelo duro es el menos corriente y fue criado para cazar entre la maleza tupida. Los tres mantos lucen diversos colores uniformes, bicolor, atigrado y moteado. Estos perros emiten un ladrido muy fuerte para su tamaño, lo cual podría bastar para intimidar a un intruso.

TEMPERAMENTO

Despiertos, vivos y afectuosos, los tejoneros son todo unos personajillos, buenos compañeros y razonablemente obedientes cuando se les adiestra bien. Pueden ser un poco agresivos con desconocidos, pero son estupendas mascotas caseras. Los tejoneros enanos tal vez sean menos aptos para los hogares con niños pequeños, porque son vulnerables a las lesiones por una manipulación descuidada.

LA MASCOTA Y SUS DATOS

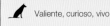 Valiente, curioso, vivo

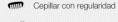 Cepillar con regularidad

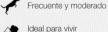 Frecuente y moderado

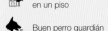 Ideal para vivir en un piso

Buen perro guardián

ADVERTENCIA

• Es importante evitar que estos perros se vuelvan obesos, porque son propensos a las lesiones de columna vertebral.

• Son excavadores entusiastas y causarán problemas en el jardín.

Mediano
Macho: Unos 20 cm
7-15 kg
Hembra: Unos 20 cm
7-15 kg

Enano
Macho: Unos 20 cm
7-15 kg
Hembra: Unos 20 cm
7-15 kg

CUIDADOS

El cepillado regular con un cepillo de púas es apropiado para todos los tipos de manto. Se usará un champú seco o se bañará cuando sea necesario, pero siempre hay que asegurarse de que se seca a fondo y está caliente después del baño. La variedad de pelo raso mostrará un pelaje lustroso si se le frota con una toalla o una gamuza. Examina las orejas con regularidad.

EJERCICIO Y ALIMENTACIÓN

Son perros activos con una resistencia sorprendente a los que les encanta pasear o tener una sesión de juego en el parque. No se les debe permitir saltar porque son propensos a las lesiones de columna. No necesitan comida especial, pero muestran tendencia al sobrepeso y la pereza. Éste es un grave problema de salud, porque aumenta los riesgos para la espalda. Los tejoneros parecen propensos a los problemas dentales, por lo que debe brindárseles muchas oportunidades de morder.

PROBLEMAS DE SALUD

Las hernias de disco en la espalda pueden causar dolor intenso y parálisis de las patas traseras. Como es una raza longeva, los tejoneros también sufren problemas habituales en perros viejos, como obesidad, diabetes y cardiopatías. También padecen enfermedades oculares genéticas y problemas cutáneos como calvas localizadas en las orejas.

Sabueso enano

El rostro tristón de este sabueso dócil y simpático desmiente su naturaleza vivaz. Cuando caza, no ceja en seguir un rastro, pero también es una mascota deliciosa en los hogares donde hay niños pequeños.

HISTORIA
Mientras que la mayoría de razas Basset tuvieron su origen en Francia (bas significa «bajo» en francés), el sabueso enano se creó en Gran Bretaña hace sólo 100 años. Su capacidad para concentrarse en un olor hizo que se ganara pronto el respeto como compañero de caza.

DESCRIPCIÓN
Este perro robusto tiene las patas cortas y rechonchas con la piel laxa y formando pliegues. Gran parte del peso se concentra en la porción anterior de su largo cuerpo con forma de barril. El manto de pelo corto muda moderadamente y se da en combinaciones de blanco con fuego, negro y ocasionalmente limón. Las orejas son largas y aterciopeladas.

TEMPERAMENTO
Afable, sociable y dócil con los niños, el sabueso enano se adapta bien a la vida familiar. Con adiestramiento adecuado, es obediente, aunque si capta un olor interesante, a veces es difícil que te preste atención.

CUIDADOS
El manto liso de pelo corto es fácil de asear. Se debe peinar y cepillar con un cepillo de púas rígidas, y se aplicará champú sólo cuando sea necesario. Hay que limpiar bajo las orejas cada semana y cortar las uñas con regularidad.

EJERCICIO Y ALIMENTACIÓN
Abundante ejercicio moderado ayudará a mantener a este perro sano y feliz, pero se desaconseja que salte y cargue las patas delanteras. No hay que darle comida de más porque el peso extra impone una carga excesiva sobre las piernas y la columna. Como es propenso al meteorismo, también se aconseja que tome dos o tres comidas frugales en vez de una y copiosa.

Problemas de salud
Como las orejas son largas y pesadas, son susceptibles de sufrir infecciones. Estos perros también padecen meteorismo e infecciones cutáneas, como seborrea.

LA MASCOTA Y SUS DATOS

 Dócil y leal

 Cepillado semanal, prestando atención a las orejas y los pies

 Frecuente y moderado

 Bien adaptado a la vida urbana

 No es un buen perro guardián

 ADVERTENCIA

- Estos perros pueden oler por culpa de infecciones cutáneas y de oídos.
- Propenso a comer en demasía y a engordar si se le da oportunidad.

Macho: 30-38 cm
23-29 kg
Hembra: 28-36 cm
20-27 kg

Basenji

Este perro bello y fornido, es tan prolijo con su aseo personal como un gato, hasta el punto de lavarse con sus propias patas. Aunque la raza es famosa por no ladrar, tampoco es silenciosa, porque emite un «canto tirolés» cuando está contento.

LA MASCOTA Y SUS DATOS

- Inteligente, juguetón, pero muy independiente
- Cepillado semanal
- Regular y vigoroso
- Se adapta bien a la vida urbana
- No es buen perro guardián

🐾 ADVERTENCIA

- Al basenji le gusta morder cosas, así que suminístrale muchos juguetes que pueda destruir.
- También le gusta trepar y supera con facilidad vallas de tela de alambre.

HISTORIA

Este perro, tan antiguo tuvo su origen en África, donde se usaba para cazar y era valorado por su gran resistencia física.
Se introdujo en Europa y luego en América del Norte en el siglo XX.

DESCRIPCIÓN

El basenji es un perro compacto, fornido y de tamaño medio, con un trote distintivo al andar. Su manto suelto, sedoso y corto se da en combinaciones de blanco, fuego, castaño, atigrado y negro. Cuando está alerta, la frente se llena de arrugas que le confieren un aspecto preocupado. La cola está totalmente enroscada sobre la espalda. El patrón reproductor es inusual, estando en celo la perra sólo una vez al año.

TEMPERAMENTO

Despierto, afectuoso, activo y curioso, al basenji le encanta jugar y es una buena mascota siempre y cuando se le imponga una buena disciplina desde pequeño. Es muy inteligente y responde bien al adiestramiento.

CUIDADOS

El manto sedoso, liso y de pelo corto es fácil de cuidar. Se debe peinar y cepillar con un cepillo de púas rígidas, y se usará champú sólo cuando sea necesario.

EJERCICIO Y ALIMENTACIÓN

El ejercicio vigoroso diario mantendrá al basenji en forma y delgado; tiene tendencia a engordar y a volverse perezoso a menos que el dueño le imponga un régimen de ejercicio.

PROBLEMAS DE SALUD

Esta raza puede sufrir problemas renales, que se deben tratar en cuanto se aprecien síntomas. También son susceptibles de padecer atrofia progresiva de la retina y problemas intestinales.

Macho: 41-43 cm
10-12 kg
Hembra: 38-41 cm
9-11 kg

Lebrel inglés

Dócil, afectuoso y adaptable, el lebrel inglés es un amigo delicioso y un compañero perfecto para salir a correr. Esbelto y de buenas maneras en el hogar, se adapta muy bien a la vida familiar.

HISTORIA

Este descendiente del galgo inglés, tal vez con algo de sangre de terrier, se usaba para cazar conejos en el norte de Inglaterra. También compite con sus congéneres en carreras por parejas, en las que los perros, a una señal dada con un pañuelo, corren hacia sus dueños.

DESCRIPCIÓN

El aspecto fino y delicado del lebrel inglés esconde a un perro fuerte y veloz que acelera con rapidez hasta alcanzar 55 km/h. El manto denso y fino luce muchos colores o mezclas. El hocico es largo y delgado, y la impresión general es la de un cuerpo elegante y aerodinámico.

TEMPERAMENTO

Dócil y sensible, el lebrel inglés es una mascota sorprendentemente dócil y obediente, aunque inclinada a ponerse nervioso cuando hay niños revoltosos a su alrededor. Si bien es fácil de adiestrar, los dueños deben tener mucho cuidado de no quebrar su voluntad con un trato duro o despótico.

CUIDADOS

El manto liso, fino y corto es fácil de cuidar. Se debe cepillar con un cepillo de púas rígidas y sólo se bañará cuando sea necesario. Frotar el cuerpo de forma habitual con una gamuza húmeda mantendrá su manto brillante. Las uñas se deben mantener cortas.

EJERCICIO Y ALIMENTACIÓN

Estos perros, cuando sirven de mascotas, deben tener oportunidades frecuentes para correr sueltos por terreno despejado, además de largos paseos diarios a ritmo rápido con correa. No necesita comida especial.

PROBLEMAS DE SALUD

Debido a su manto fino, el lebrel inglés es sensible al frío y puede sufrir quemaduras solares. Sus huesos son delicados y se rompen con facilidad. También padece enfermedades oculares genéticas como cataratas y atrofia progresiva de la retina.

LA MASCOTA Y SUS DATOS

 Sensible, dócil, muy nervioso

 Cepillar con regularidad

 Frecuente y moderado

 Se adapta bien a la vida urbana, pero necesita mucho espacio

 No es un buen perro guardián

ADVERTENCIA

- Suele preferir cazar a obedecer, por lo que tal vez se deba llevar con correa en público.

Macho: 48-56 cm
9-10 kg
Hembra: 46-53 cm
9-10 kg

Cazador de alces noruego

Sorprendentemente, el hermoso cazador de alces noruego se adapta a climas más cálidos que su tierra natal, ya que su manto grueso aísla del calor y el frío. Es una buena mascota.

HISTORIA

Estos perros se han empleado para cazar osos y alces desde la época de los vikingos. Dan caza y apresan a la pieza hasta que los cazadores llegan y la cobran. También se usaron para tirar trineos.

DESCRIPCIÓN

Aunque rastrea pistas en completo silencio, el cazador de alces es tal vez el más «charlatán» de todos. Despliega todo un vocabulario de sonidos, cada cual con un significado distinto, y pronto aprenderás a reconocer su forma de decirte que hay desconocidos cerca. Miembro de la familia Spitz, el cazador de alces tiene un cuerpo corto y grueso con la cola ligeramente enroscada sobre la espalda. El pelaje luce distintos tonos de gris, con motas negras en el manto externo, y pelo más claro en el pecho, la parte inferior del cuerpo, las patas y la cara inferior de la cola. Luce una espesa gola alrededor del cuello.

TEMPERAMENTO

Aunque dócil y leal con su dueño, el cazador de alces necesita un adiestramiento sólido, firme pero nunca duro. Aunque adaptable, le gusta seguir una rutina fija.

CUIDADOS

El cepillado regular del manto duro, áspero e impermeable es importante, prestando especial atención cuando el perro esté mudando su denso entrepelo. En este momento el pelo muerto se pega al pelo nuevo y se debe eliminar con un cepillo de goma pensado para esa tarea. El baño es prácticamente innecesario.

LA MASCOTA Y SUS DATOS

 Intrépido, inteligente, afable

 Cepillar con regularidad

 Regular y vigoroso

 Se adapta a la vida urbana, pero necesita mucho ejercicio

 Buen perro guardián

 ADVERTENCIA
- Su grueso manto puede dificultar la localización de garrapatas.

EJERCICIO Y ALIMENTACIÓN

Perro ágil y activo, el cazador de alces se siente realizado desempeñando actividades agotadoras. Cuanto más espacio tenga para moverse, mejor. No necesita una alimentación especial.

PROBLEMAS DE SALUD

Esta raza resistente está acostumbrada a una vida baqueteada y presenta pocas enfermedades genéticas aparte de displasia de cadera y las enfermedades oculares habituales.

Macho: 48-53 cm
23-27 kg
Hembra: 46-51 cm
18-25 kg

Galgo persa

Esta antigua raza se usaba en Arabia, en colaboración con halcones, para cazar gacelas y otras presas. Mientras los halcones sobrevolaban la presa, los galgos persas daban caza y retenían a la presa hasta que un cazador a caballo la cobraba.

HISTORIA

Emparentado con el galgo inglés, esta raza ágil y veloz tuvo su origen en Arabia (su nombre en inglés, saluki, procede de una ciudad desaparecida, Saluk). También se le conocía como galgo cazador de gacelas aunque cazara otros animales. En el mundo musulmán se consideraba un «regalo sagrado de Alá» y tradicionalmente nunca se vendían ejemplares, pues sólo podían darse como regalo a un amigo o a alguien de importancia.

DESCRIPCIÓN

Su aspecto atlético es de gracia y simetría totales. Delgado y de huesos finos, el galgo persa está hecho para la velocidad y es capaz de acelerar hasta 65 km/h o más, además de tener una resistencia excepcional. Su marcha al galope es inusual y característica de los perros de caza a la carrera, quedando las cuatro patas en el aire cuando el animal está en plena carrera. Esto da la impresión de que el perro está volando. Presenta dos tipos de manto, de pelo liso y con flecos. En ambos casos el galgo presenta flecos en las orejas y en la larga cola curva, si bien el galgo de pelo liso no presenta flecos en las patas. El manto sedoso, liso y suave, luce colores como negro y fuego, blanco, crema, cervato, dorado y rojizo, así como diversas combinaciones de estos. Las tribus beduinas creían que cuando presentaban un lucero blanco en la frente era «el beso de Alá» y los consideraban especiales. La cabeza aristocrática es estrecha, bien proporcionada, y las orejas con flecos son largas y caídas.

TEMPERAMENTO

Dócil, afectuoso y muy leal, el galgo persa pasa rápidamente a formar parte de la familia, aunque mantiene su reserva con desconocidos. Son nada agresivos y pueden ser bastante sensibles y aunque fáciles de adiestrar, se vuelven nerviosos y tímidos si su adiestrador se muestra duro o despótico.

CUIDADOS

El manto sedoso, liso y suave, es fácil de asear y pierde poco pelo. Se debe peinar y cepillar con un cepillo de púas rígidas, y sólo se aplicará champú cuando sea necesario. Hay que procurar no cepillar en exceso, porque podría romper el manto. Se cortará el pelo entre los dedos o se enredará y provocará llagas en los pies.

EJERCICIO Y ALIMENTACIÓN

El galgo persa debe tener oportunidades frecuentes de correr suelto en terreno abierto además de largos paseos diarios: son excelentes compañeros para salir a correr. No necesitan comida especial, pero tienden a comer poco. También beben menos que los otros perros, como se podría esperar por su origen.

PROBLEMAS DE SALUD

Estos perros son propensos al cáncer y a enfermedades oculares genéticas, como cataratas y atrofia progresiva de la retina. Los perros con la trufa moteada o de color pálido deben ser protegidos con un protector solar aplicado con regularidad en esas áreas sensibles en los meses de verano.

Macho: 58-71 cm
23-27 kg
Hembra: 51-59 cm
16-25 kg

Sabueso

Introducido en Inglaterra por Guillermo el Conquistador, el sabueso, con su mirada solemne, ha entrado en la literatura y la leyenda como el perro policía arquetípico, aunque nunca mata a su presa.

LA MASCOTA Y SUS DATOS

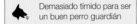

Dócil, sensible y afectuoso

Mínimo

Regular y vigoroso

Se adapta a la vida urbana, pero necesita mucho espacio y ejercicio

Demasiado tímido para ser un buen perro guardián

ADVERTENCIA

- El aullido quejumbroso de un sabueso aburrido tal vez no guste a los vecinos.

- Propenso a las infecciones de oído porque las orejas son largas y pesadas.

HISTORIA

Los ancestros del sabueso se remontan directamente a la Bélgica del siglo VIII, y también se lo conoce por sabueso flamenco. Es capaz de seguir cualquier rastro, incluso el de los seres humanos, una habilidad poco corriente en los perros.

DESCRIPCIÓN

Corpulento y fornido, el sabueso parece más duro de lo que es. La piel pende de su cuerpo y parece varias tallas más grande que su cuerpo. El manto es corto y denso, fino en la cabeza y las orejas, y de color fuego con negro o pardo rojizo, leonado o rojo uniforme. A veces presenta un área blanca en el pecho, pies y punta de la cola.

TEMPERAMENTO

Sensible, dócil y tímido, el sabueso es muy leal a su dueño y se lleva bien con la gente y otros perros; pocas veces es bravo.

CUIDADOS

El manto liso y de pelo corto es fácil de asear. Se debe cepillar con un cepillo de púas rígidas, y sólo se bañará cuando sea necesario. Frotar el manto con una toalla áspera o una gamuza lo dejará brillante. Hay que limpiar con regularidad las orejas largas y caídas.

EJERCICIO Y ALIMENTACIÓN

A los sabuesos les gusta una buena carrera y necesitan mucho ejercicio. Sin embargo, si capta un rastro interesante, puede resultar difícil recabar su atención. Como esta raza es propensa al meteorismo, debería tomar dos o tres comidas frugales al día en vez de una y copiosa. Hay que evitar el ejercicio después de comer.

PROBLEMAS DE SALUD

Estos perros son susceptibles a sufrir meteorismo y displasia de cadera. Se recomienda una yacija muy bien acolchada para que no se formen callos en las articulaciones.

Macho: 63-69 cm
41-50 kg
Hembra: 58-63 cm
36-45 kg

Crestado de Rodesia

Este perro guardián, devoto de su tarea, resistente y que necesita pocos cuidados, establece estrechos vínculos con su familia de adopción los primeros años de vida y es una mascota fiel y alegre.

LA MASCOTA Y SUS DATOS

 Valiente, dócil y leal

 Cepillar a diario

 Frecuente y moderado

 Se adapta bien a la vida urbana, pero necesita mucho espacio

 Es un magnífico perro guardián

ADVERTENCIA

- El adiestramiento debe ser suave y desde cachorro, mientras el perro es todavía pequeño para manejarlo.

HISTORIA

Esta raza recibe su nombre por una peculiaridad del manto, una cresta de pelo con forma de daga, bien definida a lo largo de la columna vertebral en dirección opuesta a la del resto del manto. Aunque tuvo origen en Sudáfrica, fue en lo que ahora se conoce como Zimbabwe donde se apreció a estos perros por su capacidad para cazar leones y otras presas grandes.

DESCRIPCIÓN

Es un perro fuerte y activo con un manto denso y brillante que luce esfumaciones de rojo a trigueño con el hocico oscuro y a veces con una pequeña mancha blanca en el pecho. Cuando está alerta, frunce el ceño.

TEMPERAMENTO

Como muchos otros perros fornidos, el crestado de Rodesia es un animal dócil y amistoso, aunque pueda ser un luchador tenaz cuando se le provoca. Es un estupendo perro guardián y una mascota familiar fiel. Inteligente y afable, es fácil de adiestrar, pero debe ser tratado con cariño para no doblegar su espíritu o volverlo agresivo.

CUIDADOS

El manto liso y corto es fácil de cuidar. Se debe cepillar con un cepillo de púas rígidas, y sólo se tratará con champú cuando sea necesario.

EJERCICIO Y ALIMENTACIÓN

Estos perros tienen gran resistencia y te cansarás mucho antes que ellos, aunque se adaptarán a tu régimen de ejercicio. Les encanta nadar.

No necesitan comida especial, pero ten cuidado de no sobrealimentarlos.

PROBLEMAS DE SALUD

El crestado de Rodesia es una raza resistente, capaz de soportar cambios bruscos de temperatura. Sin embargo, son susceptibles a sufrir displasia de cadera y quistes cutáneos ocasionales relacionados con su cresta característica.

Macho: 63-69 cm
36-41 kg
Hembra: 61-66 cm
29-34 kg

Galgo afgano

De innegable elegancia cuando está en condición óptima, el hermoso galgo afgano no es una mascota fácil de cuidar. Opta por este perro sólo si estás preparado para invertir mucho tiempo en él.

HISTORIA

De una raza fuerte, ágil y con gran resistencia física, el galgo afgano se utilizó muchos siglos en su país natal para cazar gacelas y otras presas grandes, incluido el leopardo de las nieves. Fue el favorito de la realeza.

DESCRIPCIÓN

El manto es muy largo, liso y sedoso, excepto en la cara y a lo largo de la columna, y luce todos los colores y algunas combinaciones. A los amantes de esta raza no les gustan las manchas blancas. Los gruesos mechones de pelo de las patas los protegen del frío. El extremo de la cola debe acabar en un anillo completo. Anda con soltura y al trote.

TEMPERAMENTO

La enorme popularidad de estos perros durante la década de 1970 significó que se adquirieran muchos por motivos equivocados. Aunque inteligentes, no son fáciles de adiestrar y, al ser grandes, tampoco son fáciles de manejar. Por supuesto, no son un objeto decorativo y sus dueños tienen que establecer una relación genuina con ellos. Se han abandonado demasiados galgos afganos por culpa de las expectativas irreales de sus dueños.

CUIDADOS

El manto largo y espeso exige muchos cuidados y debe cepillarse a diario. Se usará champú seco cuando sea necesario y se bañará una vez al mes.

LA MASCOTA Y SUS DATOS

 Independiente, alegre, cariñoso

 Con prodigalidad

 Regular y vigoroso

 Se adapta bien a la vida urbana, pero necesita mucho espacio

 No es un buen perro guardián

ADVERTENCIA

- A menudo cuesta mucho que acuda a la llamada.

EJERCICIO Y ALIMENTACIÓN

Al galgo afgano le encantan los espacios abiertos y se le debe dejar correr suelto en una zona segura, además de sus largos paseos diarios. No necesita una alimentación especial.

PROBLEMAS DE SALUD

Si bien esta raza es por lo general robusta, algunos perros sufren displasia de cadera y problemas oculares como cataratas.

Macho: 66-74 cm
25-29 kg
Hembra: 61-66 cm
20-25 kg

Galgo ruso

El educadísimo galgo ruso es un perro grácil y bello, majestuoso y dócil. Si quieres un compañero fiel y puedes darle el ejercicio y afecto que necesita, éste puede ser tu perro.

dueños y tolerante con otros perros, pero necesita que se le preste mucha atención.

HISTORIA

La aristocracia rusa solía emplear una pareja de galgos para cazar lobos. Los perros apresaban y retenían a la presa hasta que el cazador a caballo llegaba y cobraba la pieza. Probablemente sean descendientes de los perros de caza a la carrera de Oriente Medio a los que se parecen.

DESCRIPCIÓN

Es un perro alto y elegante, con un cuerpo delgado y fornido hecho para la velocidad. El manto largo, sedoso, a menudo ondulado, presenta profusión de flecos, y es de todos los colores, por lo general, blanco con manchas. Las pequeñas orejas están apuntadas y lucen abundantes flecos.

TEMPERAMENTO

Dócil, reservado y a veces nervioso cuando hay niños, el galgo ruso es afectuoso con sus

CUIDADOS

El largo y sedoso manto es fácil de cuidar. Se debe cepillar regularmente con un peine de púas rígidas, y se usará un champú seco cuando sea necesario. El baño presenta problemas con un perro tan alto, pero no hay que bañarlo con mucha frecuencia. Hay que cortar el pelo entre los dedos para mantener los pies limpios y cómodos.

EJERCICIO Y ALIMENTACIÓN

Para que se mantengan en forma estos perros necesitan mucho ejercicio, incluidas oportunidades frecuentes para correr sin correa. Como son propensos

al meteorismo, es buena idea que tomen dos o tres comidas frugales al día y que eviten el ejercicio después de comer.

PROBLEMAS DE SALUD

Estos perros grandes y de ancho pecho son especialmente propensos al meteorismo. En ocasiones sufren trastornos hemáticos y de tiroides.

Macho: al menos 71 cm
34-48 kg
Hembra: al menos 66 cm

Galgo inglés

Ágil y de pies ligeros, esta raza es una de las más antiguas conocidas, siempre apreciada por su habilidad venatoria. Las líneas finas y elegantes del galgo inglés a menudo ostentan la librea de las armas de la realeza.

LA MASCOTA Y SUS DATOS

 Dócil, cariñoso y sensible

 Cepillado ocasional

 Frecuente y moderado

 Se adapta bien a la vida urbana si hace mucho ejercicio

 Es un buen perro guardián

✦ ADVERTENCIA

- Deben llevarse con correa en público.
- A veces muestran sensibilidad a ciertos anestésicos corrientes y productos antipulgas.

su movimiento aerodinámico es un hermoso espectáculo. El manto tupido, corto y fino se revela en colores negro, gris, blanco, rojo, azul, cervato, gamo, atigrado o cualquiera de estos colores con manchas blancas.

HISTORIA

Es probable que los galgos surgieran de Oriente medio, pero también tienen una larga historia en Europa. Siempre fueron muy apreciados como perros de caza.

DESCRIPCIÓN

Esbeltos y fornidos, estos perros están pensados para correr a gran velocidad. Sus largas y musculosas patas los impulsan hasta 70 km/h. Cuando tienen las patas extendidas al correr,

TEMPERAMENTO

Dócil y sensible, el galgo es una mascota que sorprende por su obediencia y docilidad si tenemos en cuenta sus orígenes cazadores. Sin embargo, conserva un poderoso instinto predador y siempre hay que llevarlo con correa en público. El galgo es bueno con los niños y se adapta bien a la vida familiar. Pese a ser fáciles de adiestrar, los dueños deben tener cuidado de no doblegar su espíritu con un trato duro o despótico.

CUIDADOS

El manto liso y de pelo corto es muy fácil de cuidar. Simplemente hay que peinarlo y cepillarlo con un cepillo de

púas rígidas, y usar champú seco sólo cuando sea necesario.

EJERCICIO Y ALIMENTACIÓN

Los galgos que se tienen como mascotas deben tener oportunidades frecuentes de correr sin correa por terrenos abiertos, así como dar largos paseos diarios a buen ritmo, preferiblemente siempre a la misma hora del día. A los galgos les encanta la rutina. No necesitan comida especial, pero es mejor darles dos comidas frugales al día en vez de una sola y copiosa.

PROBLEMAS DE SALUD

El galgo inglés es una de las pocas razas grandes que no padece displasia de cadera. Tiene una piel muy fina que se desgarra con facilidad y se adapta mal a los climas fríos.

Macho: 71-76 cm
29-32 kg
Hembra: 68-71 cm
27-29 kg

Lebrel irlandés

El lebrel irlandés, un gigante dócil y afectuoso, se porta de maravilla con los niños. En tiempos se empleó para cazar lobos, con tanto éxito que los lobos desaparecieron de las Islas Británicas.

HISTORIA

Después de ser víctima de su éxito en su labor contra los lobos, esta raza estuvo al borde de la extinción y fue recuperada hace 140 años por un oficial de la marina, el capitán George Graham, que presintió su potencial como perro para rescates.

DESCRIPCIÓN

Este moloso de grandes músculos es el perro más alto del mundo. Su manto duro y áspero adopta colores como gris, atigrado, rojizo, negro, cervato y blanco. Los pies son grandes y redondeados, con los dedos fornidos y muy arqueados, con las uñas curvas.

TEMPERAMENTO

A pesar de ser un cazador de lobos, este perro es dócil, leal y muy afectuoso. Es muy fiable cuando está con niños, aunque podría derribarlos con su larga cola. Si bien no muestra inclinación a ladrar, su tamaño solo es capaz de disuadir a los intrusos.

CUIDADOS

A menos que su manto duro y rizado se peine con frecuencia, se formarán enredos. Hay que cortar los nudos y el pelo alrededor de los ojos y orejas con unas tijeras de punta roma.

EJERCICIO Y ALIMENTACIÓN

El lebrel irlandés siente inclinación a la pereza y necesita una cantidad razonable de ejercicio, pero no más que las razas más pequeñas. No necesita comida especial.

LA MASCOTA Y SUS DATOS

 Tranquilo y dócil

 Peinar a diario

 Frecuente y moderado

Necesita mucho espacio. No es apto para vivir en pisos

 Es un perro guardián idóneo

ADVERTENCIA

- Para evitar daños en las articulaciones, no deben dar largos paseos cuando son jóvenes.
- Sus cuidados pueden ser complicados y costosos.

PROBLEMAS DE SALUD

Como muchas razas gigantes, estos perros pueden sufrir cardiopatías. También padecen meteorismo, displasia de cadera y cataratas.

Macho: 81-95 cm
52-57 kg
Hembra: 71-81 cm
45-50 kg

PERROS DE TRABAJO

Boxer

Si tu mejor amigo es un boxer, podrás confiarle totalmente el cuidado de tu propiedad y te estará esperando con la más entusiasta de las bienvenidas cuando vuelvas a casa.

HISTORIA

Criado en Alemania a partir de mastines, el boxer se utilizó en un principio para acosar a los toros y terminó cruzándose con el bulldog para mejorar esta habilidad. Era poco conocido fuera de su país de origen hasta después de la II Guerra Mundial, cuando los soldados que volvían a Estados Unidos se llevaron algunos ejemplares a casa.

DESCRIPCIÓN

El cuerpo es compacto y fornido, y su manto brillante y firme se muestra en cervato, atigrado y distintos tonos rojizos, con manchas blancas. La cola se suele amputar. En algunos países se recortan las orejas.

CUIDADOS

El manto liso y corto del boxer es fácil de cuidar. Se debe cepillar con un cepillo de púas rígidas y sólo se debe bañar cuando sea necesario.

EJERCICIO Y ALIMENTACIÓN

Esta raza atlética y activa necesita trabajo o ejercicio diarios. Además de un largo paseo diario a ritmo rápido, disfrutan de una sesión jugando a buscar y cobrar una pelota. No necesitan una alimentación especial.

TEMPERAMENTO

Inteligente y fácil de adiestrar, el boxer se ha usado ampliamente en tareas del ejército y la policía. El adiestramiento debe empezar cuando son pequeños y ser firme y constante, porque estos perros exuberantes necesitan la dirección de un adulto fuerte. Son fiables y protectores con los niños y muy leales con la familia. Excelentes perros guardianes, harán retroceder a los intrusos igual que los bulldog.

LA MASCOTA Y SUS DATOS

 Alegre, cariñoso y leal

 Cepillado ocasional

 Regular y vigoroso

Se adapta bien a la vida urbana, pero necesita espacio

 Excelente perro guardián

ADVERTENCIA

- Estos perros necesitan un dueño enérgico y fuerte con el que jugar.
- Pueden mostrarse agresivos con otros perros.

PROBLEMAS DE SALUD

La forma de la trufa puede causar infecciones sinusales y dificultades respiratorias. Estos perros son propensos al cáncer de piel; si se descubre algún bulto al cepillarlo, se debe investigar porque podría ser un tumor maligno. Muchos boxers también sufren problemas cardíacos hereditarios.

Macho: 56-61 cm
27-32 kg
Hembra: 53-58 cm
25-29 kg

Schnauzer

Aunque sólo conocido fuera de su nativa Alemania desde hace menos de un siglo, este perro de aspecto inusual tiene ahora admiradores por todo el mundo, a los que conquista su espíritu vivaz, su resistencia y lealtad.

HISTORIA

El schnauzer es una raza alemana antigua o, para ser más exactos, tres razas, ya que los tres tamaños, gigante, mediano y enano (ver p. 384), se consideran razas distintas. En Estados Unidos los schnauzers gigante y mediano se clasifican como perros de trabajo, mientras que el schnauzer enano se considera un terrier. En muchos países se agrupan en la misma clase como perros útiles. El nombre procede del vocablo alemán para referirse al hocico, Schnauze, una referencia al bigote tan característico de esta raza, si bien en otro tiempo se le llamó pinscher de pelo duro. El gigante se utilizó originalmente para guarda de ganado y como perro guardián. Más tarde fue utilizado con un arnés para tirar de carritos ligeros. El schnauzer mediano fue apreciado como cazarratones y a menudo acompañaba a las carretas y diligencias.

DESCRIPCIÓN

Este perro anguloso y cuadrado, fuerte y vigoroso, tiene un doble manto de pelo duro y rizado, de color negro o entrecano, a veces con blanco en el pecho. Las cejas prominentes y pobladas y su largo bigote a menudo se recortan para acentuar el aspecto cuadrado general de este perro. Los pies son limpios, redondeados y compactos, como los pies de un gato, con los dedos muy arqueados y con gruesas almohadillas negras. La cola se suele amputar dejándola en 2,5-5 cm en la madurez.

TEMPERAMENTO

Estos perros son famosos por su fiabilidad y naturaleza afectuosa, y son excelentes perros guardianes. Son inteligentes e independientes, pero necesitan un adiestramiento firme y constante, porque suelen ser un poco tozudos.

LA MASCOTA Y SUS DATOS

 Vivaz, alegre y afectuoso

 Cepillar a diario

 Frecuente y moderado

 Se adapta bien a la vida urbana, pero necesita mucho ejercicio

 Excelente perro guardián

ADVERTENCIA

- Las orejas casi siempre se recortan en Estados Unidos, si bien dicha práctica es ilegal en el Reino Unido.
- Estos perros se pueden mostrar agresivos con desconocidos.

Mediano
Macho: 46-51 cm
14-20 kg
Hembra: 43-48 cm
14-18 kg

CUIDADOS

Su manto de pelo duro es razonablemente fácil de cuidar, pero se enredará a menos que se peine o cepille a diario con un cepillo de cerdas cortas de alambre. El manto interior es denso. Hay que cortar los nudos y cepillar primero a favor del sentido del pelo, y luego a contrapelo para levantar el manto. Hay que cortar el pelo dos veces al año, en primavera y otoño, si bien es mejor dejar ese trabajo a un experto. Hay que cortar el pelo alrededor de los ojos y las orejas con tijeras de punta roma. Hay que limpiar los bigotes después de comer.

EJERCICIO Y ALIMENTACIÓN

Estos perros con tanta energía harán todo el ejercicio que se les brinde y disfrutan de las sesiones de juego en las que puedan correr sin correa.

Por lo menos deben dar largos paseos diarios a buen ritmo. No hay que cansarlos cuando son cachorros hasta que su esqueleto sea fuerte y haya madurado. No necesitan comida especial.

PROBLEMAS DE SALUD

El schnauzer es una raza bastante saludable, aunque la variedad gigante pueda sufrir displasia de cadera y problemas ortopédicos. Los schnauzers mediano y gigante a veces padecen epilepsia.

Gigante
Macho: 66-71 cm
27-36 kg
Hembra: 58-66 cm
25-34 kg

Nota: Las orejas recortadas son habituales en esta raza. Ver la p. 94 para más información.

Samoyedo

El samoyedo casi siempre está de buen humor y listo para cualquier reto. Con su tupido manto pálido y exuberante, su alegre cola enroscada a un lado sobre la espalda, es una mascota espectacular.

HISTORIA

El samoyedo forma parte de la familia de razas spitz extendidas por todo el Ártico. Evolucionaron como perros de jauría y perros de trineo y fueron utilizados por la tribu nómada de los samoyedo de Siberia.

DESCRIPCIÓN

El cuerpo fornido y compacto de esta raza tan trabajadora revela su fuerza. El grueso manto con puntas color plata luce una librea blanca, galleta y crema.

TEMPERAMENTO

El samoyedo es demasiado amistoso como para ser un buen perro guardián, aunque su ladrido te avisará de la presencia de desconocidos. Se adapta gustosamente a la vida familiar y se lleva bien con los niños. Se debe empezar a adiestrar a una edad temprana.

CUIDADOS

Cepillarlo dos o tres veces por semana suele ser todo lo necesario, aunque hay que prestar especial atención durante la muda estacional. El largo manto no pierde pelo, si bien el entrepelo lanoso se desprende en mechones dos veces al año. El baño es difícil y casi siempre innecesario, ya que el manto suele desprenderse rápidamente de la suciedad. Se usará de vez en cuando un champú seco extendiendo con un cepillo talco sin perfumar por el pelaje.

EJERCICIO Y ALIMENTACIÓN

El samoyedo necesita bastante ejercicio, pero hay que tomárselo con calma cuando hace calor, porque su manto interior lanoso impide la pérdida de calor generado con el ejercicio. No necesita alimentación especial, si bien el samoyedo es especialmente aficionado al pescado.

PROBLEMAS DE SALUD

El samoyedo es propenso a displasia de cadera, diabetes, glaucoma y cataratas. El pesado manto vuelve a este perro inadecuado para la vida en climas muy cálidos.

LA MASCOTA Y SUS DATOS

 Dócil, amistoso y afable

 Cepillar dos veces por semana, aunque más durante la muda

 Frecuente y moderado

 Se adapta bien a la vida urbana, pero necesita mucho espacio

Es un perro guardián ineficaz

ADVERTENCIA

- Es difícil encontrar garrapatas en su entrepelo denso y lanoso.
- Es dado a excavar agujeros en los que echarse para enfriar su cuerpo.

Macho: 53-61 cm
2-27 kg
Hembra: 48-53 cm
20-27 kg

Husky siberiano

Miembro de la familia spitz, el husky siberiano es capaz de arrastrar cargas pesadas durante largas distancias por terreno imposible. Famoso por su velocidad y resistencia física, suele elegirse para las expediciones polares.

LA MASCOTA Y SUS DATOS

 Juguetón, amistoso y afable

 Cepillar dos veces por semana, más cuando muda el pelo

 Regular y vigoroso

 Se adapta bien a la vida urbana, pero necesita mucho espacio

 Es un perro guardián ineficaz

🐾 ADVERTENCIA

- La falta de ejercicio lo vuelve intranquilo; si no se le guarda bien, escapará para cazar a su aire.

HISTORIA

Este perro tuvo su origen en Siberia y fue criado por el pueblo nómada de los Chukchi para tirar de trineos y para el pastoreo de renos.

DESCRIPCIÓN

El husky siberiano es un perro de trabajo fuerte y compacto. La máscara facial y la parte inferior del cuerpo suelen ser blancas, y el resto del cuerpo de cualquier otro color. Los ojos de distinto color son habituales. Los grandes pies en forma de «raqueta de nieve» presentan pelo entre los dedos para agarrarse al hielo.

TEMPERAMENTO

Como son amistosos y ladran poco, los husky no son buenos perros guardianes. Cuando son cachorros se les debe enseñar a acudir a tu llamada. Dóciles y afectuosos, les encanta la vida familiar y es seguro dejarlos con niños.

CUIDADOS

Se debe cepillar dos veces por semana el manto áspero de longitud media. El entrepelo lanoso se desprende en mechones dos veces al año y requiere cuidados especiales. El baño resulta complicado y casi siempre innecesario, ya que el propio manto se desprende de la suciedad. El empleo ocasional de un champú seco debería ser suficiente para mantener el manto limpio. Hay que cortar las uñas con regularidad.

EJERCICIO Y ALIMENTACIÓN

El husky siberiano necesita mucho ejercicio, pero no hay que ejercitarlo demasiado cuando haga calor. Se necesita un jardín grande con una valla alta, aunque hay que enterrar el alambre en la base porque les gusta excavar para escapar e irse de caza. El husky come con frugalidad y necesita menos comida de la que cabría esperar.

PROBLEMAS DE SALUD

Esta raza está comparativamente libre de problemas específicos, aparte de displasia de cadera y problemas oculares ocasionales como cataratas. Debido a su pesado pelaje, estos perros no son aptos para la vida en climas cálidos y no se deben ejercitar demasiado cuando haga calor.

Macho: 53-58 cm
20-27 kg
Hembra: 51-56 cm
16-23 kg

Malamute de Alaska

A pesar de su aspecto lobuno, este perro bello y cariñoso también es una mascota leal y afectuosa. Con su cuerpo fuerte y fornido y una energía inagotable, es ideal como perro de trabajo en el Ártico.

HISTORIA

Estos perros de trineo de la familia spitz reciben su nombre por una tribu nómada Inuit de Alaska, los malamute.

DESCRIPCIÓN

Son perros de trabajo fornidos y de cuerpo compacto. La parte inferior del cuerpo y la máscara facial son siempre blancas, mientras que el resto del manto puede ser gris claro a negro, dorado a fuego o pardo rojizo. La cola emplumada se dobla sobre la espalda.

TEMPERAMENTO

El malamute es un perro muy activo y excepcionalmente amistoso con las personas, aunque no con otros perros. A pesar de su aspecto es intimidante, no son buenos guardianes.

CUIDADOS

Hay que cepillar el manto denso y áspero dos veces por semana, con especial atención durante la muda estacional: el entrepelo se cae en mechones dos veces al año. El baño es innecesario, porque la suciedad se desprende con rapidez del manto. Se usará ocasionalmente un champú seco.

EJERCICIO Y ALIMENTACIÓN

El malamute necesita una cantidad razonable de ejercicio, pero no se debe ejercitar en exceso cuando hace calor. Necesita un jardín grande con una valla alta, aunque hay que enterrar el alambre en la base porque les gusta excavar para escapar. El malamute come con frugalidad y necesita menos comida de lo que se podría esperar. No obstante, tiende a engullir cuanto se le ofrece, lo cual le puede causar obesidad y meteorismo.

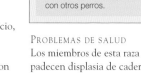

PROBLEMAS DE SALUD

Los miembros de esta raza padecen displasia de cadera, problemas oculares y trastornos de la coagulación de la sangre. El malamute no es apto para vivir en climas cálidos.

Macho: 61-66 cm
36-43 kg
Hembra: 56-61 cm
32-38 kg

Rottweiler

Fuerte y corpulento, el rottweiler no es un perro para hogares normales ni para dueños inexpertos. Es un perro guardián imponente y eficaz, pero necesita mano firme y adiestramiento adecuado.

HISTORIA

Los antepasados de esta raza se quedaron en los territorios europeos después de que el ejército del imperio romano se retirara hace ya tantos siglos. En la zona de Rottweil, en el sur de Alemania, estos animales parecidos al mastín se cruzaron con perros pastores para obtener «perros carniceros» capaces de labores de pastoreo y guarda del ganado.

DESCRIPCIÓN

Perros compactos y fornidos, los rottweiler despliegan una velocidad y agilidad sorprendentes. Su pelaje espeso de longitud media oculta un fino manto interior siempre negro con manchas de color fuego a caoba. La cola se suele amputar corta dejando una o dos vértebras.

TEMPERAMENTO

Los rottweiler se aprecian por su agresividad y habilidad para la guarda, aunque con un manejo adecuado también pueden ser compañeros leales y cariñosos. Son muy inteligentes y han demostrado su valor en labores militares, de policía y aduanas a lo largo de muchos siglos. Su adiestramiento debe empezar cuando son jóvenes, mientras todavía son pequeños y se debe tener mucho cuidado de que no se vuelvan ariscos.

CUIDADOS

El manto liso y brillante es fácil de asear. Se debe cepillar con un cepillo de púas rígidas; será bañado sólo cuando sea necesario.

EJERCICIO Y ALIMENTACIÓN

No lograrás ofrecer a este perro demasiado trabajo o ejercicio; le encanta. No necesita una alimentación especial, pero hay que evitar sobrealimentarlo.

PROBLEMAS DE SALUD

El rottweiler es muy robusto y se adapta a cualquier clima. Sin embargo, puede sufrir displasia de codo y de cadera, y problemas oculares como cataratas y atrofia progresiva de la retina.

LA MASCOTA Y SUS DATOS

 Valiente, inteligente, fiable

 Cepillado ocasional

 Regular y vigoroso

 Se adapta bien a la vida urbana, pero necesita mucho ejercicio

 Perro guardián excelente

🐾 ADVERTENCIA

- Estos animales formidables necesitan adiestramiento constante a cargo de un adulto con personalidad para mantenerlos bajo control.
- El rottweiler puede ser agresivo con otros perros y se debe llevar con correa en lugares públicos.

Macho: 61-69 cm
43-59 kg
Hembra: 56-63 cm
38-52 kg

Akita

La mascota nacional de Japón cuenta con muchos campeones que se consideran un tesoro en ese país. El bello y querido Akita es famoso por su fuerza, coraje y lealtad.

HISTORIA

Poseedor de las características típicas de la familia spitz, a la cual pertenece, el akita sólo ha empezado a ser conocido recientemente fuera de su Japón natal, donde se utilizó para la caza de ciervos, jabalíes y osos negros. En los tiempos feudales se empleaba en espectáculos de peleas de perros, pero ahora están prohibidos y esta raza ha encontrado trabajo en la policía, siendo un perro guardián fiable.

DESCRIPCIÓN

La raza más grande de la familia de los spitz japoneses, el proporcionado akita cuenta con un cuerpo fornido y un doble manto impermeable que luce todos los colores con manchas claras y oscuras. La cola es espesa y se dobla en una

o dos roscas sobre la espalda. El akita presenta pies palmípedos y es un poderoso nadador.

TEMPERAMENTO

A pesar de la ferocidad de muchas de sus actividades en el pasado, con un adiestramiento diligente el akita puede ser una mascota excelente. Siempre hay que tener cuidado cuando hay otros perros cerca. A este perro le gusta dominar y necesita un adulto experimentado y con fuerza de voluntad para controlarlo.

CUIDADOS

El manto corto, rígido y áspero requiere bastante cepillado y muda de pelo dos veces al año. Se debe cepillar con un cepillo de púas rígidas, y sólo se bañará cuando sea absolutamente necesario, dado que el baño elimina el impermeabilizante natural del manto.

EJERCICIO Y ALIMENTACIÓN

El akita necesita ejercicio moderado pero frecuente para mantenerse en forma. No precisa comida especial.

PROBLEMAS DE SALUD

Las enfermedades son poco corrientes en esta raza robusta, y no hay que prodigarles mimos. Como con la mayoría de las razas pura sangre grandes, hay cierta tendencia a sufrir displasia de cadera y problemas oculares.

Macho: 66-71 cm
34-54 kg
Hembra: 61-66 cm
34-50 kg

Boyero de Berna

Tiempo atrás utilizado para todo tipo de trabajos en su Suiza natal, el boyero de Berna se adapta fácilmente a la vida doméstica siempre y cuando se le dispense mucha atención y cariño por parte de toda la familia.

LA MASCOTA Y SUS DATOS

 Plácido, alegre y cariñoso

 Cepillar a diario

 Frecuente y moderado

 Se adapta bien a la vida urbana, pero necesita mucho ejercicio

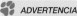 Excelente perro guardián

ADVERTENCIA

- Son perros de un solo dueño y les puede costar adaptarse a otro nuevo.

HISTORIA

El boyero de Berna es un útil perro pastor de ganado, guardián de granjas y perro de tiro de carros con un arnés especial. También comparte con el San Bernardo la habilidad para encontrar a gente perdida en la nieve. Es una de las cuatro razas suizas probablemente descendiente de canes del Imperio Romano.

DESCRIPCIÓN

Es un perro grande, fornido y bello, muy vigoroso y ágil. Luce un manto negro ondulado, suave y brillante con manchas de color negro y castaño.

TEMPERAMENTO

A este perro dócil y jovial le encantan los niños. Es muy inteligente, fácil de adiestrar y un buen perro de guarda por naturaleza. Es muy leal y puede tener problemas para adaptarse a un nuevo dueño después de los 18 meses.

CUIDADOS

El cepillado diario del manto largo, espeso y sedoso es importante, prestando especial atención cuando esté mudando el pelo. Se bañará o se usará champú seco cuando sea necesario.

EJERCICIO Y ALIMENTACIÓN

Son perros grandes y activos que necesitan un régimen de ejercicio regular. No precisa comida especial.

PROBLEMAS DE SALUD

El boyero de Berna es especialmente propenso a la displasia de cadera y de codo. También padece enfermedades oculares hereditarias y cáncer.

Macho: 61-71 cm
38-50 kg
Hembra: 58-69 cm
36-48 kg

San Bernardo

Admirado universalmente por sus hazañas en el rescate de personas perdidas en la nieve de los Alpes suizos, el San Bernardo no necesita presentación. Durante más de 200 años su valor y habilidad han sido materia de leyendas y, para algunos, la aparición de este perro ha supuesto el final de una terrible experiencia.

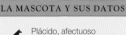

LA MASCOTA Y SUS DATOS

Plácido, afectuoso y leal

Cepillado diario

Frecuente y moderado

Apto para la vida urbana si hace mucho ejercicio

Buen perro guardián

🐾 ADVERTENCIA

- Estos perros babean mucho y precisan ejercicio regular.

- Una de las razas de vida más corta; su esperanza de vida es unos 11 años.

HISTORIA

Su nombre procede de Bernard de Menthon, fundador de un famoso albergue erigido en un remoto puerto alpino de Suiza hace casi 1.000 años para refugio de los viajeros. No se sabe con exactitud cuándo comenzaron a utilizarse estos perros en el albergue para labores de rescate, si bien es posible que se iniciaran en algún momento del siglo XVII.

DESCRIPCIÓN

Son perros muy grandes y fuertes. Siempre y cuando su peso sea proporcional a su alzada, cuanto más grande sea el perro, mejor. Hay dos tipos de manto, áspero y liso, pero en ambos casos es muy denso y de color blanco con manchas de color fuego, caoba, rojo, atigrado y negro en diversas combinaciones. La cara y las orejas suelen mostrar tonalidades negras y su expresión es dócil e inteligente. En los perros de manto áspero el pelo es ligeramente más largo y hay flecos en muslos y patas. El manto áspero es una adquisición moderna, pero, como se forma hielo cuando hace mal tiempo, entonces resulta menos apto para su entorno original. Los pies son grandes, con dedos arqueados y fornidos que se aferran con fuerza a la nieve y al hielo. Tienen un olfato muy desarrollado y también parecen tener un sexto sentido para presentir el peligro de tormentas y aludes.

TEMPERAMENTO

Majestuoso y fiable, el San Bernardo es por lo general bueno con los niños a pesar de su tamaño. Es un buen perro guardián, siendo su tamaño un elemento disuasorio eficaz. Es muy inteligente y fácil de adiestrar, si bien su adiestramiento se debe iniciar pronto, mientras el perro todavía tiene un tamaño manejable. Ten presente que un perro de este tamaño y desgobernado supondrá un problema incluso para un adulto fuerte si hay que pasearlo por lugares públicos con correa, así que asume el control desde el principio.

Macho: 69 cm o más
50-81 kg
Hembra: 63 cm o más
50-81 kg

CUIDADOS

Ambos tipos de manto son fáciles de asear. Se debe peinar y cepillar con un cepillo de púas rígidas, y se bañará sólo cuando sea necesario con jabón suave, ya que un champú podría eliminar sus propiedades aceitosas e impermeables. En la primavera y el otoño pierde considerable cantidad de pelo. Los ojos, con tendencia al lagrimeo, necesitan especial atención para mantenerse limpios y sin cuerpos irritantes.

EJERCICIO Y ALIMENTACIÓN

Un largo paseo diario mantendrá a estos perros en buena forma, aunque desde luego era mucho más lo que se esperaba de ellos en el pasado. Es mejor no dejar que los cachorros desarrollen mucha actividad hasta que los huesos estén bien formados y sean resistentes. Paseos cortos y sesiones de juego breves son lo mejor hasta que el perro tenga unos dos años. Como estos perros son propensos al meteorismo, es mejor darles dos o tres comidas frugales al día que una sola y copiosa.

PROBLEMAS DE SALUD

Como muchas razas gigantes, el San Bernardo es especialmente susceptible a la displasia de cadera. También padece epilepsia y meteorismo. A veces tiene problemas cutáneos y su grueso y cálido manto lo vuelve poco apto para vivir en climas cálidos. Puede tener problemas de eversión de la parte libre del párpado, una afección llamada ectropión que provoca irritación y lagrimeo porque los párpados no se cierran por completo.

Bullmastín

A pesar de su tamaño y aspecto agresivo, el bullmastín es una mascota familiar fiel y un guardián excelente. Con su estampa fuerte y silenciosa, porque es raro que ladre, nunca pierde los nervios y es fácil de adiestrar y controlar.

LA MASCOTA Y SUS DATOS

 Plácido, dócil y leal

 Cepillar a diario

Frecuente y moderado

Se adapta bien a la vida urbana, pero necesita mucho espacio

 Excelente perro guardián

ADVERTENCIA

- En lugares públicos siempre debe pasear con correa y ser llevado por un adulto fuerte.
- Le gusta ser objeto de atenciones.

HISTORIA

Este perro fornido e intimidatorio se crió en Inglaterra mediante el cruce del rápido y feroz bulldog con el mastín, –un excelente rastreador, grande y muy robusto–. El bullmastín fue muy apreciado para guardar grandes fincas y mantener a raya a los cazadores furtivos.

DESCRIPCIÓN

Más pequeño y compacto que el mastín, el bullmastín es un perro guardián fiable y amedrentador. El manto denso y áspero es impermeable y luce una librea atigrada oscura, cervato y tonalidades rojizas. La cara y el cuello son más oscuros y con muchos pliegues. A veces presenta manchas blancas en el pecho.

TEMPERAMENTO

Aunque no es probable que el bullmastín ataque, apresará al intruso, lo tirará al suelo y lo inmovilizará. Al mismo tiempo es tolerante con los niños, inteligente, apacible, tranquilo y leal.

CUIDADOS

El manto corto y ligeramente áspero es fácil de cuidar. Se debe peinar y cepillar con un cepillo de púas rígidas, y sólo se usará champú cuando sea necesario. Pierde poco pelo. Hay que inspeccionar los pies con regularidad, porque cargan con mucho peso, y se debe cortar las uñas.

EJERCICIO Y ALIMENTACIÓN

Estos perros tienden a ser perezosos, por lo que hay que brindarles ejercicio moderado y frecuente. Son propensos al meteorismo, por lo que hay que darles dos o tres comidas frugales en vez de una y copiosa.

PROBLEMAS DE SALUD

Si bien muy robusto, este perro es susceptible de sufrir meteorismo, displasia de codo y de cadera, y algunos problemas oculares. No tolera bien las temperaturas extremas.

Macho: 63-69 cm
50-60 kg
Hembra: 61-66 cm
45-54 kg

Doberman

Criado en un principio para disuadir a los ladrones, el doberman es apreciado por ser un perro guardián fornido y obediente, aunque, con un adiestramiento adecuado desde cachorro, también puede ser una mascota fiel.

HISTORIA

Estos perros audaces e intimidatorios fueron criados a finales de siglo XIX por un recaudador de impuestos alemán, Louis Doberman. Cruzó diversas razas, como rotweiller, pinscher, pastor alemán y terrier de Manchester para conseguir el perro de guarda definitivo: obediente y audaz.

DESCRIPCIÓN

El doberman es un perro elegante, fornido y potente. Tiene el pecho bien proporcionado, la espalda corta y un cuello delgado y musculoso. Su manto duro, de pelo corto y tupido, suele lucir el color negro, o negro y fuego, aunque también hay ejemplares de color azul–gris, rojo y cervato. La cola se amputa por la segunda vértebra.

TEMPERAMENTO

La reputación de esta raza de perros agresivos no suele ser merecida, si bien es esencial un adiestramiento firme desde cachorros. Por suerte, son fáciles de adiestrar y son perros guardianes leales y obedientes. Son audaces, despiertos, ágiles y activos. Sin embargo, como son tan fornidos, siempre hay que vigilarlos cuando estén con niños pequeños.

CUIDADOS

El manto liso y corto es fácil de asear. Se debe peinar y cepillar con un cepillo de púas rígidas, y sólo se usará champú cuando sea necesario.

EJERCICIO Y ALIMENTACIÓN

Estos perros son muy activos y requieren mucho ejercicio diario. No son aptos para vivir en pisos ni casas con jardines pequeños. Hay que dar a estos perros dos o tres comidas frugales al día.

PROBLEMAS DE SALUD

Por desgracia, esta raza padece varios problemas de salud. Además de enfermedades corrientes como meteorismo,

displasia de cadera y problemas oculares, también es propensa a cardiopatías. Su manto corto implica que nunca debe exponerse a un frío intenso.

LA MASCOTA Y SUS DATOS

 Inteligente, leal y valiente, pero puede ser agresivo

 Cepillado ocasional

Frecuente y vigoroso

Se adapta a la vida urbana si hace suficiente ejercicio

Es un perro guardián soberbio

ADVERTENCIA
- Se puede volver agresivo si no es adiestrado desde edad temprana.
- Propenso a los problemas cardíacos.

Macho: 66-71 cm
30-40 kg
Hembra: 61-66 cm
30-40 kg

Nota: Las orejas recortadas son habituales en esta raza. Ver p. 94 para más información.

Gran Pirineo

El gran Pirineo es un perro majestuoso que siempre impresiona, pero hay que meditar su elección; tienes que tener espacio, paciencia y, lo más importante, tiempo para cubrir todas sus necesidades.

HISTORIA

Este perro tiene una larga historia en su nativa Francia como perro de guarda de ovejas y mansiones. Se cree también que se usó como perro de guerra en el pasado cuando su temperamento era menos dócil que hoy en día.

DESCRIPCIÓN

Cuando ha completado su desarrollo, es un animal muy grande con un cuerpo fornido y sólido. El manto externo, largo y áspero, es liso o un poco ondulado; el fino entrepelo es suave y espeso. El manto es impermeable, de color blanco uniforme o blanco con manchas de color fuego, gris lobo o amarillo pálido.

TEMPERAMENTO

Aunque es dócil y tiene un instinto natural de guarda, el gran Pirineo debe ser bien adiestrado cuando es joven y pequeño.

CUIDADOS

El cepillado regular del largo manto doble lo mantendrá aseado, pero se necesitan más cuidados cuando el perro muda su denso entrepelo. El manto externo no se enreda, por lo que su cuidado es relativamente fácil. Se debe bañar o aplicar champú sólo cuando sea necesario.

EJERCICIO Y ALIMENTACIÓN

Este perro necesita mucho ejercicio para mantenerse en buena forma, que no tiene que ser vigoroso, pero sí frecuente. No precisa una alimentación especial.

PROBLEMAS DE SALUD

Como muchas razas grandes, puede tener problemas de displasia de cadera y otras enfermedades del aparato locomotor. También es propenso a epilepsia, sordera y enfermedades oculares hereditarias.

LA MASCOTA Y SUS DATOS

 Dócil, obediente y leal

 Cepillar con regularidad

 Frecuente y largo

 Se adapta bien a la vida urbana, pero necesita mucho espacio y ejercicio

 Muy buen perro guardián

ADVERTENCIA

- Estos perros no alcanzan la madurez hasta los dos años.

Macho: 69-81 cm
Desde 45 kg
Hembra: 63-74 cm
Desde 38 kg

Mastín

Pocos intrusos se aventurarán en una propiedad guardada por un mastín, si bien este magnífico animal también alberga un espíritu dócil y, si se gobierna correctamente, muestra fidelidad absoluta a sus dueños.

LA MASCOTA Y SUS DATOS

 Fiable, valiente, pero puede ser agresivo

 Cepillar con regularidad

 Frecuente y moderado

 Se adapta bien a la vida urbana, pero necesita mucho espacio

 Excelente perro guardián

 ADVERTENCIA

- Un adiestramiento firme pero suave es esencial para mantener a este perro bajo control.

TEMPERAMENTO

Un perro guardián excepcional, el mastín se debe gobernar con firmeza y ser adiestrardo con suavidad si se quiere tener bajo control. Si se trata correctamente, es dócil, afable y leal, pero se puede convertir en un grave problema si se impone a sus dueños.

HISTORIA

Hay referencias a grandes perros parecidos al mastín en la Antigüedad. Eran muy feroces y luchadores formidables que a menudo se usaban en el ámbito bélico y venatorio. Los animales que hoy tenemos se llaman más correctamente viejo mastín inglés, porque su linaje se remonta a dos líneas que sobrevivieron en Inglaterra.

DESCRIPCIÓN

Este perro grande y fornido impone con su presencia. El manto corto es denso, áspero y liso, dándose en colores albaricoque, plata, cervato o atigrado con cervato oscuro. El hocico, las orejas y la trufa son negros y los ojos muy separados adoptan diversos tonos castaños.

CUIDADOS

El manto liso y corto es fácil de cuidar. Se debe cepillar con un cepillo de púas rígidas y frotar con una toalla o una gamuza para que luzca. Se bañará o aplicará champú seco sólo cuando sea necesario.

EJERCICIO Y ALIMENTACIÓN

Los mastines muestran inclinación a la pereza, pero se mantendrán en buena forma y serán más felices si practican ejercicio con frecuencia. Siempre hay que llevarlos con correa en público. Como son propensos al meteorismo, deben tomar dos o tres comidas frugales al día, en vez de una y copiosa.

PROBLEMAS DE SALUD

Los mastines pueden sufrir displasia de cadera y codo, meteorismo y trastornos oculares hereditarios.

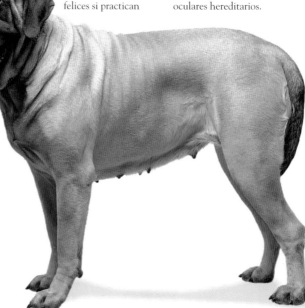

Macho: desde 76 cm
Desde unos 72 kg
Hembra: desde 69 cm
Desde unos 68 kg

Perro de Terranova

El perro de Terranova es por naturaleza un fornido nadador y por eso ostenta un récord impresionante de rescates en el mar. Fue el preferido de los pescadores en su región de origen, a lo largo de la costa este de Canadá.

LA MASCOTA Y SUS DATOS

 Inteligente, dócil y leal

 Cepillado diario

 Frecuente y moderado

 Se adapta bien a la vida urbana, pero necesita mucho espacio

 Buen perro guardián

ADVERTENCIA
- Enseña a los cachorros a ser dóciles antes de que se hagan mayores.

HISTORIA

El perro de Terranova es uno de los pocos perros nativos de América del Norte y desempeñó una labor valiosísima para los primeros colonos tirando de trineos, cazando y como perro guardián.

DESCRIPCIÓN

Este enorme perro muestra una librea de color negro, castaño o negro con manchas blancas, conociéndose esta última variante como Landseer por aparecer en un cuadro de Sir Edwin Landseer. Como otros perros amantes del agua, tiene los dedos de los pies palmípedos.

TEMPERAMENTO

Famoso por su papel de «Nana» en Peter Pan, este perro se ha ganado su reputación por ser muy dócil con los niños. Son muy adaptables, leales y valientes, y poseen mucha fuerza y resistencia física.

CUIDADOS

Es importante el cepillado diario del doble manto de pelo espeso y áspero con un cepillo duro. El manto interior muda el pelo una o dos veces al año y se le debe prestar especial atención en esos períodos. No se debe bañar a menos que sea absolutamente necesario, ya que se eliminan los aceites naturales del manto. Se recurrirá en su lugar a un champú seco de vez en cuando.

EJERCICIO Y ALIMENTACIÓN

Este gigante dócil disfruta haciendo el vago y yendo a su aire por la casa, pero se beneficiará del ejercicio regular y moderado. Debe tener oportunidades frecuentes de nadar y jugar. No necesita una alimentación especial, pero hay que evitar sobrealimentarlo.

PROBLEMAS DE SALUD

En estos molosos grandes y pesados, la displasia de cadera y otros problemas del aparato locomotor son habituales, al igual que las cardiopatías genéticas. Su espeso manto negro hace que estos perros sean inadecuados para climas cálidos.

Macho: 69-74 cm
59-68 kg
Hembra: 63-69 cm
45-54 kg

Gran danés

Los antepasados de esta raza aristocrática se localizan en Alemania, donde es probable que tuvieran su origen hace más de 2.000 años. Sorprenden su docilidad y su tamaño.

HISTORIA

Entre las razas más grandes de perros, el fornido, rápido y ágil gran danés fue en un principio el favorito de la aristocracia alemana para la caza del jabalí y el ciervo.

DESCRIPCIÓN

Estos perros son grandes, altos y fornidos, con un manto de color cervato, atigrado con rayas, negro, azul y arlequinado.

TEMPERAMENTO

Dócil, leal, afectuoso, juguetón y paciente con los niños, el gran danés despliega su buena educación y es un buen perro guardián. Hay que adiestrarlo antes de que se haga demasiado grande y se tiene que socializar pronto para que no sea tímido.

CUIDADOS

Su manto liso y corto es fácil de asear. Se debe peinar y cepillar con un cepillo de púas rígidas, y se aplicará champú seco cuando sea necesario. Bañar a este gigante es una tarea heroica y por eso es mejor remplazarlo por un cepillado diario. Las uñas se deben mantener cortas.

LA MASCOTA Y SUS DATOS

 Dócil, leal y afectuoso

 Cepillar a diario

 Frecuente y moderado

Se adapta bien a la vida urbana, pero necesita mucho espacio

 Muy buen perro guardián

ADVERTENCIA
- Es propenso al meteorismo, por lo que se evitará el ejercicio después de las comidas.

EJERCICIO Y ALIMENTACIÓN

El gran danés necesita mucho ejercicio, con al menos un largo paseo diario. Son propensos al meteorismo, por lo que hay que darles poco de comer de una vez y evitar el ejercicio después de las comidas. Lo ideal es que la escudilla con la comida esté en alto para que coma sin tener que abrir y extender las patas.

PROBLEMAS DE SALUD

Al ser tan grandes y pesados, son propensos a displasia de cadera y algunas cardiopatías genéticas.

Macho: 76-86 cm
54-72 kg
Hembra: 71-81 cm
45-59 kg

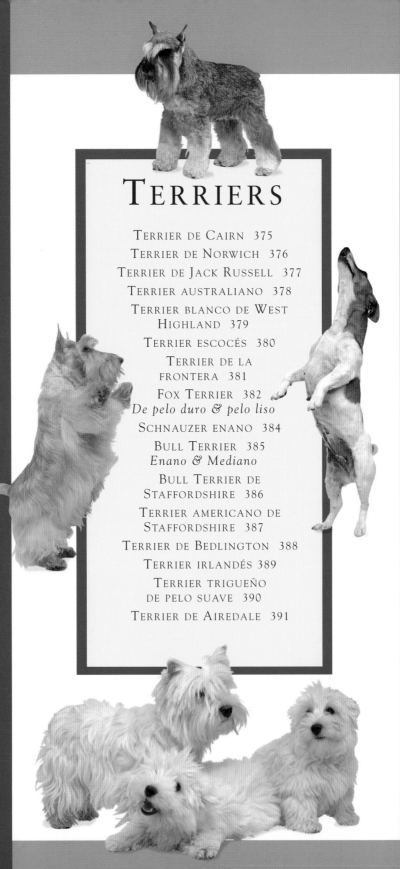

TERRIERS

Terrier de Cairn

El pequeño y vivaz terrier de Cairn te deleitará con sus payasadas y te robará el corazón con su valor y sus demostraciones de cariño. Es una mascota ideal, adaptable, amistosa y despierta.

LA MASCOTA Y SUS DATOS

 Despierto, juguetón y amistoso

 Cepillar con regularidad

 Frecuente y moderado

 Ideal para vivir en un piso

Buen perro guardián

ADVERTENCIA
- Es propenso a las alergias cutáneas.

HISTORIA
Todos los terriers tienen mucho en común, siendo cazadores por naturaleza y habiendo sido criados para excavar y sacar las presas de sus madrigueras. Sus mandíbulas son poderosas y con dientes grandes para retener la presa una vez atrapada. El terrier de Cairn es uno de los terriers más antiguos y sus virtudes han sido legadas a muchas variedades mediante cruces. Tuvo su origen en las Tierras Altas de Escocia, donde cazaba por el terreno pedregoso que salpica el paisaje escocés.

DESCRIPCIÓN
Este animal pequeño y compacto presenta un manto externo duro, largo e impermeable de color crema, trigueño, rojo, rojizo dorado, blanco intenso o negro y fuego, con las orejas y la máscara facial a menudo más oscuras. El manto interior es suave y peludo.

TEMPERAMENTO
Este compañero fuerte y valiente siempre está dispuesto a jugar o a que le hagan cariños. Activo y siempre en guardia, te avisará de la presencia de desconocidos con su gruñido y postura en guardia. El terrier de Cairn es inteligente y fácil de adiestrar.

CUIDADOS
El aspecto «melenudo» natural en realidad requiere muchos cuidados, y si no se cuida su pelaje, éste pronto se llena de enredos imposibles. Se debe cepillar varias veces por semana, tratando con cuidado el suave entrepelo. Una vez al mes se bañará al perro y se cepillará el manto mientras se seca. Se cortará el pelo alrededor de los ojos y orejas con tijeras de punta roma y se cortarán las uñas con regularidad.

EJERCICIO Y ALIMENTACIÓN
Este perro hará suficiente ejercicio corriendo por un jardín pequeño, pero, si vives en un piso, necesitará un paseo diario o una sesión de juego en el parque. No necesita una alimentación especial.

PROBLEMAS DE SALUD
Por lo general una raza saludable, este terrier es propenso a los problemas cutáneos alérgicos, a trastornos de coagulación de la sangre, a la luxación de rótula y a enfermedades oculares hereditarias.

Macho: 25-33 cm
6-8 kg
Hembra: 23-30 cm
6-8 kg

Terrier de Norwich

Este perrito pendenciero de patas cortas, tiene un gran corazón y es feliz cuando cuida de su familia humana. Es muy buen perro guardián y un amigo devoto.

LA MASCOTA Y SUS DATOS

- Valiente, vivo y leal
- Peinar y cepillar a diario
- Frecuente y moderado
- Ideal para vivir en un piso, pero necesita mucho ejercicio
- Muy buen perro guardián

ADVERTENCIA

- Para evitar peleas, llévalo siempre con correa cuando haya otros perros cerca.

TEMPERAMENTO

Aunque afable y amistoso con la gente, incluidos los niños, el terrier de Norwich puede ser brusco con otros perros y a menudo lleva cicatrices de sus cortas escaramuzas. Muy despierto, es inteligente y fácil de adiestrar.

CUIDADOS

El cuidado de su manto melenudo, impermeable y de longitud media es relativamente sencillo, pero es importante peinarlo y cepillarlo a diario. Hay que aumentar las atenciones cuando esté mudando el pelo. No hay que cortar apenas el pelo y se bañará o aplicará un champú seco sólo cuando sea necesario.

EJERCICIO Y ALIMENTACIÓN

Estos perritos tan vivos se criaron para trabajar y les encanta la vida activa, pero no se enfadarán si te saltas un día sus tareas. No necesitan una alimentación especial.

HISTORIA

Hasta 1964 esta raza constituía lo que luego fueron dos variedades, una de orejas en punta y otra con las orejas caídas hacia delante. Pasada esa fecha, el terrier de Norwich con las orejas caídas se conoció como terrier de Norfolk en Gran Bretaña y, a pesar de ser virtualmente idéntico, hoy en día se los reconoce oficialmente como dos razas diferentes. El reconocimiento en Estados Unidos se produjo en 1979. El terrier original de Norwich procede de Anglia Oriental en Gran Bretaña.

DESCRIPCIÓN

Estos simpáticos perros son una de las razas más pequeñas de terriers. Ambas razas tienen un cuerpo corto y robusto y las patas cortas. Su manto es duro y liso, de color rojo, fuego, trigueño, negro y fuego, y entrecano, ocasionalmente con manchas blancas. La cara muestra cejas y bigotes airosos. La cola se suele amputar y dejar corta.

PROBLEMAS DE SALUD

La raza es resistente y longeva, aunque algunos perros padecen enfermedades oculares genéticas como cataratas.

Macho: Unos 25 cm
5-6 kg
Hembra: Unos 25 cm
5-6 kg

Terrier de Jack Russell

Admirado por su valor y tenacidad, el terrier de Jack Russell se enfrentará a todo el que le rete. Excelente perro guardián, este perrito también mantendrá tu propiedad libre de serpientes y otras alimañas.

HISTORIA

Aunque todavía no esté reconocido oficialmente en todo el mundo como raza, el terrier de Jack Russell lleva en circulación unos 100 años. Toma su nombre de un «clérigo inglés aficionado a la caza» que crió esta raza selectivamente de modo que fuera rápida, resistente y ágil para ser un perro raposero. Hay una variedad de patas más largas, llamada Terrier de Parson Russell, que se considera una raza aparte.

DESCRIPCIÓN

Este perrito fuerte y tenaz es esbelto y del tamaño adecuado para ser un animal de compañía. El manto puede ser liso y corto o áspero y un poco más largo, de color blanco, o blanco con manchas negras, fuego o limón.

TEMPERAMENTO

El terrier de Jack Russell es un perro feliz y excitable al que le encanta cazar. De hecho, cazará casi cualquier cosa que se mueva. Son perros de guarda siempre vigilantes, pero a veces son bruscos con otros canes. Inteligente y rápido de ingenio, se tienen que adiestrar con firmeza desde pequeños, aunque se adaptan bien a la vida familiar y son mascotas muy fieles.

CUIDADOS

Tanto su manto liso como el áspero son fáciles de asear. Se debe peinar y cepillar con regularidad con un cepillo de púas rígidas, y sólo se debe bañar cuando sea necesario.

EJERCICIO Y ALIMENTACIÓN

El terrier de Jack Russell es muy adaptable y hará suficiente ejercicio en un jardín pequeño, aunque está en su elemento con espacio para correr, cazar y jugar. No necesita una alimentación especial.

PROBLEMAS DE SALUD

Esta raza robusta tiene pocos problemas genéticos, pero puede sufrir luxación de rótula y algunas enfermedades oculares hereditarias.

LA MASCOTA Y SUS DATOS

 Curioso, vigilante y activo

 Cepillar con regularidad

 Frecuente y moderado

 Ideal para vivir en pisos

 Excelente perro guardián para su tamaño

 ADVERTENCIA
- Para evitar peleas, asegúrate de que los cachorros acudan a clases de socialización.

Macho: 25-38 cm
7-8 kg
Hembra: 23-36 cm
6-8 kg

Terrier australiano

Aunque menos demandado hoy en día por su talento para cazar ratas y serpientes, el juguetón terrier australiano conserva las mejores características de un perro de trabajo.

suele amputarse por debajo de la mitad de su longitud.

TEMPERAMENTO

Astuto e inteligente, el terrier australiano responde bien al adiestramiento y es una mascota deliciosa. Siempre está dispuesto a agradar y le encanta estar con niños.

HISTORIA

Criado durante los últimos 150 años en Australia como terrier de trabajo, este vivaz y pequeño terrier australiano combina los atributos de varios terriers británicos que han contribuido a su acervo genético, sobre todo el terrier de Cairn, el terrier de Yorkshire y el terrier de Norwich. Su función actual es casi siempre de mascota.

DESCRIPCIÓN

Este perro fornido y bajito tiene un doble manto liso e impermeable de color azul y fuego intenso, tonos rojizos claros o dorados. El moño es de color más claro y luce una gorguera espesa. La cola

CUIDADOS

El manto largo, rígido y de aspecto melenudo es fácil de asear y no hay necesidad de cortarlo. Se debe cepillar varias veces por semana, siendo cuidadoso con el manto interior. El cepillado estimula la distribución de los aceites naturales y pronto se conseguirá que el manto luzca un aspecto lustroso. Una vez al mes se debe bañar al perro y cepillar el manto mientras se seca. Si fuera necesario, se cortará el pelo alrededor de los ojos y orejas con unas tijeras de punta roma. Hay que cortar las uñas con regularidad.

LA MASCOTA Y SUS DATOS

 Atrevido, afable y amistoso

 Cepillar con regularidad

 Regular y suave

 Ideal para vivir en un piso

 Demasiado amistoso con desconocidos para ser un buen perro guardián

ADVERTENCIA

- Estos perros son ávidos cazadores.
- Dócil y afectuoso, estupendo con los niños, los ancianos y las personas con minusvalías físicas.

EJERCICIO Y ALIMENTACIÓN

El terrier australiano es un perrito muy adaptable que será feliz con el ejercicio que le puedas brindar; también se muestra contento con un jardín de tamaño considerable. No necesita una alimentación especial.

PROBLEMAS DE SALUD

Si bien por lo general el terrier australiano es un perro fuerte y resistente, puede sufrir luxación de rótula, deterioro de la articulación de la cadera y problemas cutáneos.

Macho: 23-28 cm
4-6 kg
Hembra: 23-28 cm
4-6 kg

Terrier blanco de West Highland

Mascota o compañero perfectos, el terrier blanco de West Highland tiene todo el encanto y la vitalidad de un terrier, sumándose inteligencia y belleza todo en uno. Es una mascota brillante y divertida.

LA MASCOTA Y SUS DATOS

 Adaptable, brillante, buena compañía

 Cepillar a diario

 Regular, suave

 Ideal para vivir en un piso, pero necesita ejercicio regular

 Buen perro guardián

 ADVERTENCIA

- Muchos de estos perros padecen problemas graves de alergias cutáneas.

- Hay que echarles siempre un ojo, porque les encanta cazar.

TEMPERAMENTO

Amistoso, juguetón, despierto y muy seguro de sí mismo, a este perro le encanta tener compañía. Es atrevido, fuerte y valiente, y muy buen perro guardián a pesar de su tamaño.

HISTORIA

Con antepasados similares a otros terriers de las Tierras Altas de Escocia, sobre todo el terrier de Cairn, se crió selectivamente por su pelaje blanco para que se le viera muy bien en el campo. Antes se llamaba terrier de Poltalloch o de Rosenneath.

DESCRIPCIÓN

Es un terrier pequeño y fuerte con todo el manto blanco y ojos oscuros y brillantes. Las orejas son pequeñas, en punta y erectas, dándole un aspecto alerta, presto para la acción. Lleva la cola erguida y no se debe amputar.

CUIDADOS

El doble manto áspero, liso y corto es bastante fácil de limpiar y muda muy poco pelo. Simplemente hay que cepillarlo con regularidad con un cepillo de púas rígidas. El cepillado debería mantener el manto limpio, por lo que sólo se debe bañar cuando sea necesario. Se debe cortar el pelo alrededor de los ojos con unas tijeras de punta roma. Todo el manto se ha de cortar cada cuatro meses y desenredar los nudos dos veces al año.

EJERCICIO Y ALIMENTACIÓN

A estos perros les encanta dar paseos o tener sesiones de juego en el parque, pero no se disgustarán mucho si algún día se lo pierden. No necesitan una alimentación especial.

PROBLEMAS DE SALUD

Por lo general son perros resistentes, aunque a veces sufren graves problemas alérgicos en la piel. También son propensos a tener problemas mandibulares hereditarios y deterioro de la articulación de la cadera.

Macho: 25-30 cm
7-8 kg
Hembra: 23-28 cm
6-7 kg

Terrier escocés

El robusto y activo terrier escocés es tan singular que se ha convertido en una especie de emblema no oficial de su Escocia natal. Aunque un tanto testabrusco, es una mascota maravillosa.

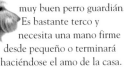
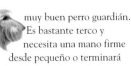

muy buen perro guardián. Es bastante terco y necesita una mano firme desde pequeño o terminará haciéndose el amo de la casa.

LA MASCOTA Y SUS DATOS

Alegre, valiente y leal

Cepillar con regularidad

Frecuente y moderado

Ideal para vivir en un piso

Muy buen perro guardián

ADVERTENCIA
- Le gusta vagabundear.
- Propenso a los problemas de piel, como alergias causadas por pulgas.

HISTORIA

Tal vez el más famoso, si no el más antiguo, de los terriers de las Tierras Altas, el moderno terrier escocés es natural de Aberdeen y se crió al menos hace 150 años. El estándar correcto de esta raza fue objeto de un acalorado debate en Gran Bretaña hasta que se formalizó en 1880.

DESCRIPCIÓN

Este robusto perrito tiene las patas muy cortas y su pelaje le hace parecer incluso más bajo. Aun así, es un animal fuerte, activo y sorprendentemente ágil. De textura áspera, su manto impermeable es de color negro, trigueño o atigrado en cualquier color. El manto interior es corto, denso y suave. Sus orejas muy erectas confieren al terrier escocés un aspecto pensativo.

TEMPERAMENTO

Aunque de conducta algo majestuosa, el terrier escocés es

CUIDADOS

El cepillado regular de su manto de pelo duro y áspero es importante y se debe prestar atención especial cuando el perro esté mudando el pelo. Se bañará o usará champú seco según sea necesario. Al perro tiene que cortarle el pelo un profesional dos veces al año. El pelo del cuerpo se deja crecer largo, como un faldón, mientras que el pelo de la cara se recorta ligeramente pero dejándolo poblado por delante.

EJERCICIO Y ALIMENTACIÓN

Si cuenta con un jardín de tamaño considerable, el movido terrier escocés hará todo el ejercicio que necesita, pero será feliz acompañándote de paseo o disfrutando de una sesión de juego en el parque, buscando y cobrando palos y pelotas. No necesita una alimentación especial, aunque,

si se le da demasiado de comer, tendrá obesidad y se volverá perezoso.

PROBLEMAS DE SALUD

Por lo general una raza robusta, la sensibilidad a las pulgas puede causarle problemas cutáneos. Los calambres también son un problema recurrente.

Macho: 25-28 cm
9-10 kg
Hembra: 23-35 cm
8-10 kg

Terrier de la frontera

Trabajador, sencillo y sensato, el terrier de la frontera es un perrito para todo. Le encanta formar parte de una familia y no ahorra manifestaciones de afecto, sobre todo cuando saluda.

las orejas suelen ser oscuros y el entrepelo es muy corto y denso. La piel laxa, gruesa al tacto, permite a este perro arrugarla mucho a voluntad. La cabeza es un poco diferente a la de otros terriers y a menudo es descrito como parecido a una nutria.

HISTORIA
Antes llamado terrier de Redwater, este valiente terrier tuvo su origen en el escarpado terreno fronterizo entre Inglaterra y Escocia, teniendo ancestros en común con otros terriers. Se usó para la caza del zorro, la nutria y alimañas, y tal vez sea el más duro de todos los terriers.

DESCRIPCIÓN
Uno de los terriers de trabajo más pequeño, el terrier de la frontera tiene un cuerpo pequeño y nervudo con un doble manto de pelo duro. Su color es en diversos tonos rojizos, azul y fuego, entrecano y fuego, o trigueño. El hocico y

TEMPERAMENTO
Fiable e inteligente, al terrier de la frontera se le adiestra fácilmente; es obediente, sensato y brillante. Por lo general no es agresivo con otros perros, pero puede perseguir a tu gato hasta volverlo loco.

CUIDADOS
Su manto de pelo duro y duradero necesita pocos cuidados. Se debe cotar los nudos y cepillar ocasionalmente con un cepillo de púas. El objetivo es que tenga un aspecto natural sin ningún artificio. Hay que bañarlo sólo cuando sea necesario.

LA MASCOTA Y SUS DATOS

 Activo, afectuoso y leal

 Mínimo

 Frecuente y moderado

 Ideal para la vida urbana en un piso, pero necesita mucho ejercicio

 Buen perro guardián

ADVERTENCIA
- Un terrier de la frontera aburrido puede volverse destructivo y morder objetos.
- Se debe adiestrar con cariño desde muy pequeño.

EJERCICIO Y ALIMENTACIÓN
Estos perros tienen mucha vitalidad y aguante físico, y necesitan mucho ejercicio. No precisan una alimentación especial.

PROBLEMAS DE SALUD
Son perros resistentes y tienen pocos problemas genéticos, pero pueden padecer luxación de rótula y problemas renales ocasionales.

Macho: 33-41 cm
6-7 kg
Hembra: 28-36 cm
5-6 kg

Fox terrier

La mirada y la actitud de alerta y expectativa son el sello característico del fox terrier. Los fox terriers de pelo duro y pelo liso son muy parecidos en casi todo, excepto en su pelaje.

HISTORIA

El fox terrier o terrier raposero es una de las razas de terriers más antiguas y se crió con el fin de que excavara y se metiera en las madrigueras para sacar a los zorros o apresar pequeños animales con sus poderosas mandíbulas. También fueron muy apreciados para matar ratas, ganándose el sueldo más que justificadamente en los establos. La variedad de pelo duro fue criada para moverse por el campo, siendo su piel menos vulnerable que la de la variedad de pelo liso. Aunque los dos tipos se consideran una misma raza, desde 1984 se clasifican como razas diferenciadas en Estados Unidos.

DESCRIPCIÓN

Estos perros de cuerpo firme y gran popularidad son conocidos en casi todo el mundo. El pelaje de la variedad de pelo liso es sobre todo blanco, con manchas de color fuego, o negro y fuego. El pelaje áspero de la variedad de pelo duro es denso, con un entrepelo suave y corto de los mismos colores. Los pies de ambas variedades son pequeños y limpios, y las orejas con forma de V se pliegan y caen hacia delante. La cola se suele amputar dejándola en tres cuartos de su longitud.

TEMPERAMENTO

Agudo, despierto e independiente, el fox terrier necesita ser adiestrado con firmeza desde una edad temprana. Por lo general, es un perro con el que es fácil convivir y disfruta formando parte de la familia. Se cuentan historias sorprendentes sobre la lealtad y devoción de este animal. Es muy seguro dejarlo con niños, aunque puede ser pendenciero con otros perros, incluso los más grandes. El fox terrier es un buen perro guardián, aunque su

Macho: 36-41 cm
7-9 kg
Hembra: 33-38 cm
6-8 kg

exhibición. Sin embargo, si el perro ejerce de mascota familiar, los mismos cuidados que para un fox terrier de pelo liso bastarán para mantenerlo limpio, aseado y elegante.

EJERCICIO Y ALIMENTACIÓN

Si cuentan con un jardín pequeño, estos perros irrefrenables y atléticos harán suficiente ejercicio corriendo solos; pero si vives en un piso, tendrás que darles largos paseos regulares o sesiones de juego en el parque, sin correa si es posible. Sin embargo, se le llevará con correa si hay animales pequeños por los alrededores, porque su instinto de prelación es muy fuerte y es probable que se lance a perseguir a gatos o conejos. No necesita alimentación especial, pero hay que adecuar la cantidad de comida a su nivel de actividad.

agudo ladrido puede resultar enojoso y causar problemas con los vecinos. Tal vez sean demasiado bulliciosos para los dueños mayores.

CUIDADOS

El pelaje corto de la variedad de pelo liso es fácil de cuidar. Se debe cepillar con un cepillo de púas rígidas, y se bañará o aplicará un champú seco sólo cuando sea necesario. El manto de la variedad más común, la de pelo duro, presenta más problemas para que el perro tenga buen aspecto y parezca pulcro, ya que hay que cortarle el pelo. Los peluqueros profesionales cuentan con muchos trucos para que la variedad de pelo duro luzca al máximo en las pistas de

PROBLEMAS DE SALUD

Esta raza resistente presenta algunas debilidades genéticas y problemas con alergias cutáneas. También es susceptible de sufrir enfermedades oculares como luxación del cristalino y cataratas.

Schnauzer enano

De hábitos limpios y un tamaño elegante, el alegre schnauzer enano es un perro de compañía estupendo para inquilinos de pisos o personas con una casa y un jardín pequeños.

HISTORIA

El schnauzer enano es el más pequeño de las tres variedades de esta raza (ver pp. 358-9), todas las cuales vieron la luz en Alemania. Sólo se consideran terriers en Estados Unidos; la mayoría de los países clasifican todos los schnauzers como perros útiles o perros de trabajo.

DESCRIPCIÓN

Este perro fuerte, anguloso y de aspecto cuadrado, luce un doble manto de pelo duro y áspero en color entrecano o cualquier color uniforme, a veces con el pecho blanco. Las cejas pobladas y prominentes y el largo bigote a menudo se recortan para acentuar el aspecto cuadrado del perro y la cola suele ser amputada.

TEMPERAMENTO

Estos perros son famosos por su fiabilidad y naturaleza afectuosa, y son excelentes perros de guarda. Son muy alegres y valientes y, si bien no son agresivos, se enfrentarán a perros mucho más grandes cuando lo crean necesario.

CUIDADOS

El manto de pelo duro es razonablemente fácil de cuidar, aunque, a menos que se peine o cepille a diario con un cepillo de púas de alambre cortas, se enredará. Se debe cortar todos los nudos que se formen. Hay que esquilar el cuerpo dejando el mismo largo dos veces al año, en primavera y otoño, pero es un trabajo más adecuado para un experto. Se debe recortar el pelo alrededor de los ojos y las orejas con tijeras de punta roma y hay que limpiarle los bigotes después de comer.

EJERCICIO Y ALIMENTACIÓN

A estos perritos activos les encantan los largos paseos diarios a buen ritmo y disfrutan de las sesiones de juego sin correa. No necesitan una alimentación especial.

PROBLEMAS DE SALUD

Los schnauzers son razonablemente sanos, aunque pueden sufrir cálculos vesicales, enfermedades hepáticas, diabetes y epilepsia.

LA MASCOTA Y SUS DATOS

 Bravo, vivo y afectuoso

 Cepillar a diario

 Frecuente y moderado

Ideal para vivir en un piso, pero necesita mucho ejercicio

 Excelente perro guardián

⚠ ADVERTENCIA

- A veces se le recortan las orejas, pero esta práctica es ilegal en Gran Bretaña. En muchos países los criadores dejan la cola sin amputar.

Macho: 30-36 cm
5-8 kg
Hembra: 28-33 cm
5-7 kg

Bull terrier

Aunque sorprendentemente dócil, el bull terrier es un animal fornido y con gran determinación que necesita una mano firme. Incluso la variedad enana, mucho más pequeña, no es para dueños tímidos o inexpertos.

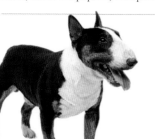

Enano
Macho: Hasta 36 cm
Hasta 9 kg
Hembra: Hasta 36 cm
Hasta 9 kg

LA MASCOTA Y SUS DATOS

Muestra determinación, valor y un carácter juguetón

Cepillar con regularidad

Frecuente y moderado

Se adapta bien a la vida urbana, pero necesita espacio para hacer ejercicio

Excelente perro guardián

ADVERTENCIA
- Puede mostrarse agresivo con otros perros.

HISTORIA

El bull terrier se crió en Gran Bretaña cruzando bulldogs y lebreles ingleses y una variedad de terriers. En tiempo sirvieron para azuzar a los toros y para peleas de perros, y eran apreciados por su valor, tenacidad, agilidad y rapidez. La variante enana se creó para tener las mismas cualidades en un perro de tamaño más manejable.

DESCRIPCIÓN

Este animal rechoncho, fornido y bien proporcionado, presenta un manto corto y denso en colores intensos como blanco, negro, atigrado, rojo, cervato y tricolor. Su rasgo más distintivo es la cabeza, casi plana por arriba, en pendiente hasta el extremo del hocico. Los ojos son pequeños, oscuros y muy juntos.

TEMPERAMENTO

Este tenaz luchador es más un peligro para otros perros que para las personas. Cuando se le adiestra correctamente, suele tener un temperamento dulce, dócil y juguetón. Algunos perros, sin embargo, desarrollan conductas obsesivas compulsivas, como cazar la cola.

CUIDADOS

El manto corto y liso es fácil de cuidar. Se debe cepillar con un cepillo de púas rígidas, y se bañará o aplicará un champú seco cuando sea necesario. El manto se beneficiará si se frota con una toalla o una gamuza.

EJERCICIO Y ALIMENTACIÓN

El bull terrier necesita mucho ejercicio, pero hay que llevarlo con correa en todo momento por lugares públicos. No necesita una alimentación especial, pero no hay que sobrealimentarlo por su inclinación al sobrepeso y la pereza.

PROBLEMAS DE SALUD

Por lo general una raza resistente, el bull terrier puede sufrir trastornos de la coagulación de la sangre y luxación del cristalino.

Mediano
Macho: 53-56 cm
23-25 kg
Hembra: 53-56 cm
20-27 kg

Bull terrier de Staffordshire

Este perro para todo y que inspira confianza es inteligente y afectuoso, muy bueno con los niños y un excelente guardián que intimidará a cualquier intruso.

HISTORIA

Feroz luchador de tamaño medio, el bull terrier de Staffordshire se utilizó en Inglaterra para azuzar a los toros y para peleas de perros hasta que ambos pasatiempos fueron prohibidos. También se empleó para cazar tejones. Como el bull terrier, tiene sangre de bulldog en su acervo genético, lo cual le da ese aspecto de inmovilidad que le confiere el ancho pecho.

DESCRIPCIÓN

Fornido, sólido y bien proporcionado, el Staffordshire tiene un manto denso y corto de color blanco o tonos uniformes de rojo, cervato, atigrado, negro o azul, o cualquiera de estos colores y blanco.

TEMPERAMENTO

Por lo general adorado y adorador en su círculo familiar, el Staffordshire necesita un adiestramiento constante y firme para reprimir su instinto luchador ante otros perros. Siendo cachorros tienden a morder mucho y hay que procurarles multitud de juguetes masticatorios.

CUIDADOS

El manto corto y liso es fácil de cuidar. Se cepilla todos los días con un cepillo de púas rígidas, y se baña o aplica champú seco cuando sea necesario. El manto brillará si se frota con una toalla o una gamuza.

EJERCICIO Y ALIMENTACIÓN

El bull terrier de Staffordshire debe hacer mucho ejercicio regular, pero siempre con correa en lugares públicos. No necesita una alimentación especial, pero hay que procurar no sobrealimentarlo.

PROBLEMAS DE SALUD

El bull terrier de Staffordshire está relativamente libre de problemas genéticos, aunque algunos perros padecen cataratas. También pueden tener problemas respiratorios e hipertermia cuando hace mucho calor.

Macho: 36-41 cm
11-17 kg
Hembra: 33-38 cm
10-16 kg

Terrier americano de Staffordshire

Estoico y fiable, el terrier americano de Staffordshire es un perro con el que pocos desconocidos se atreverán, aunque este animal fornido y de aspecto formidable sea muy leal, dócil y cariñoso con su familia.

LA MASCOTA Y SUS DATOS

 Duro, fiable y valiente

 Cepillar a diario

 Frecuente y moderado

 Se adapta bien a la vida urbana, pero necesita mucho ejercicio

 Excelente perro guardián

 ADVERTENCIA
- Para evitar peleas entre perros, hay que llevarlo con correa en público.

parezca más al bulldog de hace casi un siglo, del cual desciende directamente. El manto luce todos los colores.

TEMPERAMENTO

El terrier americano de Staffordshire no se debe confundir con el tristemente célebre pit bull. Aunque valiente y tenaz luchador si se le provoca, y a pesar de que necesita un adiestramiento firme y cariñoso para controlar este instinto, su temperamento básico con la gente es dócil y cariñoso.

CUIDADOS

El manto liso y corto es fácil de cuidar. Se cepilla a diario con un cepillo de púas rígidas, y se bañará o usará un champú seco cuando sea necesario. Se debe frotar con una toalla o una gamuza para que el manto brille.

HISTORIA

Desarrollado con independencia después de que se llevaran a Estados Unidos ejemplares de bull terrier de Staffordshire durante el siglo XIX, la variante americana es ahora más grande y de huesos más robustos que su primo inglés. Se ha reconocido como raza desde 1936, añadiéndosele el calificativo «americano» en 1972.

DESCRIPCIÓN

El terrier americano de Staffordshire se parece mucho a la variedad inglesa, aunque sea un perro más grande. Probablemente se

EJERCICIO Y ALIMENTACIÓN

El terrier americano de Staffordshire debe hacer mucho ejercicio y con frecuencia, pero lo llevaremos con correa en público para evitar que se pelee con otros perros. No necesita una alimentación especial, pero hay que procurar no sobrealimentarlo porque tienen tendencia al sobrepeso y a volverse perezoso.

PROBLEMAS DE SALUD

Aunque no sea especialmente longevo, esta raza está bastante libre de debilidades genéticas. Algunos perros, sin embargo, desarrollan displasia de cadera y cataratas.

Macho: 43-48 cm
18-23 kg
Hembra: 41-46 cm
16-20 kg

Terrier de Bedlington

Cuando exhibe su corte de pelo para exposiciones caninas, el terrier de Bedlington se parece más a un cordero que a un perro, pero conserva las cualidades del terrier y es un corredor muy rápido. Es muy buen perro de compañía.

LA MASCOTA Y SUS DATOS

 Despierto, inteligente y curioso

 Especializado

 Frecuente y moderado

Se adapta bien a la vida urbana y a vivir en un piso, pero necesita mucho ejercicio

 Muy buen perro guardián

⚠ ADVERTENCIA
- Es un cavador entusiasta.
- Puede mostrarse brusco con otros perros y es un luchador formidable cuando se le provoca.

TEMPERAMENTO
Aunque pueda ser tozudo, el terrier de Bedlington es relativamente fácil de adiestrar y muy afectuoso. Les encanta ser el centro de atención y son muy buenos guardianes.

CUIDADOS
El manto no muda el pelo y requiere un esquilado profesional cada seis semanas, por lo que probablemente lo mejor sea que aprendas a hacerlo tú mismo. El manto se esquila por el cuerpo y la cabeza para acentuar la forma del cuerpo. Se rasura del todo en las orejas y se deja una borla en la punta. En las patas el pelo se deja ligeramente más corto. Tiene que ser un peluquero profesional el que te enseñe a hacerlo. Se debe cepillar al pelo con regularidad y limpiar y eliminar el pelo dentro de las orejas.

HISTORIA
Una vez llamado terrier de Rothbury, el terrier de Bedlington ha heredado la velocidad, agilidad y gracia de movimientos de su sangre de lebrel inglés. Estos atributos lo hicieron popular entre los cazadores furtivos, y se ganó el apodo de perro gitano. Sus labores también incluían la caza de ratas en las minas de Northumberland.

DESCRIPCIÓN
El cuerpo es flexible y fornido, cubierto por un mano ligeramente rizado con un entrepelo lanoso. Luce varios colores uniformes como azul, pardo rojizo y beige dorado, o fuego particolor con cualquiera de estos colores. Los ojos son oscuros a castaño claro dependiendo del color del manto.

Macho: 41-43 cm
8-10 kg
Hembra: 38-41 cm
8-10 kg

EJERCICIO Y ALIMENTACIÓN
Estos perros activos necesitan mucho ejercicio y, como otros terriers, se aburrirán y se volverán traviesos si no se ejercitan lo suficiente. No necesitan una alimentación especial.

PROBLEMAS DE SALUD
El terrier de Bedlington puede heredar un problema hereditario grave en el hígado conocido como hepatitis por cobre (enfermedad de Wilson). También es propenso a enfermedades renales hereditarias y a problemas oculares como cataratas y enfermedad retiniana.

Terrier irlandés

Famoso por su espíritu luchador, el pequeño cazador terrier irlandés no es un perro para todo el mundo, si bien se adapta muy bien y su valor y lealtad son incuestionables. La raza cuenta con una lista creciente de admiradores.

LA MASCOTA Y SUS DATOS

 Inteligente, leal y valiente

 Cepillar con regularidad

 Regular y vigoroso

 Se adapta bien a la vida urbana, pero necesita mucho ejercicio

 Excelente perro guardián

ADVERTENCIA

- Es muy peleón con otros perros.

HISTORIA

Entre los terriers más antiguos, el terrier irlandés está recuperando ahora algo de la inmensa popularidad que disfrutó en tiempos. Admirado por su valor y espíritu indómito, se utilizó mucho de perro guardián y para cazar zorros, tejones y nutrias. Más tarde descolló en las luchas de perros. Está estrechamente emparentado con el fox terrier de pelo duro (ver p. 385), pero es un poco más largo y grande.

DESCRIPCIÓN

El terrier irlandés se parece un poco a una versión pequeña del terrier de Airedale (ver p. 391). Su manto duro y corto puede ser de color rojo intenso, rojo–trigueño o amarillo–rojo. La cola se amputa dejándola en tres cuartos de su longitud.

TEMPERAMENTO

Aunque sociable con las personas y leal a su dueño, este perro a menudo siente una urgencia incontrolable de pelear con otros perros, lo cual lo vuelve inadecuado para dueños inexpertos.

CUIDADOS

El doble manto duro es fácil de cuidar y pocas veces muda el pelo. Se debe cepillar con regularidad con un cepillo de púas rígidas y hay que retirar el pelo muerto con un peine de dientes finos. Se bañará sólo cuando sea necesario.

EJERCICIO Y ALIMENTACIÓN

Habiendo sido criado para el trabajo activo, este perro necesita mucho ejercicio regular. Cuando pasee en público, siempre se debe llevar bajo firme control con correa para que no se pelee con otros perros. No necesita una alimentación especial.

PROBLEMAS DE SALUD

El terrier irlandés es una raza robusta, pero puede sufrir problemas urinarios hereditarios, así como enfermedades en los pies y los ojos.

Macho: 41-48 cm
11-14 kg
Hembra: 38-46 cm
10-13 kg

Terrier trigueño de pelo suave

Criatura siempre alegre, el terrier trigueño de pelo suave parece conservar la personalidad despreocupada de los cachorros en la edad adulta. Su entusiasmo y ganas de vivir lo vuelven una mascota deliciosa.

LA MASCOTA Y SUS DATOS

- Exuberante, amistoso y valiente
- Cepillar a diario
- Frecuente y moderado
- Se adapta bien a la vida urbana
- Excelente perro guardián

⚠ ADVERTENCIA

- Estos perros necesitan ejercicio regular y juegos para que no se aburran.

HISTORIA

El terrier trigueño de pelo suave no es muy frecuente hoy en día en Irlanda, donde se cree que tuvo su origen, como en otras partes del mundo. Una excepción es Estados Unidos, donde hoy en día disfruta de gran popularidad. Como el terrier irlandés, en tiempos se ganó la fama por sus labores de guarda como perro pastor y cazador de tejones, nutrias, ratas y conejos.

DESCRIPCIÓN

Este perro fuerte y de tamaño medio luce buenas proporciones y despliega una energía inagotable. Su único manto suave es largo y ondulado y no muda el pelo. Se da en colores trigueños (de amarillo pálido a cervato). La cara está adornada con barba

y bigote, con mucho pelo cayendo sobre los ojos. La cola se suele amputar.

TEMPERAMENTO

Amistoso y encantador, el terrier trigueño es inteligente y fácil de adiestrar. Es un perro guardián excelente.

CUIDADOS

Se recomienda peinar con frecuencia, a menudo a diario, su manto largo y profuso con un peine de dientes medianos para mantenerlo libre de enredos, comenzando cuando el perro es cachorro. El objetivo es conseguir un aspecto natural y el cepillado puede hacer que el manto suave se rice. Límpiale los ojos y examina sus orejas

cuidadosamente. Se debe bañar o usar un champú seco cuando sea necesario.

EJERCICIO Y ALIMENTACIÓN

Estos perros precisan ejercicio regular siempre y cuando sea de forma habitual. No necesita una alimentación especial.

PROBLEMAS DE SALUD

El terrier trigueño es un perro resistente, pero puede sufrir displasia de cadera, alergias cutáneas y problemas oculares como atrofia progresiva de la retina. También padecen problemas renales hereditarios.

Macho: 46-51 cm
16-20 kg
Hembra: 43-48 cm
14-18 kg

Terrier de Airedale

El terrier de Airedale es un perro vivaz al que le encanta el agua, con gran capacidad de adaptación y adecuado para la vida familiar siempre y cuando haga mucho ejercicio y no se le deje mandar en el gallinero.

HISTORIA

El más grande de los terrier, el Airedale fue criado en Yorkshire para cazar nutrias, tejones y lobos, siendo especialmente popular en el valle de Aire. Desde entonces se ha utilizado mucho en la policía y el ejército.

DESCRIPCIÓN

Este perro de tamaño medio con la espalda recta y fuerte, adopta una postura de alerta y confianza. El manto rígido, rizado e impermeable muestra una combinación de entrecano oscuro o negro con manchas rojas y fuego, y la cara luce barba, bigote y cejas pobladas. La cola recta, por lo general amputada para que no supere la altura de la cabeza, se mantiene erguida. Las pequeñas orejas en V se pliegan hacia delante y a los lados.

TEMPERAMENTO

El terrier de Airedale es inteligente, fiable y leal. No tiene problemas para ser adiestrado, pero no responde a las órdenes duras o despóticas. Es por naturaleza vivaz y le encantan los niños.

CUIDADOS

El doble manto duro del terrier de Airedale es fácil de cuidar y muda muy poco pelo. Se debe cepillar con regularidad con un cepillo de púas rígidas para eliminar el pelo muerto y se bañará sólo cuando sea necesario.

LA MASCOTA Y SUS DATOS

 Fiable, leal y vivaz

 Cepillar con regularidad

 Frecuente y moderado

 Se adapta bien a la vida urbana, pero necesita mucho ejercicio

 Buen perro guardián

ADVERTENCIA

• Estos perros son excavadores incorregibles y se aburren con facilidad, por lo que hay que mantenerlos ocupados.

EJERCICIO Y ALIMENTACIÓN

Habiéndose criado para el trabajo activo, este perro necesita mucho ejercicio. Se recomienda una relación ajustada entre ácidos grasos omega–6 y omega–3 si el perro muestra sequedad y picores en la piel.

PROBLEMAS DE SALUD

Aunque por lo general es una raza robusta, el terrier de Airedale puede padecer problemas oculares, displasia de cadera e infecciones cutáneas.

Macho: 58-61 cm
18-23 kg
Hembra: 56-58 cm
18-20 kg

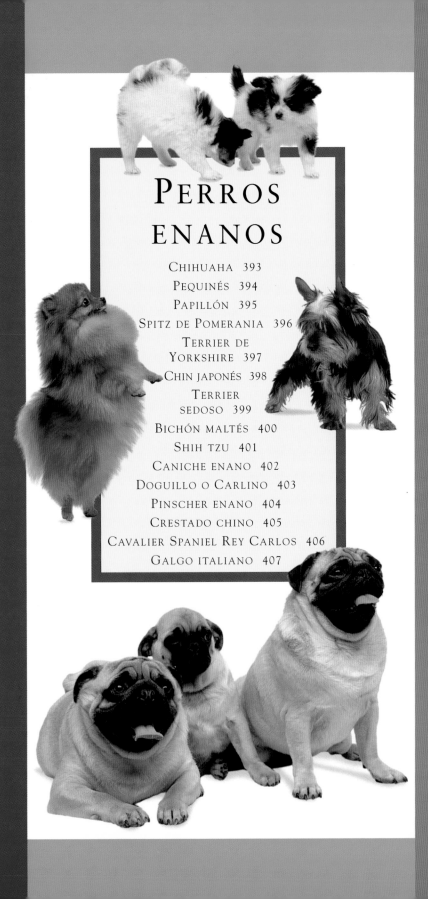

PERROS ENANOS

Chihuahua

Adorado por sus dueños, el misterioso chihuahua es apreciado por su pequeño tamaño. Aunque no sea el mejor perro para niños pequeños, esta criatura delicada y de ojos brillantes es perfecta para vivir en pisos.

HISTORIA
Poco se sabe sobre el chihuahua antes de su descubrimiento en México hace unos 100 años, aunque se cree que la raza se remonta al menos al siglo IX.

DESCRIPCIÓN
Es la raza canina más pequeña del mundo y presenta dos mantos totalmente distintos: liso y corto, y largo. Los perros son por lo demás idénticos y pueden salir de la misma camada, aunque en Gran Bretaña los dos se consideran distintos. Se dan todos los colores y combinaciones.

TEMPERAMENTO
El chihuahua es totalmente fiel a sus dueños y establece estrechos lazos con ellos, llegando al extremo de sentir celos. Cuando hay desconocidos presentes, sigue todos los movimientos de su dueño y se mantiene en lo posible lo más próximo a él. Aprende con rapidez y responde bien al adiestramiento.

CUIDADOS
El manto de pelo corto y liso se debe cepillar con cuidado de vez en cuando o pasarle un paño húmedo. El manto largo se debe cepillar a diario con un cepillo de púas rígidas. Ambas variedades se han de bañar una vez al mes, teniendo cuidado de que no les entre agua en las orejas. Hay que inspeccionar las orejas con regularidad y mantener las uñas cortas.

EJERCICIO Y ALIMENTACIÓN
Aunque sea tentador llevar en brazos a estas criaturas delicadas, se mantendrán más en forma si dan paseos. Un arnés de cuerpo es más seguro que un collar. No necesitan alimentación especial, aparte de dos comidas frugales a diario.

LA MASCOTA Y SUS DATOS

 Afectuoso, despierto y juguetón

 Cepillar con regularidad

 Regular y suave

 Ideal para vivir en pisos

 No es un buen perro guardián

ADVERTENCIA
• Estos perros tienden a morder por miedo, por lo que hay que tener mucho cuidado al manipularlos.

PROBLEMAS DE SALUD
Aunque razonablemente sano, el chihuahua padece problemas oculares, hundimiento de la tráquea, luxación de rótula y enfermedades cardíacas.

Macho: 15-23 cm
1-3 kg
Hembra: 15-20 cm
1-3 kg

Pequinés

Venerado desde la Antigüedad por los chinos, el diminuto pequinés es tal vez el perrito faldero por antonomasia, un compañero devoto que estará feliz repanchingado sobre un cojín o en tu regazo.

LA MASCOTA Y SUS DATOS

 Inteligente, fiel y con mucha determinación

 Necesita cuidados especiales

 Regular y suave

 Ideal para vivir en un piso

 Excelente perro guardián para su tamaño

 ADVERTENCIA
- Los ojos son vulnerables a las lesiones y a las úlceras de córnea.
- Sus problemas respiratorios pueden requerir cirugía para corregirlos.

HISTORIA

Estos perros fabulosos llevaron en tiempos una vida reyes en la corte imperial de Pequín, donde los especímenes más pequeños a veces iban de un lado a otro en las mangas de la realeza.

DESCRIPCIÓN

Es una de las pocas razas en que la hembra es más pesada que el macho. El manto lujoso, largo, liso y flotante muestra profusión de flecos y luce todos los colores, excepto albino y pardo rojizo. La cara es chata con el hocico arrugado y orejas caídas en forma de corazón. Estos perritos de esqueleto fornido tienen una forma de andar característica como si fueran rodando.

TEMPERAMENTO

Aunque pequeño, el pequinés es un perro guardián excelente. Son leales, despiertos, valientes y siempre están de buen humor, adecuados para adaptarse a la vida familiar.

CUIDADOS

Es esencial peinar y cepillar a diario su doble y largo manto. Se debe tener cuidado adicional con los cuartos traseros, cuyo pelaje se puede ensuciar y formar enredos. Las hembras mudan el entrepelo cuando están en celo. Se debe aplicar con regularidad un champú seco. Se limpiarán la cara y los ojos a diario, y se examinarán sus peludos pies por su hubiera nudos y objetos pegados.

EJERCICIO Y ALIMENTACIÓN

Al pequinés se le debe obligar a dar paseos, y, aunque no necesita mucho ejercicio, su salud será mejor si se disfruta de sesiones regulares de juego. No necesita alimentación especial, pero se vuelven rápidamente obesos si se les sobrealimenta.

PROBLEMAS DE SALUD

El pequinés a menudo tiene problemas para parir y debe estar asistido por un veterinario en el parto. Como otras razas de hocico chato, tienen problemas respiratorios. Sus ojos prominentes son muy sensibles y propensos a heridas y úlceras de córnea.

Macho: 15-23 cm
5-6 kg
Hembra: 15-23 cm
5-6 kg

Papillón

Esta ricura de perro te robará el corazón con su delicada elegancia y sus divertidas payasadas. Le encanta ser el centro de atención y disfruta cuando le miman, por lo que es un perro de compañía delicioso y una buena mascota familiar.

HISTORIA

El origen del papillón (en francés «mariposa») es incierto, pero hacia el siglo XVI ya era una raza apreciada por la nobleza europea.

DESCRIPCIÓN

Debido a su cola, larga y emplumada, curva sobre la espalda, el papillón se llamó en tiempos spaniel ardilla. Su manto largo y lustroso es blanco con manchas de cualquier color, excepto pardo rojizo. Las orejas de mariposa presentan bordes pesados y luce una banda blanca sobre el hocico.

TEMPERAMENTO

Inteligente y adaptable, este perrito tan animado y espabilado es afable, pero tiende a ser muy posesivo con sus dueños. Como perro de guarda su utilidad está limitada por su pequeño tamaño, pero al menos te avisará de cualquier ruido inusual o de la llegada de desconocidos.

CUIDADOS

Peinar y cepillar a diario su único manto largo y sedoso es importante y bastante fácil. Estos perros suelen ser limpios y no huelen. Se bañarán o se aplicará champú seco cuando sea necesario. Se debe mantener las uñas cortas y limpiar los dientes con regularidad porque tienden a acumular sarro.

EJERCICIO Y ALIMENTACIÓN

A estos perritos juguetones les encanta correr, pero no se quejarán mucho si están confinados varios días en casa. Como cualquier otro perro, se benefician de un régimen de ejercicio regular. No necesitan una alimentación especial.

LA MASCOTA Y SUS DATOS

- Animoso, amigable y despierto
- Cepillar a diario
- Regular y suave
- Ideal para vivir en pisos
- No es un buen perro guardián

ADVERTENCIA

- Sensible al uso de anestésicos corrientes.
- El papillón es lo bastante pequeño como para escurrirse por vallas en apariencia seguras.

PROBLEMAS DE SALUD

En general, el papillón es una raza bastante robusta, aunque padece problemas oculares y de rodilla.

Macho: 20-28 cm
4-5 kg
Hembra: 20-28 cm
3-4 kg

Spitz de Pomerania

Si bien al pomerano le encantan las caricias y mimos, también le gusta jugar y mantenerse activo. Dicho de otro modo, es una criatura muy acomodaticia, lista para ajustarse a las necesidades de cualquier dueño.

LA MASCOTA Y SUS DATOS

 Vivo, leal y amistoso

 Cepillar con regularidad

Regular y suave

Ideal para vivir en pisos

 Buen perro guardián a pesar de su tamaño

 ADVERTENCIA

- Sus ladridos pueden llegar a ser un problema si no se le impone el silencio desde pequeño.
- Perderá pronto los dientes si no se cuidan bien.

Te avisará de cualquier cosa inusual ladrando con mucho empeño. Aunque excitable, es obediente y se calma con facilidad.

HISTORIA

El spitz de Pomerania se parece mucho a los perros de trineo de raza spitz, de los que desciende. Se crió deliberadamente buscando reducir su tamaño en el siglo XIX, cuando los perros enanos y *toys* eran muy populares.

DESCRIPCIÓN

Este perrito se parece al crestado chino con pelo y luce colores como el negro, gris, azul, naranja, crema, fondo café o gris con puntas negras, y particolor. Su carita descarada y zorruna se asoma y te mira en medio de una gola exuberante. Su espectacular cola se curva sobre la espalda.

TEMPERAMENTO

Fácil de adiestrar, el pomerano es un buen perro guardián a pesar de su pequeño tamaño.

CUIDADOS

Se recomienda el cepillado frecuente de su largo manto doble. Si lo cepillas partiendo de la cabeza, dividiendo el manto en dos y cepillando hacia delante, volverá limpiamente a su sitio, por lo que la tarea, aunque lleve tiempo, es relativamente fácil. El entrepelo algodonoso se muda una o dos veces al año. Se aplicará champú seco cuando sea necesario. Se debe limpiar ojos y orejas a diario, y llevar con regularidad al perro a visitas de control al dentista.

EJERCICIO Y ALIMENTACIÓN

No hay necesidad de prever un plan de ejercicio especial si hay una zona pequeña donde el perro pueda jugar. De lo contrario, bastará de vez en cuando con una sesión de juego en el parque. No necesita alimentación especial.

PROBLEMAS DE SALUD

La raza padece problemas oculares y las rodillas son susceptibles de sufrir luxaciones. Muchos ejemplares pierden los dientes al envejecer.

Macho: 18-30 cm
1-3 kg
Hembra: 18-30 cm
1-3 kg

Terrier de Yorkshire

En su origen, el terrier de Yorkshire se utilizó para cazar ratones, una tarea que desempeñaba a la perfección. Más tarde se hizo famoso por su aspecto inusual y rápidamente se convirtió en una raza favorita entre las mascotas.

HISTORIA

Criado hace poco más de un siglo, el terrier de Yorkshire es una mezcla misteriosa de distintos terrier, inglés, escocés y maltés. Los perros enanos que vemos hoy en día son mucho más pequeños que sus antepasados y esta raza goza de gran popularidad.

DESCRIPCIÓN

Su manto extra largo, fino y sedoso parte de la columna y cae liso hacia los lados. El cuerpo y la cola son de color azul acero y el resto de color fuego. Los cachorros suelen ser de color negro y fuego. La cola se suele amputar por la mitad. Cuando no se preparan para exhibiciones, muchos dueños optan por dejar que tengan un aspecto un poco melenudo.

TEMPERAMENTO

Despierto, indomable y de espíritu vivo, el Yorkshire también es admirado por su lealtad. A pesar de su diminuto tamaño, es un perro guardián excelente, que defiende su territorio con valentía.

CUIDADOS

Cuando compite en exhibiciones, hay muchos trucos para el cuidado del largo manto único del terrier de Yorkshire, y hay que cumplir a rajatabla ciertas pautas. Para el dueño normal, es necesario peinar y cepillar a diario y la aplicación frecuente de champú para mantener su lustroso pelo en perfecta condición. Esto implica un compromiso importante de tiempo y esfuerzo.

EJERCICIO Y ALIMENTACIÓN

Aunque no necesite mucho ejercicio, este pequeño guerrero vivaz se beneficiará de oportunidades regulares para correr y jugar. No necesita una alimentación especial.

PROBLEMAS DE SALUD

El terrier de Yorkshire es susceptible a los problemas oculares como cataratas, atrofia progresiva de la retina y sequedad ocular. También sufre deterioro de la articulación de la cadera, luxación de la rodilla y hundimiento de la tráquea. Si no se le anima a masticar alimentos duros, habrá que limpiar el sarro de los dientes con regularidad.

LA MASCOTA Y SUS DATOS

 Valiente y pendenciero

 Diario y amplio

 Regular y suave

 Ideal para vivir en pisos

 Buen perro guardián a pesar de su tamaño

ADVERTENCIA

- Los ladridos pueden causar problemas con los vecinos.
- Estos perros no son buenos con los niños.

Macho: 18-23 cm
2-3 kg
Hembra: 18-23 cm
1-3 kg

Chin japonés

Esta delicia de perrito japonés es adorable y gustosamente te devolverá todo el amor que indefectiblemente se le prodiga. Es un perro faldero superlativo con pocos o ningún defecto ni vicio.

LA MASCOTA Y SUS DATOS

 Inteligente, vivaz y dócil

 Cepillar a diario

 Frecuente y suave

Ideal para vivir en pisos

Perro guardián regular

ADVERTENCIA

• Se debe cortar el pelo enredado de los pies.

HISTORIA

Este magnífico perrito se conoce en Occidente desde hace sólo 150 años, aunque fueran las mascotas mimadas de los japoneses ricos, incluida la realeza, durante siglos, habiéndose introducido la raza en Japón desde China ya en la Antigüedad. Es probable que tenga un parentesco distante con el pequinés.

DESCRIPCIÓN

El chin japonés parece un juguetito. El manto largo, liso y profuso se da en color blanco con manchas negras o tonos rojizos. Sus andares son gráciles con los pies muy levantados del suelo.

TEMPERAMENTO

El simpático chin es un animal vivaz, feliz y de humor dulce,

con el tamaño perfecto para vivir en espacios pequeños. Con su docilidad y educación exquisita, tal vez sea mejor para casas donde no haya niños.

CUIDADOS

Aunque el manto parece difícil de cuidar, unos pocos minutos diarios bastarán para que luzca. Se debe deshacer los enredos con un peine y se cepillará ligeramente, levantando el pelo para que se esponje un poco. Se debe aplicar champú seco ocasionalmente y se bañará sólo cuando sea necesario. Se limpiarán los ojos a diario y se examinarán las orejas con regularidad por si hubiera signos de infección.

EJERCICIO Y ALIMENTACIÓN

Si bien no necesita mucho ejercicio, al chin le encanta un paseo diario y tener oportunidad de jugar en

espacios abiertos. No necesita una alimentación especial, pero prefiere «picar» en las comidas y tomar golosinas.

PROBLEMAS DE SALUD

Los ojos grandes y saltones son vulnerables a las heridas y se dan casos de cataratas y atrofia progresiva de la retina.

Macho: 18-28 cm
hasta 4 kg
Hembra: 18-28 cm
hasta 4 kg

Terrier sedoso

Criado para ser un compañero alegre, el delicado terrier sedoso despliega los mejores rasgos de sus diversos antepasados. Es un perrito seguro de sí mismo, muy entretenido y con gran encanto.

HISTORIA

Descendiente de diversas variedades de terrier y perros falderos, como el terrier de Yorkshire al que se parece, el terrier sedoso se desarrolló en Nueva Gales del Sur, en Australia, en tiempos muy recientes. También se le llama terrier sedoso de Sydney. Nunca se concibió como un perro para trabajar, pero, a pesar de su pequeño tamaño, es un perro guardián excelente.

DESCRIPCIÓN

El cuerpo es pequeño y fornido con un manto sedoso que cae a ambos lados de la columna. El manto es largo excepto en la cara y las orejas, y su color es azul o azul–gris con fuego. La cola se suele amputar.

TEMPERAMENTO

Despierto e inteligente, el terrier sedoso es fácil de adiestrar.

Macho: 23-25 cm
4-5 kg
Hembra: 23-25 cm
4-5 kg

CUIDADOS

El peinado y cepillado diarios y el empleo regular de champú son necesarios para mantener su pelaje lustroso en una condición excelente. Esto exige un compromiso por parte de sus dueños. Después del bañarlo, hay que asegurarse de que el pelo se seca bien y no pasa frío. El manto se tiene que esquilar ocasionalmente, y el pelo de las piernas que cae de las rodillas hacia abajo a menudo se lleva corto. Si el pelo que cae sobre los ojos se recoge en un moño, al perro le resultará más fácil ver.

EJERCICIO Y ALIMENTACIÓN

Este perrito tan activo disfruta con largas sesiones de juego y tiene una resistencia física sorprendente. Necesita ejercicio frecuente y actividad para mantenerse en buena forma y feliz. No necesita una alimentación especial.

LA MASCOTA Y SUS DATOS

 Valiente, despierto y afectuoso

 Diario y prolongado

 Frecuente y moderado

 Ideal para vivir en pisos, pero necesita mucho ejercicio

 Es un perro guardián excelente para su tamaño

ADVERTENCIA

- Es un excavador entusiasta.
- Puede tener celos y buscar pelea con otros perros.

PROBLEMAS DE SALUD

Estos perros resistentes por lo general gozan de buena salud, aunque sufran enfermedades genéticas oculares y, como muchas razas enanas, pueden padecer hundimiento de la tráquea.

Bichón maltés

Famoso desde los tiempos de los romanos y tal vez incluso antes, el principal propósito en la vida del encantador bichón maltés siempre ha sido alegrar a sus incontables dueños.

HISTORIA

Especialmente predilecto de las mujeres durante siglos, el dócil bichón maltés aparece en muchos cuadros famosos.

DESCRIPCIÓN

Con su pequeño cuerpo compacto, sus patitas cortas y sedoso manto de blanco inmaculado, este perro siempre está seguro de ser el centro de atención. Los ojos ovalados son grandes y oscuros con las comisuras negras. Su profuso pelaje de un solo manto es largo y liso, partiendo hacia ambos lados de la columna hasta llegar al suelo, ocultando las patas y pies por completo. Siempre es blanco, a veces con manchas de color limón o beige. La cola se arquea sobre la espalda en un grácil arco.

TEMPERAMENTO

Inteligente y fácil de adiestrar, al bichón maltés le encanta que lo aseen, lo mimen y lo acaricien. Vivaz y despierto, te hará saber con sus ladridos si hay cerca extraños.

CUIDADOS

Es importante peinar y cepillar a diario su largo manto, aunque con suavidad porque es muy blando. Se limpiarán los ojos a diario para evitar que tiñan el pelo y se limpiará la barba después de las comidas por la misma razón. Se debe bañar o aplicar champú seco con regularidad, asegurándose de que se le seca a conciencia y no pasa frío. Se debe limpiar las orejas y eliminar los pelos que crezcan dentro del conducto auditivo. Los ojos deben ser examinados con regularidad y limpiados si fuera necesario. El pelo de la cabeza a menudo se recoge en un moño para que no le cubra los ojos.

EJERCICIO Y ALIMENTACIÓN

Al bichón maltés le encanta dar paseos o participar en sesiones de juego, y se mantendrá juguetón incluso cuando se haga mayor. No se le debe sobrealimentar. Para evitar problemas dentales, hay que animarlo a comer alimentos duros y crujientes.

LA MASCOTA Y SUS DATOS

Apacible y afectuoso

Frecuente y con prodigalidad. Tratar con cuidado el manto blando

Habitual y suave

Ideal para vivir en un piso

Perro guardián idóneo

⚠ ADVERTENCIA

- Los ojos muestran de vez en cuando tendencia al lagrimeo, manchándose la cara.
- A veces es difícil enseñarle el control de esfínteres dentro de casa.

PROBLEMAS DE SALUD

Esta raza suele ser longeva, resistente y saludable. Sin embargo y como la mayoría de los perros de raza pura, sufren enfermedades oculares genéticas.

Macho: 20-25 cm
1,5-3 kg
Hembra: 20-25 cm
1,5-3 kg

Shih tzu

Perro de entretenimiento y compañía, al shih tzu no hay nada que le guste más que sentarse en tu regazo y ser objeto de tus cuidados, que es justo lo que su magnífico manto necesita.

HISTORIA

Ciertas similitudes sugieren que el shih tzu desciende del lhasa apso tibetano, posiblemente como resultado de haberse cruzado con el pequinés después de haber sido introducido en China. El shih tzu también se conoce como perro león chino o perro crisantemo.

DESCRIPCIÓN

Este perrito de porte orgulloso tiene el cuerpo alargado y las patas cortas. Su manto espeso, largo y lujoso puede ser de cualquier color, pero es muy deseable que luzca una mancha blanca en la frente y que la cola tenga la punta blanca.

TEMPERAMENTO

Dotado de gran personalidad, dócil y leal, se hará tu amigo con facilidad y responderá bien al adiestramiento.

CUIDADOS

Es esencial peinar y cepillar a diario el doble manto largo y suave con un peine de dientes de acero y un cepillo de púas, con cuidados especiales durante la muda de pelo. El pelo largo en la parte superior de la cabeza se suele recoger en un nudo para que no cubra los ojos. Se debe aplicar champú seco según sea necesario y se bañará una vez al mes. Hay que examinar las orejas de forma regular por si hubiera una infección y limpiar los restos de comida de la barba. Hay que cortar todos los nudos que se formen en los pies.

EJERCICIO Y ALIMENTACIÓN

Son perritos activos por naturaleza, pero si se les permite, les encanta gandulear. Hay que animarlos a salir porque pasear a diario los mantendrá en forma. No

LA MASCOTA Y SUS DATOS

 Amistoso, juguetón e independiente

 Con prodigalidad

 Frecuente y suave

 Ideal para vivir en un piso

 Perro guardián idóneo

ADVERTENCIA
- Las infecciones de oído son frecuentes debido a la abundancia de pelo alrededor de las orejas
- Es propenso a sufrir golpes de calor.

necesitan una alimentación especial, pero no hay que sobrealimentarlos o engordarán con rapidez.

PROBLEMAS DE SALUD

Los ojos saltones son propensos a las lesiones y tienden a la sequedad por exposición, que causa ulceraciones. El shih tzu también sufre infecciones de oído y problemas renales hereditarios, y tiene problemas respiratorios cuando hace calor.

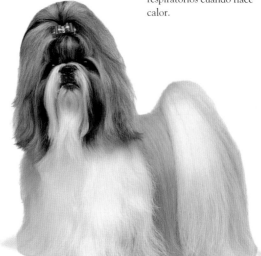

Macho: hasta 28 cm
4-7 kg
Hembra: hasta 28 cm
4-7 kg

Caniche enano

Al primoroso caniche enano le encanta la compañía y es la mascota perfecta para una persona mayor o poco activa y con tiempo para mimar a este pequeño payaso y divertirse con sus trastadas.

HISTORIA

El caniche enano (*toy*) es la versión más pequeña de este perro (ver pp. 414-5), en su origen empleado en Alemania y Francia como perro de cobranza de aves acuáticas. Con posterioridad fue el favorito en los números circenses por su aspecto cómico y porque se le adiestra con facilidad.

DESCRIPCIÓN

Este perrito tan activo tiene un manto denso de rizos lanosos. El pelo no deja de crecer y no se muda, razón por la cual a menudo se recomienda como mascota para personas con alergias. El manto es de colores uniformes como rojo, blanco, crema, castaño, albaricoque, negro, plata y azul.

TEMPERAMENTO

Sensato y muy inteligente, el caniche enano es muy entusiasta y fácil de adiestrar. Es muy buen perro guardián pese a su tamaño.

CUIDADOS

Al caniche hay que bañarlo con regularidad y esquilarlo cada seis a ocho semanas. Hay que limpiar y examinar las orejas con frecuencia por si hubiera cera o una infección, y se eliminarán los pelos que crezcan dentro del conducto auditivo. El esquilado se empezó a usar para aligerar el peso del pelaje y que pudiera nadar bien al tiempo que se protegían las articulaciones y el pecho del frío y las espinas, aunque son muchos los dueños que optan por esquilar todo el cuerpo con la misma longitud. Es necesario quitar con regularidad el sarro a los dientes.

EJERCICIO Y ALIMENTACIÓN

Aunque le encanta pasear y estará de mejor humor y más en forma si tiene oportunidades habituales de correr suelto y jugar, el caniche enano no es exigente en lo que al ejercicio se refiere. No es necesaria una alimentación especial.

LA MASCOTA Y SUS DATOS

 Muy inteligente y leal

 Peinar y cepillar a diario

 Frecuente y suave

Ideal para vivir en un piso

 Muy buen perro guardián para su tamaño

ADVERTENCIA

- Cuando se compre un cachorro, hay que examinar cuidadosamente que no haya trastornos genéticos.
- Estos perros prefieren vivir bajo techo.

PROBLEMAS DE SALUD

Los caniches enanos padecen luxación de rodilla, epilepsia, diabetes y enfermedades oculares genéticas como atrofia progresiva de la retina y cataratas.

Macho: hasta 28 cm
3-4 kg
Hembra: hasta 28 cm
3-4 kg

Doguillo o carlino

Nada agresivo, este perrito encantador y apacible es bueno con los niños. Al carlino le encanta tener compañía y sólo quiere ser tu mejor amigo, pero se enfadará si lo excluyen de las actividades familiares.

LA MASCOTA Y SUS DATOS

 Inteligente, sociable y travieso

 Cepillar a diario

 Frecuente y moderado

 Ideal para vivir en un piso si hace suficiente ejercicio

 Buen perro guardián

ADVERTENCIA

- Los ojos saltones del carlino son propensos a las heridas.
- Es propenso a problemas sinusales y respiratorios.

TEMPERAMENTO

Inteligente, fácil de adiestrar y con un ladrido potente para tu tamaño. El carlino es un buen perro guardián. Juguetón, leal y afectuoso, es un compañero cautivador que se convertirá en tu sombra y seguirá todos tus movimientos o se hará un ovillo en tu regazo.

HISTORIA

Aunque perros muy parecidos al carlino aparecen en porcelanas chinas antiguas, el origen de esta raza está envuelto en el misterio. Parecen haber sido siempre mascotas o perros caseros y no perros criados para una tarea concreta.

DESCRIPCIÓN

Aunque no sea exactamente hermoso, el doguillo tiene atractivo sin duda. Tiene un cuerpo rechoncho, compacto y cuadrado, con un manto suave y lustroso de color cervato, albaricoque, plata y negro, siempre con el hocico negro y las orejas aterciopeladas. Los lunares en las mejillas se consideran bellos. La cola se enrosca sobre la espalda, y en los mejores ejemplares, adopta dos roscas. Su bamboleo y marcha alegre son muy característicos.

CUIDADOS

El manto corto y liso es fácil de cuidar. Se debe cepillar y peinar con un cepillo de púas rígidas y sólo se aplicará champú cuando sea necesario. Se limpiarán las arrugas de la cara con regularidad.

EJERCICIO Y ALIMENTACIÓN

Fuerte y con patas cortas y rectas, al carlino le gustan los juegos vivos y se mantendrá en buena forma si hace ejercicio con frecuencia. No hay que sobrealimentarlo, porque comerá más de lo que es bueno para él, volviéndose rápidamente obeso, lo cual acorta mucho su vida.

PROBLEMAS DE SALUD

A los carlinos les sienta mal el calor y el frío extremos, y están acostumbrados a la vida hogareña. Son propensos a las alergias y su hocico chato contribuye a que sufran problemas respiratorios crónicos.

Macho: 30-36 cm
6-9 kg
Hembra: 25-30 cm
6-8 kg

Pinscher enano

Este perro parecido a un terrier es muy activo. Su valor está fuera de toda duda y fue apreciado en Alemania, donde tuvo origen, como cazador de ratas de extraordinaria vigilancia y tenacidad.

HISTORIA

Conocido sólo en Alemania hasta hace unos 100 años, este perro ahora es conocido en todo el mundo.

DESCRIPCIÓN

Este perro pequeño y esbelto, con unos andares característicos como de caballo, levantando mucho los pies, es una mascota vivaz y deliciosa. El manto es de color negro, azul y chocolate, todo con manchas de color fuego muy definido en la cara y manchas a juego en el pecho y sobre los ojos. También luce tonos uniformes de color rojo. La cola se suele amputar corta.

TEMPERAMENTO

Este perrito valiente y juguetón ladrará y lanzará tarascadas a los desconocidos y, para su tamaño, es un perro guardián excelente. No es apto para familias con niños pequeños porque, si se le trata con rudeza, es probable que sufra daños y reaccione de forma agresiva.

CUIDADOS

El manto liso, corto y duro es fácil de cuidar. Se debe peinar y cepillar con un cepillo de púas rígidas y se aplicará champú solo cuando sea necesario. El pelo suelto se puede eliminar frotando el manto con un paño húmedo y tibio.

EJERCICIO Y ALIMENTACIÓN

Este perro no requiere mucho ejercicio, pero debe tener oportunidades frecuentes para correr y jugar. Cualquier jardín por el que corra suelto tiene que tener una valla lo bastante alta como para evitar su determinación de escapar y explorar. No necesita una alimentación especial.

PROBLEMAS DE SALUD

El pinscher enano es un animal robusto en general, pero sufre problemas oculares y articulares. Las perras a menudo tienen problemas durante el parto y deben parir bajo la atención de un veterinario.

LA MASCOTA Y SUS DATOS

Valiente, vivaz y juguetón

Cepillar a diario

Frecuente y suave

Ideal para vivir en un piso, pero el ladrido puede ser un problema

Excelente perro guardián para su tamaño

ADVERTENCIA
- Estos perros inquisitivos se fugarán a la primera oportunidad.
- Son propensos a morder objetos pequeños con los que podrían atragantarse.

Macho: 25-30 cm
4-5 kg
Hembra: 25-28 cm
Unos 4 kg

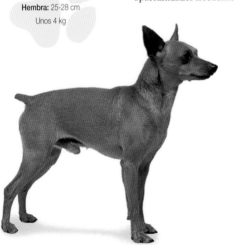

Crestado chino

*Si estás buscando novedades, tal vez ésta sea la mascota para ti,
pero elige un crestado chino sólo si estás preparado para devolver todo
el afecto que esta criatura primorosa está dispuesta a darte.*

LA MASCOTA Y SUS DATOS

Alegre, dócil y fiel

El crestado chino con pelo necesita un cepillado diario; el crestado sin pelo necesita poca atención

Frecuente y suave

Ideal para vivir en un piso

No es un buen perro guardián

ADVERTENCIA

• El crestado chino sin pelo es alérgico a la lana y vulnerable a las quemaduras solares.

combinados, o con manchas. Lo raro es que los dos tipos a menudo se dan en la misma camada.

TEMPERAMENTO

El crestado chino suele estar muy unido a sus dueños y le cuesta adaptarse a otros nuevos. Le encanta tener siempre compañía.

HISTORIA

No se sabe cómo, ni siquiera dónde tuvo su origen esta raza, aunque parece que ya existía en la antigua China. Tiene mucho parecido con el pelón mejicano.

DESCRIPCIÓN

Hay dos variedades diferentes de este perro inusual: una, no tiene pelo, excepto en la cabeza, pies y cola, y por eso se le llama «sin pelo»; la otra, el crestado chino con pelo, tiene un manto de pelo largo y blando. Ambos muestran numerosos colores, solos o

CUIDADOS

Es importante peinar y cepillar a diario el doble manto largo y fino, prestando especial atención cuando el perro esté mudando el pelo. El entrepelo lanoso se enreda si no se cuida. Se debe bañar al crestado chino sin pelo con frecuencia y masajear la piel con un poco de aceite o crema para mantenerla flexible.

EJERCICIO Y ALIMENTACIÓN

Aunque a estos perros les gusta dar paseos a buen ritmo, también se conforman con

sesiones regulares de juego. No necesitan una alimentación especial, pero no hay que sobrealimentarlos, porque se volverán obesos si tienen ocasión. Pueden ser reacios a masticar alimentos duros, por lo que a menudo tienen la dentadura incompleta.

PROBLEMAS DE SALUD

La piel del crestado sin pelo reacciona al contacto con la lana y se tiene que proteger de las quemaduras solares. Esta variedad tampoco es apta para climas fríos.

Macho: 23-33 cm
hasta 5 kg
Hembra: 23-33 cm
hasta 5 kg

Cavalier Spaniel Rey Carlos

Perrito valiente y bullicioso con disposición alegre, el cavalier spaniel Rey Carlos es amistoso y sociable con personas y otros perros, y es más robusto que los perros enanos habituales.

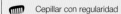

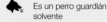
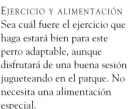

blanco. El manto es largo y sedoso y sin rizos, aunque a veces es ondulado. Las orejas son largas, sedosas y con muchos flecos, como también las patas y los pies.

TEMPERAMENTO
El cavalier es fácil de adiestrar, limpio y sensato, y es un compañero delicioso y divertido.

CUIDADOS
El manto largo y liso es fácil de mantener cuidado. Se debe peinar y cepillar con un cepillo de púas rígidas, y se debe bañar o aplicar un champú seco según sea necesario. Siempre hay que asegurarse de que el perro esté totalmente seco y no pase frío después del baño. Hay que inspeccionar los ojos y orejas con atención por si hubiera signos de infección.

HISTORIA
Desarrollado a partir de un cruce entre un Rey Carlos y un cocker spaniel (ver p. 326), el cavalier difiere mucho de sus antepasados. Sus criadores intentaron conseguir un perro enano parecido a los de los retratos de los tiempos de Carlos II de Inglaterra; se dice que adoraba a estos animales.

DESCRIPCIÓN
Compacto y hermoso, el cavalier es un poco más grande que el Rey Carlos y tiene un hocico más largo, pero con los dos mismos colores: rojo, castaño y blanco, negro y fuego, y negro tricolor, fuego y

EJERCICIO Y ALIMENTACIÓN
Sea cuál fuere el ejercicio que haga estará bien para este perro adaptable, aunque disfrutará de una buena sesión jugueteando en el parque. No necesita una alimentación especial.

PROBLEMAS DE SALUD
Aunque se clasifica como una raza enana, el cavalier no tiene la fragilidad que a menudo se asocia con estas razas. Sin embargo, las cardiopatías son muy habituales. También padecen enfermedades oculares hereditarias y luxación de rótula, y sus orejas largas y con muchos flecos son propensas a las infecciones.

Macho: 30-33 cm
5-8 kg
Hembra: 30-33 cm
5-8 kg

Galgo italiano

De aspecto grácil y delicado, el galgo italiano es una miniatura perfecta de su antepasado más grande. Este aseado animal no huele y se adapta bien a hogares relativamente tranquilos y donde reciba cariño.

LA MASCOTA Y SUS DATOS

 Obediente, afectuoso y sensible

 Mínimo

 Frecuente y moderado

 Se adapta bien a la vida urbana si ocupa un hogar tranquilo

No es un buen perro guardián

ADVERTENCIA
• Son propensos a romperse alguna pata y a la luxación de rótula.

HISTORIA
El galgo italiano se conoce desde la época del antiguo Egipto. Sea cual fuere su propósito original –tal vez levantar aves, cazar animales pequeños o matar ratas–, los últimos siglos se ha criado sólo como mascota. En la mayoría de los países se clasifica como una raza enana.

DESCRIPCIÓN
Ágil y aerodinámico, este perro es capaz de correr rápido durante un tiempo corto. El manto satinado y lustroso tiene diversos tonos de cervato, crema, blanco, rojo, azul, negro y cervato, y blanco salpicado con cualquiera de estos colores.

TEMPERAMENTO
Como tiende a ser tímido y se debe tratar con mucho mimo, es una mascota para un hogar tranquilo donde no haya niños bulliciosos. En situaciones estresantes necesita que se lo tranquilice con caricias.

CUIDADOS
Es uno de los perros más fáciles de asear. Todo lo que se necesita para mantener lustroso su manto fino y sedoso es frotarlo con una toalla áspera o una gamuza. Si es totalmente necesario, se le puede dar un baño, pero hay que tener cuidado con que se seque bien y esté caliente.

EJERCICIO Y ALIMENTACIÓN
Los galgos italianos son perritos activos, les encanta correr sueltos y jugar y dar sus paseos habituales. No necesita una alimentación especial.

PROBLEMAS DE SALUD
Los galgos italianos son propensos a romperse alguna pata y a la luxación de rótula, sobre todo cuando son pequeños. También son susceptibles a problemas hereditarios y crisis convulsivas, y, debido a su manto fino, no se deben exponer a condiciones meteorológicas extremas.

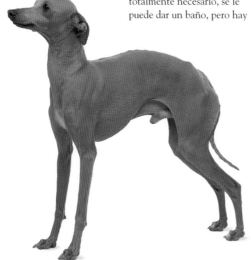

Macho: 30-38 cm
3-5 kg
Hembra: 30-38 cm
3-5 kg

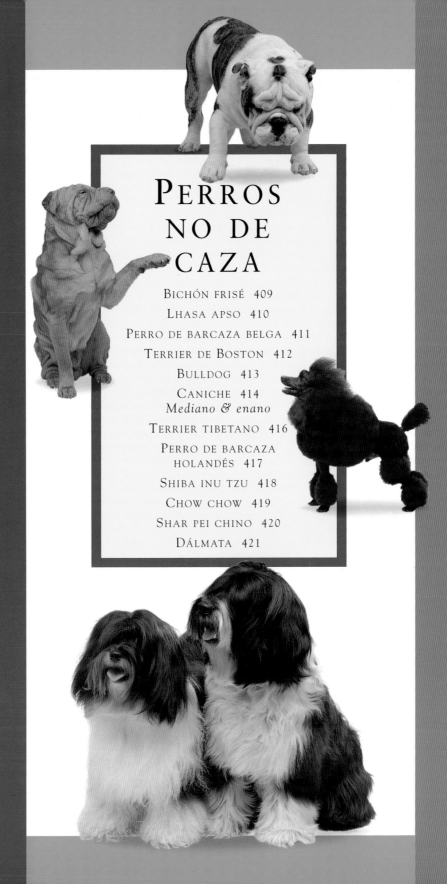

PERROS NO DE CAZA

Bichón frisé

Es fácil darse cuenta de por qué la gente aprecia este peluche llamado bichón frisé. Le encanta ser el centro de atención y siempre está dispuesto a agradar, lo cual lo convierte en un compañero divertido y delicioso.

HISTORIA

Aunque la primera noticia sobre el bichón frisé es que fue el preferido de la realeza francesa en el siglo XVI (*bichon* es la palabra francesa para perrito faldero; *frisé* significa rizado), se cree que este perro tuvo su origen en las Islas Canarias y hubo una época en que se le llamaba Tenerife. Sus antepasados franceses o belgas tal vez llegaran allí traídos por marineros.

DESCRIPCIÓN

Este perrito robusto y con mucha fe en sí mismo tiene unos andares vivos y saltones; su manto es blanco y esponjoso, a veces con manchas de color crema o albaricoque. Los ojos son redondos y oscuros, y su trufa grande y redonda es negra.

TEMPERAMENTO

Este animal gregario es juguetón y alegre, nada agresivo con las personas y otros perros. Es inteligente y fácil de adiestrar.

CUIDADOS

Es esencial el cepillado diario de su largo y suave manto con un cepillo de púas rígidas. Su pelo fino y sedoso es rizado; se suele cortar con tijeras siguiendo el contorno del cuerpo y se cepilla para que se esponje como si fuera una nube. Se aplicará un champú seco cuando sea necesario y se bañará una vez al mes. Se cortará el pelo alrededor de los ojos y orejas con tijeras de punta redonda y se limpiarán los ojos meticulosamente para evitar que manchen el pelo.

EJERCICIO Y ALIMENTACIÓN

Estos perritos activos suelen hacer con sus juegos y cabriolas todo el ejercicio que necesitan, pero les encanta dar un paseo y sobre todo juguetear en espacios abiertos. No necesitan una alimentación especial.

PROBLEMAS DE SALUD

El bichón frisé es una raza bastante resistente, aunque algunos ejemplares sufren epilepsia y luxación de rótula. También padecen problemas oculares como cataratas y bloqueo de los lagrimales, lo cual puede provocar lagrimeo que manche el manto blanco del perro.

LA MASCOTA Y SUS DATOS

 Encantador, amistoso y despierto

 Con prodigalidad

 Frecuente y suave

 Ideal para vivir en un piso

 Es un buen perro guardián

ADVERTENCIA

- Si no se cuida, el manto se convierte en seguida en una jungla de enredos lamentable.

Macho: 23-30 cm
3-5 kg
Hembra: 23-28 cm
3-5 kg

Lhasa apso

Aunque esta criatura encantadora parece ser todo pelo, el lhasa apso no es un perro enano ni un perrito faldero. Es un animalito robusto que se ha ganado su fama de perro guardián y animal de compañía.

HISTORIA

Visto pocas veces fuera del Tíbet hasta recientemente, el lhasa apso se crió selectivamente en monasterios para ser centinela de palacios y templos. Parte de su nombre procede de Lhasa, la capital del Tíbet.

DESCRIPCIÓN

Este pequeño melenudo parece una versión en pequeño del viejo ovejero inglés. Los colores más populares son dorado, crema y miel, pero el manto también puede ser entrecano oscuro, humo, pizarra y particolores de negro, blanco o castaño.

TEMPERAMENTO

Adaptable, afectuoso y leal, a estos perritos resistentes les encanta la compañía humana y no les gusta estar solos. Su oído es muy agudo y te alertarán de cualquier sonido inusual y de la proximidad de desconocidos. Son juguetones, inteligentes, fáciles de adiestrar y una compañía deliciosa.

CUIDADOS

El largo manto superior de este perro nace en la base de la columna y cae liso por ambos lados. Es importante el peinado y cepillado diarios. El grueso manto inferior se enredará si se descuida. Se aplicará un champú seco según sea necesario. Algunos dueños optan por una solución más práctica esquilando todo el pelo y dejándolo corto. Hay que examinar los pies para ver si hay enredos o sustancias extrañas. Se debe limpiar ojos y orejas meticulosamente.

EJERCICIO Y ALIMENTACIÓN

Aunque le encanta pasear y corretear y estará más feliz y en buena forma si tiene oportunidades frecuentes para correr y jugar suelto, el lhasa apso no exige hacer ejercicio.

LA MASCOTA Y SUS DATOS

Juguetón, leal y despierto

Diario y con prodigalidad

Habitual, suave a moderado

Ideal para vivir en un piso

Muy buen perro guardián

ADVERTENCIA

- Necesita muchos cuidados.
- Se pone nervioso cuando hay desconocidos.

No necesita una alimentación especial, pero hay que limpiar cualquier resto de comida de la barba después de comer para evitar enredos y manchas.

PROBLEMAS DE SALUD

La raza del lhasa apso está relativamente libre de problemas de salud, aunque a veces sufren problemas renales genéticos. La escasa ventilación de las orejas puede provocar infecciones de oído.

Macho: 25-28 cm
6-8 kg
Hembra: 23-25 cm
5-7 kg

Perro de barcaza belga

Aunque el pequeño perro de barcaza belga sea ágil, robusto e independiente, y destaque por su autosuficiencia, también es sociable, se adapta bien a la vida familiar y es una mascota de buenas maneras, leal y afectuoso.

HISTORIA

Su nombre en flamenco, schipperke, posiblemente signifique «pequeño barquero», porque fueron perros guardianes muy populares en las gabarras belgas donde mantenían a raya ratas y ratones. Probablemente estén emparentados con el pastor belga de Groenendael.

DESCRIPCIÓN

Estos perros pequeños tienen un doble manto áspero, por lo general negro, pero también se dan otros colores como dorado y otros. El pelo es liso en su cabeza zorruna, y en el resto del cuerpo es más erecto, y el macho tiene una gola llamativa en torno al cuello. Estos perros a menudo nacen sin rabo. Si tienen rabo, se amputa muy corto a los pocos días del nacimiento.

Macho: 25-33 cm
5-7 kg
Hembra: 23-30 cm
5-6 kg

TEMPERAMENTO

Es un perrito valeroso que no retrocede ante nadie y un excelente perro guardián. Es muy despierto y curioso, y nada le pasa desapercibido. Poco exigente y fiel a su dueño, se considera parte de la familia.

CUIDADOS

El perro de barcaza belga es muy limpio y se hace él mismo en parte cargo de su aseo, aunque, para mantener su doble manto de longitud media en un estado óptimo, hay que peinarlo y cepillarlo con frecuencia mediante un cepillo de púas rígidas. Se aplicará un champú seco cuando sea necesario.

EJERCICIO Y ALIMENTACIÓN

En general, el perro de barcaza belga es un animal muy activo. Si bien algunos se contentarán con sesiones de juego sin correa en un jardín o un parque, otros querrán al menos un largo paseo diario. No necesita una alimentación especial.

LA MASCOTA Y SUS DATOS

Curioso, valiente y leal

Mínimo

Frecuente y moderado

Se adapta bien a la vida urbana y es ideal para un piso si hace mucho ejercicio

Es un perro guardián excelente

ADVERTENCIA

- Tiende a mostrarse muy receloso con los desconocidos.

PROBLEMAS DE SALUD

Esta raza destaca por la ausencia de problemas genéticos, aparte de las enfermedades oculares habituales y problemas de cadera ocasionales. Algunos perros padecen infecciones cutáneas leves, pero su tratamiento es sencillo.

Terrier de Boston

Además de ser un perro guardián excelente, el terrier de Boston atesora muchas virtudes por las que se recomienda: necesita pocos cuidados, tiene un tamaño muy manejable y su buena disposición es deliciosa. No es de extrañar que sea una de las razas más populares en Estados Unidos.

HISTORIA

Los antepasados directos del terrier de Boston son el bulldog francés y el terrier blanco inglés. Se crió selectivamente en Estados Unidos hace sólo 150 años como perro para peleas, un pasatiempo que ha sido prohibido. Aunque siempre está listo para mantener reyertas con otros perros, su conducta con las personas no es agresiva.

DESCRIPCIÓN

El terrier de Boston es un perro compacto y muy fornido. Su cara es inconfundible, con el hocico chato y ancho, ojos saltones bien separados y orejas erectas. El manto es de color atigrado o negro, en ambos casos con manchas blancas.

Macho: 28-38 cm
7-11 kg
Hembra: 28-38 cm
7-11 kg

TEMPERAMENTO

Juguetón y muy afectuoso, le gusta formar parte de la familia. Es seguro dejarlo con niños. Es inteligente, fácil de adiestrar y, a pesar de su pequeño tamaño, es un excelente perro guardián.

CUIDADOS

El manto liso de pelo corto, fino y lustroso es fácil de cuidar. Se debe peinar y cepillar con un cepillo de púas rígidas, y sólo se bañará cuando sea necesario. Hay que limpiar la cara con un paño húmedo a diario y limpiar con cuidado sus ojos saltones. Se debe examinar orejas y ojos por si hubiera semillas de hierba. Las uñas se tienen que cortar de vez en cuando.

EJERCICIO Y ALIMENTACIÓN

Paseos regulares o sesiones de juego con el perro suelto en un jardín vallado es todo lo que el terrier de Boston necesita para mantenerse en forma. En verano debe ejercitarse sólo en las horas de menos calor del día. No necesita una alimentación especial.

LA MASCOTA Y SUS DATOS

 Juguetón, fiel y valiente

 Cepillar a diario

 Frecuente y moderado

 Ideal para vivir en un piso

 Excelente perro guardián

🐾 ADVERTENCIA

- Las hembras a menudo tienen problemas para dar a luz sus cachorros de gran cabeza.

PROBLEMAS DE SALUD

Estos perros de hocico chato pueden tener dificultades respiratorias cuando hacen esfuerzos. El parto suele ser difícil porque la pelvis es estrecha, y a menudo los cachorros de gran cabeza tienen que nacer por cesárea. Los tumores cardíacos y cutáneos son problemas habituales en esta raza. Los ojos saltones son propensos a sufrir heridas.

Santa Clara County Library District

408-293-2326

Checked Out Items 9/5/2018 15:26
XXXXXXXXXX6934

Item Title	Due Date
1. Sharks : nature's perfect hunter 33305241129265	9/26/2018

No of Items: 1

24/7 Telecirc: 800-471-0991
www.sccl.org
Thank you for visiting our library.

Bulldog

Estos perros de gran robustez se han convertido en el ejemplo de la determinación y su postura con el pecho tan ancho revela su carácter inamovible, cuando no su testarudez. No obstante, el bulldog es una mascota encantadora y simpática.

HISTORIA

En sus primeros tiempos el bulldog era un perro de pelea que se enfrentaba a oponentes de la talla de toros, osos, tejones o incluso otros perros en un ring. Cuando estos deportes sangrientos cayeron en desgracia, los criadores se concentraron en desarrollar los rasgos menos feroces de la raza.

DESCRIPCIÓN

El manto es de color rojo, cervato, atigrado o gamo, o blanco con manchas de cualquiera de estos colores. El hocico a veces es oscuro. Con sus patas rechonchas en cada esquina de su cuerpo compacto

y fornido, la marcha del bulldog se ha convertido en un anadeo.

TEMPERAMENTO

De absoluta confianza y aunque su aspecto sea un poco intimidatorio, es uno de los perros más dóciles. Pero hará retroceder a cualquier intruso, y pocos se atreverán a acercarse y enfrentarse a un perro con valor para plantar cara a un toro.

CUIDADOS

El manto corto fino y liso es fácil de cuidar. Se debe peinar y cepillar con un cepillo de púas rígidas y se bañará sólo cuando sea necesario. Se debe limpiar la cara con un paño húmero a diario para limpiar las arrugas por dentro y evitar que empiecen a oler.

EJERCICIO Y ALIMENTACIÓN

El bulldog podría pasar sin hacer ejercicio, pero se

mantendrá más en forma si practica alguna actividad regular que no lo canse, como caminar. No hay que sobrealimentarlo porque se vuelve obeso con facilidad. También es bastante posesivo con su comida.

PROBLEMAS DE SALUD

El parto es difícil y los cachorros de gran cabeza suelen nacer por cesárea. El bulldog es propenso a las dificultades respiratorias por su hocico chato. Algunos también tienen la tráquea pequeña. Se estresan con los esfuerzos y les afecta el frío y el calor.

LA MASCOTA Y SUS DATOS

Fiable, dócil y bondadoso

Cepillar a diario

Frecuente y moderado

Se adapta bien a la vida urbana

Es muy buen perro guardián

ADVERTENCIA

- Los bulldog tienden a babear y roncar.

- Son propensos a los problemas respiratorios.

Macho: 36-41 cm
20-25 kg
Hembra: 30-36 cm
16-20 kg

Caniche

Una vez que se tiene un caniche, siempre se repite con esta raza; los amantes del caniche pocas veces se encaprichan con otros perros. El proceder encantador de estos animales inteligentes cautiva a casi todo el mundo.

HISTORIA

Conocido desde el siglo XIII, el caniche es un perro de caza en principio utilizado en Alemania y Francia para la cobranza de aves acuáticas. Más tarde fue el favorito para números circenses por su aspecto cómico y porque era muy fácil de adiestrar. A pesar de que otros países reclaman la paternidad, se ha reconocido oficialmente a Francia como su país de origen, y la raza ocupa un lugar especial en el corazón de los franceses. Sus antepasados posiblemente incluyen el barlut francés y el perro de aguas húngaro.

DESCRIPCIÓN

El caniche tiene tres tamaños reconocidos: mediano (el más grande), miniatura y enano (el más pequeño, ver p. 402). Es muy activo, de pie firme y con un equilibrio excelente, de movimientos gráciles y unos andares elásticos al trote. Su manto denso y rizado se cepilla hasta esponjarlo como una nube al tiempo que se esquila con distintos cortes, o se cepilla para que tenga un aspecto más natural. El pelo fino de textura áspera no deja de crecer y no muda, razón por la que el caniche a menudo se recomienda como mascota a personas con alergias. El manto es de color blanco, crema, castaño, albaricoque, negro, plata y azul. La cola de los cachorros se suele amputar al nacer por la mitad en los perros medianos, y a dos tercios de su longitud en la variedad miniatura y enana.

LA MASCOTA Y SUS DATOS

 Muy inteligente y leal

 Peinar y cepillar a diario

 Frecuente y moderado

 Ideal para vivir en un piso, pero necesita mucho ejercicio

Muy buen perro guardián, sobre todo el caniche mediano

ADVERTENCIA

- Cuando compres un cachorro, comprueba que no tenga trastornos genéticos.
- Estos perros se muestran inquietos cuando no disfrutan de compañía humana.

TEMPERAMENTO

Considerada por algunos la raza más inteligente de todas, el caniche es muy buen perro guardián para su tamaño, aunque rara vez se vuelve agresivo. Tiene un sentido del humor muy desarrollado, le encanta jugar y se sentirá insultado si se le excluye de las actividades familiares. Un tanto sensible, puede sentir celos de los niños.

Miniatura
Macho: 28-38 cm
7-8 kg
Hembra: 28-38 cm
7-8 kg

CUIDADOS

Hay que bañar al caniche con regularidad y esquilarlo cada seis a ocho semanas. Se debe inspeccionar las orejas con frecuencia por si hubiera ácaros y para eliminar algún pelo si fuera necesario. El esquile tradicional se aplicó para reducir el peso del manto para nadar y para proteger las articulaciones y el pecho del frío y las espinas, aunque muchos dueños prefieren esquilar todo el cuerpo con la misma longitud, porque es más sencillo y fácil de mantener. Los dientes, sobre todo los del caniche miniatura, necesitan limpieza del sarro.

EJERCICIO Y ALIMENTACIÓN

Los caniches adoran el agua y les encanta salir a pasear, pero no son exigentes con el ejercicio. También es cierto que serán más felices y estarán más sanos si se les brinda oportunidades frecuentes para correr y jugar sin correa. El caniche mediano conserva sus instintos preladores, tiene mucha resistencia y necesita más actividad que las variedades más pequeñas. Para prevenir el meteorismo, hay que darle dos o tres comidas frugales al día en vez de una copiosa, y se evitará el ejercicio después de las comidas.

PROBLEMAS DE SALUD

Esta raza longeva tiene, por otra parte, muchas enfermedades genéticas. Las cataratas y la atrofia progresiva de la retina pueden causar ceguera, mientras que las alergias y las afecciones cutáneas son corrientes. El caniche enano sufre diabetes, epilepsia y cardiopatías, y el caniche mediano padece displasia de cadera, cáncer y meteorismo.

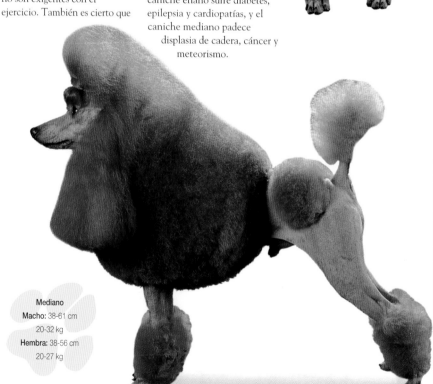

Mediano
Macho: 38-61 cm
20-32 kg
Hembra: 38-56 cm
20-27 kg

Terrier tibetano

Considerado un tesoro en su Tíbet nativo y un símbolo de la buena suerte, es más probable que mimes a tu pequeño terrier tibetano por su forma de ser y su alegría de vivir.

HISTORIA

Aunque todavía no se vea mucho en Occidente, el terrier tibetano fue poco conocido fuera del Tíbet hasta hace unos 70 años. No es un terrier real porque no caza a sus presas excavando sus madrigueras. En su tierra natal es un perro granjero utilizado en muchas labores.

DESCRIPCIÓN

Este animalito compacto es ligero y de pie firme: se sostendrá sobre los cuartos traseros y saltará muy alto para ver lo que hay en la mesa, sobre todo si huele comida. El manto es largo y fino, y le cae sobre la cara. Su color es blanco, dorado, crema, de distintos grises, plata, negro, particolor y tricolor. La cola tiene muchos flecos y la mantiene orgullosamente enroscada sobre la espalda.

TEMPERAMENTO

Estos simpáticos y dóciles animales son fáciles de adiestrar, muy despiertos y llenos de valor. Sin duda te avisarán si hay extraños cerca.

CUIDADOS

Hay que peinar su largo doble manto cada dos días con un peine de dientes de metal para mantenerlo sin enredos. Muda el entrepelo denso, fino y lanoso dos veces al año y necesita cuidados especiales en dichos períodos. Se le debe bañar o aplicar un champú seco según sea necesario. Hay

que cortar el pelo alrededor de los ojos con tijeras de punta roma y se examinarán las orejas con regularidad.

EJERCICIO Y ALIMENTACIÓN

Las sesiones de juego y los paseos habituales mantendrán a este perro bullicioso en forma y feliz. No necesita una alimentación especial, pero, si se le permite, se mostrará melindroso con la comida.

PROBLEMAS DE SALUD

El terrier tibetano suele ser bastante robusto, aunque padece algunas enfermedades oculares genéticas y problemas ocasionales del tiroides.

LA MASCOTA Y SUS DATOS

 Cariñoso, despierto y juguetón

 Peinar con regularidad

 Habitual y suave

 Ideal para vivir en un piso

Buen perro guardián

ADVERTENCIA

- Son perros muy activos y necesitan jugar con regularidad.
- Son buenos saltadores, así que prepara el jardín a prueba de fugas.

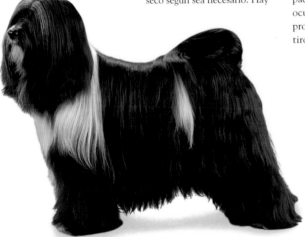

Macho: 36-41 cm
8-14 kg
Hembra: 33-38 cm
7-11 kg

Perro de barcaza holandés

Perro de guarda por naturaleza, el perro de barcaza holandés es uno de los favoritos en su Holanda natal, a pesar de que no se considera un pura raza. Es un perro longevo y desarrolla un profundo afecto por sus dueños.

LA MASCOTA Y SUS DATOS

 Dócil, inteligente y fiel

 Cepillar a diario

 Frecuente y moderado

 Ideal para vivir en un piso, pero necesita mucho ejercicio

 Su natural es ser un perro guardián

ADVERTENCIA

• Es difícil localizar las garrapatas en su denso entrepelo.

HISTORIA

Utilizado en su origen como perro guardián en las gabarras de Holanda, a este perro se le llamó también «holandés sonriente» por su sonrisa perpetua propia de su buen natural. Es un miembro de los spitz y despliega la típica cola enroscada.

DESCRIPCIÓN

El perro de barcaza holandés es un animal fornido y compacto con el manto inferior de color crema o gris pálido y un manto externo lujoso de color gris con las puntas negras y bien apartado del cuerpo. Las manchas son muy definidas y muestra evidentes manchas pálidas o «anteojos» alrededor de los ojos.

TEMPERAMENTO

Fiable, adaptable, de pocos cuidados y leal a su familia, el perro de barcaza holandés es un guardián por naturaleza y fácil de adiestrar para otras tareas.

CUIDADOS

Los cuidados no son tan prolijos como se podría esperar, pero es importante el cepillado diario con un cepillo de púas rígidas. Hay que cepillar primero a favor del sentido del pelo, luego hay que levantar el pelo con un peine, a contrapelo, y dejar que vuelva a su sitio. Se debe bañar o aplicar un champú seco sólo cuando sea necesario. Muda el denso entrepelo dos veces al año, en primavera y otoño.

EJERCICIO Y ALIMENTACIÓN

Estos perros se adaptan en seguida a cualquier régimen de ejercicio, sea exigente o relajado, pero se mantendrá en buena forma con alguna actividad habitual. No se debe usar un collar de ahorque porque estropearía su espléndida gola. No necesitan una alimentación especial, pero hay que tener cuidado de no sobrealimentarlos porque engordan con facilidad.

PROBLEMAS DE SALUD

Por lo general robusto, el perro de barcaza holandés sufre diabetes, defectos cardíacos y enfermedades oculares genéticas.

Macho: 43-48 cm
25-29 kg
Hembra: 41-46 cm
23-27 kg

Shiba Inu

Debido a su tamaño y personalidad vivaz y extrovertida, el shiba inu es la mascota más popular en su Japón natal, y está adquiriendo popularidad en todo el mundo.

HISTORIA

El shiba inu es el más pequeño de los perros spitz japoneses y se crió originalmente para levantar aves y caza menor en las zonas de monte bajo y maleza. El nombre shiba probablemente procede de una palabra japonesa para monte bajo, o tal vez derive de un antiguo vocablo que significa pequeño (inu significa perro).

DESCRIPCIÓN

El shiba se parece mucho a una versión más pequeña del akita (ver p. 364). Ágil y bien proporcionado, tiene un cuerpo poderoso y una postura alerta. Su doble manto suele ser rojo, fondo café o gris con puntas negras, o negro y fuego, con esfumaciones pálidas en las piernas, vientre, pecho, cara y cola.

TEMPERAMENTO

Vivaz y afable, el shiba es inteligente pero algo complicado de adiestrar. Es muy independiente y elige qué órdenes obedecer. Aunque muy sociable, puede mostrarse agresivo con perros desconocidos.

CUIDADOS

El manto áspero, rígido y corto es fácil de cuidar. Se debe cepillar con un cepillo de púas rígidas, y sólo se bañará cuando sea absolutamente necesario porque elimina el impermeable natural del manto.

EJERCICIO Y ALIMENTACIÓN

Es un perro muy activo que necesita mucho ejercicio. No necesita una alimentación especial.

PROBLEMAS DE SALUD

La raza es por lo general resistente y saludable, con pocas debilidades genéticas. Su manto impermeable y resistente lo protege del calor y el frío, por lo que puede vivir al aire libre si tienes un jardín seguro o de tamaño razonable. Sin embargo, se considera parte de la familia y no le gusta que lo dejen solo fuera.

LA MASCOTA Y SUS DATOS

 Activo, amistoso y leal

Cepillar con regularidad

Frecuente y moderado

Ideal para la vida urbana o en un piso, pero necesita mucho ejercicio

Es un buen perro guardián

ADVERTENCIA

- Necesita un adiestramiento firme y constante.
- Propenso a crear el caos en casa cuando es un cachorro, le gusta cavar y escala con facilidad.

Macho: 36-41 cm
9-14 kg
Hembra: 33-38 cm
8-13 kg

Chow Chow

Este perro atractivo y de aspecto poco corriente es menos exuberante que muchos de sus pares, pero no obstante es afectuoso y leal. Tiene un número creciente de admiradores en todo el mundo.

HISTORIA

Físicamente muy parecido a restos fosilizados de perros antiguos, el chow chow, tipo spitz, tuvo su origen en Siberia o Mongolia. Utilizado para la guarda de templos, más tarde se convirtió en el favorito para la caza de los emperadores chinos. Fue casi un desconocido en Occidente hasta hace unos 120 años.

DESCRIPCIÓN

Los dos rasgos más distintivos del chow chow son su lengua azulada o morada y sus patas traseras casi rectas que le confieren unos andares distinguidos. Su doble manto denso y peludo es profuso y de color negro, rojo, cervato, crema, azul o blanco, a veces con tonos más claros u oscuros, pero nunca particolor. Las orejas son pequeñas y redondeadas, y luce una gola espectacular detrás de la cabeza que le confiere un aspecto parecido al de un león.

TEMPERAMENTO

Aunque su adiestramiento plantee todo un desafío, el temperamental chow chow es muy buen perro guardián. Tiene fama por su ferocidad, probablemente inmerecida, pero es un luchador tenaz si es provocado.

CUIDADOS

El cepillado regular de su largo manto externo es importante para mantener su extraordinario aspecto. Se necesitan cuidados adicionales cuando esté mudando su denso entrepelo. Se aplicará un champú seco cuando sea necesario.

EJERCICIO Y ALIMENTACIÓN

El chow chow puede ser perezoso, pero se mantendrá en forma con ejercicio regular. No necesita una alimentación especial, pero no hay que sobrealimentarlo.

PROBLEMAS DE SALUD

Estos perros tienen problemas de displasia de cadera y codo, y son propensos a las enfermedades oculares genéticas.

LA MASCOTA Y SUS DATOS

 Reservado, independiente: perro de un solo amo

 Cepillar con regularidad

 Frecuente y moderado

 Se adapta bien a la vida urbana, pero necesita espacio

 Muy buen perro guardián

ADVERTENCIA

- Inadecuado para climas cálidos por su grueso y espeso manto.
- Hay que tener cuidado con los desconocidos.

Macho: 46-56 cm
23-29 kg
Hembra: 46-53 cm
20-27 kg

Shar Pei chino

Se cree que el shar pei tiene unos 2.000 años de antigüedad.
Su piel laxa y arrugada le confiere un aspecto preocupado
y una mirada triste.

HISTORIA

Esta antigua raza tuvo su origen en China, pero casi se extingue en el siglo XX. Resurgió el interés por estos perros en la década de 1960 y ahora son mascotas muy demandadas.

DESCRIPCIÓN

En esta raza hay ejemplares con muchas arrugas y cabeza grande, y otros con la piel más estirada. El manto rígido, corto y erizado es áspero al tacto y su color es negro, rojo, cervato, albaricoque y crema, a menudo con tonos más claros en el dorso de los cuartos traseros y la cola. Las pequeñas orejas caen hacia delante y la cola se curva sobre la espalda. Como el chow chow, estos perros tienen la lengua azulada o morada.

TEMPERAMENTO

Utilizado en tiempos como perro de pelea, el shar pei con sus buenas maneras sorprende por lo amistoso que es, de naturaleza indolente y un compañero encantador, aunque pueda mostrarse agresivo con otros perros. Necesita un adiestramiento firme pero con cariño, y es un buen perro guardián.

CUIDADOS

El cepillado regular con un cepillo de púas rígidas es suficiente para mantener su manto inusual en buen estado. Se aplicará un champú seco o se bañará cuando sea necesario y se vigilará que tenga ácaros.

EJERCICIO Y ALIMENTACIÓN

El shar pei chino necesita ejercicio regular, pero hay que llevarlo con correa en público. No necesita una alimentación especial.

LA MASCOTA Y SUS DATOS

 Amable, inteligente e independiente

 Cepillar con regularidad

 Frecuente y moderado

 Se adapta bien a la vida urbana, pero necesita mucho espacio

 Es un buen perro guardián

 ADVERTENCIA

- Su mantenimiento es costoso porque necesita mucha atención médica. Muchos tienen problemas cutáneos crónicos y necesitan cirugía ocular correctiva.

PROBLEMAS DE SALUD

Puede haber problemas de eversión de la parte libre del párpado, patología conocida como entropión que puede causar ceguera y normalmente requiere cirugía correctora. El shar pei chino también es propenso a los problemas cutáneos crónicos como alergias, infecciones y ácaros.

Macho: 46-51 cm
18-25 kg
Hembra: 46-51 cm
18-25 kg

Dálmata

Exuberante y amante de la diversión, el dálmata es una elección excelente para todo el que tenga tiempo para hacer ejercicio y adiestrarlo. Aunque llame la atención y mucha gente gire la cabeza al pasar para verlo, es mucho más que un mero accesorio de moda.

bien definidas de color negro o hígado. Los pies son redondos con los dedos arqueados; las uñas son blancas o del mismo color que las manchas.

HISTORIA

El origen del hermoso dálmata es oscuro, pero en la Europa del siglo XIX, y en particular en Gran Bretaña, su principal labor fue correr junto a los carruajes tirados por caballos. Quizá fuese para proteger a los viajeros o simplemente por pura apariencia. También mantenía los establos libres de ratas.

DESCRIPCIÓN

El dálmata, ejemplo de elegancia, tiene un tamaño medio con las líneas limpias y esbeltas del perdiguero, con el cual tal vez tenga parentesco. Es un perro fornido y tiene un manto denso, duro y corto de blanco puro salpicado al azar con manchas muy

TEMPERAMENTO

Animosos y juguetones, estos perros adoran a los niños y se les puede confiar su custodia. Son bastante sensibles, por lo que el adiestramiento requiere paciencia y una mano firme pero amable. Les gusta pasar tiempo con sus dueños.

CUIDADOS

El manto corto, liso y lustroso es fácil de cuidar. Se debe peinar y cepillar con un cepillo de púas rígidas, y se bañará solo cuando sea necesario.

EJERCICIO Y ALIMENTACIÓN

El dálmata no es el perro ideal para vivir en un piso a menos que pueda salir a dar un paseo a buen ritmo o a correr varias

LA MASCOTA Y SUS DATOS

 Dócil, sensible y activo

 Cepillar a diario

 Regular y vigoroso

 Se adapta bien a la vida urbana, pero necesita mucho espacio

 Buen perro guardián

ADVERTENCIA
- Los cachorros recién nacidos no presentan manchas; las manchas aparecen en el primer año de vida.
- Asegúrate de que se compruebe que el cachorro oye bien antes de comprarlo.

veces al día. Necesita mucho ejercicio vigoroso. No necesita una alimentación especial.

PROBLEMAS DE SALUD

Los dálmatas tienen problemas con las alergias cutáneas y los cálculos de vejiga. También son propensos a sufrir sordera.

Macho: 48-58 cm
23-29 kg
Hembra: 48-58 cm
20-27 kg

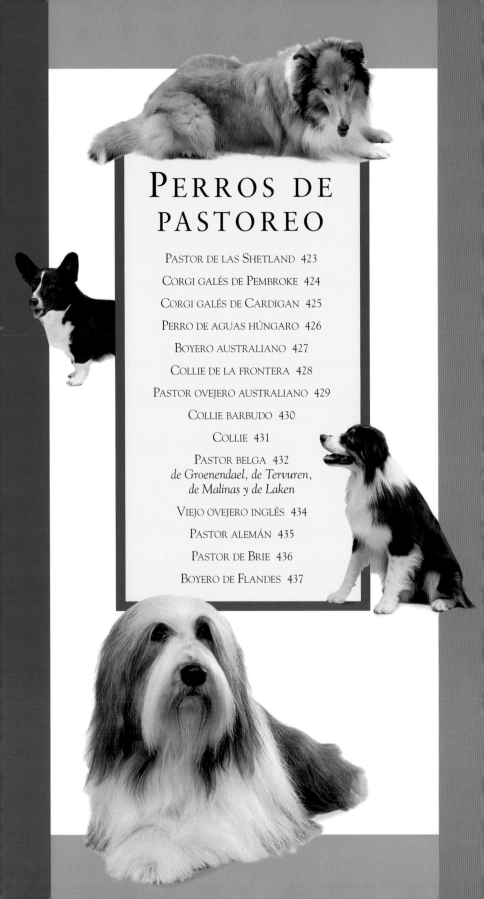

PERROS DE PASTOREO

Pastor de las Shetland

Este perro atesora belleza e inteligencia por igual. Intuitivo y deseoso de cumplir los deseos de su amo, es una mascota familiar encantadora de la cual uno se encariña.

HISTORIA

Este hermoso perro parece una versión en pequeño del collie (ver p. 431), pero se ha criado durante siglos en las islas Shetland donde trabajó como pastor de ovejas. Otros animales de las Shetland, en especial los ponis y las ovejas, también son pequeños.

DESCRIPCIÓN

Fuerte, ágil y de constitución ligera, el pastor de las Shetland es un corredor rápido y salta bien. Los colores más habituales de su largo manto son fondo café o gris con puntas negras, mirlo azul y tricolor, pero también se da en negro con blanco o fuego.

TEMPERAMENTO

Despierto y muy inteligente, al sensible pastor de las Shetland le gusta sentirse parte de la familia. Es fácil de adiestrar, pero puede mostrarse tímido con desconocidos.

CUIDADOS

El manto es más fácil de cuidar de lo que podría parecer, aunque el cepillado habitual es importante. Empaña ligeramente el manto con agua antes de empezar el aseo y deshaz los enredos para que no empeoren, pero usa poco el peine. El denso manto

interior muda el pelo dos veces al año, en primavera y otoño. Del manto se desprende rápidamente la suciedad y el barro, y son muy melindrosos con su limpieza. Se debe bañar o aplicar champú seco sólo cuando sea absolutamente necesario.

EJERCICIO Y ALIMENTACIÓN

Este perro grácil y activo necesita mucho ejercicio, preferiblemente correr en libertad. No necesita una alimentación especial.

PROBLEMAS DE SALUD

Aunque por lo general sea una raza sana, algunos ejemplares padecen cataratas y atrofia progresiva de la retina, así como enfermedades hepáticas y cutáneas. Hay que comprobar que los perros de color mirlo azul no tengan signos de sordera.

LA MASCOTA Y SUS DATOS

 Obediente, leal e inteligente

 Cepillar con regularidad

 Frecuente y moderado

 Ideal para vivir en pisos, pero necesita mucho ejercicio

 Es un buen perro guardián

⚠ ADVERTENCIA

- El ladrido excesivo puede ser un problema con esta raza.
- Es sensible a algunos preventivos contra la *Dirofilaria immitis*.

Macho: 33-38 cm
6-8 kg

Hembra: 30-36 cm
5-7 kg

Corgi galés de Pembroke

Desde hace mucho tiempo relacionado con la realeza, sobre todo con la monarquía británica, el corgi galés de Pembroke es una mascota popular y ampliamente reconocida. Su tamaño y su naturaleza afectuosa por sí solos lo hacen una opción recomendable.

HISTORIA

El corgi galés de Pembroke y el corgi galés de Cardigan sólo se consideran dos razas diferentes desde hace unos 70 años. Los orígenes de ambos son objeto de conjeturas, pero se cree que el corgi de Pembroke llegó a Gales procedente de Bélgica traído por tejedores hace unos 1.000 años. Fue muy apreciado por sus labores de pastoreo con ovejas y ganado por el monte escarpado.

DESCRIPCIÓN

El cuerpecito largo y poderoso se apoya en unas patas cortas de huesos fuertes. El manto es de color rojo, fondo café o gris con puntas negras, cervato, fuego y negro, todos con o sin manchas blancas. La diferencia más apreciable con el corgi de Cardigan es la cola. La del corgi de Pembroke es más corta o se amputa muy cerca del cuerpo.

TEMPERAMENTO

Este perro adora a los niños, pero, como su forma de movilizar al rebaño de ovejas o ganado es morderles los talones, también tiene tendencia a morder a la gente. Este rasgo se debe suprimir con firmeza desde cachorro. Se muestra cauto con desconocidos y es muy buen perro guardián.

CUIDADOS

El manto suave, impermeable y de longitud media es fácil de cuidar. Se debe peinar y cepillar con un cepillo de púas rígidas y sólo se bañará cuando sea necesario. El manto muda el pelo dos veces al año.

EJERCICIO Y ALIMENTACIÓN

Por naturaleza un perro muy activo, hay que animarlo a que siga siéndolo. No necesita una alimentación especial, pero no hay que sobrealimentarlo o se volverá obeso y perezoso.

LA MASCOTA Y SUS DATOS

 Afectuoso, leal e independiente

 Cepillar con regularidad

 Regular y suave

 Ideal para vivir en un piso, aunque necesita mucho ejercicio

Muy buen perro guardián

ADVERTENCIA

- Muda mucho pelo dos veces al año y también pierde pelo todo el año.

PROBLEMAS DE SALUD

Esta raza es razonablemente sana, aunque sus patas cortas y larga espalda lo vuelven propenso a las luxaciones discales de la columna. También puede tener problemas de epilepsia y enfermedades oculares hereditarias como cataratas y atrofia progresiva de la retina.

Macho: 25-30 cm
11-14 kg
Hembra: 25-30 cm
11-13 kg

Corgi galés de Cardigan

Aunque no haya alcanzado la popularidad del corgi de Pembroke, el corgi de Cardigan es uno de los favoritos en Gales y es el que predomina en muchas comunidades rurales.

LA MASCOTA Y SUS DATOS

- Obediente, despierto e inteligente
- Cepillar con regularidad
- Frecuente y suave
- Ideal para vivir en pisos, pero necesita mucho ejercicio
- Muy buen perro guardián

ADVERTENCIA

- Estos perros pueden sufrir problemas de columna.

blanco puro. Un poco más largo de cuerpo que el corgi de Pembroke, el corgi de Cardigan también se diferencia porque su cola es larga y gruesa y sus orejas son más grandes y están más separadas.

HISTORIA

El corgi galés de Cardigan tal vez llegara a Gales procedente de Escandinavia, pero, sean cuales fueren sus orígenes, se ha convertido en un compañero indispensable para el pastoreo en el áspero terreno montañoso del país. Este perro muerde los talones de las grandes bestias y se retira con rapidez para evitar sus coces vengativas.

DESCRIPCIÓN

Este robusto y valiente animalito se mueve con gran rapidez sobre sus patas cortas pero poderosas. Su rostro es zorruno y el manto es de cualquier color, excepto

TEMPERAMENTO

Inteligente y fácil de adiestrar, el corgi de Cardigan es muy trabajador y obediente. Como el corgi de Pembroke, se les debe enseñar con firmeza a no morder. Debido a esta tendencia, no son adecuados para hogares con niños. Cautos con desconocidos, son muy buenos perros guardianes.

CUIDADOS

Su manto impermeable, rizado y de longitud media es fácil de cuidar. Se debe cepillar y peinar con un cepillo de púas rígidas, y se bañará sólo cuando sea necesario. El manto muda el pelo dos veces al año.

EJERCICIO Y ALIMENTACIÓN

Más activo si cabe que el corgi de Pembroke, el corgi de Cardigan debe hacer ejercicio

con regularidad. No necesita una alimentación especial, pero no hay que sobrealimentarlo o se volverá obeso y perezoso.

PROBLEMAS DE SALUD

Por lo general una raza resistente, comparte con el corgi de Pembroke la susceptibilidad a los problemas de columna y algunos trastornos oculares hereditarios.

Macho: 25-33 cm
11-14 kg
Hembra: 25-33 cm
11-14 kg

Perro de aguas húngaro (puli)

Las «trenzas» que tanto se prodigan en el manto de este perro son una adaptación especial para proteger al animal del frío intenso. Cuando el manto del puli es maduro, su aspecto es sorprendente.

LA MASCOTA Y SUS DATOS

 Feliz, juguetón e inteligente

 Cepillado persistente

 Frecuente y moderado

Se adapta bien a la vida urbana, pero necesita mucho espacio

Buen perro guardián

ADVERTENCIA

- Su manto es pesado. Si se empapa de agua, puede hundir al perro en aguas abiertas.

también puede ser blanco, gris o albaricoque. Los andares son rápidos y a saltitos. La cola tiene longitud media y se enrosca sobre la espalda.

TEMPERAMENTO

El perro de aguas húngaro es una criatura ágil e inteligente que responde bien al adiestramiento; se emplea con éxito como perro policía en Hungría y es un estupendo compañero.

CUIDADOS

El manto no muda el pelo y a menudo se deja en su estado natural: se limita uno a separar las cuerdas con los dedos de vez en cuando. Se puede bañar cuando sea necesario, pero sin tocar las cuerdas en lo posible. Hay que limpiar con frecuencia las orejas y los ojos. Algunos dueños prefieren esquilar al perro y no dejar que se formen cuerdas.

HISTORIA

Este perro fabuloso está disfrutando en la actualidad de una popularidad en Hungría que no tuvo en el pasado, donde se apreciaba por ser un ovejero y un perro de guarda excelente. Antes de esto, pudo haber vivido en Asia Central. Como otros pocos perros de pastoreo, salta sobre la espalda de las ovejas para conducirlas donde quiere.

DESCRIPCIÓN

El puli o perro de aguas húngaro, con su manto afelpado de longitud media, es uno de los perros más inusuales del mundo. Su doble manto largo, denso e impermeable cae formando cuerdas que terminan llegando al suelo y ocultan sus patas por completo. El pelaje suele ser negro, a menudo rojizo o con matices grises, aunque

EJERCICIO Y ALIMENTACIÓN

Los puli son perros activos y vivaces que disfrutan con mucha actividad regular, aunque hay que tener cuidado los días de calor. No necesitan una alimentación especial.

PROBLEMAS DE SALUD

Estos perros son muy resistentes, aunque pueden sufrir displasia de cadera y problemas oculares. No son adecuados para climas cálidos.

Macho: 41-46 cm
11-16 kg
Hembra: 36-41 cm
9-14 kg

Boyero australiano

El boyero australiano revela en su acervo genético las mejores características de sus variados ancestros. Si necesitas un perro de trabajo, éste es tan bueno como el mejor.

LA MASCOTA Y SUS DATOS

 Diligente, valiente y leal

 Mínimo

 Regular y vigoroso

 Se adapta bien a la vida urbana, pero necesita mucho ejercicio

 Excelente perro guardián

 ADVERTENCIA
- Hay que examinar a los cachorros por si hubiera signos de sordera antes de comprar uno.

DESCRIPCIÓN

Diferente a otros perros ideales para mimarlos, este perro duro y de tamaño medio fue criado para duras tareas. El manto es de dos colores: con motas azules, con manchas negras o fuego, o con motas rojas, con manchas rojizas oscuras.

HISTORIA

Un potente cóctel de sangres corre por las venas del boyero australiano: collie mirlo azul, dálmata, viejo ovejero inglés, kelpie australiano, el poco conocido pastor de Smithfield y el nativo dingo. El resultado es un perro de trabajo con pocos que lo igualen, presto, voluntarioso y capaz de conducir el ganado durante largas distancias con calor, polvo y penalidades. Su instinto de guarda y pastoreo es muy fuerte y puede proyectarse sobre personas y otras mascotas.

TEMPERAMENTO

El boyero australiano es de una lealtad absoluta y obediente a su dueño, pero es un perro para un solo amo. Tal vez se sienta compelido a mostrar su dominancia sobre otros perros.

CUIDADOS

El manto áspero, corto e impermeable necesita pocos cuidados y es muy fácil de mantener lustroso. Sólo hay que peinar y cepillar con un cepillo de púas rígidas, y se bañará únicamente cuando sea necesario.

EJERCICIO Y ALIMENTACIÓN

Estos animales tienen una resistencia increíble y disfrutarán de todas las actividades que puedas procurarles. El ejercicio tiene una importancia primordial, porque si les falta se aburren y despliegan conductas destructivas. No necesitan una alimentación especial.

PROBLEMAS DE SALUD

Si bien el boyero australiano es muy resistente, puede sufrir sordera hereditaria y problemas oculares ocasionales como atrofia progresiva de la retina.

Macho: 43-51 cm
15-16 kg
Hembra: 43-48 cm
14-16 kg

Collie de la frontera

Agudo, voluntarioso y capaz describen al collie de la frontera dormido a tus pies. Tal vez creas que has conseguido cansarlo, pero mueve un músculo y al instante se mostrará alerta y listo para aprender un truco nuevo.

HISTORIA

Criado para el pastoreo de ovejas en la escabrosa frontera escocesa, la velocidad y resistencia física del collie de la frontera lo convierten en un trabajador extraordinario y ahora goza de popularidad en todo el mundo.

DESCRIPCIÓN

Estos perritos atléticos tienen un cuerpo bien proporcionado, esbelto y fornido. Su manto doble de longitud media es sobre todo de color negro y blanco, a veces tricolor con fuego, y también mirlo azul con manchas blancas. A menudo luce abundantes flecos en las patas, la parte inferior del cuerpo y la cola, y una gola detrás de la cabeza. Es famoso por la forma en que hipnotiza a las ovejas con los ojos.

TEMPERAMENTO

Muy inteligente y presto a complacerte, el collie de la frontera aprende rápido el adiestramiento de obediencia, aunque, si es demasiado severo, puede volverse sumiso. Es una mascota estupenda, sobre todo en hogares con niños revoltosos, pero puede ser brusco y celoso con otros perros.

CUIDADOS

Al peinarlo y cepillarlo con regularidad, el manto estará siempre brillante, precisando cuidados especiales cuando esté mudando el entrepelo denso y suave. Se debe bañar o aplicar champú seco sólo cuando sea necesario. Se examinarán con frecuencia las orejas y el manto por si tuviera garrapatas.

EJERCICIO Y ALIMENTACIÓN

Rápido y ágil, estos perritos vivaces despliegan una energía inagotable y les encanta jugar y el trabajo duro. Es una delicia verlos persiguiendo una pelota o conduciendo a las ovejas extraviadas de vuelta al redil. También les encanta nadar. No necesitan una alimentación especial, pero no hay que dejar que ganen peso ni se vuelvan perezosos.

PROBLEMAS DE SALUD

Aunque por lo general sea una raza resistente, sufre algunos problemas articulares y enfermedades oculares genéticas como atrofia progresiva de la retina.

LA MASCOTA Y SUS DATOS

 Inteligente, cooperativo y alegre

 Cepillar con regularidad

 Regular y vigoroso

Se adapta bien a la vida urbana, pero necesita mucho espacio

 Buen perro guardián

 ADVERTENCIA

- Estos perros deben hacer suficiente ejercicio; el aburrimiento deriva en malos hábitos.
- Son sensibles a algunos preventivos contra la *Dirofilaria immitis*.

Macho: 48-56 cm
14-20 kg
Hembra: 46-53 cm
12-19 kg

Pastor ovejero australiano

Muy apreciado en las granjas por ser un perro de trabajo excelente mucho antes de que se le reconociera como una raza, el pastor ovejero australiano todavía no es muy conocido fuera de este ámbito.

HISTORIA

A pesar de su nombre, este perro no es australiano, sino que tuvo su origen en Estados Unidos para trabajar de perro de pastoreo en los ranchos. Es posible que su nombre derive de uno de los antepasados del perro. Lo más probable es que los ancestros principales de la raza sean perros españoles que acompañaran a los pastores vascos y a los rebaños de ovejas merinas que se exportaron a Norte América y Australia en los primeros años de estas colonias. En algún momento probablemente se cruzaron con collies. Sólo muy recientemente han conseguido reconocimiento como una raza propia.

DESCRIPCIÓN

De tamaño medio, el ovejero australiano tiene un cuerpo fornido y esbelto, y un manto áspero de longitud media, con muchos flecos en las orejas, el pecho, la parte inferior del cuerpo y la parte superior de las patas. Presenta una espesa gola en el pecho y el cuello. El color del manto y su librea llama la atención por su variedad. La cola es muy corta o está ausente, pero cuando está presente, se suele amputar.

TEMPERAMENTO

Muy inteligente, fácil de adiestrar, obediente y de respuesta presta, este perro parece saber exactamente lo que se espera de él.

CUIDADOS

El manto es muy fácil de mantener y necesita muy poca atención. Se debe cepillar

ocasionalmente con un cepillo de púas rígidas, y se bañará sólo cuando sea necesario.

EJERCICIO Y ALIMENTACIÓN

Este activo perro de trabajo necesita mucho ejercicio vigoroso para mantenerse en buena forma, o mejor aun, alguna labor de verdad que pueda desempeñar. No necesita una alimentación especial.

PROBLEMAS DE SALUD

El pastor ovejero australiano es un perro sano y resistente, aunque puede sufrir displasia de cadera y problemas oculares.

LA MASCOTA Y SUS DATOS

Avispado, obediente y leal

Mínimo

Frecuente y vigoroso

Se adapta a la vida urbana, pero necesita mucho espacio y ejercicio

Buen perro guardián

ADVERTENCIA

• Es sensible a algunos preventivos contra la *Dirofilaria immitis*.

Macho: 48-58 cm
18-32 kg
Hembra: 46-56 cm
16-29 kg

Collie barbudo

El amistoso y apacible collie barbudo es una atractiva mascota familiar, aunque, como precisa mucho ejercicio y atenciones y es bastante longevo, sus dueños potenciales deben pensarse bien si adquieren este compromiso.

HISTORIA

Perro pastor la mayor parte de su historia, sobre todo en Escocia, este perro se llamó antaño collie de las Tierras Altas. Se cree que se crió a partir del ovejero polaco de Tierras Bajas, que llegó a Escocia hace unos 500 años.

DESCRIPCIÓN

Bien proporcionado y compacto, el collie barbudo se parece un poco al pequeño viejo ovejero inglés con la cola amputada. Tiene el hocico más corto que otros collie. El doble manto largo y áspero puede ser de todos los tonos de gris, pizarra, negro, rojo, castaño y cervato, con o sin manchas blancas. Presenta una barba larga y sedosa y abundantes flecos.

TEMPERAMENTO

Inteligente, bien dispuesto a obedecer y valiente, el collie barbudo es un trabajador esforzado con muchísima resistencia y energía. Le encantan los niños, pero, debido a su tamaño e instinto de pastoreo, puede asustar a los niños pequeños.

CUIDADOS

El cepillado diario de su largo y peludo manto es importante, y se debe humedecer el pelaje con un poco de agua antes de empezar. Hay que deshacer los enredos antes de que vayan a peor y dispensarle más cuidados cuando esté mudando. Emplea poco el peine. Si lo prefieres, se puede esquilar el manto a cargo de un profesional cada dos meses más o menos. Se debe bañar o aplicar un champú seco sólo cuando sea necesario. Es difícil localizar garrapatas en su grueso entrepelo, por lo que hay que examinarlo con regularidad.

LA MASCOTA Y SUS DATOS

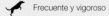

Activo, despierto y juguetón

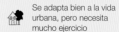

Hay que cepillar a diario

Frecuente y vigoroso

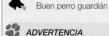

Se adapta bien a la vida urbana, pero necesita mucho ejercicio

Buen perro guardián

ADVERTENCIA

- Si no se le enseña desde pequeño, el collie barbudo tiende a ladrar mucho.

EJERCICIO Y ALIMENTACIÓN

Es un perro muy activo que necesita mucho ejercicio, preferiblemente que corra suelto. No necesita una alimentación especial.

PROBLEMAS DE SALUD

El collie barbudo es una raza resistente con pocas debilidades genéticas, aunque hay casos ocasionales de displasia de cadera y defectos oculares. Algunos perros reaccionan mal a ciertos preventivos de la *Dirofilaria immitis*, por lo que hay que consultar con el veterinario antes de administrarle la medicación.

Macho: 53-56 cm
20-25 kg
Hembra: 51-53 cm
18-23 kg

Collie

Reconocible al instante por generaciones de niños que crecieron viendo la serie de televisión "Lassie", el collie es una de las razas más populares del mundo.

HISTORIA

El collie se empleó en las Tierras Bajas escocesas para el pastoreo de ovejas. Su nombre deriva del término usado para la oveja negra de raza local, colley. Hay dos tipos, idénticos si exceptuamos la longitud de su manto: el collie de pelo largo es la variedad más popular y se suele llamar simplemente collie. Su magnífico pelaje le proporciona protección contra el frío.

DESCRIPCIÓN

Grande y fuerte, el collie suele lucir las típicas manchas blancas en el cuello, pecho, pies y punta de la cola. Los colores principales de su largo manto doble son fondo café o gris con puntas negras, tricolor y mirlo azul. La cabeza es larga y ahusada, y la expresión facial es dulce e inteligente.

TEMPERAMENTO

Muy sociable y dependiente de la compañía humana, el collie puede mostrarse esquivo con desconocidos. Su vida se orienta hacia la familia y es bueno con los niños. Inteligente y fácil de adiestrar, es un buen perro guardián, aunque puede ser un ladrador terrible.

CUIDADOS

En su pelaje rígido y espectacular la suciedad se desprende en seguida; un cepillado a conciencia una vez por semana lo mantendrá en buen estado. Hay que cortar cualquier enredo y se bañará o aplicará champú seco según sea necesario.

EJERCICIO Y ALIMENTACIÓN

El collie necesita mucho ejercicio, preferiblemente sin correa. No necesita una alimentación especial, pero hay que alentarlo a comer alimentos duros para mantener los dientes limpios.

PROBLEMAS DE SALUD

El collie puede padecer epilepsia, displasia de cadera, infecciones cutáneas y problemas oculares como atrofia progresiva de la retina, así como una enfermedad llamada anomalía del ojo del collie (AOC). Es sensible a algunos preventivos de la *Dirofilaria immitis*.

LA MASCOTA Y SUS DATOS

 Independiente, afable y activo

 Cepillar con regularidad

 Frecuente y moderado

 Se adapta bien a la vida urbana, pero necesita mucho ejercicio

 Buen perro guardián

 ADVERTENCIA
- Puede ser sensible a algunos preventivos de la *Dirofilaria immitis*. Hay que consultar al veterinario.

Macho: 61-66 cm
27-34 kg
Hembra: 56-61 cm
23-29 kg

Pastor belga

La viva imagen de la fuerza y la gracia, el pastor belga luce varias libreas, si bien debajo de su belleza superficial hay un animal muy leal, adaptable y trabajador.

LA MASCOTA Y SUS DATOS

 Obediente, voluntarioso e inteligente

 Cepillar con regularidad el manto de las variedades de pelo corto, con más prodigalidad en las de pelo largo

 Frecuente y vigoroso

 Se adapta bien a la vida urbana, pero necesita mucho ejercicio

 Muy buen perro guardián

ADVERTENCIA
• Un adiestramiento exhaustivo es esencial.

HISTORIA

Los perros empleados en Bélgica para la guarda y pastoreo de las ovejas están todos emparentados, aunque en los últimos tiempos haya evolucionado en un tipo básico con cuatro variedades distintas diferenciadas por el aspecto. Son el pastor belga de Groenendael, de Laken, de Malinas y de Tervuren. En Estados Unidos el poco corriente pastor belga de Laken todavía no ha sido reconocido oficialmente y las otras tres variedades se clasifican como razas distintas. El popular pastor de Groenendael es el que conocemos sencillamente como pastor belga.

DESCRIPCIÓN

Parecido al pastor alemán, con la cabeza bien modelada y el hocico largo, cada variedad se distingue por su manto. El pastor belga tiene un manto largo, abundante, lustroso y de color negro, a veces con pequeñas manchas blancas. El pastor de Tervuren también tiene el pelo largo, pero su color es cervato, gris y caoba, así como cualquier tono intermedio. El pelo tiene las puntas negras, y la máscara facial y las puntas de las orejas también son negras. Ambos perros lucen una gola generosa alrededor del cuello, más grande en el macho. El pastor de Malinas es de color cervato a caoba con las mismas puntas negras y áreas sombreadas que el pastor de Tervuren, aunque con el pelo más corto. En torno al cuello el pelo se espesa y forma una gola espesa. El pastor

Macho: 61-66 cm
29-34 kg
Hembra: 56-61 cm
27-32 kg

de Laken tiene una librea similar a la del pastor de Malinas, pero el pelo corto es áspero y rizado.

TEMPERAMENTO

En esencia perros de trabajo, los pastores belgas se adiestran con facilidad, son muy fiables y obedientes. Su adiestramiento siempre debe ser paciente, firme y constante; si te muestras duro o despótico se negará a obedecer. Son excelentes perros de guarda y policía, y estas labores son en la actualidad su principal ocupación. Sin embargo, también son excelentes mascotas, siempre alerta, despiertas y leales, y les encanta gozar de compañía.

CUIDADOS

El manto de pelo corto y liso del pastor de Malinas es fácil de mantener. Se tiene que cepillar con regularidad con un cepillo de púas rígidas y bañar sólo cuando sea absolutamente necesario, porque el baño elimina la impermeabilidad del manto. Los cuidados del manto más largo del pastor belga y del pastor de Tervuren son más exigentes. Su manto externo,

liso y áspero, es pesado y de longitud media: el entrepelo es muy denso. Peinar y cepillar el pelo a diario es importante, prestando especial atención cuando muden el pelo. Hay que cortar los enredos que se

formen, en especial en la gola y las patas, y cortar el pelo entre los dedos y en la parte externa de las orejas. El manto áspero y rizado del pastor de Laken necesita sólo algún cepillado ocasional con un cepillo de púas rígidas. Debe tener un aspecto afelpado pero nunca rizado. De nuevo recomendamos no bañar.

EJERCICIO Y ALIMENTACIÓN

Recuerda que son perros de trabajo, aptos para una vida activa al aire libre. Como tales, necesitan mucho ejercicio, preferiblemente sin correa en la medida de lo posible. No necesitan una alimentación especial, pero no hay que sobrealimentarlos, porque todas las variedades tienden al sobrepeso y a mostrarse perezosas.

PROBLEMAS DE SALUD

Estos perros resistentes y saludables son animales con pocas enfermedades genéticas, aunque algunos padecen displasia de cadera y problemas oculares.

Viejo ovejero inglés

Si tu paciencia es inagotable y tienes mucho tiempo para prodigar cuidados y que haga ejercicio el viejo ovejero inglés, tu recompensa será el amor y la fidelidad de este compañero encantador.

HISTORIA

Habitualmente llamado bobtail en Gran Bretaña, el viejo ovejero inglés se crió para el pastoreo de ganado y ovejas en el suroeste de Inglaterra.

DESCRIPCIÓN

Este perro grande, resistente, grueso y fornido tiene un ladrido grave, potente y sonoro. El manto melenudo y sin rizos puede ser gris, entrecano, azul o mirlo azul, con o sin manchas blancas. Cuando al perro no se le amputa la cola, la lleva pegada al cuerpo.

TEMPERAMENTO

Estos perros juguetones e inteligentes aprenden con rapidez, si bien el adiestramiento se debe iniciar mientras el animal todavía tiene un tamaño manejable.

CUIDADOS

El manto de pelo largo y áspero necesita cuidados constantes para mantenerlo en una condición óptima. A menos que se peine y cepille en profundidad al menos tres veces por semana para llegar a su denso entrepelo impermeable, el perro puede contraer problemas cutáneos o sufrir la plaga de parásitos. Hay que cortar con cuidado cualquier enredo para no dañar la piel. Una mesa para tal fin facilitará esta labor. Y si lo prefieres, un peluquero profesional puede esquilarlo cada dos meses más o menos. En tiempos a estos perros se los esquilaba junto con las ovejas. Hay que cortar el pelo alrededor de los ojos y el trasero con unas tijeras de punta roma.

EJERCICIO Y ALIMENTACIÓN

Estos perros se criaron para trabajar duro y les encanta correr. No necesitan una alimentación especial.

PROBLEMAS DE SALUD

Debido a su espeso manto, esta raza no es adecuada para climas cálidos. Como muchos perros pesados, padecen displasia de cadera. También son susceptibles a enfermedades oculares genéticas.

Macho: 56-61 cm
desde 29 kg
Hembra: 51 cm
desde 27 kg

Pastor alemán

Parece como si el increíblemente versátil pastor alemán se pudiera adiestrar para desarrollar cualquier labor. Admirado en todo el mundo por su inteligencia y excelencia como perro guardián, parece encantarle llevar una vida de servicio.

HISTORIA

También llamado pastor alsaciano, el pastor alemán se crió en principio como perro de pastoreo. En la actualidad sus tareas comprenden labores policíacas, de rescate, rastreo y militares. También son devotos compañeros y perros de guarda.

DESCRIPCIÓN

Hermoso, bien proporcionado y muy fuerte, se tiene que adiestrar con firmeza en obediencia desde bien temprano. El manto suele ser negro con fuego, fondo café o gris con puntas negras o todo negro, pero también se dan otros colores. La trufa siempre es negra.

TEMPERAMENTO

Estos perros parecen estar siempre vigilantes y constantemente activos. Son a la vez temidos y amados, y con razón. Tienden a ser reservados y te tienes que ganar su amistad, pero, una vez ganada, su lealtad es incuestionable.

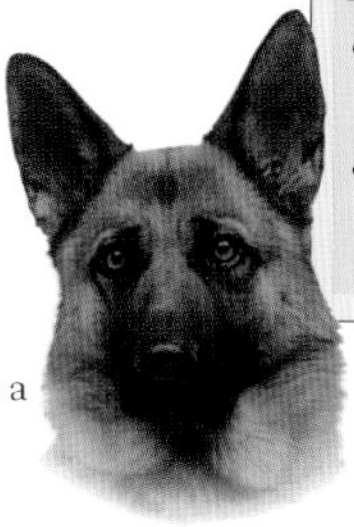

CUIDADOS

Peinar y cepillar a diario el manto espeso y áspero es importante, con cuidados especiales cuado esté mudando su denso entrepelo. En tales circunstancias el pelo lanoso muerto queda colgando del pelo nuevo y se tiene que eliminar con una cardina concebida para esa tarea. Se tiene que bañar o aplicar un champú seco sólo cuando sea necesario.

LA MASCOTA Y SUS DATOS

- Valiente, leal e inteligente
- Cepillar a diario
- Frecuente y vigoroso
- Se adapta bien a la vida urbana, pero necesita mucho espacio
- Excelente perro guardián

ADVERTENCIA

- Estos perros requieren un amo adulto firme y coherente.
- Esta raza padece muchas enfermedades genéticas.

EJERCICIO Y ALIMENTACIÓN

El pastor alemán disfruta con actividades agotadoras, preferiblemente combinadas con algún tipo de adiestramiento. Debe tomar dos o tres comidas frugales al día en vez de una y copiosa.

PROBLEMAS DE SALUD

Esta raza padece muchos problemas de salud como afecciones cutáneas, displasia de cadera y codo, meteorismo, enfermedades oculares genéticas, epilepsia y defectos cardíacos.

Macho: 61-66 cm
34-43 kg
Hembra: 56-61 cm
32-41 kg

Pastor de Brie

El pastor de Brie, un gigante dócil, es cada vez más conocido y apreciado fuera de su Francia natal, donde está muy bien considerado por ser un perro de trabajo excelente y una mascota fiel.

TEMPERAMENTO

Su larga relación laboral con el ser humano ha vuelto al pastor de Brie en un perro dócil y dulce. Es inteligente y fácil de adiestrar, siendo una magnífica mascota familiar y un muy buen perro guardián.

HISTORIA

El linaje del pastor de Brie se remonta más de 1.000 años, aunque el perro actual es más elegante que sus antepasados. En su Francia natal lleva mucho tiempo ejerciendo de perro de pastoreo y en la I Guerra Mundial los soldados quedaron impresionados por sus habilidades como mensajero y por la fuerza con la que tiraba de los carros con suministros. Su primera aparición en Estados Unidos fue a finales del siglo XVIII.

DESCRIPCIÓN

Un animal grande y fornido, el pastor de Brie tiene unos andares armoniosos casi como si no hiciera ningún esfuerzo. El manto largo y melenudo es de colores uniformes, sobre todo negro y cervato, cuanto más oscuro mejor. Las patas traseras presentan dobles espolones.

CUIDADOS

Si el perro vive al aire libre, el manto (que no muda el pelo) se cuida en gran medida solo. Si el perro pasa mucho tiempo dentro de casa, tal vez quieras cepillar el largo manto con regularidad y bañarlo o aplicar un champú seco según sea necesario.

EJERCICIO Y ALIMENTACIÓN

Estos perros de trabajo requieren mucho ejercicio vigoroso. No necesitan una alimentación especial.

PROBLEMAS DE SALUD

Esta raza suele ser sana, aunque se dan casos de displasia de cadera, cataratas y atrofia progresiva de la retina.

Macho: 58-69 cm
32-36 kg
Hembra: 53-63 cm
29-34 kg

Boyero de Flandes

Todo sobre el boyero de Flandes habla de seriedad: desde su cuerpo competente hasta su forma de ser tranquila y formal. Hoy en día sus labores se desarrollan en la policía y como perro guía para ciegos.

HISTORIA

El boyero de Flandes tuvo su origen en las regiones dedicadas al pastoreo en la frontera francobelga, donde se utilizaba de perro pastor y guarda. Durante la I Guerra Mundial se empleó de mensajero y perro de ambulancia.

DESCRIPCIÓN

Antes que nada y por encima de todo un perro de trabajo, el boyero de Flandes es poderoso y de cuerpo corto. El doble manto áspero, largo y melenudo es de color negro, gris, atigrado, entrecano y cervato, a veces con una mancha blanca en el pecho. Una barba y bigote espesos adornan la cara. La cola se suele amputar.

TEMPERAMENTO

Adaptable y apacible, el boyero de Flandes se ocupa de sus labores en silencio y en calma. Es fácil de adiestrar y es un perro guardián excelente.

CUIDADOS

Si el perro se mantiene al aire libre, el manto seco y áspero parece cuidar de sí mismo, deshaciéndose de la suciedad y el agua con facilidad. Si el animal vive dentro de la casa, tal vez quieras cepillar el largo manto con regularidad y se debe bañar o aplicar un champú seco cuando es necesario. Esto ciertamente mejorará su aspecto y, tanto el perro como el dueño, disfrutarán del contacto. Se debe cortar el pelo en ocasiones, si es necesario.

EJERCICIO Y ALIMENTACIÓN

Enérgico y activo, el boyero de Flandes necesita mucho ejercicio. No necesita una alimentación especial.

LA MASCOTA Y SUS DATOS

 Estable, leal y obediente

Cepillar con regularidad

Frecuente y moderado

 Se adapta bien a la vida urbana, pero necesita mucho ejercicio

 Excelente perro guardián

ADVERTENCIA
• Estos perros se pueden mostrar desconfiados con los desconocidos.

PROBLEMAS DE SALUD

Estos perros son resistentes, aunque se emplean en condiciones duras, pocas veces enferman; sin embargo, algunos perros padecen displasia de cadera y problemas oculares como cataratas.

Macho: 58-71 cm
34-41 kg
Hembra: 56-69 cm
27-36 kg

Todo perro debe tener su día.

Jonathan Swift (1667–1745),
Escritor satírico inglés

Índice alfabético y glosario

ÍNDICE ALFABÉTICO y GLOSARIO